TASCABILI BOMPIANI 211

Dello stesso autore presso Bompiani

COME MIGLIORARE IL PROPRIO STATO MENTALE, FISICO, FINAZIARIO
SOLDI. DOMINA IL GIOCO

ANTHONY ROBBINS
COME OTTENERE IL MEGLIO DA SÈ E DAGLI ALTRI

Traduzione di Francesco Saba Sardi

I GRANDI TASCABILI
BOMPIANI

ISBN 978-88-452-4611-1

Titolo originale
UNLIMITED POWER

Traduzione di
Francesco Saba Sardi

www.giunti.it
www.bompiani.it

Via Bolognese 165 - 50139 Firenze - Italia
Piazza Virgilio 4 - 20124 Milano - Italia

Prima edizione italiana a marchio Bompiani: 1987
Prima edizione Giunti Editore S.p.A.: aprile 2017
Quinta edizione Giunti Editore S.p.A.: novembre 2018

Bompiani è un marchio di proprietà di Giunti Editore S.p.A.

PREFAZIONE

Quando Tony Robbins mi ha chiesto di scrivere la prefazione a questo suo libro ne sono stato molto lieto per tutta una serie di ragioni. In primo luogo perché ritengo Tony un giovane che ha dell'incredibile. Il nostro primo incontro ha avuto luogo nel gennaio 1985, a Palm Springs dove mi trovavo per partecipare a un torneo di golf, il Bob Hope Desert Classic Pro-Am Tournament. Avevo appena concluso un'ora felice di chiacchiere al Ranch Las Palmas Marriott, dove tutti facevano a chi le sparava più grosse. Mentre andavo a cena con un australiano mio amico, Keith Punch, passai davanti a un cartellone che annunciava un Seminario di Pirobazia di Tony Robbins. LIBERATE IL POTERE DENTRO DI VOI, vi si leggeva. Avevo sentito parlare di Tony e la mia curiosità ne fu pungolata. Siccome Keith e io avevamo già bevuto un bicchiere e non volevamo correre rischi, decidemmo che sui carboni accesi non potevamo camminare, ma che valeva comunque la pena di assistere al seminario.

Durante le successive quattro ore e mezzo ho visto Tony ipnotizzare una vasta folla composta di uomini d'affari, casalinghe, medici, avvocati e simili. E dicendo "ipnotizzare" non mi riferisco certo a una qualche magia nera. Semplicemente, Tony teneva desta l'attenzione di tutti con il suo carisma, il suo fascino, la sua profonda conoscenza del comportamento umano, ed è stato il più esaltante e divertente seminario al quale ho assistito in vent'anni di partecipazione attiva a corsi di specializzazione per manager. Alla fine tutti, salvo noi due, hanno percorso un letto lungo cinque metri di carboni accesi che avevano continuato ad ardere tutta la sera. E tutti senza riportarne il minimo danno. Davvero uno spettacolo e un'esperienza esaltante per ciascuno dei presenti.

Tony si serve della pirobazia come di una metafora. Non insegna capacità mistiche, ma piuttosto un insieme di strumenti pratici tali da rendere l'individuo capace di iniziative concrete nonostante eventuali paure; e la capacità di fare tutto ciò che occorre per avere successo è un potere quanto mai concreto. Sicché, il primo motivo per cui sono felice di scrivere questa prefazione va ricercato nell'enorme rispetto e ammirazione che nutro per Tony Robbins.

Il secondo motivo è che questo libro di Tony rivelerà a chiunque la profondità e l'estensione del proprio pensiero. Tony è qualcosa di più di un oratore capace di muovere gli altri. A soli venticinque anni, è uno dei maggiori esperti di psicologia della motivazione e della realizzazione, e ritengo che questo libro possa diventare il testo definitivo del movimento per l'attuazione delle potenzialità umane. Le idee di Tony in fatto di salute, stress, formulazione di obiettivi, visualizzazione e simili, costituiscono quanto di più decisivo e imprescindibile esista per chiunque abbia di mira l'umana eccellenza.

La mia speranza è che il lettore ricavi da questo libro tutto quello che ne ho ricavato io stesso. È più lungo di *The One Minute Manager*, il libro di cui sono coautore, ma spero che il lettore tenga duro e arrivi fino in fondo, in modo da potersi servire delle idee di Tony per liberare la magia che ha dentro di sé.

KENNETH BLANCHARD

INTRODUZIONE

Durante tutta la mia vita, ho avuto difficoltà a parlare in pubblico, anche quando mi sono trovato a recitare nei film. Immediatamente prima di entrare in scena mi sentivo male fisicamente, e alla luce di questo mio invincibile panico da palcoscenico è facile immaginare la gioia che ho provato quando ho sentito dire che Anthony Robbins, l'uomo che trasforma la paura in potere, poteva guarirmene.

Per quanto euforico fossi quando ho accettato l'invito a incontrarmi con Tony Robbins, non potevo fare a meno di essere dubbioso. Avevo sentito parlare di NLP e degli altri metodi di cui Tony è un acclamato esperto, ma a conti fatti avevo già trascorso innumerevoli ore e speso migliaia di dollari cercando l'aiuto di specialisti.

Mi avevano detto che, siccome la mia paura era andata crescendo nel corso degli anni, non potevo aspettarmi una rapida cura, e mi avevano fissato sedute settimanali per occuparsi all'infinito del mio problema.

Quando ho conosciuto Tony sono rimasto sbalordito: ben di rado mi è capitato di vedere qualcuno più alto di lui. Doveva essere oltre i due metri e pesare più di cento chili. Così giovane e così piacevole. Ci siamo messi a sedere, e quando ha cominciato a farmi le prime domande mi sono sentito nervosissimo.

Poi mi ha chiesto che cosa volevo e in che senso intendevo cambiare. Sembrava che la mia fobia si fosse levata in difesa di se stessa per impedire quel che stava accadendo. Ma il tono della voce di Tony era così tranquillizzante che ho cominciato a prestare orecchio a quel che diceva.

Innanzitutto ho rivissuto la sensazione di panico di cui ero preda al momento di accingermi a parlare in pubblico, e d'un tratto mi sono trovato a sostituire quei sentimenti con altri, nuovi, fatti di forza e fiducia in me stesso. Tony mi ha fatto riandare mentalmente a una mia precedente esperienza: ero su un palcoscenico e stavo tenendo un discorso accolto favorevolmente dal pubblico. Mentre lo ripetevo mentalmente, Tony mi ha fornito "ancore", cioè strumenti ai quali posso fare appello per rafforzare il mio sangue freddo e la fiducia in me stesso mentre parlo. Il lettore avrà modo di leggerne in questo libro.

Durante il colloquio, per circa tre quarti d'ora sono rimasto ad ascoltare Tony a occhi chiusi. Di tanto in tanto Tony mi toccava le ginocchia e le mani, fornendomi così ancore "fisiche". Al termine del colloquio mi sono alzato in piedi, e mai prima d'allora mi ero sentito così rilassato, calmo, in pace con me stesso. Nessuna sensazione di debolezza, e avevo finalmente la certezza di portare a termine con successo il mio show alla televisione del Lussemburgo di fronte a un pubblico potenziale di quattrocentocinquanta milioni di telespettatori.

Se i metodi di Tony avranno su altri la stessa efficacia che hanno avuto su di me, è certo che persone in ogni parte del mondo ne trarranno beneficio. Prendiamo l'esempio di persone costrette a letto, la mente rivolta alla morte; i medici hanno detto loro che hanno un cancro e ne sono rimaste sconvolte. Ora, se la mia fobia, che è durata una vita intera, ha potuto essere eliminata nel giro di un'ora, vuol dire che i metodi di Tony possono essere messi a disposizione di chiunque sia affetto da mali d'ogni genere, emozionali, mentali o fisici che siano. Anche costoro possono essere liberati dalle loro paure, stress e ansie, e ritengo che sia della massima importanza cominciare a farlo subito. Perché si dovrebbe aver paura dell'acqua, soffrire di vertigini, essere in preda al panico quando si deve parlare in pubblico, temere serpenti, capi, fallimenti o morte?

Ormai io sono un uomo libero, e questo libro offre le stesse possibilità a chiunque. Sono certo che *Come ottenere il meglio da sé e dagli altri* sarà un best seller perché va ben al di là della semplice eliminazione delle paure e insegna a capire cos'è che promuove tutte le forme di comportamento umano. Chi lo leggerà sarà in grado di esercitare il completo dominio della propria mente e del proprio corpo, e dunque della propria vita.

JASON WINTERS

Dedicato al massimo potere dentro di voi,
il vostro potere di amare,
e a tutti coloro che vi aiutano a condividerne la magia.

E soprattutto, per quanto mi riguarda,
a Jairek, Joshua, Jolie, Tyler, Becky e Mom.

SUCCESSO

Ridere spesso e di gusto; ottenere il rispetto di persone intelligenti e l'affetto dei bambini; prestare orecchio alle lodi di critici sinceri e sopportare i tradimenti di falsi amici; apprezzare la bellezza; scorgere negli altri gli aspetti positivi; lasciare il mondo un pochino migliore, si tratti di un bambino guarito, di un'aiuola o del riscatto da una condizione sociale; sapere che anche una sola esistenza è stata più lieta per il fatto che tu sei esistito. Ecco, questo è avere successo.

RALPH WALDO EMERSON

PARTE PRIMA
PLASMARE L'UMANA ECCELLENZA

1
LA MERCE DEI RE

La grande meta della vita non è la conoscenza bensì l'azione.

THOMAS HENRY HUXLEY

Ne avevo udito parlare per molti mesi. Dicevano che era giovane, ricco, sano, felice e che aveva successo. Ho voluto vederlo personalmente. L'ho osservato attentamente mentre usciva dallo studio televisivo e per qualche settimana ho continuato a seguire le sue trasmissioni durante le quali dava consigli a tutti, dal presidente di una giuria a un maniaco. L'ho visto dibattere con dietisti e funzionari delle ferrovie, l'ho visto all'opera con atleti e bambini ritardati. Mi sembrava assolutamente felice, innamoratissimo della moglie con la quale viaggiava per gli Stati Uniti e per il mondo. E quando avevano finito i loro giri, tornavano in aereo a San Diego per trascorrere qualche giorno con i familiari, nella loro grande dimora sulle rive del Pacifico.

Come si spiegava che quel ragazzo venticinquenne, che aveva fatto solo studi secondari, avesse realizzato tanto in un periodo così breve? In fin dei conti, solo tre anni prima viveva in un appartamentino da scapolo di neanche quaranta metri quadri, lavando i piatti nella vasca da bagno. Com'era riuscito a trasformarsi, da individuo terribilmente infelice, con dodici chili di peso in eccesso, che solo faticosamente riusciva a istituire rapporti con gli altri e aveva prospettive limitatissime, in una persona sicura di sé, sana, rispettata, capace di ottimi rapporti con gli altri, e con illimitate potenzialità di successo?

Sembrava incredibile, ma la cosa che soprattutto mi sbalordiva era il fatto che quel tale ero io! La "sua" vicenda era la mia.

Non voglio certo dire che la mia vita sia incentrata esclusivamente sul successo. Com'è ovvio, tutti noi abbiamo aspirazioni e idee diverse in merito a ciò che vogliamo fare per la nostra esistenza; ed è evidente che le nostre conoscenze, conquiste e ricchezze non costituiscono la vera misura del successo personale. Per me questo è un processo in divenire, l'aspirazione a diventare più di quel che si è, la possibilità di continuare a crescere dal punto di vista emozionale, sociale, fisiologico, intellettuale e finanziario, in pari tempo dando concretamente una mano agli altri. La strada che porta al successo è sempre in costruzione; è un progredire ininterrotto, non un fine da raggiungere.

Il succo di quel che voglio dire è semplicissimo. Applicando i principi esposti in questo libro, sono stato in grado di cambiare non solo il mio atteggiamento verso me stesso ma anche i risultati che ottenevo, e di farlo in maniera cospicua e misurabile. Scopo di questo libro è di condividere con il lettore quello che mi ha permesso di cambiare la mia vita in meglio, e nutro la sincera speranza che le tecniche, le strategie, le esperienze e le filosofie illustrate in queste pagine possano conferire anche a voi nuove capacità. Il potere di trasformare magicamente le nostre esistenze per farle coincidere con i nostri massimi sogni è alla portata di tutti noi. Ed è ora di esercitarlo!

Se considero la rapidità con cui sono riuscito a trasformare i miei sogni nel mio modo di vivere attuale, non posso fare a meno di provare un sentimento di enorme gratitudine e meraviglia. Eppure non sono il solo ad averlo fatto. Viviamo in un'epoca in cui molti sono in grado di realizzare imprese meravigliose quasi dal giorno alla notte, di toccare vertici di successo un tempo inimmaginabili. Prendete per esempio Steve Jobs. Era un ragazzo in blue jeans e senza un soldo in tasca, gli è venuta l'idea di costruire un home computer e ha creato un'azienda di enorme successo più rapidamente di chiunque altro nella storia. Guardate Ted Turner: ha creato un impero partendo da un mezzo di comunicazione praticamente inesistente, la televisione via cavo. Oppure personaggi dell'industria dello spettacolo come Steven Spielberg o Bruce Springsteen, o uomini d'affari come Lee Iacocca o Ross Perot. Che cos'hanno costoro in comune, al di là di uno stupefacente, prodigioso successo? La risposta, come è ovvio, è: potere.

Potere è una parola gravida di emozioni. Per alcuni ha una connotazione negativa, c'è chi lo brama mentre altri se ne sentono contaminati come se si trattasse di qualcosa di corrotto e sospetto. E per voi cos'è esattamente il potere?

Io non intendo il potere come conquista o come qualcosa da imporre: questo è un tipo di potere che raramente dura a lungo.

D'altro canto, bisogna arrendersi all'evidenza: il potere in questo mondo è una costante. O voi realizzate le vostre idee o qualcun altro lo farà al vostro posto. Fate quel che volete fare, oppure dovrete adeguarvi ai programmi che altri elaborano per voi. A mio giudizio, il vero potere consiste nella capacità di ottenere i risultati che si vogliono, in pari tempo valorizzando gli altri. Il potere è la capacità di cambiare la propria vita, di concretizzare le proprie intuizioni, di fare in modo che le cose operino a vostro beneficio, non a vostro svantaggio. Il vero potere è condiviso, non imposto. Consiste nella capacità di definire i bisogni umani e nel soddisfarli, sia i propri che quelli delle persone care; consiste nella capacità di governare il proprio personale reame, i propri processi mentali, il proprio comportamento, allo scopo di ottenere esattamente i risultati desiderati.

Nel corso della storia, la capacità di governare le nostre esistenze ha assunto molte forme diverse e contraddittorie. In tempi antichissimi il potere era un semplice frutto della fisiologia: il più forte e il più veloce aveva il potere di governare la propria esistenza e quella di quanti lo circondavano. Con lo sviluppo della civiltà il potere è diventato ereditario. Il re, circondato dai simboli del proprio dominio, governava secondo la sua insindacabile autorità; altri potevano procurarsi potere consociandosi con lui. Poi, agli esordi dell'era industriale, il potere è diventato tutt'uno col capitale, nel senso che coloro che avevano accesso al capitale dominavano il processo produttivo. Tutti aspetti, questi, che continuano ad avere un loro ruolo. Meglio disporre di un capitale che non averlo; meglio essere dotati di forza fisica che mancarne. Oggi, però, una delle più cospicue fonti di potere consiste nel sapere specializzato.

Moltissimi ormai sanno che viviamo nell'era dell'informazione. La nostra non è più una cultura primariamente industriale, bensì una cultura della comunicazione; nella nostra epoca, nuove idee, movimenti e concetti trasformano il mondo quasi quotidianamente, che si tratti di cose profonde come la fisica dei quanti oppure di faccende terra terra come gli hamburger meglio commercializzati. Se c'è qualcosa che caratterizza il mondo moderno, è il massiccio, quasi inimmaginabile flusso di informazioni – e quindi di cambiamento. Da libri e pellicole cinematografiche, da videotape e microcircuiti, queste nuove informazioni escono come una tempesta di dati che si vedono, sentono, odono. Nella nostra società, coloro che sono in possesso delle informazioni e dei mezzi per comunicarle hanno ciò che un tempo possedevano i re: potere illimitato. Per dirla con John Kenneth Galbraith: "È stato il denaro ad alimentare la società industriale. Ma nella società dell'informatica, il combustibile, la forza motrice, è dato dalla conoscenza. Abbiamo sott'occhio una nuova struttura di classe: da un lato coloro che sono in possesso delle informazioni, e dall'altro quanti sono costretti ad agire in stato di ignoranza. E la nuova classe il suo potere non lo deriva dal denaro né dalla terra, bensì dalla conoscenza."

L'aspetto interessante è che oggi la chiave del potere è a disposizione di tutti noi. In epoca medievale, chi non era re e voleva diventarlo si trovava alle prese con enormi difficoltà. All'alba della rivoluzione industriale, per chi non disponeva di un capitale le prospettive di riuscire ad accumularlo apparivano limitatissime. Oggi, invece, un qualsiasi ragazzo in blue jeans può creare un'azienda capace di trasformare il mondo. Nell'età moderna, l'informazione è la merce dei re; coloro che hanno accesso a certe forme di sapere specialistico sono in grado di trasformare se stessi e, sotto molti aspetti, tutto il nostro mondo.

Dunque le forme di sapere specialistico che sono necessarie per trasformare la qualità delle nostre esistenze sono a disposizione di chiunque: le si trova in ogni libreria, in ogni negozio di apparecchiature video, in ogni biblioteca; si possono ricavare da conferenze, seminari, corsi. E tutti noi vogliamo il successo: l'elenco dei best seller è pieno di ricette per emergere e imporsi. Allora, se le informazioni ci sono, come si spiega che alcune persone riescono a ottenere risultati incredibili, mentre altri sbarcano appena il lunario? Perché non tutti siamo dotati di potere, felici, ricchi, sani, coronati dal successo?

Il fatto è che persino nell'era dell'informatica l'informazione non basta. Se tutto ciò di cui abbiamo bisogno fossero idee e un modo di pensare concreto, da ragazzi tutti avremmo potuto soddisfare i nostri capricci e attualmente tutti saremmo in grado di vivere il nostro sogno. L'azione, ecco il minimo comun denominatore di ogni grande successo; l'azione è ciò che produce risultati. Il sapere è potere potenziale finché non capita nelle mani di qualcuno che sa agire con efficacia. In fin dei conti, il termine "potere" significa, alla lettera, "facoltà di agire".

Spesso si ritiene che le persone abbiano successo grazie a qualche dote particolare; ma è un grave errore. Un più attento esame ci rivela che la dote massima di cui dispongono gli individui di successo consiste nella loro capacità di decidersi all'azione; e si tratta di una "dote" che ciascuno di noi può sviluppare in se stesso. In fin dei conti, altri possedevano le stesse nozioni di Steve Jobs; altri, e non solo Ted Turner, avrebbero potuto immaginare che la televisione via cavo aveva un enorme potenziale economico. Ma Turner e Jobs sono stati capaci di agire e, facendolo, hanno cambiato il modo con cui molti di noi sperimentano il mondo.

Quel che facciamo nel corso dell'esistenza è determinato dal nostro modo di comunicare. Nel mondo moderno, la qualità della vita è tutt'uno con la qualità delle comunicazioni. Da quel che pensiamo e diciamo di noi stessi, dal nostro modo di muoverci e di servirci della nostra muscolatura corporea e facciale, dipenderà fino a che punto saremo in grado di servirci di quel che sappiamo.

Tutti noi produciamo due forme di comunicazione che plasmano le nostre esperienze esistenziali. In primo luogo ci dedichiamo a comunicazioni interne, e sono le cose che immaginiamo, diciamo e sentiamo nel nostro intimo. In secondo luogo sperimentiamo comunicazioni esterne: parole, tonalità, espressioni facciali, portamenti corporei, azioni fisiche che servono a comunicare con il mondo. Ogni comunicazione è un'azione, una causa che produce effetti. E ha qualche conseguenza per noi e per gli altri.

Comunicazione è potere. Quelli che hanno imparato a servirsene in maniera efficace possono mutare la propria esperienza del mondo e l'esperienza che il mondo ha di loro. Non c'è comportamento e sentimento che non abbia le proprie originarie radici in una forma di comunicazione. Le persone che influiscono sui pensieri, i sentimenti e le azioni della maggior parte di noi sono quelle che sanno come servirsi di questo strumento di sapere. Ponete mente agli individui che hanno trasformato il nostro mondo, per esempio John F. Kennedy, Martin Luther King, Franklin Delano Roosevelt, Winston Churchill, il Mahatma Gandhi. E ponete mente, in termini molto più sinistri, a Hitler. Tutto ciò che questi uomini avevano in comune era di essere capaci di comunicare ad altri le loro visioni, si trattasse di viaggiare nello spazio o di dar vita a un Terzo Reich traboccante di odio, e di farlo con tale coerenza da riuscire a influenzare il modo di pensare e di agire delle masse. Grazie al loro potere di comunicazione, hanno cambiato il mondo.

A ben vedere, non è questo appunto che differenzia dagli altri uno Spielberg, uno Springsteen, uno Iacocca, una Jane Fonda o un Reagan? Forse che costoro non sono padroni dello strumento della comunicazione umana, ovvero dell'influenza esercitata sugli altri? La capacità che questi uomini e donne hanno di muovere le masse mediante la comunicazione è lo strumento di cui a nostra volta ci serviamo per muovere noi stessi.

Dal vostro livello di padronanza della comunicazione col mondo esterno dipenderà il livello del vostro successo con gli altri sul piano personale, emozionale, sociale e finanziario. Cosa più importante ancora, il livello di successo cui si perviene interiormente – la felicità, la gioia, l'estasi, l'amore, e quant'altro si desideri – è il diretto risultato del nostro modo di comunicare con noi stessi. Come ci sentiamo, non deriva da ciò che ci succede nella vita, bensì dalla nostra *interpretazione* di quel che accade. Le vite delle persone di successo ci hanno fornito più e più volte la riprova che la qualità della vita non è determinata da quel che ci accade, ma piuttosto da come ci atteggiamo nei confronti di ciò che ci accade. Sei tu che decidi come sentire e agire in base a come hai scelto di percepire la tua esistenza. Nessuna cosa ha un significato diverso da quello che noi le attribuiamo. La stragrande maggioranza della gente agisce come se questo processo di interpretazione fosse automatico, ma è un potere di cui possiamo riappropriarci, mutando immediatamente la nostra esperienza del mondo.

Questo libro riguarda i tipi di azione decisa, focalizzata e coerente che permettono di ottenere risultati stupefacenti. In effetti, se dovessi riassumere in due parole cosa tratta questo libro, direi: produrre risultati! Pensateci: non è forse questo ciò che più vi interessa? Può darsi che vogliate cambiare il vostro modo di sentire nei confronti di voi stessi e del mondo. Forse vi piacerebbe essere in grado di comunicare meglio, di creare rapporti più affettuosi, di imparare più rapidamente, di diventare più sani, di guadagnare più denaro. Tutto questo, e altro ancora, potrete farlo mediante l'uso efficace delle informazioni contenute in questo libro. Prima però di essere in grado di produrre nuovi risultati dovete rendervi conto che già producete risultati, e che può darsi semplicemente che non siano quelli che voi desiderate.

La maggior parte di noi considera i propri stati d'animo e i propri pensieri alla stregua di cose che sfuggono al nostro controllo. Ma la verità è che si può controllare la propria attività mentale e i propri comportamenti in misura tale che mai prima avete ritenuto possibile. Se siete depressi, vuol dire che avete creato e prodotto quella manifestazione che definite depressione. E se siete in preda all'estasi, anche questa l'avete creata voi.

È importante tener presente che emozioni come la depressione non vi "accadono": una depressione non la si "prende", la si crea mediante specifiche azioni mentali e fisiche. Per essere depressi, bisogna vedere la propria esistenza in certi modi specifici. Bisogna dirsi certe cose con il tono di voce appropriato, bisogna far proprio un atteggiamento somatico e un modo di respirare specifici. Per esempio, se desiderate essere depressi, un grande aiuto vi verrà dal camminare curvi e a testa bassa, o dal parlare con un tono di voce triste o dall'immaginare gli scenari peggiori. Se buttiamo all'aria la nostra biochimica mediante una dieta sbagliata, bevendo troppo alcool o drogandoci, aiutiamo l'organismo a raggiungere un basso tenore glicemico, così garantendoci in pratica la depressione.

Quel che voglio dire è semplicemente che per creare la depressione occorre un certo sforzo, anzi un duro lavoro che richiede azioni specifiche. Ci sono persone che hanno creato tanto spesso questa condizione da riuscire a produrla senza difficoltà; in effetti, molto spesso hanno collegato questa modalità di comunicazione interna a ogni genere di eventi esterni. Ci sono individui che ne ricavano vantaggi secondari tali – attenzione da parte degli altri, simpatia, amore e via dicendo – che di questo stile di comunicazione fanno la loro condizione esistenziale naturale. Altri hanno convissuto con la depressione tanto a lungo da sentircisi perfettamente a proprio agio; si sono cioè identificati con questa condizione. Tuttavia, noi possiamo cambiare le nostre azioni mentali e fisiche e così facendo mutare immediatamente le nostre emozioni e i nostri comportamenti.

Si può raggiungere uno stato di estasi facendo proprio il punto di vista che produce quell'emozione; ci si possono dipingere mentalmente le cose che creano questo sentimento, si può cambiare il tono o il contenuto del dialogo interno con se stessi, adottare gli atteggiamenti corporei e le modalità di respirazione specifici che creano quella condizione nel proprio organismo, e... *voilà!*: ci si trova a sperimentare l'estasi. Desiderate sentirvi compassionevoli? Non dovete far altro che cambiare le vostre azioni fisiche e mentali, adeguandole a quelle richieste dall'atteggiamento di compassione. Lo stesso vale per l'amore e per ogni altra emozione.

Il processo consistente nel produrre dati emozionali può essere capito se si considerano le proprie comunicazioni interne simili al lavoro di un regista cinematografico, che per raggiungere i risultati voluti manipola ciò che si vede e si sente. Se desidera spaventare lo spettatore, può alzare il volume del sonoro e produrre qualche effetto speciale proiettandolo sullo schermo al momento giusto. Se vuole commuovervi, non ha che da manipolare la colonna sonora, le luci e quant'altro appare sullo schermo, allo scopo di produrre quel particolare effetto. Un regista può ottenere dallo stesso evento una tragedia o una commedia: tutto dipende da ciò che decide di far apparire sullo schermo. Lo stesso si può fare con lo schermo della nostra mente. Si possono dirigere le proprie attività mentali, che costituiscono il supporto di ogni azione fisica, con la stessa abilità e potere. Si può aumentare la luce e alzare il volume sonoro dei messaggi positivi nel proprio cervello e attenuare le immagini e i suoni di quelli negativi. Il proprio cervello lo si può governare con la stessa abilità con cui Spielberg o Scorsese tengono in pugno il loro *set*.

Quel che segue potrà sembrare, in parte almeno, incredibile. Probabilmente non credete che ci sia un modo di guardare un individuo e conoscerne gli esatti pensieri oppure di fare immediatamente appello, a volontà, alle vostre più possenti risorse. Ma se cent'anni fa qualcuno avesse affermato che gli uomini sarebbero andati sulla luna, sarebbe stato considerato un pazzo; se qualcuno avesse detto che era possibile raggiungere l'America in sei ore, sarebbe stato preso per un patetico sognatore. Eppure, è bastata la padronanza di specifiche tecnologie per rendere possibili queste meraviglie. Anzi, oggi una compagnia aerospaziale sta lavorando a un veicolo che, a quanto si dice, tra dieci anni sarà in grado di compiere lo stesso tragitto in dieci minuti. Così, da questo libro apprenderete le "leggi" delle *Optimum Performance Technologies* (Tecnologie della Prestazione Ottimale) che metteranno a vostra disposizione risorse che mai avete pensato di possedere.

Per ogni sforzo disciplinato ci sono molteplici ricompense.
JIM ROHN

Coloro che hanno raggiunto l'eccellenza seguono una precisa strada che porta al successo, quella che io chiamo Formula Fondamentale del Successo. Il primo passo per farla propria consiste nel conoscere il risultato che si vuole ottenere, vale a dire nel definire esattamente ciò che si vuole. Il secondo passo consiste nell'agire, altrimenti i desideri resteranno sempre semplici sogni; e bisogna compiere quelle azioni che hanno la massima probabilità di produrre il risultato desiderato. Non sempre le azioni che compiamo producono i risultati cui tendiamo, per cui il terzo passo consiste nello sviluppare la capacità di riconoscere i tipi di risposte e i risultati che si ottengono dalle azioni e di costatare quanto prima possibile se ci portano più vicino ai nostri obiettivi o se ce ne allontanano. A questo punto, il quarto passo consiste nello sviluppare la flessibilità necessaria a cambiare il proprio comportamento finché non si ottenga quel che si vuole. Se si osservano persone di successo, si noterà che hanno fatto proprio appunto questo procedimento in quattro fasi. Hanno cominciato fissandosi un obiettivo, perché non se ne può raggiungere nessuno se non lo si ha. Poi hanno agito, perché sapere non è sufficiente; avevano la capacità di "leggere" gli altri, di sapere quali risposte avrebbero ottenuto. E hanno continuato a correggere, a cambiare il proprio comportamento fino a trovare quello adatto.

Prendiamo in considerazione Steven Spielberg, che a trentasei anni è divenuto il regista e produttore di maggior successo della storia. Gli si devono già quattro dei dieci film che hanno fatto più cassetta di tutti i tempi, tra cui *E. T.*, il film che ha incassato come nessun altro. Come ha fatto a giungere a questi risultati in così giovane età?

Fin da quando aveva dodici o tredici anni, Spielberg sapeva che voleva diventare un regista cinematografico, e la sua vita è cambiata il pomeriggio in cui, aveva allora diciassette anni, ha partecipato a una visita agli studios della Universal. Nella visita non erano compresi i teatri di posa dove si stava girando, per cui Spielberg, che sapeva quel che voleva, se l'è filata da solo per assistere alla lavorazione di un vero film. E ha finito per imbattersi nel responsabile del reparto montaggio della Universal, parlando con lui per un'ora, e il tecnico ha espresso interesse per il film che Spielberg avrebbe voluto fare.

Per gran parte degli individui sarebbe stata la fine della storia, ma Spielberg aveva imparato la lezione di quella prima visita, e ha cambiato approccio. Il giorno dopo si è vestito di tutto punto, ha preso la cartella di suo padre, ci ha messo dentro un panino e due tavolette di cioccolato, ed è tornato agli stabilimenti come se facesse parte del personale. Con l'aria più tranquilla del mondo è passato sotto il naso del guardiano ai cancelli. S'è procurato una vecchia roulotte e sulla portiera ha applicato la scritta "Steven Spielberg, regista". Ha quindi trascorso l'estate incontrando registi, scrittori e tecnici del montaggio, aggirandosi ai margini di un mondo al quale aspirava, imparando qualcosa da ogni conversazione, osservando e sviluppando una crescente sensibilità per i vari aspetti connessi alla lavorazione di un film.

Finalmente, all'età di vent'anni, ormai divenuto un frequentatore abituale dell'ambiente, ha portato alla Universal una modesta pellicola da lui girata, e si è sentito offrire un contratto di sette anni per dirigere una serie televisiva. Il sogno di Steven era divenuto realtà.

Spielberg ha fatto propria la Formula Fondamentale del Successo? Certamente. Era in possesso delle conoscenze specialistiche che gli permettevano di sapere quel che voleva. È entrato in azione. Aveva l'acutezza sensoria necessaria per capire quali risultati avrebbe ottenuto e rendersi conto se le sue azioni lo avvicinavano o lo allontanavano dall'obiettivo. E non gli mancava l'elasticità indispensabile per cambiare comportamento allo scopo di ottenere ciò che voleva. In pratica ogni persona di successo a me nota fa lo stesso; coloro che riescono a spuntarla sono pronti a cambiare e si mostrano flessibili al punto da riuscire a crearsi l'esistenza cui aspirano.

Prendiamo l'esempio di Barbara Black, preside della facoltà di giurisprudenza della Columbia University, che si era messa in testa appunto di diventare, un giorno, preside di facoltà. Giovane donna, si è inserita in un campo prevalentemente maschile e si è laureata a pieni voti alla Columbia. Poi ha deciso di accantonare l'obiettivo carriera e si è fatta una famiglia. Nove anni dopo era nuovamente pronta a perseguire il suo scopo iniziale e si è iscritta a Yale a un corso di specializzazione, sviluppando quelle capacità di insegnare, compiere ricerche e scrivere che le hanno permesso di accedere "alla mansione cui aveva sempre aspirato", e oggi è la preside di una delle più prestigiose facoltà di giurisprudenza degli Stati Uniti. È venuta meno alle consuetudini e ha dimostrato che il successo si poteva ottenere contemporaneamente a più livelli.

Barbara Black ha fatto propria la Formula Fondamentale del Successo? Evidentemente sì. Sapendo quel che voleva, ha compiuto un tentativo e ha continuato a cambiare quando si accorgeva che non funzionava, finché non ha trovato il giusto equilibrio fra l'obiettivo famiglia e quello della carriera. Oltre a essere alla testa di un'importante facoltà universitaria, Barbara Black è anche madre e donna di casa.

Ed eccovi un altro esempio. Avete mai mangiato un pezzo di Kentucky Fried Chicken (pollo fritto alla maniera del Kentucky)? Sapete come il colonnello Sanders ha costruito l'impero del pollo fritto che l'ha reso miliardario e ha cambiato le abitudini alimentari di un'intera nazione? Quando ha cominciato, era semplicemente un pensionato in possesso di una ricetta di pollo fritto, e nient'altro. Era il proprietario di un ristorantino che stava andando a rotoli perché era stato cambiato il percorso dell'autostrada lungo la quale sorgeva; e quando il colonnello si è trovato in tasca il primo assegno dell'assistenza sociale, ha deciso di vedere se riusciva a fare un po' di soldi vendendo la sua ricetta di pollo fritto. La sua prima idea fu di cederla a proprietari di ristoranti, facendosi dare una percentuale sugli introiti.

Non è detto però che questa sia l'idea migliore per cominciare un'attività economica; e infatti non lo fece salire all'empireo. Sanders se ne andava in giro per gli Stati Uniti, dormendo in auto, alla ricerca di qualcuno disposto a sostenerlo. Intanto continuava a cambiare idea e a bussare agli usci. Si è sentito dire "no" mille volte, e poi qualcosa, come per miracolo, è accaduta. Qualcuno ha detto "sì". Il colonnello si era messo in affari.

Quanti di voi possiedono una ricetta? E quanti di voi hanno la potenzialità fisica e il carisma di un vecchietto biancovestito? Il colonnello Sanders si è fatto una fortuna e ha costruito un impero perché aveva la capacità di intraprendere azioni energiche, decise. Aveva il potere personale necessario a produrre i risultati che più desiderava; e aveva la capacità di sentirsi dire di no mille volte, continuando a bussare ad altri usci ancora, pienamente convinto che ci doveva pur essere quello di qualcuno che gli avrebbe detto di sì.

Tutto in questo libro, in un modo o nell'altro, è inteso a fornire al vostro cervello i segnali più efficaci per mettervi in grado di intraprendere azioni coronate dal successo. Quasi ogni settimana tengo un seminario di quattro giorni intitolato "La rivoluzione mentale", durante il quale insegniamo ai partecipanti molte cose, da come governare con la massima efficacia il proprio cervello a come mangiare, respirare e compiere esercizi suscettibili di incrementare al massimo l'energia personale. La prima serata del seminario è intitolata "Dalla paura al potere". Scopo del seminario è di insegnare alla gente a intraprendere azioni invece di essere paralizzata dalla paura; e alla fine del corso i partecipanti hanno l'occasione di camminare sul fuoco, tre o quattro metri di carboni accesi, e ci sono partecipanti a corsi superiori che hanno percorso anche una dozzina di metri. La pirobazia ha affascinato i media, al punto da farmi temere che il vero messaggio vada perduto. Quello che conta non è camminare sul fuoco, e ritengo anzi che non sia giusto credere che si possano ricavare grandi benefici economici e sociali da una ben riuscita passeggiata su un letto di carboni accesi. Al contrario, la pirobazia è un'esperienza di potere personale e una metafora di possibilità, un'occasione che le persone hanno di ottenere risultati che prima ritenevano irraggiungibili.

Sono migliaia d'anni che in varie parti del mondo ci si dedica a differenti versioni di pirobazia. In qualche luogo è una prova di fede religiosa. Quando io ne organizzo una, essa non è l'elemento di un'esperienza religiosa nell'accezione comune. È però un'esperienza di fede, insegna cioè alle persone, nella maniera più viscerale, che possono cambiare, che possono crescere, che possono compiere cose che mai hanno ritenuto possibili, che le loro più grandi paure e limitazioni sono autoimposte.

L'unica differenza tra essere o non essere in grado di camminare sul fuoco consiste nella capacità di comunicare con se stessi in modo da indursi all'azione stabilendo, a dispetto di tutte le paure passate, quello che deve succedere. La lezione che se ne ricava è che gli individui possono fare in pratica ogni cosa, purché abbiano la capacità di credere che possono intraprendere azioni efficaci e di farlo davvero.

Tutto questo porta a una semplice, inevitabile costatazione: il successo non è frutto del caso. Vi sono coerenti, logici moduli d'azione, strade specifiche che portano all'eccellenza, strade che sono alla portata di tutti. Tutti possiamo liberare la magia dentro di noi; dobbiamo semplicemente imparare ad "accendere" e a servirci delle nostre menti e dei nostri corpi nei modi più potenti e vantaggiosi.

Vi siete mai chiesti che cosa possono avere in comune uno Spielberg e uno Springsteen? E che cosa avevano John F. Kennedy e Martin Luther King che ha permesso loro di influenzare tanti individui in maniera così emozionalmente profonda? Che cosa isola dalle masse un Ted Turner e una Tina Turner? E che dire di Peter Rose e di Ronald Reagan? Tutti costoro sono stati in grado di persuadersi a intraprendere azioni coerenti ed efficaci volte alla realizzazione dei loro sogni. Ma che cos'è che li induce a continuare, giorno dopo giorno, a impegnare ogni loro risorsa in quello che fanno? Com'è ovvio, molti sono i fattori che intervengono; io però ritengo che ci siano sette fondamentali tratti caratteriali che tutti gli individui in questione hanno coltivato in se stessi, sette caratteristiche che conferiscono loro la forza di compiere qualsiasi impresa li possa portare al successo. Ecco qui i sette fondamentali meccanismi di "avviamento" capaci di assicurare il successo anche a voi.

CARATTERISTICA NUMERO UNO: *Passione!* Tutte le persone di cui si è parlato hanno scoperto un motivo, uno scopo infiammante, esaltante, quasi ossessivo, che le spinge a fare, a crescere, a essere sempre di più. Esso fornisce loro il combustibile che muove il loro treno del successo, che li fa attingere al loro vero potenziale. È la passione che fa sì che Peter Rose si precipiti verso la seconda base, quasi fosse un novellino impegnato nella sua prima partita di Serie A. È la passione che rende diverse le azioni di un Lee Iacocca. È la passione che spinge gli scienziati informatici a dedicarsi per anni e anni a quelle conquiste che hanno permesso a uomini e donne di andare nello spazio e di tornare sulla terra. È la passione che spinge tante persone ad alzarsi di buon mattino e a vegliare fino a tardi. È la passione che la gente cerca nei rapporti con gli altri. La passione conferisce alla vita potenza, gusto e significato. Non c'è grandezza senza l'appassionato desiderio di essere grandi, si tratti dell'aspirazione di un atleta o di un artista, di uno scienziato, di un genitore o di un uomo d'affari. Nel capitolo 11 spiegheremo come si fa a liberare questa forza interiore mediante il potere degli obiettivi.

CARATTERISTICA NUMERO DUE: *Fede!* Non c'è al mondo testo religioso in cui non si parli del potere e dell'incidenza che la fede e la credenza hanno sull'umanità. Le persone che hanno grande successo differiscono notevolmente, quanto a credenze, da coloro che falliscono. Le nostre opinioni circa ciò che siamo e ciò che possiamo essere effettivamente determinano quel che saremo. Se crediamo alla magia condurremo una vita magica. Se crediamo che la nostra vita sia racchiusa in limiti ristretti, d'un tratto ci troveremo a conferire realtà a quei limiti. Ciò che crediamo vero, ciò che crediamo possibile, diviene quel che è vero e quel che è possibile. Questo libro vi fornirà il modo specifico, scientifico, di cambiare rapidamente le vostre credenze in modo che vi siano d'aiuto nella realizzazione degli obiettivi ai quali massimamente aspirate. Molte sono le persone appassionate ma, a causa delle credenze limitanti circa ciò che sono e ciò che possono fare, mai intraprendono quelle azioni che potrebbero trasformare i loro sogni in realtà. Gli individui che riescono sanno che cosa vogliono, e credono di poterlo ottenere. Impareremo cosa siano le credenze e come servircene nei capitoli 4 e 5.

Passione e fede contribuiscono a fornire il combustibile, la forza propulsiva per raggiungere l'eccellenza. Ma la forza propulsiva da sola non basta; altrimenti, sarebbe sufficiente accendere un razzo e spedirlo in volo cieco verso il cielo. Accanto alla potenza propulsiva abbiamo bisogno di un sentiero, di un'intelligente capacità di progressione logica, per riuscire a raggiungere la nostra meta.

CARATTERISTICA NUMERO TRE: *Strategia!* Per strategia si intende un modo di organizzare le risorse. Quando Steven Spielberg decise di farsi strada nel cinema, stabilì un itinerario suscettibile di condurlo a quel mondo che voleva conquistare. Calcolò quel che voleva imparare, le persone che doveva conoscere, quello che gli era necessario fare. Aveva la passione e aveva la fede, ma aveva anche la strategia necessaria a far funzionare questi elementi alla massima potenzialità. Ronald Reagan ha sviluppato certe strategie di comunicazione di cui si serve in maniera coerente per ottenere i risultati cui aspira. Ogni grande intrattenitore, politico, genitore o imprenditore sa che non basta avere certe risorse per ottenere il successo, ma che bisogna servirsene nella maniera più efficace. Una strategia è la consapevolezza che anche i talenti e le ambizioni migliori devono trovare la loro giusta strada. Un uscio lo si può spalancare abbattendolo oppure trovando la chiave che lo apre. Nei capitoli 7 e 8 descriveremo le strategie che producono eccellenza.

CARATTERISTICA NUMERO QUATTRO: *Chiarezza in fatto di valori!* Quando poniamo mente alle cose che hanno fatto grandi gli Stati Uniti, pensiamo a faccende come patriottismo e orgoglio, tolleranza e amore per la libertà. Sono i valori, sono i giudizi fondamentali, di ordine etico, sociale e pratico, che formuliamo circa ciò che davvero conta. I valori sono specifici sistemi di credenze relativi a quello che è bene o male per le nostre esistenze. Sono i giudizi che formuliamo in merito a quel che rende la vita degna di essere vissuta. Eppure siamo in molti a non avere un'idea chiara di ciò che per noi è importante. Spesso gli individui fanno cose che poi li rendono scontenti di se stessi, semplicemente perché manca loro la chiarezza necessaria a rendersi conto se ciò cui inconsciamente credono è un bene per loro e per gli altri. Se prendiamo in considerazione i grandi successi, costateremo che a ottenerli sono quasi sempre individui che hanno una visione chiara e precisa di ciò che davvero conta. Basti pensare a Ronald Reagan, a John F. Kennedy, a Martin Luther King, a John Wayne, a Jane Fonda: tutte persone che hanno visioni diverse della vita, ma che hanno in comune una fondamentale base etica che consiste nel sapere chi sono e perché fanno quel che fanno. Una comprensione dei valori rappresenta una delle chiavi più produttive e più stimolanti per il raggiungimento dell'eccellenza. Parleremo di questi valori nel capitolo 18.

Come probabilmente avrete notato, tutte queste caratteristiche si alimentano e interagiscono a vicenda. Le credenze influiscono sulla passione? Certamente. Quanto più fermamente crediamo di poter realizzare qualcosa, tanto più siamo di norma desiderosi di investire nel suo raggiungimento. La fede in sé e per sé è sufficiente per raggiungere l'eccellenza? È un buon punto di partenza, ma se uno vuole andare a vedere il sole che sorge, e la sua strategia per raggiungere tale obiettivo consiste nell'avviarsi verso ovest, probabilmente avrà qualche difficoltà a raggiungerlo. Le nostre strategie per il raggiungimento del successo sono influenzate dai nostri valori? Certo che sì. Se la strategia per il raggiungimento del successo richiede cose in contraddizione con le proprie inconsce credenze circa ciò che è bene o male nella nostra vita, neppure la migliore delle strategie funzionerà. E lo si constata spesso nel caso di individui che cominciano col farcela, ma finiscono poi col sabotare la propria riuscita. In questo caso, esiste un conflitto interiore tra i valori dell'individuo e la sua strategia di realizzazione.

CARATTERISTICA NUMERO CINQUE: *Energia!* L'energia può essere il travolgente, gioioso impegno di un Bruce Springsteen o di una Tina Turner; può essere il dinamismo imprenditoriale di un Donald Trump o di uno Steve Jobs; può essere la vitalità di un Ronald Reagan o di una Katharine Hepburn. È quasi impossibile procedere a passo strascicato verso l'eccellenza. Coloro che la raggiungono approfittano delle occasioni e se le creano. Vivono come se fossero ossessionati dalle meravigliose occasioni che ogni giorno si presentano loro e dalla costatazione che l'unica cosa che non sia mai sufficiente è il tempo. Nel nostro mondo ci sono molti individui che hanno una passione in cui credono. Conoscono la strategia che li può portare alla sua realizzazione, i loro valori sono coerenti, ma semplicemente mancano della vitalità fisica necessaria a intraprendere le azioni necessarie al loro scopo. Il grande successo è inseparabile dall'energia fisica, intellettuale e psichica che ci permette di ricavare il massimo da ciò che abbiamo a disposizione. Nei capitoli 9 e 10 impareremo ad applicare gli strumenti suscettibili di incrementare immediatamente la vivacità fisica.

CARATTERISTICA NUMERO SEI: *Potere di legare!* Quasi tutte le persone di successo hanno in comune la straordinaria capacità di istituire legami con altri, di sviluppare rapporti con individui di ogni tipo. Certo, non manca di tanto in tanto il genio pazzo che inventa qualcosa che trasforma il mondo. Se però il genio trascorre tutto il suo tempo in una torre d'avorio, avrà successo in un campo, ma fallirà in molti altri. Le grandi riuscite, quelle dei Kennedy, dei Luther King, dei Gandhi, si devono al fatto che costoro hanno saputo istituire legami con milioni di altri. Il massimo successo non lo si ottiene sul palcoscenico del mondo, bensì nei più profondi recessi del proprio cuore. Sotto sotto, non c'è chi non abbia bisogno di istituire nessi duraturi, amorosi, con altri; senza questi, ogni successo, ogni eccellenza, è davvero vuota. Di questi legami parleremo nel capitolo 13.

CARATTERISTICA NUMERO SETTE: *Dominio della comunicazione!* È questo l'aspetto essenziale di cui si occupa il presente volume. Il modo con cui comunichiamo con altri e con noi stessi in fin dei conti determina la qualità delle nostre esistenze.

Le persone che hanno successo nella vita sono quelle che hanno imparato a raccogliere tutte le sfide che l'esistenza lancia loro e a comunicare quest'esperienza a se stessi in modo da poter cambiare positivamente le cose. Falliscono coloro che, di fronte alle avversità della vita, le accolgono come limitazioni. Gli individui che plasmano le nostre esistenze e le nostre culture sono anche maestri della comunicazione con gli altri; l'elemento che hanno in comune è la capacità di trasmettere una visione, un'aspirazione, una gioia, una missione. Il dominio della comunicazione è ciò che fa grande un genitore, un artista, un uomo politico, un insegnante.

Quasi ogni capitolo di questo libro in un modo o nell'altro ha a che fare con la comunicazione, con il superamento delle divergenze, con la costruzione di nuove strade, con la messa in comune di nuove visioni. Nella prima parte del volume, il lettore apprenderà a "caricarsi", a governare il proprio cervello e il proprio corpo come mai prima. Avremo a che fare con fattori che condizionano il modo con cui si comunica con se stessi. Nella seconda parte studieremo come si fa a scoprire che cosa ci si aspetta davvero dalla vita e come si possa comunicare più efficacemente con gli altri, e inoltre come si possa giungere alla capacità di anticipare quelle forme di comportamento che vari tipi di persone fanno costantemente proprie. La terza parte muove da una prospettiva più ampia, relativa al nostro modo di comportarci, alle nostre motivazioni e al contributo che possiamo dare a livello extrapersonale. Riguarda insomma la capacità che bisogna apprendere per diventare un leader.

Quando mi sono messo a scrivere questo libro, mi proponevo di compilare un manuale di sviluppo umano, un volume da annoverare tra i migliori e i più aggiornati sulla tecnologia del cambiamento. Volevo insomma fornire al lettore le capacità e le strategie che lo mettessero in grado di cambiare qualsiasi cosa volesse mutare, e con impensata rapidità. Volevo offrire al lettore, in maniera quanto mai concreta, l'opportunità di migliorare immediatamente la qualità della sua esperienza esistenziale, e avrei voluto inoltre creare un'opera su cui tornare più volte, trovandovi sempre qualcosa di utile per la propria vita. Sapevo che molti degli argomenti di cui avrei voluto scrivere potevano diventare libri a se stanti, e d'altra parte desideravo fornire al lettore informazioni complete, qualcosa di utilizzabile in ogni campo.

Completato il manoscritto, l'ho dato da leggere e le risposte sono state estremamente positive. Più d'uno ha però commentato: "Ma qui di libri ce ne sono due! Perché non li dividi, e non ne pubblichi uno adesso, annunciando l'uscita dell'altro a distanza di un anno?" Ma il mio scopo era di mettere a disposizione del lettore quante più informazioni utili e al più presto e non di centellinare queste conoscenze goccia a goccia. D'altro canto, mi preoccupava anche l'idea che molti non sarebbero arrivati a quelle parti del libro che secondo me sono le più importanti: mi avevano infatti spiegato che, stando a numerose indagini, meno del 10% degli acquirenti di un libro arriva al di là del primo capitolo. In un primo momento questi mi sono sembrati dati statistici inattendibili; poi, però, mi sono ricordato che solo il 3% degli americani è finanziariamente indipendente, meno del 10% ha interesse per la lettura, solo il 35% delle donne statunitensi e una percentuale ancora minore di uomini si ritengono in buone condizioni fisiche e in molti stati degli USA un matrimonio su due si conclude con un divorzio. Solo una piccola percentuale di cittadini conduce davvero l'esistenza dei propri sogni. Come mai? Perché occorre uno sforzo, perché è necessaria un'azione coerente.

A Bunker Hunt, il petroliere texano miliardario, è stato chiesto un giorno se aveva qualche consiglio da dare alla gente per avere successo, e la sua risposta è stata che il successo è semplice. Per prima cosa bisogna decidere quel che si vuole effettivamente; in secondo luogo bisogna stabilire se si è pronti a pagare il necessario prezzo; e infine quel prezzo pagarlo. Se non si compie l'ultimo passo, non si riuscirà mai ad avere ciò che si vuole. Definisco i "pochi che fanno", contrapponendoli ai "molti che chiacchierano", coloro che sanno ciò che vogliono e sono pronti a pagare il prezzo per ottenerlo. Vi esorto dunque ad affrontare il tema, a leggere fino in fondo questo libro, a rendere altri partecipi di ciò che avrete appreso, e a goderne.

In questo capitolo, ho sottolineato la supremazia dell'azione efficace. Ma ci sono molti modi di intraprendere azioni, che per lo più dipendono in larga misura dalla ripetizione dei tentativi. Gran parte di coloro che hanno avuto grande successo si sono adattati e riadattati infinite volte prima di ottenere ciò che volevano. Procedere per prove e riprove è un'ottima cosa, salvo per un aspetto, ed è che richiede un enorme spreco di quell'unica risorsa di cui nessuno di noi dispone mai a sufficienza: il tempo.

E se ci fosse un modo di intraprendere azioni capaci di accelerare il processo di apprendimento? E se io fossi in grado di dimostrarvi come si fa a far proprie quelle lezioni che le persone che hanno raggiunto l'eccellenza hanno già appreso? E se poteste imparare nel giro di pochi minuti ciò che ad altri ha richiesto anni? Lo si può ottenere mediante il *modellamento*, che è un modo di riprodurre esattamente l'eccellenza di altri. Che cosa li colloca su un piano diverso rispetto a coloro che si limitano soltanto a sognare il successo? Parliamo dunque della "differenza che fa la differenza".

2
LA DIFFERENZA CHE FA LA DIFFERENZA

La vita ha questo di strano: che se non vuoi accettare altro che il meglio, molto spesso riesci a procurartelo.

W. SOMERSET MAUGHAM

Stava correndo sull'autostrada a cento all'ora e all'improvviso è accaduto: il suo sguardo è stato attratto da qualcosa sul margine della carreggiata e, quando è tornato a guardare avanti, gli restava solo un secondo per reagire. Era ormai troppo tardi. Il grosso camion davanti a lui all'improvviso, inaspettatamente, si era bloccato. E di colpo, nel tentativo di salvarsi la pelle, il motociclista aveva piantato una disperata frenata che gli sembrò destinata a durare in eterno. In un angosciante *ralenti* si infilò sotto il camion, il tappo del serbatoio saltò via, e accadde il peggio: la benzina uscì e si incendiò. Lui riprese coscienza in un letto d'ospedale, in preda ad atroci dolori, incapace di muoversi, osando appena respirare. Tre quarti del suo corpo erano coperti da terribili ustioni di terzo grado. Pure, si rifiutò di arrendersi. Lottò per tornare in vita, per riprendere una carriera, solo per subire un altro, terribile colpo: un incidente aereo che lo lasciò paralizzato dalla vita in giù per il resto dei suoi giorni.

Nell'esistenza di ogni uomo e donna non manca mai un momento di sfida suprema, un'ora in cui tutte le risorse di cui disponiamo sono messe a dura prova, in cui la vita sembra ingiusta, in cui la nostra fede, i nostri valori, la nostra pazienza, la nostra compassione, la nostra capacità di tener duro sono portati ai limiti estremi e ancora oltre. Alcuni si servono di situazioni del genere come di occasioni per diventare migliori, altri invece lasciano che quelle esperienze li distruggano. Vi siete mai chiesti da che cosa derivano le differenze nei modi di rispondere degli esseri umani alle sfide dell'esistenza? Io l'ho fatto. Per gran parte della mia vita sono stato affascinato da ciò che spinge gli esseri umani a comportarsi in un certo modo. Per quanto mi ricordi ho sempre desiderato scoprire che cosa colloca certi uomini e certe donne su un altro piano rispetto ai loro simili. Che cosa crea un leader, un realizzatore? Come si spiega che in questo mondo ci siano tante persone che conducono un'esistenza tanto gioiosa nonostante avversità di ogni genere, mentre altri, che in apparenza hanno tutto quello che si può desiderare, conducono una vita di disperazione, rabbia e depressione?

Permettetemi di raccontarvi la storia di un altro uomo, e notate le differenze tra questo e il precedente. L'esistenza che costui conduceva sembrava molto più brillante. Era un uomo di spettacolo favolosamente ricco, dotato di un enorme talento e con un seguito vastissimo. A ventidue anni era il più giovane componente della Second City, celebre compagnia teatrale di Chicago, e quasi immediatamente divenne la riconosciuta star dello spettacolo. Ben presto, eccolo a New York, e sulle scene di quella città riportò un enorme successo. Negli anni settanta fu uno dei mattatori della televisione, poi una delle più note stelle cinematografiche. Si dedicò alla musica e anche in questo campo riportò identico successo. Aveva schiere di amici che lo ammiravano, era sposato bene, aveva due magnifiche case. Sembrava insomma che avesse tutto quel che si potrebbe desiderare.

Quale di questi due uomini preferireste essere? Difficile pensare che qualcuno voglia scegliere la prima esistenza.

Ma permettetemi di dirvi qualcos'altro sul loro conto. Il primo è uno degli individui più vitali, più forti e ricchi di successo che io conosca. Si chiama W. Mitchell, abita nel Colorado, ed è vivo e vegeto. Da quando ha avuto quel terribile incidente stradale, gode di maggior successo e gioia di quanto gran parte di noi ne possa avere nel corso di un'intera esistenza. Ha stretto ottimi rapporti personali con alcuni degli uomini e delle donne più influenti d'America. È un uomo d'affari miliardario; è stato persino candidato al Congresso, nonostante il volto terribilmente sfigurato. E sapete qual era lo slogan della sua campagna elettorale? "Mandatemi al Congresso e non sarò soltanto un'altra bella faccia". Oggi ha un tenerissimo rapporto con una donna straordinaria e nel 1986 ha partecipato con successo alla corsa per l'elezione a vicegovernatore del Colorado.

Il secondo individuo è uno che conoscete bene, che probabilmente vi ha regalato grandi piaceri e gioie. Si chiama John Belushi; era uno dei più celebri attori del nostro tempo, un uomo di spettacolo che negli anni settanta ha avuto enorme successo. Belushi era capace di arricchire moltissime altre vite, non però la propria. E quando è morto a trentatré anni, di quella che il *coroner* ha definito intossicazione acuta da cocaina ed eroina, pochi di coloro che lo conoscevano sono rimasti sorpresi. L'uomo che aveva tutto era diventato uno schiavo della droga, incapace di controllarsi, che mostrava ben più dei suoi anni. Esteriormente, nulla gli mancava. Dentro, però, aveva il vuoto assoluto.

In esempi del genere ci imbattiamo di continuo. Mai sentito parlare di Pete Strudwick? Nato focomelico, senza mani né piedi, è riuscito a diventare un maratoneta e ha percorso finora oltre quarantamila chilometri. E pensate alla straordinaria vicenda di Candy Lightner, fondatrice dell'associazione Mothers Against Drunk Driving (Madri contro la guida in stato d'ubriachezza). Le era toccata una terribile tragedia, la morte di una figlia investita da un automobilista ubriaco, e ha creato un'organizzazione che probabilmente ha salvato centinaia, forse migliaia di vite. E all'estremità opposta, ecco persone come Marilyn Monroe o Ernest Hemingway, che avevano avuto enorme successo e hanno finito per autodistruggersi.

E dunque vi chiedo: che differenza corre tra chi ha e chi non ha? Tra chi può e chi non può? Tra chi fa e chi non fa? Come si spiega che certe persone superino terribili, incredibili avversità e facciano delle proprie esistenze un trionfo, mentre altre, nonostante i vantaggi d'ogni genere di cui godono, portino le proprie vite verso il disastro? Qual è la differenza tra W. Mitchell e John Belushi? Qual è la differenza che fa la differenza in fatto di qualità della vita?

È un interrogativo che mi ha ossessionato per tutta la vita. Crescendo, vedevo individui che disponevano di ricchezze d'ogni genere, occupazioni invidiabili, meravigliosi rapporti con gli altri, un aspetto fisico eccezionale, e dovevo assolutamente sapere che cosa rendeva le loro vite tanto diverse dalla mia e da quella dei miei amici. La differenza consiste unicamente nel modo in cui comunichiamo con noi stessi e nelle azioni che compiamo. Gli individui che hanno successo non sono alle prese con minori problemi di coloro che falliscono; gli unici che di problemi non ne hanno stanno nei cimiteri. A distinguere fallimento da successo è ciò che ci accade; a fare la differenza è il modo con cui percepiamo ciò che ci "accade".

Quando W. Mitchell ricevette dal proprio corpo l'informazione che tre quarti di esso erano coperti da ustioni di terzo grado, si è trovato a dover scegliere come interpretare l'informazione stessa. Il significato dell'evento avrebbe potuto essere un motivo per morire, per abbandonarsi alla disperazione o qualsiasi altra cosa deprimente. Ma W. Mitchell ha deciso di comunicare coerentemente a se stesso che quell'esperienza aveva avuto uno scopo, e che prima o poi gli avrebbe procurato vantaggi ancora maggiori per il raggiungimento del suo fine, che era di differenziarsi dal resto del mondo. Il risultato di questa comunicazione con se stesso fu che W. Mitchell elaborò credenze e valori che hanno continuato a governare la sua vita in termini ottimistici anziché tragici, e ciò persino dopo che è rimasto paralizzato. E come è riuscito Pete Strudwick a compiere la Pike's Peak, la più difficile maratona al mondo, pur non avendo né mani né piedi? Semplice, ha padroneggiato la propria comunicazione con se stesso. Quando i suoi sensi corporei gli inviavano segnali che in passato aveva interpretato come sofferenza, limitazione, sfinimento, non ha fatto altro che rietichettarne il significato, continuando a comunicare con il proprio sistema nervoso in un modo che gli ha permesso di continuare la corsa.

Le cose non cambiano; siamo noi che cambiamo.
HENRY DAVID THOREAU

Ciò che mi ha sempre incuriosito è come la gente faccia a ottenere risultati. Molto tempo fa mi sono reso conto che il successo lascia precisi indizi e che coloro i quali ottengono risultati eccezionali, compiono a tale scopo specifiche azioni. Ho capito che non bastava sapere che un W. Mitchell o un Pete Strudwick comunicavano con se stessi in modo da produrre successo: dovevo sapere esattamente come lo facevano, persuaso com'ero che, se fossi riuscito a duplicare le azioni degli altri, avrei potuto riprodurre anche risultati dello stesso tipo. Pensavo che, se avessi seminato, avrei anche raccolto. In altre parole, se un uomo e una donna erano felicemente sposati da venticinque anni e continuavano a sentirsi innamoratissimi l'uno dell'altro, potevo scoprire quali azioni avevano compiuto, quali erano le credenze cui si doveva quel risultato, e avrei potuto far mie quelle azioni e quelle credenze, ottenendo risultati simili nei miei rapporti con gli altri. In vita mia avevo ottenuto il risultato di essere terribilmente soprappeso, e ho cominciato a rendermi conto che tutto ciò che dovevo fare era imitare persone che erano snelle, scoprire che cosa mangiavano, come mangiavano, che cosa pensavano, quali erano le loro credenze – e avrei potuto ottenere i loro stessi risultati. Ed è stato così che ho perduto i miei dodici chili di troppo. Lo stesso ho fatto in campo finanziario e nei miei rapporti personali. Ho cominciato così la mia ricerca di modelli di eccellenza personale. E in questa mia ricerca ho battuto tutte le strade che mi si offrivano.

Poi, mi sono imbattuto in una scienza nota come *Neuro-Linguistic Programming* (programmazione neuro linguistica), per ragioni di comodità abbreviata in NLP. Il termine "neuro" si riferisce al cervello, quello "linguistico" al linguaggio, mentre per "programmazione" si intende la messa in opera di un piano o procedura. L'NLP è lo studio di come il linguaggio, sia verbale che non verbale, influisca sul nostro sistema nervoso. La nostra capacità di fare alcunché nella vita si basa sulla capacità di governare il sistema nervoso. Coloro i quali riescono a ottenere risultati eccezionali, lo fanno producendo specifiche comunicazioni con e attraverso il sistema nervoso.

L'NLP studia come gli individui comunicano con se stessi in modo da produrre condizioni ottimali, in modo da disporre del massimo numero possibile di scelte comportamentali. In passato veniva insegnata soprattutto a terapeuti e a un piccolo numero di fortunati uomini d'affari. Quando per la prima volta mi sono imbattuto in essa, mi sono immediatamente reso conto che era qualcosa di ben diverso da tutto ciò che avevo sperimentato in precedenza. Ho visto un esperto di NLP occuparsi di una donna in terapia da oltre tre anni perché affetta da fobie, e in meno di tre quarti d'ora... niente più fobie! Sono rimasto di stucco. Dovevo sapere tutto di quella scienza! (Per inciso, molte volte gli stessi risultati possono essere ottenuti in cinque-dieci minuti.) L'NLP fornisce un contesto sistematico di governo del nostro cervello; ci insegna a dirigere non soltanto i nostri stati d'animo e i comportamenti, ma anche gli stati d'animo e i comportamenti degli altri. In una parola, è la scienza del come governare il proprio cervello in maniera ottimale allo scopo di produrre i risultati che si desiderano.

L'NLP forniva esattamente ciò di cui ero alla ricerca: la chiave per svelare l'enigma di come certi individui fossero in grado di produrre costantemente risultati ottimali; ad esempio, alzarsi al mattino rapidamente, facilmente e pieni di energia. La domanda successiva suona: ma come fanno a ottenerlo? E siccome le azioni costituiscono la fonte di tutti i risultati, quali sono le specifiche azioni mentali e fisiche cui si deve il processo neurofisiologico di scuotersi dal sonno rapidamente e facilmente? Uno dei presupposti dell'NLP è che tutti siamo dotati della stessa neurologia, per cui se qualcuno può far qualcosa in questo mondo, anche tu puoi farlo, a patto che faccia funzionare il tuo sistema nervoso esattamente allo stesso modo. Il processo consistente nello scoprire specificamente che cosa fanno le persone per produrre un particolare risultato è detto *modellamento*, ovvero ricalco di un modello.

Ancora una volta, va sottolineato che se è possibile per altri, è possibile anche per voi. Non si tratta di stabilire se voi potete produrre i risultati ottenuti da un'altra persona: è invece una questione di strategia. In altre parole: come fa quella persona a ottenere quei risultati? Facciamo il caso di uno che abbia una splendida pronuncia; ebbene, esiste un modo di modellarsi su di lui tanto da riuscire a fare lo stesso in quattro o cinque minuti. (Ci occuperemo di questa strategia nel capitolo 7.) Una persona che voi conoscete è in grado di comunicare perfettamente con il suo bambino? Voi potete fare lo stesso. Per qualcuno riesce facile alzarsi senza perder tempo al mattino? Lo stesso potete fare voi. Basta, per questo, che imitiate la maniera con cui altri dirigono il proprio sistema nervoso. Com'è ovvio, ci sono compiti più complessi di altri, e in questo caso occorrerà più tempo per far proprio il modello e duplicarlo. Tuttavia, se il vostro desiderio è abbastanza forte, e lo è la persuasione che vi sostiene mentre continuate negli adattamenti e nei cambiamenti, in pratica si può imitare qualunque cosa faccia qualsiasi essere umano. In molti casi, accade che un individuo abbia speso anni di prove e riprove per trovare la maniera specifica di servirsi del proprio corpo o della propria mente per ottenere un risultato. Ma voi potete prendere l'iniziativa di imitare le azioni che hanno richiesto anni per essere perfezionate, e produrre risultati simili in pochi istanti o mesi, o per lo meno in un tempo assai minore di quello che è occorso alla persona che ha ottenuto i risultati sperati.

L'NLP è opera soprattutto di due uomini, John Grinder e Richard Bandler. Il primo è un linguista, uno dei maggiori che ci siano al mondo, mentre Bandler è un matematico, un terapeuta gestaltista e un esperto di informatica. I due decisero di mettere assieme i propri talenti in vista di un unico scopo, quello di osservare e imitare gli individui che ottenevano i risultati migliori, qualsiasi cosa facessero. Hanno passato in rassegna uomini d'affari di successo, terapeuti di grande riuscita e altri, allo scopo di ricavarne le lezioni e i moduli che costoro avevano scoperto in anni e anni di prove e riprove.

Bandler e Grinder sono soprattutto noti per aver elaborato un certo numero di efficaci moduli di intervento comportamentistico, ricalcati sull'esempio del dottor Milton Erikson, uno dei massimi ipnoterapeuti mai vissuti, di Virginia Satir, straordinaria terapeuta della famiglia, e dell'antropologo Gregory Bateson. Hanno così scoperto per esempio come Virginia Satir riuscisse a risolvere problemi di rapporti dove altri terapeuti avevano fallito: hanno cioè scoperto quali erano i moduli di azione che produceva per creare risultati, e hanno insegnato questi moduli ai loro studenti, che sono stati quindi in grado di applicarli e di ottenere risultati dello stesso tipo, pur non avendo alle spalle gli anni di esperienza della nota terapeuta. Costoro hanno seminato gli stessi semi, e hanno avuto le stesse ricompense. Lavorando con i moduli fondamentali ricalcati da quei tre maestri, Bandler e Grinder hanno cominciato a creare nuovi moduli e a insegnare anche questi. E sono questi i moduli comunemente noti appunto come *Neuro-Linguistic Programming* (NLP).

Essi hanno fatto ben più che fornirci una serie di modelli potenti ed efficaci: ci hanno messo a disposizione un punto di vista sistematico sul modo di duplicare ogni forma di umana eccellenza in un periodo brevissimo.

Il loro successo ha del leggendario. Tuttavia, pur avendo a disposizione i necessari strumenti, molte persone si sono limitate ad apprendere i modelli con cui creare cambiamenti emozionali e comportamentistici, senza disporre del potere personale di servirsene in maniera efficace e coerente. Una volta ancora possedere la conoscenza non è sufficiente. A produrre risultati è l'azione.

Mentre continuavo a leggere libri sull'NLP, ho constatato con mia grande sorpresa che ben poco c'era di scritto sul processo di imitazione, il *modellamento* sul comportamento altrui, che invece per me costituisce la strada maestra verso l'eccellenza. Se mi imbatto in qualcuno che produce un risultato da me desiderato, io posso produrre gli stessi risultati purché sia disposto a pagare il necessario prezzo in tempo e sforzo. Se desiderate ottenere il successo, non avete da far altro che trovare un modo di imitare coloro che già sono riusciti ad assicurarselo. In altre parole, dovete scoprire quali azioni hanno intrapreso, e più specificamente come si sono serviti del loro cervello e del loro corpo per produrre i risultati che voi desiderate duplicare. Volete essere un amico più fidato, diventare più ricco, essere un genitore migliore o un atleta più bravo, un uomo d'affari di maggior successo? Non dovete far altro che trovare modelli di eccellenza.

Coloro che muovono e sommuovono il mondo sono spesso imitatori di professione, persone cioè che conoscono a fondo l'arte di imparare tutto ciò che possono seguendo l'esperienza di altri. Costoro sanno come fare a risparmiare l'unica merce che nessuno di noi possiede mai a sufficienza: il tempo. In effetti se date un'occhiata all'elenco dei best seller su un quotidiano o periodico, costaterete che gran parte dei libri in testa alle classifiche contengono modelli relativi a come fare qualcosa con maggiore efficacia. L'ultimo libro di Peter Drucker si intitola *Innovation and Entrepreneurship*; in esso l'autore delinea le azioni specifiche che deve intraprendere chi vuol diventare un imprenditore e innovatore efficiente, e sottolinea esplicitamente che l'innovazione è un processo particolarissimo e volontario. Non c'è nulla di misterioso o di magico nel fatto di essere un imprenditore: nulla che dipenda da una struttura genetica. Si tratta di una disciplina che può essere appresa. Vi suona familiare? Drucker è considerato il fondatore di moderne pratiche economico-finanziarie a causa delle sue capacità imitative. *The One Minute Manager*, di Kenneth Blanchard e Spencer Johnson è un modello di comunicazione umana e di semplice ed efficace gestione di qualsiasi umano rapporto; è stato compilato sull'esempio di alcuni dei più efficienti manager degli Stati Uniti. *In Search of Excellence* di Thomas J. Peters e Robert H. Waterman Jr., evidentemente è un libro che illustra un modello costituito da americani di successo. *Bridge Across Forever* di Richard Bach mette a disposizione del lettore un altro punto di vista, un nuovo modello di interpretazione dei rapporti umani. L'elenco potrebbe continuare a lungo. Anche il presente libro contiene tutta una serie di modelli sul come dirigere la vostra mente, il vostro corpo e le vostre comunicazioni con altri, in modo da ottenere risultati sorprendenti. Tuttavia, quello che mi propongo di fare è non soltanto darvi modo di apprendere questi modelli di successo, ma di andare oltre creandovi i vostri propri modelli.

Potete insegnare a un cane modelli che ne miglioreranno il comportamento, e lo stesso si può fare con le persone, ma quel che desidero che apprendiate è un processo, un contesto, una disciplina che vi permetterà di duplicare l'eccellenza ovunque la troviate. Intendo insegnarvi uno dei più efficaci modelli di NLP, e tuttavia desidero che diventiate qualcosa di più che non semplici seguaci del metodo, desidero che diventiate "modellatori", persone cioè che imitano l'eccellenza e la fanno propria, persone alla perenne ricerca di *tecnologie della prestazione ottimale*, in modo che non siate legati a un'unica serie di modelli, ma al contrario continuamente tesi alla ricerca di nuovi ed efficaci modi di produrre i risultati che desiderate.

Per imitare l'eccellenza dovrete trasformarvi in detective, in investigatori, diventare un individuo che fa un sacco di domande e che segue tutte le tracce che portano a ciò che produce l'eccellenza.

Ho insegnato ai migliori tiratori di pistola dell'esercito USA a sparare meglio, scoprendo gli esatti modelli dell'eccellenza nell'uso di tali armi. Ho appreso i segreti di maestri di karate osservando ciò che pensano e fanno. Ho migliorato le prestazioni di atleti sia professionali che olimpionici, scoprendo un modo di imitare esattamente ciò che essi facevano quando ottenevano i massimi risultati, e poi mostrando loro come fare per ottenere gli stessi risultati a volontà.

Costruire a partire dai successi altrui è una delle componenti fondamentali di gran parte degli apprendimenti. Nel mondo della tecnologia, ogni progresso nel campo dell'ingegneria o della progettazione di computer deriva, com'è ovvio, da precedenti scoperte e innovazioni. Nel mondo degli affari, le aziende che non imparano dal passato, che non tengono conto del livello tecnologico e scientifico raggiunto, sono destinate a finir male.

Ma l'universo del comportamento umano è uno dei pochi settori in cui si continua a operare sulla scorta di teorie e informazioni superate. Molti di noi continuano a far proprio il modello ottocentesco del funzionamento del cervello e del comportamento. Applichiamo un'etichetta con la scritta "depressione" su qualcosa: ebbene, eccoci depressi. Il fatto è che termini del genere possono essere profezie autorealizzantisi.

Bandler e Grinder hanno scoperto che ci sono tre fondamentali ingredienti che vanno duplicati per ottenere qualsivoglia forma di umana eccellenza. E si tratta in realtà delle tre forme di azione mentale e fisica più direttamente corrispondenti alla qualità dei risultati che otteniamo. Immaginiamocele come tre porte che diano accesso a una stupenda sala da banchetti.

La prima porta rappresenta il *sistema di credenze* di una persona. Ciò in cui un individuo crede, quel che ritiene possibile o impossibile, determina in larga misura quello che può o non può fare. Un antico detto suona: "Se credi di poter fare qualcosa o se credi di non poterla fare, sei nel giusto." Entro certi limiti questo è vero perché, se non credete di riuscire a farcela, vuol dire che inviate al vostro sistema nervoso precisi messaggi che limitano o eliminano la vostra capacità di produrre proprio quel risultato. Se, al contrario, trasmettete di continuo al vostro sistema nervoso messaggi coerenti i quali dicono che potete farcela, ecco che segnalate al vostro cervello di produrre i risultati che desiderate, e questo vi offre la possibilità di farlo. Allo stesso modo, se siete in grado di imitare il sistema di credenze di un individuo, avete compiuto il primo passo verso l'agire come agisce lui, in tal modo ottenendo un tipo di risultato affine. Ci occuperemo più estesamente dei sistemi di credenza nel capitolo 4.

Il secondo uscio che bisogna spalancare è la *sintassi mentale* di un individuo, il modo in cui organizza i propri pensieri. Essa è paragonabile a un codice. Un numero telefonico è formato, diciamo, da sette cifre, ma per mettervi in contatto con la persona con cui desiderate parlare, dovete comporlo nel giusto ordine. Lo stesso vale quando si tratta di raggiungere quella parte del vostro cervello e sistema nervoso suscettibile di aiutarvi nella maniera più efficace a ottenere il risultato che desiderate. E lo stesso vale anche per la comunicazione. Molte volte le persone non comunicano bene tra loro perché individui diversi si avvalgono di codici diversi, usano diverse sintassi mentali. Scoprite i codici, e varcherete il secondo uscio verso l'imitazione delle migliori qualità altrui. Ci occuperemo della sintassi nel capitolo 7.

Il terzo uscio ha nome *fisiologia*; mente e corpo sono indissolubilmente connessi. Il modo con cui ci si serve della propria fisiologia, il modo con cui si respira e si atteggia il proprio corpo, il proprio portamento, le proprie espressioni facciali, la natura e la qualità dei propri movimenti, determinano lo stato d'animo in cui ci si trova, e a sua volta lo stato d'animo determinerà l'ampiezza e la qualità dei comportamenti che si è in grado di produrre. Ci occuperemo della fisiologia nel capitolo 9.

In effetti, ci dedichiamo di continuo alla imitazione, al *modellamento*. Come fa un bambino a imparare a parlare? E come fa un atleta giovane a imparare da uno più anziano? E un aspirante uomo d'affari come fa a decidere il modo di strutturare la propria azienda? Ecco un esempio di ricalco tratto dal mondo degli affari. È quello che io chiamo "ritardo". Viviamo in una cultura a tal punto coerente che ciò che funziona in una località molto spesso funzionerà anche in un'altra; e se un tale ha avuto successo vendendo dolci al cioccolato in un negozio di Detroit, è molto probabile che lo stesso si possa verificare a Dallas. Tutto ciò che molti fanno per aver successo in affari consiste nello scoprire qualcosa che funzioni in una città e nel mettersi a fare la stessa cosa altrove, magari perfezionandola, prima che il "ritardo" sia scaduto. Coloro che si comportano così andranno incontro a un successo pressoché garantito.

I più grandi imitatori che ci siano al mondo sono i giapponesi. Che cosa sta dietro allo stupefacente miracolo dell'economia nipponica? Brillanti innovazioni? A volte sì, ma se pensate agli ultimi decenni, costaterete che ben pochi dei nuovi prodotti o dei progressi tecnologici più importanti hanno avuto la culla in Giappone, i cui abitanti si sono limitati a prendere idee e prodotti nati altrove, dalle automobili ai semiconduttori, e mediante meticolosi ricalchi mantengono tali e quali gli elementi migliori e perfezionano gli altri.

L'uomo che molti considerano il più ricco al mondo è Adnan Mohamad Khashoggi. Come ha fatto a riuscirci? Semplice: ha imitato i Rockefeller, i Morgan e altri della stessa statura finanziaria. Ha letto tutto quel che ha potuto sul loro conto, ne ha studiato le credenze, ne ha ricalcato le strategie. Come si spiega che W. Mitchell sia riuscito non soltanto a sopravvivere, ma a godere di prosperità, pur partendo da un'esperienza tra le più sconvolgenti? Quand'era all'ospedale, gli amici gli leggevano esempi di individui che erano riusciti a superare grandi ostacoli. W. Mitchell aveva un modello di possibilità, un modello positivo più forte delle esperienze negative che gli erano toccate. La differenza tra coloro che riescono e coloro che falliscono non consiste in ciò che hanno, ma in ciò che cercano di vedere o di fare con le loro risorse e la loro esperienza di vita.

Servendomi di questo stesso processo imitativo, ho cominciato a ottenere risultati immediati per me stesso e per altri, e ho continuato a elaborare altri modelli di pensiero e di azione capaci di produrre sorprendenti risultati in brevissimi periodi di tempo. Chiamo questa combinazione di moduli *tecnologie della prestazione ottimale*. E sono queste strategie a costituire la sostanza del presente volume.

L'imitazione non è certo nulla di nuovo. Ogni grande inventore ha imitato le scoperte di altri per approdare a qualcosa di nuovo. Ogni bambino ha imitato il mondo circostante.

Il guaio è però che la maggioranza degli individui imita in maniera affatto casuale, procedendo a tentoni. Prendiamo indiscriminatamente pezzi e frammenti di questa o quella persona, e perdiamo completamente di vista qualcosa di ben più importante in un altro individuo. Imitiamo qui qualcosa di buono, lì qualcosa che non vale niente. Ci sforziamo di imitare qualcuno che rispettiamo, solo per costatare che in realtà non sappiamo come fare ciò che quella persona fa.

Dovete vedere questo libro come una guida a un'imitazione consapevole, fatta con maggior precisione, una possibilità che vi viene offerta di assumere consapevolezza di qualcosa che avete sempre fatto.

Tutto attorno a noi ci sono risorse e strategie straordinarie. L'invito che vi rivolgo è di cominciare a pensare da imitatori, da modellatori, avendo continuamente coscienza dei moduli e dei tipi di azione che producono risultati straordinari. Se qualcuno è in grado di ottenere risultati sorprendenti, la domanda che subito dovrebbe affacciarsi alla vostra mente è: come fa a ottenere quel risultato? La mia speranza è che continuiate ad andare in cerca dell'eccellenza, della magia in tutto quello che vedete, e che impariate come la si ottiene, in modo da poter creare risultati dello stesso tipo in ogni momento.

Il prossimo passo che compiremo consisterà nell'esplorare ciò che determina le nostre risposte alle variabili circostanze della vita: il nostro stato d'animo.

3
IL POTERE DEGLI STATI D'ANIMO

È la mente che fa sani o malati, che rende tristi o infelici, ricchi o poveri.

EDMUND SPENSER

Avete mai fatto l'esperienza di essere lanciatissimi, la sensazione di non poter sbagliare? Vi siete mai trovati in un momento in cui tutto sembrava andare a gonfie vele? Poteva trattarsi di una partita a tennis in cui ogni tiro andava a segno, oppure di una riunione d'affari in cui avevate tutte le risposte, o ancora di un periodo in cui avete sbalordito voi stessi compiendo alcunché di eroico o di sublime, di cui mai vi eravate ritenuti capaci. Ma probabilmente avete avuto anche l'esperienza di segno opposto. Una giornata in cui tutto andava storto, in cui avevate combinato pasticci con cose che di solito fate con la massima facilità, in cui ogni vostra iniziativa era sbagliata, ogni uscio serrato, qualsiasi vostro tentativo finiva in nulla.

Dov'è la differenza? Sei la stessa persona, no? E dunque, dovresti poter disporre sempre delle stesse risorse. E allora, come si spiega che una volta tu produca risultati desolanti, e un'altra stupefacenti? Come mai anche i migliori atleti hanno giornate in cui fanno tutto splendidamente, e poi ne arrivano altre in cui non riescono a fare un canestro, a segnare un gol?

La differenza va cercata nella condizione psicologica in cui ci si trova. Ci sono stati d'animo – amore, fiducia in se stessi, forza interiore, gioia, estasi, fede – che danno la stura alle sorgenti del potere personale; e ci sono stati d'animo paralizzanti – confusione, depressione, paura, ansia, tristezza, frustrazione – che ci rendono impotenti. Noi tutti entriamo e usciamo da stati d'animo positivi e negativi. Siete mai entrati in un ristorante dove il cameriere vi ha apostrofato con un: "Cosa mangia?" Credete forse che comunichi sempre in questo modo? È possibile che abbia un'esistenza difficile e sia sempre così, ma è più probabile che abbia avuto una gran brutta giornata, costretto a servire troppi tavoli, magari avendo a che fare con un cliente rompiscatole. Non è una persona cattiva: semplicemente, è in uno stato d'animo controproducente. Se riusciste a cambiarlo, cambiereste anche il suo comportamento.

Capire gli stati d'animo, ecco la chiave per comprendere il cambiamento e raggiungere l'eccellenza. Il nostro comportamento è il risultato dello stato d'animo nel quale ci troviamo. Facciamo sempre quanto di meglio possiamo con le risorse a nostra disposizione, ma a volte ci troviamo nello stato di chi è privo di risorse. So che ci sono stati momenti in cui, trovandomi in un certo stato, ho fatto o detto cose di cui più tardi mi sono pentito o delle quali ho provato vergogna. E forse è capitato anche a voi. È importante ricordarsi di quei momenti quando qualcuno vi tratta male, perché così facendo create uno stato di partecipazione anziché di stizza. Dopo tutto chi vive in una casa di vetro farebbe bene a non tirare sassi. La chiave, dunque, consiste nel farsi carico dei nostri stati d'animo e pertanto dei nostri comportamenti. E se poteste, con uno schiocco delle dita, mettervi nello stato d'animo più dinamico, più ricco di risorse, in cui si è certi del proprio successo, in cui l'organismo sprizza energie e la mente è sveglia? Bene, questo è possibile.

Quando avrete terminato di leggere questo libro, saprete come fare per mettervi nello stato d'animo più produttivo e come fare a uscire, quando lo volete, dai vostri stati d'animo più paralizzanti. In questo capitolo vedremo che cosa sono gli stati d'animo, come agiscono e come possiamo controllarli in modo da volgerli a nostro profitto.

Uno stato d'animo può essere definito la somma di milioni di processi neurologici che hanno luogo dentro di noi, in altre parole il totale delle nostre esperienze in ogni momento. Gran parte dei nostri stati d'animo si verificano senza che da parte nostra ci sia controllo conscio. Vediamo qualcosa e reagiamo mettendoci in un certo stato d'animo. Può trattarsi di una condizione proficua e utile oppure di una condizione svantaggiosa e limitante, ma la maggior parte di noi fa ben poco per controllarla. La differenza tra coloro che falliscono e quelli che hanno successo è la differenza tra chi non riesce a mettersi in uno stato d'animo positivo e chi è in grado di porsi costantemente in uno stato d'animo che gli dà la forza necessaria al raggiungimento delle sue mete.

Quasi tutto ciò che la gente desidera è uno stato d'animo. Fate un elenco delle cose cui aspirate in vita. Volete amore? Bene, l'amore è uno stato d'animo, un sentimento o un'emozione che segnaliamo a noi stessi e che sentiamo dentro di noi, basata su certi stimoli dell'ambiente circostante. Fiducia in voi stessi? Rispetto? Tutte cose che creiamo noi. Questi stati d'animo noi li costruiamo in noi stessi. Forse desiderate avere denaro? Be', il vostro interesse non va a pezzetti di carta adorni della faccia di vari notabili defunti: no, voi volete ciò che il denaro rappresenta per voi, l'amore, la fiducia, la libertà o quali che siano gli altri stati d'animo che, a vostro giudizio, esso vi può procurare. Sicché, la chiave dell'amore, della gioia, di quell'unico potere di cui l'uomo è andato in cerca da sempre – la capacità di governare la propria vita – è la capacità di sapere come dirigere e gestire i propri stati d'animo.

La prima chiave per farlo e per produrre i risultati cui aspirate consiste nell'apprendere a guidare il vostro cervello. A tale scopo, dobbiamo capire qualcosa del suo funzionamento. E in primo luogo sapere che cos'è a creare uno stato d'animo. Per secoli l'uomo è stato affascinato dall'idea di trovare modi per alterare i propri stati d'animo e, di conseguenza, la sua esperienza esistenziale. Ci si è provato con il digiuno, le droghe, il rituale, la musica, il sesso, il cibo, l'ipnosi, le nenie, tutte cose che hanno vantaggi e limiti. Ma ecco che adesso state per avere la rivelazione di vie molto più semplici ma altrettanto potenti e, in molti casi, più rapide e più precise.

Due sono le principali componenti di uno stato d'animo. La prima è costituita dalle nostre rappresentazioni interne, la seconda dalle condizioni e dall'uso della nostra fisiologia. Pensate, per esempio, a come trattate vostra moglie o vostro marito quando rincasano molto più tardi di quanto avessero promesso? Be', il vostro comportamento dipenderà in larga misura dallo stato d'animo in cui vi troverete nel momento in cui il vostro amato bene tornerà, e sarà ampiamente determinato da ciò che vi sarete raffigurati mentalmente circa le ragioni del ritardo. Se per ore vi siete immaginati la persona cui tenete vittima di un incidente, sanguinante, morta, oppure ricoverata in ospedale, quando varca l'uscio potrete accoglierla con lacrime o con un sospiro di sollievo oppure abbracciandola stretta e chiedendole quel che è accaduto. Sono comportamenti che derivano da uno stato di preoccupazione. Se invece vi figurate il vostro amato bene impegnato in una relazione clandestina, o se vi ripetete più e più volte che è in ritardo solo perché non si preoccupa dei vostri sentimenti e del vostro tempo, gli riserverete tutt'altra accoglienza quale risultato del vostro stato d'animo.

La successiva, ovvia, domanda suona: che cosa induce una persona a raffigurarsi le cose a partire da uno stato d'animo di preoccupazione, laddove un'altra crea rappresentazioni interne che la mettono in una condizione di sfiducia o ira? Ci sono molti fattori che intervengono. Possiamo aver imitato le reazioni dei nostri genitori o aver avuto altri modelli per affrontare esperienze del genere. Se quand'eravate bambini vostra madre si preoccupava sempre quando papà rincasava tardi, può capitarvi di raffigurarvi le cose in maniera per voi preoccupante. Se vostra madre diceva che di papà non ci si può fidare, non è escluso che abbiate imitato quel modello. Sicché, le nostre credenze, atteggiamenti, valori ed esperienze precedenti condizionano i tipi di rappresentazioni che ci faremo.

Ma c'è un fattore ancora più importante del nostro modo di percepire e rappresentarci il mondo, ed è la nostra fisiologia. Cose come la tensione muscolare, ciò che mangiamo, il nostro modo di respirare, il livello generale delle nostre funzioni biochimiche, hanno un'incidenza enorme sul nostro stato d'animo. Rappresentazione interna e fisiologia cooperano in un'interazione cibernetica. Qualsiasi cosa influisca sull'una, influirà anche sull'altra. Accade così che i cambiamenti di stati d'animo implichino cambiamenti di rappresentazioni interne e della fisiologia. Se il vostro organismo è in condizione produttiva, probabilmente immaginerete il vostro amato bene bloccato dal traffico o per strada. Se invece siete, per vari motivi, in uno stato fisiologico di grande tensione o terribilmente stanchi, se siete in preda a dolori fisici o avete un basso livello glicemico, tenderete a rappresentarvi le cose in modo che esalterà i vostri sentimenti negativi. Pensateci: quando vi sentite fisicamente vibranti e ben vivi, non percepite forse il mondo in maniera diversa da quando state male o siete sfiniti? Le condizioni della vostra fisiologia mutano letteralmente il vostro modo di rappresentarvi, e dunque di sperimentare, il mondo. Quando percepite le cose come difficili o disturbanti, forse che il vostro organismo non si adegua e non si abbandona alla tensione? Dunque rappresentazioni interne e fisiologia interagiscono continuamente tra loro, creando lo stato d'animo nel quale ci troviamo. E questo a sua volta determina il nostro tipo di comportamento. Sicché, per controllare e dirigere i comportamenti, dobbiamo controllare e dirigere i nostri stati d'animo; e per controllare questi ultimi, dobbiamo controllare e consciamente dirigere le nostre rappresentazioni interne e la nostra fisiologia. Ve lo immaginate, riuscire a controllare al cento per cento i vostri stati d'animo in ogni momento?

Prima però di essere in grado di dirigere le nostre esperienze esistenziali, dobbiamo capire come sperimentiamo. In quanto mammiferi, gli esseri umani ricevono e rappresentano informazioni circa il loro ambiente attraverso ricettori specializzati e organi di senso. Di sensi ce ne sono cinque: gusto, olfatto, vista, udito e, tatto, che chiameremo senso cinestesico ovvero del movimento. Gran parte delle decisioni che influiscono sul nostro comportamento, le prendiamo usando principalmente solo tre di questi sensi: i sistemi visivo, uditivo e cinestesico.

Questi sensori specializzati trasmettono al cervello stimoli esterni. Tramite i processi di generalizzazione, distorsione e soppressione, il cervello capta questi segnali elettrici e li filtra trasformandoli in rappresentazioni interne.

Sicché, le nostre rappresentazioni interne, le nostre esperienze degli eventi, non sono esattamente quel che è accaduto, ma piuttosto una personale ri-presentazione. La mente conscia dell'individuo non è in grado di utilizzare tutti i segnali che le vengono inviati. Con ogni probabilità, impazziremmo se dovessimo ricavare consciamente un senso da migliaia di stimoli, dalla pulsazione del sangue nel mignolo sinistro alla vibrazione dell'orecchio. Ragion per cui il cervello filtra e immagazzina le informazioni di cui ha bisogno o si aspetta di aver bisogno più tardi, e permette alla mente conscia dell'individuo di ignorare il resto.

Il processo di filtraggio spiega l'enorme gamma delle percezioni umane. Due individui possono assistere allo stesso incidente stradale e fornirne resoconti completamente diversi. Uno può aver prestato maggiore attenzione a ciò che vedeva, l'altro invece a ciò che udiva. Hanno sperimentato l'incidente da prospettive diverse. Entrambi hanno, innanzitutto, differenti fisiologie con cui iniziare il processo percettivo. Questi può avere venti ventesimi di visus, mentre quegli può disporre in generale di scarse risorse fisiche. E può darsi che uno si sia trovato a sua volta coinvolto in precedenza in un incidente stradale e ne abbia già immagazzinata una vivida rappresentazione. Comunque sia, i due avranno rappresentazioni diverse dello stesso evento. E procederanno all'immagazzinamento di tali percezioni e rappresentazioni interne che diverranno nuovi filtri attraverso i quali in futuro sperimenteranno il reale.

C'è un concetto importante che viene utilizzato nella NLP: "La mappa non è il territorio." Come ha scritto Alfred Korzybsky in *Science and Sanity*, "vanno tenute presenti fondamentali caratteristiche delle mappe. Una carta geografica non è il territorio che rappresenta ma, se è esatta, ha una struttura simile a quella del territorio, ciò che ne giustifica l'utilità." Per i singoli il significato di quest'affermazione è che la loro rappresentazione interna non è l'esatta riproduzione dell'evento: ma è soltanto un'interpretazione filtrata attraverso specifiche credenze, atteggiamenti e valori personali. È forse per questo che Einstein una volta ha detto: "Chiunque si prenda la briga di ergersi a giudice nel campo della verità e della conoscenza, viene mandato in rovina dalle risa degli dei."

Dal momento che ignoriamo come stiano realmente le cose, ma sappiamo soltanto come ce le rappresentiamo, perché non rappresentarcele in modo tale da potenziare noi stessi e altri, anziché porci limitazioni? La chiave per riuscirci davvero è il controllo mnemonico, vale a dire la formazione di rappresentazioni capaci di creare costantemente gli stati d'animo più potenzianti per un individuo. In ogni esperienza ci sono molti elementi sui quali concentrarsi, e può capitare che anche l'uomo di massimo successo ponga mente a ciò che non funziona e scada in uno stato di depressione, frustrazione o rabbia.

Le persone di successo comunque hanno la capacità di accedere in maniera costante ai loro stati d'animo più potenzianti. Non è forse qui la differenza tra chi riesce e chi fallisce? Ripensate a W. Mitchell. A contare non è stato quel che gli è accaduto, bensì il modo in cui si è rappresentato quel che gli è accaduto. Nonostante le terribili ustioni riportate e la successiva paralisi, ha trovato il modo di porsi in uno stato d'animo produttivo. Tenetelo presente: nulla è intrinsecamente buono o cattivo. Il valore è come ce lo rappresentiamo. Possiamo rappresentarci le cose in modo tale da metterci in uno stato d'animo positivo, oppure fare il contrario. Soffermatevi un momento a rievocare un periodo in cui eravate in uno stato potenziante.

È quel che facciamo noi durante la pirobazia. Se vi chiedessi di metter giù questo libro e di camminare su un letto di carboni ardenti, dubito che vi alzereste. Non è qualcosa che credete di poter fare, e forse non avete associato a tale compito sentimenti e stati d'animo produttivi. Sicché, se io semplicemente ve ne parlo, probabilmente non riuscirete a mettervi in uno stato tale da sorreggervi nell'esecuzione dell'atto.

La pirobazia insegna alla gente come cambiare i propri stati d'animo e i propri comportamenti in modo tale da metterli in grado di compiere azioni e ottenere nuovi risultati nonostante la paura e altri fattori limitanti. Le persone che camminano sul fuoco non sono diverse da com'erano quando sono venute da me, persuase che la pirobazia fosse impossibile. Ma hanno imparato a cambiare la loro fisiologia, hanno imparato a cambiare le loro rappresentazioni interne circa ciò che possono o non possono fare, ragion per cui il fatto di camminare sul fuoco si è trasformato da qualcosa di terrificante in un'azione che sanno di poter compiere. Adesso possono mettersi in uno stato totalmente produttivo, sono in grado di ottenere risultati che in passato avevano etichettato come impossibili.

La pirobazia aiuta la gente a formarsi una nuova rappresentazione interna delle proprie possibilità. Se quel qualcosa che appariva impossibile era soltanto una limitazione della mente, quante altre "impossibilità" sono in effetti altrettanto possibili? Una cosa è parlare di potere degli stati d'animo: sperimentarlo è un altro paio di maniche. Ed è questo che fa la pirobazia: fornisce un nuovo modello di credenza e possibilità, crea una nuova sensazione interna o complesso di stati d'animo, tale che le esistenze dei singoli diventano migliori e permettono loro di fare più di quanto ritenessero "possibile". La pirobazia dimostra loro in maniera inequivocabile che il loro comportamento è il risultato dello stato in cui si trovano, e ciò perché in un istante, operando alcuni cambiamenti circa il loro modo di rappresentare l'esperienza a se stessi, possono addivenire a una così totale fiducia in se stessi da poter intraprendere azioni efficaci. Ovviamente, ci sono molte maniere di farlo. La pirobazia è soltanto un modo incisivo e dilettevole, che di rado si dimentica.

La chiave per ottenere i risultati che si desiderano consiste dunque nel rappresentarsi le cose in modo da porsi in uno stato a tal punto produttivo, da avere la potenzialità di compiere azioni del tipo e della qualità che assicurano i risultati desiderati. Non riuscirci, significa di norma anche non riuscire nel tentativo di raggiungere ciò che si desidera o, nella migliore delle ipotesi, compiere un tentativo poco convinto, che produrrà risultati dello stesso genere.

Se io vi dico: "Camminate sul fuoco", gli stimoli che produco per voi sotto forma di parole e di linguaggio del corpo arrivano al vostro cervello dove formano una rappresentazione. Se vi immaginate individui con l'anello al naso intenti a uno spaventoso rito, non sarete certo in stato d'animo positivo; se vi formate la rappresentazione di voi stessi che bruciate, sarete in uno stato ancora peggiore. Se invece vi raffigurate persone intente a battere le mani, a danzare, a compiere una celebrazione collettiva, se vedete una scena di gioia e di euforia, sarete in tutt'altro stato. Se davanti agli occhi avete una rappresentazione di voi stessi intenti a procedere sani e salvi, gioiosamente, e se vi dite: "Ma sì, sono perfettamente in grado di farlo", e muovete il vostro corpo come se aveste piena fiducia in voi stessi, questi segnali neurologici vi metteranno in uno stato tale per cui con ogni probabilità agirete e camminerete.

Lo stesso vale per ogni altra cosa. Se rappresentiamo a noi stessi che niente va per il suo verso, ecco che nulla andrà come deve. Se formiamo la rappresentazione di cose funzionanti, ecco che creiamo le risorse interiori di cui necessitiamo per produrre lo stato suscettibile di sostenerci nell'ottenimento di risultati positivi. Le persone di successo si raffigurano il mondo come un luogo in cui possono produrre tutti i risultati che maggiormente desiderano. Com'è ovvio, anche nel migliore degli stati d'animo non sempre otteniamo i risultati desiderati, ma se creiamo lo stato appropriato, creiamo anche la massima opportunità possibile di utilizzare in maniera efficace tutte le nostre risorse.

La successiva domanda logica suona: Se le rappresentazioni interne e la fisiologia cooperano alla creazione di stati da cui promanano comportamenti, che cos'è che determina lo specifico tipo di comportamento che produciamo quando siamo in quello stato? Un individuo innamorato ti vorrà abbracciare, mentre un altro si limiterà a dirti che ti ama. La risposta suona: Quando ci mettiamo in uno stato, il nostro cervello ha accesso a una serie di possibili scelte comportamentali. Il numero delle scelte stesse è determinato dai nostri modelli del mondo. Alcuni individui, quando s'arrabbiano, hanno un solo, grande modello di risposta, e si scatenano come hanno imparato a fare osservando i loro genitori. O forse semplicemente hanno tentato una certa strada e hanno avuto l'impressione di ottenere quel che volevano, ragion per cui quello è divenuto un ricordo immagazzinato di come rispondere in futuro.

Noi tutti abbiamo visioni del mondo, modelli che plasmano le nostre percezioni dell'ambiente in cui viviamo. Provengono dalle persone che conosciamo, da libri, cinema, televisione. Nel caso di W. Mitchell, una delle cose che ha plasmato la sua vita è stato il ricordo di un uomo che aveva conosciuto da bambino, un tale che era paralizzato ma aveva fatto della propria vita un trionfo. E così, Mitchell aveva un modello che lo ha aiutato a rappresentarsi la propria situazione come qualcosa che in nessun modo gli avrebbe impedito di raggiungere il pieno successo.

Quel che ci occorre fare, imitando altri, è scoprire le specifiche credenze che inducono quelle persone a rappresentarsi il mondo in modo tale da poter intraprendere azioni efficaci. Dobbiamo scoprire esattamente come rappresentano a se stessi la loro esperienza del mondo. Che cosa visualizzano nella propria mente? Che cosa si dicono? Che sensazioni hanno? Una volta ancora, se produciamo nei nostri corpi esattamente gli stessi messaggi, potremo ottenere risultati simili. L'imitazione di modelli non è altro che questo.

Una delle costanti nella vita è che di risultati se ne ottengono comunque sempre. Se non si decide consciamente quali risultati si intende ottenere, rappresentandosi le cose in conformità, allora un meccanismo esterno – una conversazione, uno spettacolo televisivo, qualsiasi cosa – può produrre stati d'animo che creano comportamenti di nessun aiuto per la nostra esistenza. La vita è come un fiume. È mobile, e potete trovarvi alla mercé del fiume se non intraprendete azioni deliberate, consce, per muovervi nella direzione da voi stessi predeterminata. Se non gettate i semi mentali e fisiologici dei risultati che volete, le erbacce cresceranno spontanee. Se non dirigiamo consciamente le nostre menti e i nostri stati d'animo, l'ambiente in cui viviamo produrrà indesiderabili stati casuali, e i risultati possono essere disastrosi. È dunque d'importanza decisiva, giorno per giorno, sapere come rappresentiamo di continuo le cose a noi stessi. Il nostro giardino dobbiamo diserbarlo ogni giorno.

Uno dei più validi esempi di stato d'animo indesiderabile è fornito dalla vicenda di Karl Wallenda dei "Wallenda Volanti". Per anni Karl aveva eseguito con grande successo acrobazie aeree, senza mai prendere in considerazione l'eventualità di un incidente: l'idea di cadere non faceva parte del suo bagaglio mentale. Poi, qualche anno fa, un giorno disse alla moglie che cominciava a vedersi cadere. Per la prima volta aveva dato a se stesso una coerente rappresentazione della caduta. Tre mesi dopo averne parlato per la prima volta, effettivamente cadde e morì. Qualcuno dirà che si è trattato di una premonizione. Un altro punto di vista è quello secondo cui Karl Wallenda avrebbe fornito alla propria mente una rappresentazione coerente, un segnale che lo ha messo in uno stato d'animo che favoriva il comportamento del cadere; insomma, Karl avrebbe creato egli stesso un risultato. Ha fornito al suo cervello una nuova strada da seguire, e alla fine il suo cervello l'ha imboccata. È per questo che è così importante concentrarsi su ciò che vogliamo e dimenticare invece ciò che non vogliamo.

Se di continuo ci si concentra sugli aspetti negativi della vita, su tutto ciò che non si vuole o su tutte le possibili difficoltà, ci si mette in uno stato d'animo che sosterrà quei tipi di comportamento e di risultati. Per esempio, siete gelosi? Forse no. Ma può darsi che in passato abbiate prodotto stati di gelosia e i tipi di comportamento che ne derivano. Voi però non siete il vostro comportamento. Elaborando sul vostro conto generalizzazioni d'un certo tipo, create una certa credenza che governerà e guiderà le vostre azioni nel futuro. Ricordate che il vostro comportamento è il risultato del vostro stato d'animo, e che questo è il risultato delle vostre rappresentazioni interne e della vostra fisiologia, e che le une e l'altra possono essere cambiate nel giro di pochi istanti. Se in passato siete stati gelosi, ciò significa semplicemente che vi siete rappresentati le cose in modo da creare quello stato d'animo. Ora potete raffigurarvi le cose in modo nuovo, e quindi produrre nuovi stati e conseguenti comportamenti. Tenetelo presente: abbiamo sempre la scelta di come rappresentare le cose a noi stessi. Se vi figurate che il vostro amato bene vi tradisce, ben presto vi troverete in uno stato di stizza e ira. Non dimenticate che non avete prove che così stanno le cose, ma che sperimentate nel vostro corpo come se così fossero, per cui quando il vostro amato bene torna a casa sarete sospettosi e rabbiosi. E in uno stato del genere come tratterete la persona che amate? Di solito non molto bene. Potrà capitarvi di aggredirla verbalmente oppure di sentirvi male dentro e di creare poi qualche altro comportamento ritorsivo.

Ricordate che la persona che amate può non aver commesso nulla, ma il tipo di comportamento che deriva da quel vostro stato d'animo probabilmente le farà desiderare di essere con qualcun altro! Se siete gelosi, creerete quello stato d'animo. Potete cambiare le vostre immagini negative in rappresentazioni del vostro amato bene che fa del suo meglio per arrivare a casa, e questo nuovo processo rappresentativo vi metterà in uno stato tale che quando arriverà a casa, vi comporterete in modo da farlo sentire desiderato e quindi da aumentare in lui il desiderio di stare con voi. Possono esserci casi in cui un amato o un'amata fa effettivamente quello che vi immaginate, ma perché sprecare emozioni finché non ne avete la certezza? Nella stragrande maggioranza dei casi, è altamente improbabile che sia proprio così, ma avete creato pene d'ogni genere per l'altro e per voi stessi, e a che scopo?

L'antenato di ogni azione è il pensiero.
RALPH WALDO EMERSON

Se assumiamo il dominio delle nostre comunicazioni con noi stessi e produciamo segnali visivi, uditivi e cinestesici di ciò che vogliamo, potremo ottenere sorprendenti risultati positivi anche in situazioni in cui le probabilità di successo sono scarse o inesistenti. I manager, gli allenatori, i genitori, gli imprenditori dotati di maggiori poteri ed efficacia sono quelli che riescono a rappresentare, a se stessi e ad altri, le circostanze della vita in modo da segnalare successo al sistema nervoso, a dispetto di stimoli esterni in apparenza disperanti. Costoro mantengono se stessi e altri in uno stato di totale produttività, per cui possono continuare ad agire fino a ottenere il successo. Probabilmente avete sentito parlare di Mel Fisher, quel tale che per diciassette anni ha cercato un tesoro sommerso e alla fine ha scoperto verghe d'oro e d'argento per un valore di oltre quattrocento milioni di dollari.

In un articolo su di lui che mi è capitato di leggere, c'era la risposta di uno dei membri dell'equipaggio alla domanda, perché avesse tenuto duro tanto a lungo, e la sua risposta è stata che Mel aveva la capacità di entusiasmare tutti. Ogni giorno diceva a se stesso e all'equipaggio: oggi è la giornata buona; e alla fine della giornata: sarà per domani. Ma dirlo non era abbastanza: Mel lo affermava in maniera convincente, con il tono della voce, con le immagini che aveva nella testa, con i suoi sentimenti. Ogni giorno si poneva in uno stato d'animo tale da permettergli di continuare l'azione, finché ci è riuscito. Mel Fisher costituisce il classico esempio della Formula Fondamentale del Successo. Conosceva la sua meta, ha intrapreso un'azione, ha imparato ciò che funzionava - e se non funzionava, tentava un'altra strada, finché ce l'ha fatta.

Uno dei più abili "motivatori" a me noti è Dick Tomey, capo allenatore della squadra di football della University of Hawaii, il quale capisce perfettamente come rappresentazioni interne delle persone influiscano sulle loro prestazioni. Un giorno, durante una partita contro l'Università del Wyoming, la sua squadra stava perdendo di brutto. A metà tempo, il punteggio era di 22 a

0. Facile immaginarsi in quale stato d'animo si trovassero allo scadere del primo tempo, nello spogliatoio. Tomey ha dato loro un'occhiata: tutti a testa bassa, l'aria abbacchiata; e si è reso conto che, a meno di non riuscire a cambiarne lo stato d'animo, le cose sarebbero cambiate ben poco nel secondo tempo. Nelle condizioni psicologiche in cui si trovavano, rischiavano di cadere nella trappola di un sentimento di sconfitta e non avrebbero avuto le risorse necessarie a farcela.

E allora Dick ha cavato fuori un poster sul quale erano incollate riproduzioni di articoli che aveva raccolto nel corso degli anni, e in ciascuno di essi si raccontavano episodi di squadre che si erano trovate in svantaggio con un margine del genere o anche maggiore e avevano fatto appello alle proprie energie, riuscendo a vincere partite che sembravano decisamente perdute. Ha fatto leggere gli articoli ai suoi giocatori, e così è riuscito a instillare loro una nuova fede, la persuasione che potevano riuscire a rimontare lo svantaggio – e quella convinzione (rappresentazione interna) ha creato uno stato neurofisiologico completamente nuovo. Ed è successo che la squadra di Tomey nella seconda metà della partita ha rimontato lo svantaggio, giocando come mai aveva fatto, senza permettere al Wyoming di segnare neppure un punto e vincendo per 27 a 22. E i giocatori ce l'hanno fatta perché Tomey è riuscito a smontarne le rappresentazioni interne, le credenze in ciò che era possibile.

Non molto tempo fa mi sono trovato a bordo di un aereo con Ken Blanchard, coautore di *The One Minute Manager*. Aveva appena scritto un articolo per il *Golf Digest*, intitolato "Giocatore di golf in un minuto". Aveva fatto amicizia con uno dei migliori istruttori di golf degli Stati Uniti e aveva migliorato le proprie prestazioni. Aveva imparato tutta una serie di utili trucchi, ma aveva difficoltà a ricordarseli. Gli ho detto che non doveva curarsi dei trucchi, e gli ho chiesto se aveva mai colpito perfettamente una palla da golf. Certo che sì, mi ha risposto. Gli ho domandato se l'aveva fatto più volte e nuovamente mi ha risposto di sì. Stando così le cose, gli ho spiegato, quella strategia, ovvero quella specifica modalità di organizzare le sue risposte, era stata senz'altro registrata dal suo inconscio, e tutto quello che doveva fare era di mettersi nello stato d'animo adatto per poter utilizzare tutte le informazioni di cui era già in possesso. Nel giro di pochi minuti gli ho insegnato come fare a rimettersi in quello stato e poi a provocarne a volontà l'insorgenza. È la tecnica che apprenderemo nel capitolo 17. Ed è accaduto che Ken Blanchard ha giocato come non aveva mai fatto in quindici anni, segnando quindici punti più di quanti ne avesse fatti in precedenza. Come mai? Semplicemente, perché non c'è potere che stia alla pari con quello dello stato d'animo produttivo. Non occorreva che Ken si sforzasse di ricordare: aveva già sotto mano tutto ciò che gli occorreva, l'unica cosa che doveva fare era imparare ad attingervi.

Non dimenticate che il comportamento umano è il risultato dello stato d'animo in cui ci si trova. Se almeno una volta in vita avete ottenuto un buon risultato, potete rifarlo ripetendo le stesse azioni mentali e fisiche compiute allora. Prima dei Giochi olimpici del 1984, ho lavorato con Michael O'Brien, un nuotatore selezionato per la gara dei 1500 metri stile libero. Si era bene allenato, ma aveva la sensazione di non mettercela tutta per riuscire a spuntarla. Aveva creato dentro di sé tutta una serie di blocchi mentali che sembravano limitarlo, e considerava con timore il successo, per cui si aspettava di avere la medaglia di bronzo, al massimo quella d'argento. Non era lui il favorito, non era lui quello destinato a vincere l'oro: il favorito, George DiCarlo, aveva già battuto Michael più volte.

Ho trascorso con Michael un'ora e mezzo, aiutandolo a imitare gli stati d'animo delle sue migliori prestazioni, in altre parole a scoprire come mettersi nelle sue condizioni ideologiche più produttive, che cosa si era immaginato, che cosa aveva detto a se stesso, quali erano stati i suoi sentimenti quell'unica volta che aveva battuto George DiCarlo. Abbiamo cominciato ad analizzare le azioni da lui compiute, mentalmente e fisicamente, in occasione delle sue vittorie, ricollegando lo stato d'animo in cui si era trovato allora a uno stimolo automatico, lo sparo della pistola dello starter. E ho scoperto così che il giorno in cui aveva battuto George DiCarlo, immediatamente prima della partenza aveva ascoltato Hey Lewis e i News. Per cui il giorno della finale ha fatto esattamente lo stesso, ha compiuto le stesse azioni di quello in cui aveva vinto, ascoltando persino Hey Lewis prima della partenza. E ha battuto George DiCarlo e si è guadagnato l'oro olimpionico con un vantaggio di sei buoni secondi.

Avete visto il film *The Killing Field*? C'era una sequenza straordinaria che mai dimenticherò: un bambino di forse dodici o tredici anni che viveva nello spaventoso caos, tra le distruzioni della guerra in Cambogia. A un certo punto, in preda alla disperazione, il bambino ha dato di piglio a una mitragliatrice e ha fatto fuori un uomo. Una scena scioccante. Come si spiega, vi chiederete, che un dodicenne giunga al punto da poter compiere un atto del genere? Per due motivi: in primo luogo, perché il ragazzo è giunto a un punto tale di frustrazione, che lo porta ad attingere ai terribili abissi di violenza della sua personalità; in secondo luogo, vive in una cultura a tal punto permeata di guerra e distruzione, che azionare una mitragliatrice sembra una risposta adeguata. Vede altri farlo, e lo fa anche lui, ed è una spaventosa sequenza negativa. Io preferisco concentrarmi su stati d'animo più positivi, ma è certo sorprendente come si riesca a fare certe cose in uno stato d'animo, buono o cattivo che sia, che mai faremmo in un altro. Continuo a sottolinearlo per far sì che entri bene nella mente del lettore: *il tipo di comportamento che gli individui producono è il risultato dello stato d'animo in cui si trovano. Quale sarà la loro specifica risposta a partire da quello stato d'animo, dipenderà dai loro modelli del mondo*, vale a dire dalle strategie neurologiche che hanno registrato. Io non potevo certo far sì che Michael O'Brien conquistasse l'oro olimpionico, lui che durante gran parte della sua vita aveva dovuto lavorare duro per registrare certe strategie, risposte muscolari, e via dicendo. Ma potevo scoprire come lui poteva mobilitare le sue più produttive risorse, le sue strategie di successo, a volontà e nei momenti decisivi in cui ne aveva bisogno.

Pochissimi sono coloro che compiono azioni consce per dirigere i propri stati d'animo. Per lo più, la gente si sveglia depressa o si alza dal letto priva di energia. Una buona colazione ne solleva il morale, una cattiva colazione glielo manda a terra. L'unica differenza tra le persone in qualsivoglia campo, è data dall'efficacia con cui utilizzano le proprie risorse. E lo si vede con la massima chiarezza nello sport. Nessuno vince sempre, ma ci sono atleti che hanno la capacità di mettersi in uno stato d'animo produttivo quasi a comando, e che sono quasi sempre all'altezza della situazione.

Gran parte delle persone sono alla ricerca di cambiamenti di stati d'animo. Vogliono essere felici, allegre, in condizione di estasi, sicure di sé. Vogliono la pace interiore, oppure cercano di uscire da stati d'animo spiacevoli. Si sentono frustrate, tirate, turbate, annoiate. E che cosa fanno per lo più gli individui in questi casi? Be', accendono il televisore che fornisce loro nuove rappresentazioni che essi possono interiorizzare, per cui vedono qualcosa e ridono, non sono più nel loro stato d'animo di frustrazione, escono, vanno a mangiare al ristorante o magari fumano una sigaretta o si drogano. Oppure, ed è una soluzione più produttiva, si danno all'esercizio fisico. L'unica difficoltà di gran parte di queste soluzioni è che i risultati non sono duraturi. Lo spettacolo televisivo finisce, e loro si trovano con le stesse rappresentazioni interiori circa la propria esistenza; e se ne rammentano, e tornano a sentirsi male come prima, una volta finito l'effetto della mangiata o della droga. E si trovano così a dover pagare un prezzo elevato per il temporaneo mutamento di stato d'animo. Al contrario, questo libro vi insegnerà come mutare direttamente le vostre rappresentazioni interne e la vostra fisiologia, senza far ricorso a espedienti che a lungo andare creano ulteriori problemi.

Perché tanti fanno ricorso a droghe? Non perché amano infilarsi un ago nel braccio, ma perché quell'esperienza riesce loro piacevole e non conoscono altro modo per mettersi in un certo stato d'animo. Mi sono capitati ragazzi, grandi consumatori di droghe pesanti, che dopo una pirobazia hanno rinunciato all'abitudine perché è stato loro fornito un modello più efficace per raggiungere lo stesso stato di euforia. Uno di loro, che da sei anni e mezzo si "faceva" di eroina, finita la camminata sul fuoco, ha detto agli altri componenti il gruppo: "L'ho fatta finita. L'ago non mi ha mai dato niente di simile a quello che ho provato una volta che sono arrivato alla fine della marcia sui carboni ardenti."

Questo non significa certo che doveva dedicarsi con regolarità alla pirobazia. Doveva semplicemente poter accedere regolarmente al suo nuovo stato d'animo e, compiendo qualcosa che aveva ritenuto impossibile, aveva elaborato un nuovo modello di ciò che poteva fare a se stesso per sentirsi bene.

Le persone che hanno raggiunto l'eccellenza sono maestre nell'attingere alle parti più ricche di risorse del loro cervello, ed è questo che li distingue dal branco. Quel che dovete soprattutto ricordare è che i vostri stati d'animo hanno un enorme potere e che voi potete controllarlo. Non sta scritto da nessuna parte che dovete essere alla mercé di qualsiasi cosa vi capiti.

C'è un fattore che prestabilisce il nostro modo di rappresentarci l'esperienza esistenziale e che funge da filtro, nel senso che determina il modo con cui rappresentiamo a noi stessi il mondo. C'è un fattore che determina gli stati d'animo che costantemente creeremo in certe situazioni, ed è quello che è stato definito "potere supremo". Esaminiamo adesso il potere magico della fede.

4
LA NASCITA DELL'ECCELLENZA: FEDE

L'uomo è ciò in cui crede.

ANTON ČECHOV

In uno stupendo libro, *Anatomy of an Illness*, Norman Cousins riferisce un episodio quanto mai istruttivo che ha avuto come protagonista Pablo Casals, uno dei maggiori musicisti del XX secolo. È una storia di fede e di rinnovamento da cui tutti abbiamo da imparare.

Cousins racconta il suo incontro con Casals poco prima del novantesimo compleanno del grande violoncellista, ed esordisce dicendo che riusciva un tantino penoso assistere al modo con cui il vecchio musicista cominciava la giornata. La sua fragilità e l'artrite di cui soffriva erano talmente debilitanti, che non ce la faceva a vestirsi da solo; l'enfisema da cui era affetto era reso manifesto dal respiro faticoso. Camminava strascicando i piedi, curvo, a capo chino. Aveva le mani gonfie, le dita contratte. Insomma, aveva l'aria di un uomo vecchissimo e stanchissimo.

Ancor prima di far colazione, si era messo al pianoforte, uno degli strumenti che suonava alla perfezione. Con grande difficoltà si era sistemato sullo sgabello, e sembrava che posare sulla tastiera le dita contratte, gonfie, gli costasse un terribile sforzo.

E poi, era successo qualcosa di miracoloso. Sotto gli occhi di Cousins, all'improvviso Casals si era trasformato. Era entrato in uno stato d'animo produttivo, e nel farlo la sua fisiologia era mutata al punto che aveva cominciato a muoversi e a suonare, producendo, sia nel proprio corpo che con il pianoforte, risultati che sarebbero stati possibili solo per un sano, forte, agile pianista. Per dirla con Cousins, "le sue dita lentamente si sono snodate, protendendosi verso i tasti come le gemme di una pianta verso la luce del sole. Casals ha drizzato la schiena, mi è parso respirare meglio". L'idea stessa di suonare il pianoforte aveva completamente trasformato il suo stato d'animo e quindi le sue capacità fisiche. Casals ha cominciato con il *Clavicembalo ben temperato*, eseguendolo con grande sensibilità e dominio del mezzo, quindi si è buttato in un concerto di Brahms, e sembrava che le sue dita volassero sulla tastiera. "Il suo intero organismo pareva tutt'uno con la musica" scrive Cousins. "Il suo corpo non era più rigido e contratto, ma elastico e aggraziato, completamente libero dalle pastoie dell'artrite." Quando si è alzato dal pianoforte, lo si sarebbe detto un individuo completamente diverso da quello che aveva preso posto sullo sgabello. Stava diritto, pareva più alto, camminava senza strascicare i piedi. Subito si è messo a tavola, ha mangiato di ottimo appetito e quindi se ne è andato a fare una passeggiata lungo la spiaggia.

Di solito pensiamo alla fede in termini dottrinari, ed effettivamente molte credenze sono di questo tipo, ma nell'accezione fondamentale del termine per fede si intende un qualsiasi principio guida, una massima, una convinzione o passione capace di conferire significato e direzione all'esistenza. Noi abbiamo accesso a innumerevoli stimoli, e le credenze sono principi preordinati, organizzati, attraverso i quali passano le nostre percezioni del mondo. Le credenze sono paragonabili a comandanti del cervello. Quando siamo profondamente convinti che qualcosa sia vero, è come se impartissimo al nostro cervello un ordine circa il modo con cui rappresentare quel che accade. Casals credeva nella musica e nell'arte, ed era questo che aveva conferito bellezza, ordine e nobiltà alla sua esistenza, e ancora poteva compiere per lui quotidiani miracoli. Proprio perché credeva in un potere trascendente della sua arte, veniva a esserne straordinariamente potenziato; le sue credenze giorno per giorno lo trasformavano, da vecchio stanco diventava un genio pieno di vigore.

John Stuart Mill ha scritto che "un uomo con una fede è uguale a un gruppo di novantanove persone che abbiano solo interessi". Ed è appunto per questo che le credenze spalancano l'uscio dell'eccellenza. La fede impartisce un ordine diretto al nostro sistema nervoso. Quando si crede che qualcosa sia vero, si entra letteralmente nello stato d'animo per cui esso è vero. Gestite con efficacia, le credenze possono diventare le forze più possenti per assicurare il benessere esistenziale. D'altro canto, le credenze che limitano le azioni e i pensieri possono essere distruttive nella stessa misura in cui le credenze produttive possono essere potenzianti. Durante tutta la storia, le religioni hanno impartito forza a milioni di individui, permettendo loro di fare cose che ritenevano impossibili. Le credenze ci aiutano ad attingere alle più ricche risorse dentro di noi, creandole e indirizzandole a sostegno del raggiungimento degli obiettivi desiderati.

Le credenze sono le bussole e le mappe che ci guidano verso le nostre mete e ci danno la certezza che le raggiungeremo. Senza poter attingere a esse, gli individui possono trovarsi in stato di totale impotenza, simili a un battello a motore che sia privo del motore o del timone. Chi disponga della guida di forti credenze avrà il potere di intraprendere azioni e di creare il mondo in cui desidera vivere. Le credenze aiutano a scoprire quel che si vuole e conferiscono l'energia necessaria per ottenerlo.

In effetti, non c'è nel comportamento umano forza ordinatrice più possente della fede. La storia umana è sostanzialmente la storia delle umane credenze. Gli uomini che hanno cambiato la storia, si tratti di Cristo o di Maometto, di Copernico o di Colombo, di Edison o di Einstein, sono quelli che hanno cambiato le nostre credenze. Per mutare i nostri comportamenti, dobbiamo cominciare dalle nostre credenze. Se vogliamo ricalcare l'eccellenza, dobbiamo imparare a imitare le credenze di coloro che all'eccellenza pervengono.

Più impariamo in merito al comportamento umano, più ne sappiamo circa lo straordinario potere che le credenze esercitano sulle nostre vite. Da molti punti di vista, si tratta di un potere che costituisce una sfida ai modelli logici della maggior parte di noi. Ma è evidente che persino a livello fisiologico le credenze (vale a dire rappresentazioni interne coerenti) controllano la realtà. Non molto tempo fa, è stata compiuta un'approfondita indagine sulla schizofrenia; uno dei casi descritti riguardava una donna dalla personalità divisa. Di regola, i suoi livelli glicemici erano perfettamente normali, ma quando si metteva in testa di essere malata di diabete la sua intera fisiologia cambiava, diventava quella di una diabetica. La sua credenza era divenuta la sua realtà. Sono state compiute, secondo gli stessi principi, numerose indagini su persone in stato di ipnosi, per esempio toccandone una con un ghiacciolo descrittole come un pezzo di metallo incandescente, e invariabilmente nel punto di contatto si formava una flittena. A contare non era la realtà bensì la credenza, vale a dire la comunicazione diretta, acritica, al sistema nervoso. Il cervello semplicemente fa ciò che gli vien detto di fare.

Moltissimi sanno che cos'è l'effetto placebo. Se si dice a una persona che un farmaco produrrà un certo effetto, molte volte costui avrà lo stesso effetto anche quando gli venga somministrata una pillola priva di proprietà attive ma simile al medicamento vero. Norman Cousins, che ha appreso per esperienza diretta il potere che la fede ha nell'eliminare le proprie malattie, conclude che "non sempre i farmaci sono necessari, ma lo è invariabilmente la fede nella guarigione". Un'indagine degna di nota sull'effetto placebo è stata condotta su un gruppo di pazienti ulcerosi che sono stati divisi in due gruppi: ai componenti il primo è stato detto che sarebbe stato loro somministrato un nuovo farmaco che certamente avrebbe dato loro sollievo; a quelli del secondo gruppo è stato detto che a loro sarebbe toccato un prodotto sperimentale, i cui effetti erano quasi completamente ignoti. Il 70% degli appartenenti al primo gruppo ha provato un notevole sollievo, mentre lo stesso risultato si è verificato solo nel 25% dei componenti il secondo gruppo. In entrambi i casi, ai pazienti è stato somministrato un prodotto assolutamente privo di proprietà medicamentose. L'unica differenza consisteva nel sistema di credenze adottato. Ancora più rilevanti sono le numerose indagini su persone alle quali siano stati somministrati prodotti che notoriamente hanno effetti dannosi e che non li hanno subiti quando è stato loro detto che ne avrebbero ottenuti di benefici.

Indagini condotte dal dottor Andrew Weil hanno dimostrato che le esperienze di chi fa uso di droghe corrispondono quasi esattamente alle loro aspettative. Il dottor Weil ha costatato che poteva riuscire a calmare una persona a cui era stata somministrata una dose di anfetamine e a provocare invece uno stato di eccitazione in individui cui fossero stati somministrati barbiturici. E la sua conclusione è che "la 'magia' delle droghe risiede nella mente di chi ne fa uso, non già nelle droghe stesse".

In tutti questi casi, la costante che ha massimamente condizionato i risultati consisteva nei continui, coerenti messaggi trasmessi al cervello e al sistema nervoso. E, per quanto possente esso sia, il procedimento non implica nessuna astrusa magia. La fede è null'altro che uno stato d'animo, una rappresentazione interna che governa il comportamento. Può trattarsi di una forte credenza nella possibilità, la convinzione cioè che riusciremo a ottenere una cosa o a realizzarne un'altra; ma può essere anche una convinzione disarmante, la persuasione che non possiamo riuscire, che le nostre limitazioni sono evidenti, insormontabili, schiaccianti. Se credete nel successo, quei messaggi vi permetteranno di ottenerlo. Non va dimenticato che siete sempre nel vero, sia che vi diciate che potete fare qualcosa, sia che vi diciate che non potete farla. Entrambi i tipi di credenza sono dotati di grande potere. La domanda da porsi è: qual è il tipo di convinzione che è meglio avere, e come si fa a svilupparlo?

L'origine dell'eccellenza sta nella consapevolezza che le nostre credenze sono una scelta. Di solito non la pensiamo così, eppure la credenza può essere una scelta conscia. Si può optare tra credenze limitanti e credenze sostentatrici. Il trucco consiste nello scegliere quelle che portano al successo e ai risultati che si desiderano, e nell'eliminare quelle che impastoiano.

Il massimo e frequente equivoco nei confronti della fede è che questa sia un concetto statico, intellettuale, scisso dall'azione e dai risultati. Ma nulla potrebbe essere più lontano dal vero. La fede è la strada per addivenire all'eccellenza proprio perché in essa non c'è nulla di statico, nulla di separato dall'azione.

È la nostra fede a stabilire a quanta parte del nostro potenziale saremo in grado di attingere. Le convinzioni possono dare la stura alle idee o bloccarne il flusso. Prendiamo una situazione immaginaria. Qualcuno ti dice: "Dammi del sale, ti prego"; tu vai a prenderlo dicendoti: "Non so dove stia." Cerchi per qualche istante, quindi gridi di rimando: "Non riesco a trovarlo." Ed ecco che a questo punto arriva un altro, prende il sale che stava proprio sullo scaffale sotto i tuoi occhi, e dice: "Sei orbo? Non vedi che è proprio qui davanti a te?" Quando ci si dice: "Non riesco", vuol dire che si è impartito al proprio cervello l'ordine di non vedere il sale. In psicologia, si parla in questo caso di scotoma. Si tenga presente che ogni umana esperienza, qualsiasi cosa si sia detta, vista, udita, sentita, odorata o gustata, è immagazzinata nel nostro cervello, e se si afferma che non si riesce a ricordare qualcosa, è proprio quel che succede. Quando invece ci si dice che si può farlo, ecco che si impartisce al proprio sistema nervoso un ordine che spalanca gli accessi alla parte del nostro cervello che è potenzialmente in grado di fornire le risposte di cui si ha bisogno.

Possono perché credono di potere.
VIRGILIO

E quindi, una volta ancora, che cosa sono le convinzioni? Sono approcci preformati, preorganizzati alla percezione, che filtrano in maniera coerente le nostre comunicazioni con noi stessi. Da cosa derivano le convinzioni? Perché certuni hanno credenze che li spingono al successo, mentre altri hanno credenze che contribuiscono unicamente al loro fallimento? Se vogliamo tentare di erigere a modello le convinzioni che promuovono l'eccellenza, la prima cosa è scoprire da dove quelle credenze provengono.

La prima fonte è l'ambiente. È qui che i cicli di successo che genera successo e di fallimento che genera fallimento si svolgono nella maniera più inesorabile. Il vero orrore dell'esistenza nel ghetto non è costituito dalle frustrazioni e privazioni quotidiane: a queste, si può resistere. Il vero incubo è l'effetto che l'ambiente ha sulle credenze e sui sogni. Se tutt'attorno non si vede altro che fallimento e disperazione, è molto difficile formare le rappresentazioni interne suscettibili di garantire il successo. Nel capitolo precedente, abbiamo detto che l'imitazione di modelli si può fare concretamente. Se si cresce tra la ricchezza e il successo, è facile imitarne i modelli; se invece si cresce nella povertà e nella disperazione, è da queste che si ricaveranno i propri modelli di possibilità. Albert Einstein ha detto che "pochi sono capaci di esprimere con equanimità opinioni diverse dai pregiudizi propri del loro ambiente sociale. Per lo più, la gente è assolutamente incapace di far proprie idee del genere".

In uno dei miei corsi di perfezionamento in *modeling*, cioè in imitazione di modelli, faccio compiere un esercizio che consiste nel cercare "barboni" che vivano per le strade di grandi città. Li facciamo venire da noi, ne imitiamo i sistemi di credenze e le strategie mentali; offriamo loro cibo e tutto il calore possibile, e in cambio vogliamo semplicemente che ci raccontino come vivono, quali sono i loro sentimenti circa la loro situazione attuale, e perché credono che le cose siano andate così. Confrontiamo la loro sorte con quella di persone che, nonostante grandi disastri fisici o emozionali, sono riuscite a cambiare vita.

Di recente, durante una di queste riunioni è stato nostro ospite un bell'uomo di ventotto anni, robusto, con ogni evidenza intelligente, in perfette condizioni fisiche. Perché era infelice, perché viveva da vagabondo mentre W. Mitchell il quale, almeno in apparenza, aveva minori risorse a cui far ricorso per cambiare la propria esistenza, era un uomo felice? Mitchell era cresciuto in un ambiente che gli forniva modelli di persone che avevano superato grandi ostacoli, pervenendo a una esistenza gioiosa, e questo aveva fatto nascere in lui una convinzione: "Anche per me è possibile." Al contrario, il ventottenne in questione, che chiameremo John, era cresciuto in un ambiente in cui non esistevano esempi simili. Sua madre faceva la prostituta, suo padre era finito in carcere per aver sparato a un tale. Quando John aveva otto anni, suo padre gli aveva praticato un'iniezione di eroina, e in un ambiente del genere con ogni evidenza tutto aveva contribuito a far nascere in lui convinzioni circa ciò che era possibile - poco più della mera sopravvivenza - e il modo per procurarselo, consistente nel vagabondare per le strade, rubando, tentando di cancellare la sofferenza con le droghe. John riteneva che la gente approfittasse sempre di te se non stavi con gli occhi bene aperti, che nessuno amasse nessun altro, e via dicendo. Quella sera abbiamo lavorato con John e ne abbiamo cambiato il sistema di credenze (come spiegheremo nel capitolo 6). Risultato: John non è più tornato a vivere per le strade, da quella sera ha rinunciato alle droghe, ha cominciato a lavorare, adesso ha nuovi amici e vive in un nuovo ambiente, con nuove convinzioni, ottenendo nuovi risultati.

Il dottor Benjamin Bloom dell'Università di Chicago ha compiuto un'indagine su centinaia di giovani atleti, musicisti e studenti di successo, e con sua grande sorpresa ha costatato che gran parte di quei giovani prodigi all'inizio non aveva dato prova di particolari capacità. La maggior parte di loro però era stata oggetto di attente cure, sostenuta, guidata, aiutata a fiorire. La convinzione di poter diventare qualcosa di speciale si era imposta prima che apparissero segni manifesti di grande talento.

L'ambiente può essere il più potente generatore di convinzione, ma non è l'unico. Se lo fosse, vivremmo in un mondo statico, in cui i figli di ricchi conoscerebbero soltanto la ricchezza, e i figli dei poveri mai trascenderebbero le proprie origini, mentre invece ci sono altre esperienze e modalità di apprendimento che sono fonte di ben radicate credenze.

Gli eventi, grandi o piccoli che siano, possono promuovere convinzioni. Nell'esistenza di ognuno ci sono eventi che rimarranno per sempre indimenticabili. Dove eravate il giorno in cui John F. Kennedy è stato ucciso? Se all'epoca dei fatti eravate adulti, sono certo che lo ricordate perfettamente. Per molte persone è stata una giornata che ha mutato per sempre la loro visione del mondo. Allo stesso modo moltissimi hanno esperienze che mai dimenticheranno, eventi che hanno avuto una tale incidenza su di essi da restare per sempre impressi nel loro cervello; sono queste le esperienze che formano le convinzioni suscettibili di cambiare la nostra vita.

Quando avevo tredici anni, mi sono chiesto che cosa volevo fare nella mia vita, e ho deciso di diventare cronista sportivo. Un giorno ho letto sul giornale che Howard Cosell avrebbe firmato il suo nuovo libro presso un grande magazzino locale, e mi sono detto che, se volevo diventare un giornalista degno di rispetto, dovevo cominciare con l'intervistare i professionisti dello sport. E perché non iniziare dai vertici? Sono uscito da scuola, mi son fatto prestare un registratore e mia madre mi ha portato in auto al grande magazzino. Vi sono arrivato quando Cosell era sul punto di andarsene, e ho avuto un momento di panico. Era circondato da cronisti che facevano a gomitate per registrare le sue opinioni. In qualche modo sono riuscito ad avvicinare Cosell e, parlando a raffica, gli ho detto che cosa stavo facendo e gli ho chiesto una breve intervista. E Howard Cosell ha concesso una dichiarazione a me in persona, lasciando in attesa decine di giornalisti. Quell'esperienza ha cambiato la mia opinione circa ciò che era possibile, le persone che si possono avvicinare e i risultati ottenibili rivolgendo loro una richiesta. Grazie all'incoraggiamento datomi da Cosell, ho cominciato a scrivere per un quotidiano e a far carriera nei media.

Un terzo modo per produrre convinzioni è la conoscenza. Un'esperienza diretta è una forma di conoscenza; ma si può conoscere anche leggendo, andando al cinema, vedendo il mondo come viene ritratto dagli altri. La conoscenza è una delle vie maestre per liberarsi dalle pastoie di un ambiente limitante. Per quanto tetro sia il vostro mondo, se avete modo di leggere materiale sulle realizzazioni di altri, potete crearvi le convinzioni che permetteranno anche a voi di riuscire.

Il politologo nero dottor Robert Curvin ha pubblicato sul *New York Times* un articolo in cui ha spiegato come l'esempio di Jackie Robinson, il primo giocatore nero di serie A, ha cambiato la sua vita quando era giovane. "Sono stato arricchito dall'affetto che nutrivo per lui, e il suo esempio è servito a elevare il livello delle mie aspettative."

Una quarta fonte di creazione di risultati è costituita dai nostri risultati precedenti. La maniera più sicura per creare in sé la convinzione che si può fare qualcosa è di farla una volta, almeno una: se quella volta riuscite, è assai più facile giungere alla convinzione che ci si riuscirà ancora.

Per rispettare i tempi di pubblicazione di questo libro, ho dovuto buttar giù il primo abbozzo dell'opera in meno di un mese; non ero certo di poterci riuscire, ma quando mi son trovato a dover scrivere un capitolo in un solo giorno, ho scoperto che potevo farcela. E, una volta riuscito con quello, mi sono reso conto che potevo anche ripetere l'impresa. Sono stato cioè in grado di darmi quella convinzione che mi ha permesso di finire questo libro entro il termine fissato.

Lo stesso imparano a fare i giornalisti che devono consegnare i loro pezzi in tempi brevissimi. Ci sono poche cose altrettanto angoscianti del dover sfornare un articolo in un'ora o anche meno, senza poter sgarrare di un minuto, e molti giornalisti novellini temono questo più di ogni altro aspetto del loro lavoro. Ma scoprono anche che, se ci riescono un paio di volte, sanno di poterlo fare anche in seguito. Non è che diventando più anziani diventino più intelligenti o più svegli; semplicemente, una volta in possesso della convinzione di poter scrivere un articolo nel tempo a loro disposizione, quale che ne sia la durata, scoprono di poterci riuscire sempre. Lo stesso vale per attori, uomini d'affari o individui di qualsiasi altra condizione. Credere che si può farcela diventa una profezia autorealizzantesi.

Un quinto modo di radicare in sé convinzioni consiste nel creare, dentro la propria mente, l'esperienza che si desidera in futuro come se fosse attuale e presente. Esattamente come le esperienze trascorse possono cambiare le nostre rappresentazioni interne, e pertanto ciò che si ritiene possibile, lo stesso può fare l'esperienza immaginaria di ciò che si desidera in futuro. È quello che chiamo *esperienza anticipata dei risultati*. Quando accade che i risultati che vedete attorno a voi non sono tali da aiutarvi a raggiungere uno stato di efficace potenziamento, si può semplicemente creare il mondo come lo si desidera e immergersi in quell'esperienza, così cambiando i propri stati d'animo, le proprie convinzioni, le proprie azioni. In fin dei conti, se sei un venditore, credi che sia più facile guadagnare 10.000 o 100.000 dollari? La verità è che è più facile guadagnarne 100.000. E vi spiego perché. Se vi proponete di intascarne 10.000, ciò che in realtà volete ottenere è di ricavare quel tanto da far quadrare il bilancio. Se è questa la vostra meta, se è questo il motivo che supponete abbia il vostro sgobbare duro, credete forse che, lavorando, sarete in uno stato d'animo produttivo e ricco di risorse? Potete sentirvi euforici se vi dite: "Oh, buon Dio, mi tocca lavorare tanto solo per riuscire a pagare quei miei quattro conti"? Non so come la pensiate, ma non è certo questo il carburante che fa andare il mio motore.

C'è un solo modo di vendere: bisogna compiere le stesse visite, incontrare le stesse persone, consegnare gli stessi prodotti, indipendentemente da quello che si spera di raggiungere. Sicché è assai più euforizzante partire con il proposito di incassare

100.000 anziché 10.000 dollari, e un tale stato d'animo vi spronerà a intraprendere quel tipo di azioni coerenti che consistono nell'attingere al vostro massimo potenziale anziché semplicemente sperare di tirare a campare.

Evidentemente, il denaro non può essere l'unica forma di motivazione. Quali che siano gli obiettivi che ci si propone, se si riesce a creare nella propria mente un'immagine precisa dei risultati cui si mira, e a rappresentarseli come se già li si fosse raggiunti, ecco che ci si metterà nello stato d'animo capace di assicurare l'aiuto necessario a ottenere i risultati desiderati.

Sono, tutte quante, modalità di mobilitazione delle credenze. Moltissimi tra noi, le proprie credenze le formano a caso, assorbendo passivamente cose buone e cattive dal mondo circostante; ma una delle idee chiave di questo libro è che si può esercitare il controllo sulle proprie convinzioni come si può esercitare il controllo sui modi con cui si imitano altri. Si può dirigere la propria esistenza, si può cambiarla. Se in questo libro c'è una parola chiave, è: cambiamento. Mi sia permesso di rivolgervi quella che è per me una questione assolutamente fondamentale: quali sono le opinioni che avete di voi stessi e di ciò che siete capaci di fare? Vi prego di concedervi un istante di tempo e di scrivere cinque opinioni chiave che in passato vi hanno limitato:

1.
2.
3.
4.
5.

E adesso, compilate un elenco di almeno cinque opinioni positive che oggi possono esservi di aiuto nel raggiungimento delle vostre mete supreme.

1.
2.
3.
4.
5.

Una delle premesse alle quali attenersi è che ognuna delle nostre affermazioni è datata e relativa al momento in cui è stata fatta. Non si tratta cioè di un'affermazione di valore universale: è vera solo per una certa persona in un certo momento, ed è passibile di cambiamento. Se avete sistemi di credenze negativi, ormai dovreste sapere quali effetti dannosi possono comportare; d'altro canto, è indispensabile rendersi conto che i sistemi di credenza non sono più immutabili della lunghezza dei vostri capelli, della vostra predilezione per un tipo di musica, della qualità dei vostri rapporti con un individuo particolare. Se avete una Honda e giungete alla conclusione che vi farebbe più piacere avere una Chrysler, una Cadillac o una Mercedes, operare il cambiamento è in vostro potere.

Lo stesso vale per le rappresentazioni interne delle nostre credenze. Se non ci piacciono, possiamo cambiarle. Noi tutti abbiamo una gerarchia, una scala di credenze. Abbiamo convinzioni profonde, talmente radicate che saremmo pronti a morire per esse, per esempio le nostre idee sul patriottismo, la famiglia e l'amore, ma le nostre esistenze sono per lo più governate da convinzioni circa la possibilità di avere successo o di raggiungere la felicità che abbiamo assorbito inconsciamente nel corso degli anni. Il segreto consiste nel prendere in considerazione queste credenze, nell'accertarsi che siano davvero efficaci e potenzianti.

Abbiamo parlato dell'importanza dell'imitazione di modelli. Il ricalco dell'eccellenza comincia dall'imitazione delle credenze. Ci sono cose che per essere imitate richiedono tempo, ma se si ha modo di leggere, riflettere e ascoltare, si possono rispecchiare le credenze delle persone che al mondo hanno il massimo successo. Quando J. Paul Getty ha cominciato la sua carriera, ha deciso di scoprire quali erano le convinzioni delle persone di maggior successo, e le ha assunte a propri modelli. E voi potete consciamente ricalcare le sue convinzioni, e quelle di moltissimi grandi leader, semplicemente leggendo le loro autobiografie. Le nostre biblioteche traboccano di risposte a domande relative al modo di ottenere in pratica qualsiasi risultato si voglia.

Da dove provengono le vostre personali convinzioni? Dall'uomo della strada? Dalla radio e dalla televisione? Da chiunque parli più a lungo e a voce più alta di altri? Se volete avere successo, sarebbe opportuno che sceglieste attentamente le vostre convinzioni anziché andarvene in giro assorbendo qualsiasi opinione vi colpisca. È importante rendersi conto che i potenziali ai

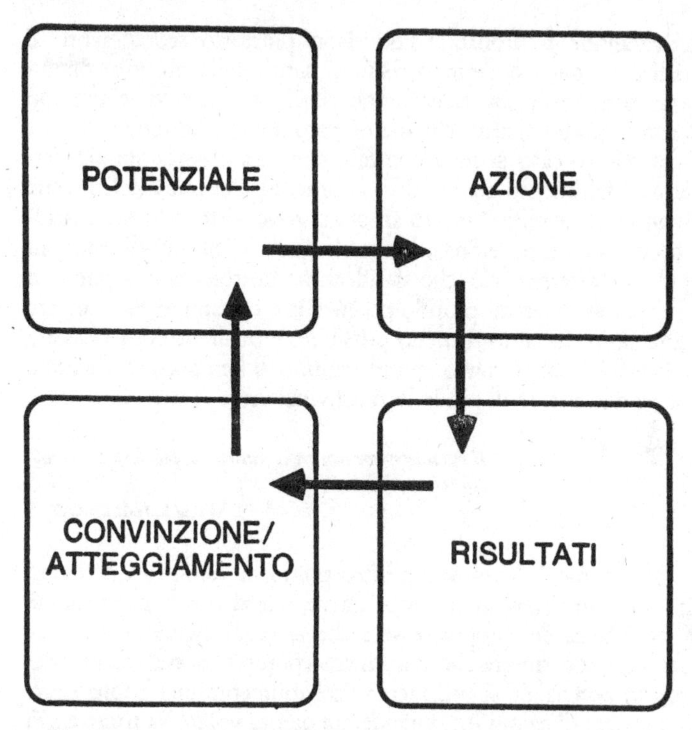

quali attingiamo, i risultati che otteniamo, sono tutti elementi di un processo dinamico che comincia con la convinzione: un processo come il diagramma qui sopra riprodotto.

Ammettiamo che un individuo sia convinto di non poter fare una certa cosa. Per esempio, che si sia detto di essere un pessimo studente. Se fa propria l'aspettativa del fallimento, a quanto del suo potenziale attingerà? Evidentemente, a ben poco. Ha già segnalato al proprio cervello di attendersi l'insuccesso. E quali tipi di azioni è probabile che intraprenda? Saranno azioni dettate da fiducia in se stesso, azioni energiche, coerenti e positive? E rifletteranno il suo vero potenziale? Assai improbabile. Se si è convinti di andare incontro al fallimento, perché fare un vero sforzo? In un caso del genere si è esordito con un sistema di credenze tale da sottolineare ciò che non si è in grado di fare, un sistema che di conseguenza segnalerà al proprio sistema nervoso di rispondere in un certo modo. Si è attinto solo a un quantitativo limitato del proprio potenziale e si saranno intraprese azioni poco convinte, procedendo a tentoni. Quali saranno i risultati che ne deriveranno? È probabile che siano piuttosto scoraggianti. E quali conseguenze avranno risultati simili sulle proprie convinzioni in merito a successivi tentativi? È probabile che rinforzino le convinzioni negative che hanno dato il via all'intero ciclo.

In questo caso si ha a che fare con una classica spirale perversa: il fallimento genera altro fallimento. Persone infelici e che vivono da "derelitte" molto spesso si sono viste mancare i risultati cui aspiravano tanto a lungo da non credere più di essere in grado di ottenere ciò che desiderano. Costoro fanno punto o poco per attingere al proprio potenziale e cercano di raggiungere i loro scopi facendo il meno possibile, e quali risultati possono derivarne? Come è ovvio, questi saranno di ben poco momento e mineranno ancora di più le loro convinzioni.

Il buon legname non cresce facilmente; più forte è il vento, più robusto è l'albero.

J. WILLARD MARRIOTT

Guardiamo la cosa da un altro punto di vista. Ammettiamo che si cominci con grandi aspettative, e anzi con la convinzione di ogni fibra del proprio essere che si raggiungerà il successo. Partendo con questa diretta, chiara comunicazione, quanto del proprio potenziale si utilizzerà? Probabilmente una buona dose. Che genere di azioni intraprenderete questa volta? Vi tirerete giù dal letto e vi darete da fare a malincuore? Ovviamente no, perché sarete euforici, pieni di energia, avrete grandi prospettive di successo, buone frecce al vostro arco. E con sforzi del genere, quali saranno i risultati che ne deriveranno? Probabilmente, almeno discreti. E che cos'è che fa sì che la fede nella propria capacità produca grandi risultati in futuro? È l'opposto del circolo vizioso. In questo caso, il successo si nutre del successo e genera altro successo, e ogni successo a sua volta rafforza la convinzione e la spinta a riuscire in misura ancor maggiore.

Le persone piene di risorse si danno un gran daffare? Certamente. Le convinzioni positive garantiscono ogni volta il successo? No, naturalmente. Se qualcuno vi dice di aver trovato la formula magica che garantisce il successo perpetuo, indiscutibile, meglio che gli voltiate le spalle e ve ne andiate di corsa. Ma la storia ha dimostrato più e più volte che se gli individui mantengono il sistema di credenze che li potenzia, continueranno a intraprendere azioni sufficienti e a disporre di sufficienti risorse per riuscire alla fine a farcela. Abraham Lincoln perdette alcune importanti elezioni, ma continuò a credere nella sua capacità di riuscire, a lungo termine, a spuntarla. Lincoln permise a se stesso di essere potenziato dal successo e si rifiutò di lasciarsi scoraggiare dai fallimenti. Il suo sistema di credenze era rivolto all'eccellenza, e alla fine la raggiunse e cambiò la storia del nostro paese.

A volte non è indispensabile, ai fini del successo, nutrire una fermissima convinzione o far proprio un ferreo atteggiamento circa questo o quello. A volte capita che un individuo ottenga straordinari risultati semplicemente perché ignora che qualcosa è difficile o impossibile. In certi casi è sufficiente non avere convinzioni limitanti. C'è, per esempio, la storia dello studente che durante una lezione di matematica si addormentò. Si svegliò al suono del campanello, diede un'occhiata alla lavagna e copiò i due problemi che vi stavano scritti, persuaso che si trattasse del compito da fare a casa. E a casa sgobbò tutto il giorno: non riuscì a risolverne neppure uno, ma continuò a provarcisi per il resto della settimana. Finalmente di uno trovò la soluzione e la portò in classe. L'insegnante rimase letteralmente a bocca aperta: il problema risolto dallo studente era infatti considerato irrisolvibile. Se lo studente lo avesse saputo, probabilmente non avrebbe neppure tentato. Siccome però non si era detto che non poteva farcela, ma anzi che doveva risolverlo, ecco che aveva trovato il modo di venirne a capo.

Un altro modo di cambiare le credenze consiste nell'avere un'esperienza che le smentisce. È questo un altro dei motivi perché eseguiamo la pirobazia. A me non importa che le persone possano camminare sul fuoco: a me interessa che possano fare cose che ritenevano impossibili. Se riesci a fare una cosa che ti pareva assolutamente irrealizzabile, questo ti indurrà a rivedere le tue opinioni.

La vita è insieme più ingegnosa e più complessa di quanto amino credere certuni. Se finora non ce l'avete fatta, rivedete le vostre convinzioni e decidete quali di esse potete cambiare adesso e in che senso vorreste cambiarle.

Domanda: una curva è concava o convessa?

La risposta è: dipende dal punto di vista.

La tua realtà è la realtà che tu crei. Se hai rappresentazioni interne o credenze positive, è perché sono quelle che ti sei create. Se ne hai di negative, è perché ancora una volta te le sei create. Ci sono infinite credenze che favoriscono l'eccellenza, ma ne ho scelte sette che mi sembrano particolarmente importanti. Sono quelle di cui parleremo nel prossimo capitolo.

5
LE SETTE MENZOGNE DEL SUCCESSO

La mente è il proprio luogo, e di per sé può fare di un Inferno un Cielo, e di un Cielo un Inferno.

JOHN MILTON

Il mondo in cui viviamo è quello in cui scegliamo di vivere, consciamente o inconsciamente che sia. Se scegliamo la felicità, è la felicità che avremo. Se scegliamo l'infelicità, quella avremo. Come si è visto nel capitolo precedente, la convinzione è il fondamento dell'eccellenza. Le nostre opinioni sono approcci organizzativi specifici, coerenti, alla percezione. Sono le scelte fondamentali che compiamo circa il modo di percepire le nostre esistenze, e quindi di viverle. Sono il modo con cui accendiamo o spegniamo il nostro cervello. Sicché, il primo passo verso l'eccellenza consiste nel trovare le credenze che ci guidino verso il risultato cui vogliamo arrivare.

La strada verso il successo consiste nel conoscere il risultato sperato, nell'intraprendere un'azione sapendo quali conseguenze ne verranno, e nell'avere l'elasticità necessaria per cambiare fino a raggiungere la meta. Lo stesso vale per le convinzioni. Bisogna scoprire quelle che ti portano là dove vuoi arrivare. Se le tue convinzioni non ti ci portano, devi buttarle a mare e tentare un'altra strada.

La gente a volte resta sconcertata quando mi sente parlare di "menzogne del successo". Si può forse desiderare di vivere nella menzogna? Ma io voglio semplicemente dire che non sappiamo com'è realmente il mondo. Ignoriamo se la linea del capitolo precedente è concava o convessa. Non sappiamo se le nostre credenze sono vere o false. Ciò che tuttavia possiamo sapere, è se funzionano, se in altre parole sono dei validi sostegni, se arricchiscono la nostra esistenza, se ci rendono migliori, se sono di aiuto a noi e ad altri.

Il termine "menzogna" è qui usato quale coerente promemoria del fatto che non sappiamo esattamente come stanno le cose. Per esempio, una volta saputo che la linea è concava, non siamo più liberi di considerarla convessa. Il termine "menzogna" non è dunque equivalente di "ingannevole o insincero", ma è piuttosto un modo utile di rammentarci che, per quanto fermamente crediamo in un concetto, dobbiamo essere aperti ad altre possibilità e pronti a imparare di continuo. Vi suggerisco pertanto di dare un'occhiata a queste sette credenze, per decidere se vi sono o no utili. Le ho trovate più e più volte in uomini di successo che ho assunto come modelli. Per imitare l'eccellenza, dobbiamo partire da sistemi di credenza dell'eccellenza. E ho costatato che queste sette convinzioni hanno messo in grado le persone che le hanno di far di più, di ottenere risultati superiori. Non voglio certo dire che sono le uniche convinzioni che portano al successo. No, sono soltanto un punto di partenza. Hanno funzionato per altri, possono essere utili anche a voi.

CREDENZA N. 1: *Tutto quel che succede ha una ragione e uno scopo, e possiamo servircene.* Ricordate la storia di W. Mitchell? Qual era la convinzione fondamentale che lo ha aiutato a superare le avversità? Mitchell ha deciso di servirsi di quel che gli era accaduto e di volgerlo a proprio favore, in qualsiasi modo per lui possibile. E tutte le persone di successo hanno la misteriosa capacità di focalizzare la propria attenzione su ciò che in una situazione è possibile e sui risultati positivi che possono derivarne. Indipendentemente dai contraccolpi negativi che possono venir loro dall'ambiente circostante, costoro ragionano in termini di possibilità. Pensano che tutto accada per un motivo, e che essi possano servirsene. Credono che ogni avversità contenga il seme di un beneficio equivalente o magari maggiore.

Posso garantirvi che così pensano gli uomini che ottengono grandi risultati. Provate anche voi. Ci sono infiniti modi possibili di reagire a qualsivoglia situazione. Ammettiamo, per esempio, che la tua azienda non riesca a ottenere un contratto sul quale avevi fatto conto, e che senza dubbio ti meritavi di assicurarti. C'è chi ne resterebbe ferito e frustrato. Potremmo starcene tappati in casa e abbandonarci alla depressione, oppure uscire e andare a ubriacarci. Qualcuno potrebbe anche uscire di senno. Potremmo prendercela con l'azienda che ha ottenuto l'ordine o magari con il nostro personale che ha mandato a monte un affare che sembrava avviato a buon fine.

Tutto questo può servire a procurarci uno sfogo, ma non ci aiuta di sicuro, non ci porta affatto più vicini alla meta desiderata. Occorre grande disciplina per ripercorrere i nostri passi, imparare dure lezioni, riparare i danni, volgere lo sguardo a nuove possibilità. Ma è questa l'unica maniera per ricavare un esito positivo da quello che sembrava un risultato negativo.

Mi sia permesso di offrirvi un valido esempio di possibilità. Marilyn Hamilton, ex insegnante e reginetta di bellezza, è oggi una donna d'affari di successo a San Francisco. Anche lei è sopravvissuta a uno spaventoso incidente: all'età di ventinove anni è precipitata con un deltaplano e si è ritrovata su una sedia a rotelle, paralizzata dalla vita in giù.

Marilyn Hamilton avrebbe potuto focalizzare la propria attenzione sulle molte cose che non avrebbe più potuto fare. Invece ha preso in considerazione le possibilità che ancora le si offrivano. È riuscita a scorgere, nella tragedia, gli aspetti positivi. Fin dall'inizio ha trovato insopportabile la sedia a rotelle: la legava, la imprigionava. Ora, noi probabilmente non abbiamo idea di come giudicare la validità di una sedia del genere. Ma Marilyn Hamilton sì, e si è detta che solo lei era in grado di progettarne una migliore. Si è messa pertanto d'accordo con due amici che costruiscono deltaplani e ha cominciato a lavorare al prototipo di una sedia a rotelle migliore.

I tre hanno costituito una società che hanno chiamato Motion Design, la quale è oggi un'azienda multimiliardaria che ha rivoluzionato la produzione delle sedie in questione e che è stata in testa alle classifiche delle piccole aziende californiane per il 1984. Hanno assunto il loro primo dipendente nel 1981, e adesso ne hanno ottanta oltre a una rete di ottocento dettaglianti.

Ignoro se Marilyn Hamilton si sia mai prefissata consciamente di passare in rassegna le sue convinzioni, certo è però che ha agito facendo propria una concezione dinamica delle possibilità, con un senso preciso di ciò che per lei era fattibile. In pratica, tutti coloro che hanno davvero successo si muovono partendo dallo stesso contesto.

Soffermatevi un istante a ripensare alle vostre convinzioni. In generale, vi aspettate che le cose funzionino bene o che funzionino male? Vi aspettate che i vostri migliori sforzi siano coronati da successo, o vi aspettate, al contrario, che finiscano in niente? Che cosa vedete in una situazione, le potenzialità o i blocchi stradali? Molti sono coloro che tendono a focalizzare l'attenzione sugli aspetti negativi più che sui positivi, e il primo passo verso il cambiamento consiste nel rendersene conto. La credenza nei limiti crea individui limitati, e la soluzione consiste nel lasciar perdere le limitazioni e nell'agire partendo da un insieme di risorse più elevato. Nella nostra cultura, i leader sono gli individui che scorgono le possibilità, quelli in grado di metter piede in un deserto e di scorgervi un giardino. Impossibile, dite? Che cosa è accaduto in Israele? Chi ha una profonda fede nelle possibilità, è assai probabile che le realizzi.

CREDENZA N. 2: *Non c'è nulla di simile al fallimento, ci sono solo risultati.* È quasi un corollario alla credenza n. 1, ed è altrettanto importante. Un po' tutti noi siamo stati programmati a temere quella cosa chiamata fallimento. Pure, non c'è nessuno di noi che non abbia avuto un momento in cui desiderava una cosa e ne ha avuto un'altra. Noi tutti abbiamo fatto cilecca a un esame, sofferto per un amore infelice, avviato un affare solo per vedere andare tutto storto. Se da un capo all'altro di questo libro parlo di "esito" e "risultato", è perché ciò scorgono gli individui di successo, i quali non prendono neppure in considerazione il fallimento. Non ci credono. Non rientra nel conto.

Gli uomini riescono sempre a ottenere qualche risultato. Le persone che hanno il massimo successo nella nostra cultura non sono quelle che non falliscono, ma semplicemente coloro i quali sanno che, se tentano di ottenere qualcosa e non riescono ad averla, hanno comunque avuto un'esperienza istruttiva: utilizzano ciò che hanno appreso e tentano un'altra strada, intraprendono nuove azioni, ottengono nuovi risultati.

Pensateci un momento: qual è l'unica risorsa, l'unico vantaggio di cui disponete oggi rispetto a ieri? La risposta, come ovvio, è: esperienza. Gli individui che temono il fallimento si fanno anticipatamente rappresentazioni interne di ciò che potrebbe non funzionare, ed è questo che li trattiene dall'intraprendere proprio quell'azione capace di assicurare l'attuazione dei loro desideri. Avete paura del fallimento? Be', e che ne pensate dell'apprendimento? Potete imparare da ogni esperienza umana, e pertanto riuscire, qualsiasi cosa facciate.

Ha scritto Mark Twain: "Non c'è nulla di più triste di un giovane pessimista." E aveva perfettamente ragione. Le persone che credono nel fallimento quasi sempre hanno in serbo una esistenza mediocre. Il fallimento è qualcosa che non viene percepito da coloro che attingono alla grandezza. Costoro non attribuiscono emozioni negative a ciò che non funziona.

Mi sia permesso di riferirvi un esempio. È la biografia sintetica di un uomo che:

a 31 anni è fallito come uomo d'affari
a 32 anni è stato bocciato a un'elezione
a 34, altro fallimento
a 35, gli è morta la donna amata
a 36, ha avuto un crollo psichico
a 38, ha perduto un'altra elezione
a 43, non è riuscito a farsi eleggere al Congresso
a 46, ci ha riprovato ed è stato bocciato un'altra volta
a 48, stessa esperienza
a 55, non è riuscito a farsi eleggere senatore
a 56, ha perduto la corsa per la vicepresidenza
a 58, non ha avuto un seggio senatoriale
a 60, è stato eletto presidente degli Stati Uniti.

Il nome del personaggio è Abraham Lincoln. Sarebbe potuto diventare presidente se avesse considerato alla stregua di fallimenti le sue "trombature" elettorali? Assai improbabile. C'è anche un celebre episodio di Thomas Edison. Dopo che per 9999 volte aveva tentato di perfezionare la lampadina elettrica senza riuscirci, qualcuno gli ha chiesto: "Hai forse intenzione di andare incontro a 10.000 fallimenti?" La risposta di Edison è stata: "Io non fallisco, semplicemente ho scoperto un altro modo di non inventare la lampadina elettrica." Edison in realtà aveva scoperto che considerando in modo diverso le azioni si ottiene un risultato differente.

I nostri dubbi sono traditori, e ci fanno perdere il bene che potremmo ottenere perché abbiamo paura di tentare.

WILLIAM SHAKESPEARE

Vincitori, leader, capi d'azienda – persone dotate di potere personale – comprendono tutti che, se si tenta qualcosa e non si perviene all'esito desiderato, si tratta di una semplice retroazione, nel senso che l'informazione così ottenuta viene utilizzata per elaborare più precise definizioni di ciò che è necessario fare per ottenere i risultati desiderati. Ha scritto Buckinster Fuller: "Tutto ciò che gli esseri umani hanno appreso, ha dovuto essere imparato grazie a un'esperienza di successive prove ed errori. Gli esseri umani hanno imparato solo sbagliando." A volte impariamo dai nostri errori, altre volte da quelli altrui. Soffermatevi un istante a riflettere sui cinque maggiori presunti fallimenti che vi sono toccati in vita. Che cosa avete appreso da quelle esperienze? Non escludo che siano alcune delle più valide lezioni che vi siano mai toccate.

Fuller si serve di una metafora, quella del timone di una nave: quando questo si sposta da una parte o dall'altra, la nave mostra la tendenza a continuare il movimento rotatorio al di là delle intenzioni del timoniere, il quale deve correggerlo, riportando il battello verso la direzione originaria, in un processo senza fine di azione e reazione, aggiustamento e correzione. Cercate di raffigurarvelo: un timoniere sul mare calmo, che tranquillamente guida il suo battello verso la destinazione, facendo fronte a migliaia di inevitabili deviazioni della rotta. È una bella immagine ed è uno splendido modello da imitare per chi voglia una vita coronata dal successo. Ma la maggior parte di noi non la pensa allo stesso modo. Ogni errore tende a caricarsi di valenze emozionali. È un fallimento. Ha riflessi negativi su di noi.

Molti, per esempio, si avviliscono perché sono troppo grassi. Il loro atteggiamento verso un eccesso di peso, in realtà, non cambia nulla. Al contrario dovrebbero accettare il fatto di aver avuto successo nel senso che hanno prodotto un risultato chiamato obesità, mentre adesso si accingono a ottenere un nuovo risultato chiamato dimagrimento. Questo nuovo risultato lo possono ottenere intraprendendo nuove azioni.

Se non siete sicuri delle azioni da intraprendere per ottenere questo risultato, leggete con particolare attenzione il capitolo 10 oppure prendete a modello qualcuno che ha ottenuto il risultato detto dimagrimento. Scoprite quale azione specifica l'individuo in questione produce mentalmente e fisicamente per continuare a restare snello, compite le stesse azioni, e avrete gli stessi risultati. Finché il vostro peso in eccesso lo considererete un fallimento, resterete paralizzati, mentre invece nel momento stesso in cui lo trasformerete in un risultato da voi ottenuto, e che adesso potete cambiare, il vostro successo sarà assicurato.

Credere nel fallimento è un modo per avvelenarsi la mente. Quando immagazziniamo emozioni negative, influiamo sulla nostra fisiologia, sul processo di elaborazione dei pensieri, sullo stato d'animo. Una delle massime limitazioni per moltissime persone è la loro paura del fallimento. Il dottor Robert Schuller, che insegna a pensare le possibilità, pone una domanda fondamentale: "Che cosa tentereste di fare se sapeste che non potete fallire?" Pensateci: come potreste rispondere a questa domanda?

Se davvero credete che non potete fallire, potreste impegnarvi in un'intera nuova serie di azioni, ottenendo nuovi, grandi risultati. In tal caso, per voi andrebbe meglio, no? Non è forse questa l'unica maniera di crescere? Io vi suggerisco di cominciare a rendervi conto fin da ora che non esiste nulla di simile al fallimento. Ci sono solo risultati, e un risultato lo si produce sempre. Se non è quello che si desidera, si possono cambiare le azioni e si otterranno nuovi risultati. Cancellate la parola "fallimento" e sottolineate, in questo libro, il termine "esito", e impegnatevi a ricavare un insegnamento da ogni esperienza.

CREDENZA N. 3: *Qualsiasi cosa accada, assumetene la responsabilità.* Un'altra caratteristica comune a leader e realizzatori, è il fatto di agire partendo dalla convinzione di creare il proprio mondo. L'affermazione che li sentirete fare più e più volte, suona: "Il responsabile sono io, e sono io che me ne occupo."

E non è certo un caso se li si sente ripeterlo di continuo. I realizzatori hanno la tendenza a credere che qualsiasi cosa accada, buona o cattiva che sia, ne sono stati loro i creatori. Se non l'hanno causata con le loro azioni fisiche, forse l'hanno prodotta con il livello e il tenore dei loro pensieri. Io non so se questo sia proprio vero: nessuno scienziato può comprovare che i nostri pensieri creano la nostra realtà. Ma è un'utile menzogna, è una convinzione che dà forza, ed è per questo che ho scelto di credere in essa. Credo cioè che noi generiamo le nostre esperienze esistenziali, sia con il comportamento che con il pensiero, e che possiamo imparare qualcosa da tutti.

Se non credete che il vostro mondo è una vostra creazione, si tratti dei vostri successi o dei vostri fallimenti, vuol dire che siete alla mercé delle circostanze. Le cose semplicemente vi accadono, siete oggetti, non soggetti. E permettetemi di dirvi che, se ciò fosse vero, io mi metterei immediatamente alla ricerca di un'altra cultura, di un altro mondo, di un altro pianeta. Che ci stiamo a fare, qui, se non siamo altro che il prodotto di casuali forze esterne? A mio giudizio, assumersi responsabilità costituisce uno dei migliori metri di misura del potere e della maturità di una persona, oltre a fornire un esempio di credenze che sorreggono altre credenze, delle potenzialità sinergiche di un coerente sistema di credenze. Se non credete nel fallimento, se sapete che otterrete il risultato sperato, non avete nulla da perdere, e anzi tutto da guadagnare assumendovene le responsabilità. Vuol dire che avete il controllo della situazione, che ce la farete.

John F. Kennedy aveva fatto suo questo sistema di credenze. Dan Rather ha scritto che Kennedy è divenuto un leader in seguito all'episodio della Baia dei Porci, quando si è presentato al popolo americano e ha detto che si era trattato di un'infamia che mai avrebbe dovuto verificarsi, assumendone la piena responsabilità. Facendolo si è trasformato, da giovane e abile uomo politico, in un vero leader. Ha fatto ciò che ogni grande capo deve fare. Coloro che sanno assumersi le responsabilità sono quelli che esercitano il potere; chi le evita è un impotente.

Lo stesso principio vale anche a livello individuale. La maggior parte di noi ha certo fatto l'esperienza consistente nel tentare di esporre un'emozione positiva a qualcun altro. Proviamo a dire a qualcuno che lo amiamo, oppure che comprendiamo il problema con cui è alle prese; ma, anziché captare questo messaggio positivo, l'altro ne capta uno negativo, ed eccolo subito turbato e ostile. Spesso, la nostra tendenza è quella di turbarci a nostra volta, di assumere nei confronti dell'altro un atteggiamento accusatorio, di attribuirgli la responsabilità del malumore che può derivarne. È certo un modo facile di uscirne, ma non sempre è il più saggio. Il fatto è che la nostra comunicazione può aver messo in moto il meccanismo. Il risultato che si voleva ottenere con la comunicazione, lo si può pur sempre produrre se si tiene presente l'esito cui si vuole pervenire, vale a dire il comportamento che si intende creare. Dipende da voi cambiare il vostro comportamento, il vostro tono di voce, la vostra mimica facciale, eccetera. Diciamo dunque che il significato della comunicazione è la risposta che si ottiene; cambiando azione, si può cambiare la comunicazione; e assumendosi responsabilità si conserva il potere di cambiare il risultato che si produce.

CREDENZA N. 4: *È necessario comprendere le cose per essere in grado di servirsene.* Molte persone di successo fanno propria un'altra utile convinzione. Non credono di dover conoscere tutto di tutti per potersene servire; sanno come utilizzare ciò che è essenziale, senza avvertire il bisogno di scoprirne ogni singolo particolare. Se osservate persone che esercitano un potere, costaterete che hanno una conoscenza operativa di una quantità di cose, ma che spesso hanno scarsa padronanza di ciascuna di esse e di *ogni* particolare della loro iniziativa.

Nel primo capitolo abbiamo visto come il proporci modelli da imitare possa darci modo di risparmiare una delle nostre risorse insostituibili, il tempo. Osservando individui di successo, abbiamo modo di ricalcarne le azioni, e quindi anche i risultati, in tempo molto minore. Il tempo è qualcosa che nessuno può creare per noi. Ma i realizzatori invariabilmente fanno in modo di risparmiare tempo. Estraggono l'essenza di una situazione, ne ricavano ciò di cui hanno bisogno e trascurano il resto. Ovviamente, quando a qualcosa sono particolarmente interessati, se per esempio vogliono capire come funziona un motore o come viene fabbricato un prodotto, si concedono il tempo necessario per imparare. Ma sono sempre consapevoli di quanto ne occorre loro. Sanno sempre ciò che è essenziale e ciò che non lo è.

Quasi certamente se vi chiedessi di spiegare come funziona l'elettricità, fareste scena muta o dareste una risposta lacunosa. Pure, non vi dispiace affatto poter premere l'interruttore e accendere la luce. Dubito che siano molti di voi quelli che in questo momento se ne stanno a casa a leggere il presente libro a lume di candela. Gli individui di successo sono particolarmente abili nel distinguere ciò che per essi è necessario comprendere, e ciò che non lo è. Per poter fare un uso efficace delle informazioni qui contenute, e per poter utilizzare effettivamente tutto ciò di cui disponete in vita, dovete rendervi conto che esiste un equilibrio tra uso e conoscenza. Il vostro tempo potete impiegarlo tutto nello studio delle radici oppure apprendere a cogliere i frutti. Le persone di successo non è detto che siano necessariamente quelle in possesso del massimo di informazioni, del massimo di conoscenze. Probabilmente, alla Stanford University c'erano molti scienziati che la sapevano più lunga, in fatto di microcircuiti, di Steve Jobs o di Steve Wozniak, ma i due erano particolarmente abili nell'utilizzazione di ciò di cui disponevano; e sono stati loro a ottenere risultati.

CREDENZA N. 5: *La gente è la nostra massima risorsa.* Gli individui che raggiungono l'eccellenza, vale a dire le persone che ottengono risultati straordinari, quasi senza eccezione nutrono grandissimo rispetto per gli altri e sanno apprezzarli. Hanno il senso della collegialità, dello scopo comune e dello sforzo unitario. Se c'è un'intuizione valida nella nuova generazione di libri sul mondo degli affari, è la convinzione che non si ha successo duraturo senza rapporti con gli altri e che la via per il successo consiste nel costituire un team di persone capaci di effettiva collaborazione. Tutti abbiamo letto rapporti sulle fabbriche giapponesi, dove dipendenti e dirigenti mangiano alla stessa mensa, e sia gli uni che gli altri possono dire la loro in fatto di valutazione delle prestazioni. Il loro successo è frutto dei risultati straordinari che si possono ottenere quando si rispetta la gente anziché tentare di servirsene come di oggetti.

Quando Thomas J. Peters e Robert H. Waterman Jr., autori di *In Search of Excellence*, hanno sceverato i fattori che fanno grandi le aziende, uno degli elementi fondamentali che hanno scoperto è stata la profonda attenzione per gli altri. "Nelle aziende che hanno raggiunto l'eccellenza, forse non c'era tematica più pregnante del rispetto dell'individuo," hanno scritto. Le aziende che hanno successo sono quelle in cui la gente è fatta segno a rispetto e dignità, in cui i dipendenti sono visti come partner, non come strumenti. Il risultato di una delle loro ricerche è che 18 su 20 dirigenti della Hewlett-Packard da essi intervistati hanno affermato che il successo dell'azienda dipende dalla filosofia che questa ha fatto propria, l'attenzione per la gente. Ora, la Hewlett-Packard non è un commerciante al minuto che ha a che fare con il pubblico o una compagnia di servizi dipendente dal favore del pubblico stesso, bensì una società che opera sulle estreme e complesse frontiere della tecnologia moderna. Ma anche a questo livello avere rapporti positivi con la gente è considerato un elemento di importanza determinante.

Al pari di molte delle credenze qui elencate, di questa è più facile riempirsi la bocca che farla concretamente propria. È facile insomma a parole l'idea di trattare rispettosamente gli altri, in ambito familiare o aziendale, ma non è certo facile farlo davvero.

Leggendo questo libro, tenete presente l'immagine di un timoniere che di continuo corregga la rotta della nave dirigendosi verso il porto di arrivo. Anche noi dobbiamo essere continuamente all'erta, riadattare il nostro comportamento, calibrare le nostre azioni, per essere certi di arrivare dove vogliamo. Affermare che si trattano rispettosamente gli altri e farlo davvero, non è la stessa cosa. Le persone di successo sono quelle che più di tutte sono pronte a chiedere agli altri: "Come possiamo farlo meglio? Come possiamo farlo funzionare?" Costoro sanno che a un individuo da solo, per quanto brillante, riuscirà assai difficile stare alla pari con i talenti cooperanti di un team efficiente.

CREDENZA N. 6: *Il lavoro è gioco.* Conoscete qualcuno che abbia ottenuto grandi successi facendo ciò che detesta? Io no. Una delle chiavi del successo consiste nel realizzare un fruttuoso matrimonio tra ciò che si fa e ciò che si ama. Pablo Picasso ha affermato: "Quando lavoro, mi rilasso; al contrario, non far niente o intrattenere visitatori mi stanca." Forse non dipingiamo come Picasso, ma tutti possiamo fare del nostro meglio per trovare un lavoro che ci dia vigore e gioia, e possiamo inserire in tutto ciò che facciamo molte delle cose che facciamo giocando. Mark Twain ha scritto: "Il segreto del successo consiste nel fare della propria vocazione una vacanza." Ed è appunto quel che sembra facciano le persone di grande riuscita.

Oggi si sente molto parlare di "alcolisti del lavoro" e non sono certo pochi coloro per i quali il lavoro è divenuto qualcosa di simile a una malsana ossessione, al punto che non sembrano ricavare alcun piacere da quello che fanno, ma sono ormai incapaci di fare altro.

I ricercatori hanno scoperto, in certi "alcolisti del lavoro", aspetti sorprendenti. Ci sono individui che sembrano maniacalmente focalizzati sul lavoro perché lo amano. Per loro esso è una sfida, è uno sprone, è qualcosa che arricchisce le loro esistenze, lo vedono come molti di noi vedono il gioco: per loro è un modo di distendersi, di imparare nuove cose, di esplorare nuove strade.

Ci sono mansioni che più di altre favoriscono questo atteggiamento? Certo che sì, e il segreto consiste nel puntare appunto a mansioni del genere. È qui all'opera una di quelle spirali ascendenti di cui si è parlato. Se riuscite a trovare modi creativi di compiere il vostro lavoro, questo vi aiuterà a trovare lavori ancora migliori. Se invece decidete che il lavoro è solo fatica ingrata, nient'altro che il mezzo per portare a casa una busta paga, è molto probabile che non diverrà mai qualcosa di più.

Abbiamo parlato prima del carattere sinergico di un sistema coerente di credenze, vale a dire del modo con cui credenze positive fanno da sostegno ad altre credenze dello stesso tipo. E qui ne abbiamo un altro esempio. Io non credo che esistano mansioni senza via d'uscita. Ci sono solo persone che hanno perduto il senso della possibilità, che hanno deciso di non assumersi responsabilità, e di credere nel fallimento. Con questo, non voglio suggerirvi di diventare un maniaco del lavoro né vi invito a decidere di incentrare tutto il vostro mondo sul lavoro. Vi ricordo però che arricchirete il vostro mondo e il vostro lavoro se ci metterete la stessa curiosità e vitalità che mettete nei vostri giochi.

CREDENZA N. 7: *Non c'è successo duraturo senza impegno.* Coloro che hanno successo sono persone che credono nella potenza dell'impegno. Se c'è un'opinione che appare quasi inseparabile dal successo, è che non si possono ottenere grandi risultati senza grandi impegni. Se date un'occhiata a individui realizzatisi in qualsivoglia campo, costaterete che non sono per forza di cose migliori né più intelligenti, i più rapidi e i più energici, ma che sono quelli capaci del massimo impegno. La grande ballerina russa Anna Pavlova ha affermato: "Perseguire incessantemente un unico obiettivo, ecco il segreto del successo." È questo semplicemente un altro modo di dare espressione alla nostra Formula Fondamentale del Successo: conoscere l'esito cui si mira, imitare ciò che funziona, intraprendere azioni, sviluppare l'acutezza sensoria necessaria a sapere dove si vuole arrivare, e continuare a perfezionarla finché si ottiene ciò che si vuole.

Lo vediamo accadere in ogni campo, persino in quello in cui le capacità naturali sembrerebbero avere la massima incidenza. Prendete gli sport. Che cos'è a fare di Larry Bird uno dei migliori giocatori di pallacanestro? Molti continuano a chiederselo. Larry è lento, è uno che non sa saltare in un mondo di eleganti gazzelle. A volte dà l'impressione di giocare al rallentatore. Ma quando si arriva al dunque, ecco che Larry Bird la spunta perché il suo impegno nei confronti del successo è fortissimo. Si allena più duramente degli altri, ha una tenacia maggiore, gioca con più determinazione, mira più in alto degli altri, e dalle proprie capacità ricava più di quasi chiunque altro. Pete Rose è riuscito a ottenere i suoi primati allo stesso modo, servendosi coerentemente della sua volontà di raggiungere l'eccellenza come di una forza che lo spinge a mettere tutto quanto ha a disposizione in tutto ciò che fa. Tom Wattson, il grande giocatore di golf, quando studiava a Stanford non era niente di speciale. Era semplicemente uno dei tanti componenti la squadra; ma il suo allenatore continua a esserne meravigliato, dice: "Mai visto nessuno allenarsi più di lui." Le differenze in fatto di semplici capacità fisiche tra atleti di rado sono indicative. A separare il buono dall'ottimo è la qualità dell'impegno.

L'impegno costituisce un'importante componente del successo in ogni campo. Prima di avere il suo grande momento, Dan Rather era passato alla leggenda come il giornalista televisivo di Houston che lavorava più duro; ancora si parla di quella volta che condusse una trasmissione arrampicato su un albero mentre un uragano imperversava sulla costa del Texas. Giorni fa, ho sentito qualcuno dire di Michael Jackson che il suo è un successo concretatosi dal giorno alla notte. Ma è vero? Michael non ha forse grandi talenti? Certo che li ha, e ha voluto farcela da quando aveva cinque anni. Già allora divertiva la gente, si esercitava a cantare, perfezionava il proprio modo di ballare, scriveva le proprie canzoni, e indubbiamente aveva talenti naturali oltre a essere cresciuto in un ambiente da cui gli venivano validi sostegni. Ha elaborato sistemi di credenze da cui ha tratto nutrimento; ha avuto sotto mano molti modelli di successo, la sua famiglia è stata per lui una valida guida. Tuttavia, ciò che contava davvero era la sua disponibilità a pagare il necessario prezzo. Amo servirmi della sigla QEN – Quanto È Necessario. Gli individui di successo sono disposti a fare tutto quanto è necessario per riuscire (senza fare del male ad altri, va da sé). E anche questo, non meno di altre cose, è ciò che li separa dal gregge.

Ci sono altre credenze che favoriscono l'eccellenza? Certo che ci sono. E più ci pensate, tanto meglio sarà. Leggendo questo libro, dovreste assumere consapevolezza di altre caratteristiche distintive o intuizioni da aggiungere all'elenco. Ricordatelo: *il successo lascia tracce*. Studiate coloro che hanno successo. Scoprite le credenze chiave che fanno proprie e che ne aumentano la capacità di compiere azioni efficaci in maniera continuativa e di ottenere ottimi risultati. Le stesse credenze qui elencate hanno compiuto miracoli per altri prima di voi, e io ritengo che possano fare lo stesso anche per voi sempre che il vostro impegno nei loro riguardi sia costante.

Mi pare già di udire qualcuno di voi dirsi: be', ma c'è quel grosso "se". E che succede se si hanno credenze che non servono da sostegno? Se si hanno credenze negative anziché positive? Come si fa a cambiare le credenze? Il primo passo l'avete già compiuto, è l'assunzione di coscienza. Sapete quel che volete. Il secondo passo è l'azione, che consiste nell'apprendere a controllare le proprie rappresentazioni interne, le proprie credenze, nell'apprendere come si fa a guidare il proprio cervello.

Fin qui, non abbiamo fatto altro che mettere assieme i pezzi che, a mio giudizio, conducono all'eccellenza. Abbiamo cominciato con l'idea che l'informazione è la merce dei re, che i grandi comunicatori sono coloro che sanno ciò che vogliono perché sanno intraprendere azioni efficaci, variando comportamento fino al raggiungimento degli esiti sperati. Nel capitolo 2, si è detto che la strada per l'eccellenza passa per l'imitazione di modelli. Se riuscite a individuare persone che hanno ottenuto successi strepitosi, potrete ricalcare le azioni specifiche da esse coerentemente intraprese per ottenere risultati – le loro credenze, la loro sintassi mentale, la loro fisiologia – in modo da poter ottenere risultati simili in un tempo d'apprendimento più breve. Nel capitolo 3 abbiamo parlato del potere degli stati d'animo e abbiamo visto come un comportamento efficace, produttivo, deciso, derivi dal fatto che una persona sia in condizioni neurofisiologiche produttive ed efficaci. Nel capitolo 4, ci siamo occupati della natura della credenza e di come convinzioni potenzianti spalanchino la strada dell'eccellenza. In questo capitolo, abbiamo passato in rassegna le sette credenze che costituiscono le pietre angolari dell'eccellenza.

A questo punto, intendo mettervi al corrente di certe formidabili tecniche che possono aiutarvi a far buon uso di ciò che avete appreso.

6
IL DOMINIO DELLA MENTE.
COME DIRIGERE IL CERVELLO

Non andate in cerca di errori, ma di un rimedio.

HENRY FORD

Questo capitolo riguarda la ricerca di rimedi. Finora abbiamo parlato di ciò che si deve cambiare se si vuole mutare la propria esistenza, quali sono gli stati d'animo potenzianti e quali i disarmanti. In questo capitolo apprenderete come fare a cambiare i vostri stati d'animo in modo da ottenere qualsiasi cosa vogliate e quando lo vogliate. Di solito la gente non manca di risorse; manca della capacità di controllare le proprie risorse. Questo capitolo vi insegnerà come mantenere il controllo, come ricavare maggiori soddisfazioni dall'esistenza, come cambiare gli stati d'animo e le azioni e pertanto i risultati che ottenete nel vostro organismo – e tutto questo in pochi istanti.

Il modello di cambiamento che io insegno, e che viene impartito dall'NLP, è assai diverso da quello utilizzato da molte scuole terapeutiche. Il canone terapeutico, un *pastiche* di svariati indirizzi, è così familiare da essere divenuto una sorta di totem culturale. Molti sono i terapeuti i quali ritengono che per poter cambiare si debba tornare a esperienze negative profondamente radicate e riviverle, secondo il concetto che le persone nel corso della propria esistenza hanno esperienze negative che si accumulano dentro di loro come un liquido, finché non c'è più spazio per contenerle e le esperienze in questione esplodono o traboccano. L'unico modo di affrontare questa situazione, dicono i terapeuti, consiste nel rivivere gli eventi e le sofferenze da cima a fondo, tentando poi di farle scomparire una volta per tutte.

Tutto, nella mia esperienza, mi dice che si tratta invece di una delle maniere meno efficaci di aiutare la gente a superare i propri problemi. In primo luogo, quando chiedete a qualcuno di tornare indietro e di rivivere un trauma atroce, lo si mette nello stato d'animo più penoso e meno produttivo in cui possa venire a trovarsi. E quando lo si fa, le probabilità che l'individuo in quelle condizioni sia in grado di elaborare nuovi comportamenti produttivi e buoni risultati vengono a essere grandemente ridotte. In effetti, anzi, questo modo di procedere può addirittura rinforzare i moduli penosi e improduttivi. Accedendo di continuo a stati neurologici di limitazione e sofferenza, si facilita il perdurare di questi stessi stati. Più si rivive un'esperienza, maggiore è la probabilità che si torni a farvi ricorso, e forse così si spiega perché a tanti terapeuti tradizionali occorre tanto tempo per ottenere risultati.

Conto qualche buon amico tra i terapeuti, persone che si prendono davvero a cuore la sorte dei loro pazienti, persuasi come sono che ciò che fanno renda davvero diversi. E così è. La terapia tradizionale produce effettivi risultati. Tuttavia, non si può non chiedersi: questi risultati non potrebbero essere ottenuti con minor sofferenza dei pazienti e in tempi più brevi? La risposta è affermativa, sempre che si assumano a modello le azioni dei più efficienti terapisti che esistano al mondo, ed è esattamente quanto hanno fatto Bandler e Grinder. In effetti, una semplice comprensione di come funziona il cervello permette di diventare terapeuti di se stessi, di essere i propri consulenti personali. Si trascende la terapia, ci si mette in grado di cambiare i propri sentimenti, emozioni o comportamenti nel giro di pochi istanti.

A mio giudizio, per produrre risultati più positivi bisogna cominciare con l'elaborare un nuovo modello del processo di cambiamento. Se ritenete che i vostri problemi si accumulino dentro di voi finché non traboccano, sarà esattamente questa l'esperienza che vi sarà riservata. Ma io vedo la nostra attività neurologica come un jukebox più che come un ricettacolo in cui la sofferenza si accumula a guisa di un liquido letale. Quel che accade, in realtà, è che gli esseri umani continuano ad avere esperienze che vengono registrate: le immagazziniamo nel cervello come dischi in un jukebox. E come questi possono essere suonati a piacimento, così le nostre registrazioni possono essere reiterate in ogni istante, a patto che nell'ambiente circostante entrino in funzione gli stimoli adeguati, ossia che venga schiacciato il bottone giusto.

Possiamo così scegliere di ricordare esperienze ovvero premere bottoni con cui suonare "canti" di felicità e gioia, oppure premerne altri che generano dolore. Se il vostro programma terapeutico implica la pressione di bottoni che di continuo creano sofferenza, può accadervi di rafforzare proprio quegli stati d'animo negativi che desiderate cambiare.

Ritengo che dobbiate fare invece qualcosa di completamente diverso. Per esempio, riprogrammare il vostro jukebox in modo che trasmetta una canzone di tutt'altro genere. Premerete, sì, lo stesso bottone di prima, ma anziché udire il canto triste ne udrete uno di estasi. Oppure potrete rifare la registrazione del disco, prendere gli antichi ricordi e cambiarli.

La questione è che le registrazioni che non vengono suonate non si accumulano al punto da provocare un'esplosione, ed esattamente come esiste una semplice procedura di riprogrammazione di un jukebox, è facile mutare le condizioni che producono sentimenti ed emozioni improduttivi. Per cambiare il nostro stato d'animo, non è necessario rivivere tutta la sofferenza accumulata nella memoria, ma dobbiamo mutare la rappresentazione interna da negativa a positiva, e dev'essere una rappresentazione che entri automaticamente in azione e ci permetta di produrre risultati migliori. Dobbiamo insomma mettere in moto i circuiti dell'estasi e chiudere il rubinetto che alimenta i circuiti della sofferenza.

L'NLP prende in considerazione la struttura dell'umana esperienza, non già il suo contenuto. Si può essere partecipi da un punto di vista personale, senza tuttavia curarsi affatto di ciò che è realmente accaduto. Occuparsi davvero di ciò che accade significa rielaborarlo mentalmente. Qual è la differenza nel modo di produrre uno stato d'animo di depressione e uno di estasi? La differenza fondamentale consiste nel modo in cui si strutturano le proprie rappresentazioni interne.

Nulla ha potere su di me, all'infuori di ciò cui io lo conferisco mediante i miei pensieri coscienti.

ANTHONY ROBBINS

Noi strutturiamo le nostre rappresentazioni interne attraverso i cinque sensi: vista, udito, tatto, gusto e olfatto. In altre parole noi sperimentiamo il mondo sotto forma di sensazioni visive, uditive, cinestesiche, gustative e olfattive. Sicché, tutte le esperienze che abbiamo immagazzinato nella nostra mente vengono rappresentate attraverso questi sensi, in primo luogo i tre che hanno maggior incidenza, vale a dire i messaggi visivi, uditivi e cinestesici.

Queste tre facoltà sono raggruppamenti generali del modo con cui formiamo rappresentazioni interne. I cinque sensi o sistemi rappresentativi possono essere considerati gli ingredienti mediante i quali si costruisce ogni esperienza o risultato. Chiunque sia in grado di ottenere un particolare risultato, lo crea mediante azioni specifiche, sia mentali sia fisiche. Se si duplicano esattamente le stesse azioni, si possono duplicare i risultati prodotti da una persona. Per ottenere un risultato è indispensabile conoscere quali ingredienti sono necessari. E gli "ingredienti" di ogni esperienza derivano dai nostri cinque sensi. Tuttavia non basta sapere solo quali ingredienti siano necessari. Per ottenere proprio il risultato desiderato bisogna sapere esattamente quale quantitativo di ciascun ingrediente è indispensabile. Se mettete troppo o troppo poco di un particolare ingrediente, non otterrete il risultato del tipo e della qualità voluto.

Chi desidera cambiare alcunché, di solito mira a mutare due cose o una sola di esse: il proprio modo di sentire, vale a dire lo stato d'animo, e/o il proprio modo di comportarsi. Così per esempio un fumatore spesso desidera cambiare le sue sensazioni fisiche ed emozionali (il suo stato d'animo) e insieme il suo modulo comportamentale consistente nell'accendere una sigaretta dopo l'altra. Nel capitolo relativo agli stati d'animo, abbiamo messo in chiaro che ci sono due modi di cambiarli e dunque di modificare i comportamenti della gente: cambiandone la fisiologia, cosa che ne muterà il modo di sentire e il tipo di comportamento, oppure cambiandone le rappresentazioni interne. Il presente capitolo attiene all'apprendimento del modo con cui cambiare specificamente il modo di rappresentarsi le cose perché ci metta in grado di produrre i tipi di comportamento di aiuto nel raggiungimento dei nostri obiettivi.

Due sono gli elementi che possiamo cambiare per quanto riguarda le nostre rappresentazioni interne. Possiamo mutare *ciò* che ci rappresentiamo; così, per esempio, se ci immaginiamo lo scenario peggiore possibile, il mutamento può consistere nel raffigurarci lo scenario migliore possibile. Oppure, possiamo cambiare il *modo* di rappresentarci le cose. Molti di noi hanno dentro la propria mente certe chiavi che inducono il nostro cervello a rispondere in un particolare modo. Così, per esempio, c'è chi trova che raffigurarsi qualcosa di grande, anzi di grandissimo, sia una motivazione a ottenere grandi risultati; altri ritengono che il tono di voce che usano parlando con se stessi costituisca la differenza di maggior conto in fatto di motivazioni.

Quasi tutti disponiamo di certe submodalità che scatenano dentro di noi risposte immediate; una volta scoperti i vari modi di rappresentarci le cose e l'effetto che producono su di noi, possiamo farci carico della nostra mente e cominciare a rappresentarci le cose in modo da potenziarci anziché limitarci.

Se qualcuno ottiene un risultato che ci piacerebbe eleggere a modello, dobbiamo sapere qualcosa di più che non il semplice fatto che costui si è raffigurato qualcosa nella propria mente e ha detto qualcosa a se stesso. Abbiamo bisogno di strumenti più sofisticati per cogliere davvero ciò che accade nella mente, ed è a questo punto che intervengono le *submodalità* le quali sono paragonabili agli esatti quantitativi di ingredienti necessari per ottenere un risultato; sono cioè gli elementi costruttivi più piccoli e più precisi che compongono il contesto dell'esperienza umana. Per essere in grado di capire, e pertanto controllare l'esperienza visiva, dobbiamo saperne qualcosa di più, conoscere se è chiara o scura, in bianco e nero o a colori, statica o in movimento. Allo stesso modo, dobbiamo sapere se una comunicazione uditiva è rumorosa o sommessa, vicina o lontana, rombante o tintinnante. Dobbiamo sapere se un'esperienza cinestesica è dolce o dura, tagliente o smussata, elastica o rigida. Ecco, nella pagina a fianco, un breve elenco di submodalità.

Un'altra importante differenza consiste nel fatto che un'immagine sia associata o dissociata. Un'immagine del primo tipo è quella di cui si ha esperienza come se si fosse realmente presenti. La si vede con i propri occhi, si ode e si sente quello che si udrebbe e sentirebbe se si fosse davvero in quel luogo e in quel momento con il proprio corpo. Un'immagine dissociata è quella che si sperimenta come se la si osservasse dal di fuori. Vedere un'immagine dissociata di se stessi è come assistere a un film di cui si sia gli attori.

Concedetevi qualche istante per rammentare un'esperienza piacevole che avete avuto di recente. Ponetevi concretamente in quell'esperienza. Vedete quello che avete visto attraverso i vostri occhi: gli eventi, le immagini, i colori, la brillantezza, e via dicendo. Udite quel che avete udito: le voci, i suoni, i silenzi, eccetera. Percepite quel che i vostri sensi hanno percepito: emozioni, temperatura, e così via. Sperimentate ciò che questo comporta. E adesso uscite dal vostro corpo, allontanandovi dalla situazione ma ponendovi in un luogo in cui possiate continuare a vedere voi stessi in quell'esperienza. Immaginatevi l'esperienza come se vi vedeste in un film. Qual è la differenza nei vostri sentimenti?

Submodalità visive

1. Immagini in sequenza o staccate.
2. Panoramica o particolare (in questo caso, il tipo di particolare).
3. Colore o in bianco e nero.
4. Luminosità.
5. Dimensione dell'immagine (grandezza naturale, ingrandita o ridotta).
6. Dimensioni dell'oggetto/i centrale/i.
7. Soggetto presente nell'immagine o all'esterno di essa.
8. Distanza dall'immagine del soggetto.
9. Distanza dall'oggetto/i centrale/i del soggetto.
10. Qualità tridimensionale.
11. Intensità del colore (o del bianco e nero).
12. Grado di contrasto.
13. Movimento (in questo caso, a ritmo rapido o lento).
14. Punto focale (in quali parti, dentro o fuori l'immagine).
15. Fuoco intermittente o costante.
16. Angolo visivo.
17. Numero delle immagini (spostamenti).
18. Ubicazione.
19. Altri casi?

Submodalità uditive

1. Volume.
2. Sequenza (interruzione, raggruppamenti).
3. Ritmo (regolare, irregolare).
4. Inflessioni (parole sottolineate, e come).
5. Cadenza.
6. Pause.
7. Tonalità.
8. Timbro (qualità, da dove proviene il suono).
9. Unicità del suono (grave, armonioso, ecc.).
10. Suono mobile (spaziale).
11. Ubicazione.
12. Altri casi?

Submodalità cinestesiche

1. Temperatura.
2. Grana.
3. Vibrazione.
4. Movimento.
5. Durata.
6. Costante-intermittente.
7. Intensità.
8. Peso.
9. Densità.
10. Ubicazione.
11. Altri casi?

Submodalità dolorose

1. Pizzicore.
2. Caldo-freddo.
3. Tensione muscolare.
4. Tagliente-smussato.
5. Pressione.
6. Durata
7. Intermittente (come una pulsazione).
8. Ubicazione.
9. Altri casi?

In quale delle due situazioni, nella prima o nella seconda, i vostri sentimenti avevano la massima intensità? La differenza tra l'una e l'altra situazione è quella che corre tra un'esperienza associata e un'esperienza dissociata.

Servendovi delle differenziazioni submodali potrete cambiare radicalmente la vostra esperienza esistenziale. Tenete presente quel che si è detto in precedenza, cioè che ogni comportamento umano è il risultato dello stato d'animo in cui ci si trova e che i nostri stati d'animo sono frutto delle rappresentazioni interne, vale a dire delle cose che ci raffiguriamo, che diciamo a noi stessi, ecc. Esattamente come un regista cinematografico può cambiare l'effetto che il suo film produce sugli spettatori, voi potete mutare l'effetto che ogni esperienza esistenziale ha su di voi. Il regista può cambiare l'angolazione della ripresa, il volume e il tipo della colonna sonora, la velocità e la quantità di movimento, il colore e la qualità dell'immagine, in tal modo facendo sorgere nello spettatore lo stato d'animo da lui desiderato. E voi potete dirigere il vostro cervello allo stesso modo, allo scopo di produrre lo stato d'animo o il comportamento più favorevole al raggiungimento dei vostri supremi obiettivi o bisogni.

Ecco come. È importantissimo che eseguiate davvero i prossimi esercizi, per cui leggete attentamente, quindi fate una pausa e compite effettivamente l'esercizio prima di riprendere la lettura. Sarebbe divertente farlo con qualcun altro, scambiandosi le parti: uno dà lo spunto e l'altro fornisce la risposta.

Cominciate allora rievocando un ricordo molto piacevole, recente o remoto. Chiudete gli occhi, rilassatevi e pensate a quell'episodio. Adesso prendete l'immagine che si è formata nella vostra mente e rendetela via via più luminosa. A mano a mano che l'immagine si rischiara, assumete consapevolezza di come cambia il vostro stato d'animo. Voglio poi che portiate più vicino a voi la vostra immagine mentale. Adesso fermatela e ingranditela. Che cosa accade quando manipolate l'immagine? Cambia l'intensità dell'esperienza, non è vero? Per la stragrande maggioranza delle persone, ingrandire, rendere più luminoso e avvicinare un ricordo già piacevole, ha l'effetto di produrre un'immagine ancora più intensa e piacevole; si accresce il potere e il piacere della rappresentazione interna, ci si trova in uno stato d'animo di maggior potenza, più gioioso.

Tutti gli individui hanno accesso alle tre modalità di sistemi rappresentativi, visiva, uditiva e cinestesica, ma gli individui dipendono in misura diversa da sistemi rappresentativi diversi.

Molti di noi accedono al proprio cervello soprattutto in forma visiva: reagiscono alle immagini che vedono dentro la propria testa. Altri sono soprattutto uditivi, altri ancora cinestesici, sono cioè individui che reagiscono con la massima intensità rispettivamente a ciò che odono o che sentono. E dunque, dopo aver variato i contesti visivi, tentate di fare la stessa cosa con gli altri sistemi rappresentativi.

Rievocate il ricordo piacevole sul quale avete lavorato finora. Alzate il volume delle voci o dei suoni che udite. Conferite loro più ritmo, maggior profondità, cambiate il timbro. Rafforzate tutti questi elementi, rendeteli più positivi. E adesso, fate lo stesso con le submodalità cinestesiche. Rendete il ricordo più caldo, più dolce e più gradevole di quanto non fosse prima. Quali sono adesso i vostri sentimenti in merito all'esperienza?

Non tutte le persone hanno risposte dello stesso tipo, ed esse risultano diverse in individui differenti soprattutto se a promuoverle sono stimoli cinestesici. Probabilmente, la maggior parte di voi ha costatato che rendere l'immagine più luminosa o più grande la fa più incisiva, conferendo maggiore intensità alla rappresentazione interna, che risulta più attraente e mette il soggetto in uno stato d'animo più positivo, maggiormente produttivo. Quando compio questi esercizi durante le sedute, posso rendermi conto esattamente di quel che accade nella mente di una persona osservandone la fisiologia: il suo respiro si fa più profondo, le spalle si raddrizzano, il volto si distende, l'intero organismo sembra più ricettivo.

Adesso proviamo a fare lo stesso con un'immagine negativa. Desidero che pensiate a qualcosa che vi turba e vi procura dolore. E ora, prendete l'immagine e rendetela più luminosa. Portatevela più vicino. Rendetela più grande. Che cosa accade nel vostro cervello? Gran parte delle persone costatano che il loro stato d'animo negativo ne risulta intensificato; le sensazioni deprimenti che provavano in precedenza sono adesso più forti. E ora, riportate l'immagine dov'era prima. Che cosa accade se la rendete più piccola, più sfumata e più remota? Provateci, e osservate la differenza che si verifica nei vostri sentimenti. Scoprirete che quelli negativi hanno perduto il loro potere.

Tentate di fare lo stesso con le altre facoltà. Prestate orecchio alla vostra voce interna o a qualsiasi altra cosa accada a livello dell'esperienza, in tono forte, incisivo. L'esperienza sentitela come dura e solida. È probabile che avvenga la stessa cosa di prima: il sentimento negativo ne sarà intensificato. Ancora una volta, non voglio che questo lo afferriate a livello solo teorico, ma che questi esercizi li facciate con costanza, focalizzando su di essi la vostra attenzione e notando con cura le modalità e le submodalità che hanno il massimo potere su di voi. È bene che ripercorriate più volte queste fasi nella vostra mente, assumendo consapevolezza di come la manipolazione dell'immagine cambia i vostri sentimenti nei suoi confronti.

Prendete l'immagine negativa con cui avete cominciato e rimpicciolitela, facendo bene attenzione a ciò che accade in voi a mano a mano che essa si riduce. E adesso, defocalizzatela, rendetela cioè più confusa, più pallida, più difficilmente visibile. Poi, allontanatela da voi, respingetela tanto da poterla a stento vedere. Infine, prendetela e buttatela dentro un sole immaginario, e notate ciò che udite, vedete e sentite mentre scompare dal mondo.

Fate lo stesso con la facoltà uditiva. Abbassate il volume delle voci che udite. Rendetele più sommesse. Privatele del ritmo e della nitidezza. Fate lo stesso con le vostre percezioni cinestesiche, in modo che l'immagine l'avvertiate sfilacciata, priva di consistenza, flaccida. Che cosa accade all'immagine negativa nel corso di questo processo? Se siete come la maggior parte delle persone, l'immagine perderà il suo potere, diverrà cioè meno possente, meno dolorosa, addirittura inesistente. Potete prendere qualcosa che vi abbia causato grande dolore in passato e renderla impotente, far sì che si dissolva e scompaia del tutto.

Penso che questa breve esperienza sia sufficiente per farvi capire quanto efficace sia questa tecnica. Nel giro di pochi istanti, avete reso più forte e più produttivo un sentimento positivo. E siete stati anche in grado di prendere un'immagine possentemente negativa, e toglierle ogni potere su di voi. In passato, eravate alla mercé dei risultati delle vostre rappresentazioni interne, mentre ora dovreste esservi resi conto che le cose non debbono agire a quel modo.

In sostanza, si può vivere la propria esistenza in due modi: potete lasciare che il vostro cervello continui a funzionare come ha fatto in passato, permettendogli di proiettarvi qualsiasi immagine, suono o sentimento, mentre voi risponderete automaticamente agli stimoli, come un cane di Pavlov al suono di un campanello. Oppure, potete scegliere di governare voi stessi il vostro cervello in maniera conscia, avendo la possibilità di infondergli gli stimoli che volete. Potete prendere esperienze e immagini negative e privarle della loro forza e del loro potere, rappresentarle a voi stessi in modo che non vi sopraffacciano, in modo da "ridurle" a quelle dimensioni che vi permettono di maneggiare efficacemente le cose.

Forse che tutti noi non ci siamo trovati alle prese con una mansione o compito di tale entità da aver provato la sensazione che non saremmo mai riusciti a venirne a capo, per cui non abbiamo neppure incominciato? Se il compito in questione ve lo figurate come una piccola immagine, vi sentirete pronti ad affrontarlo e compirete l'azione appropriata anziché restare sopraffatti. Mi rendo conto che tutto questo può sembrare una semplificazione, eppure se vi ci provate scoprirete che cambiare le vostre rappresentazioni può mutare le vostre sensazioni relative a un compito, e quindi modificare le vostre azioni.

E naturalmente, adesso sapete anche che potete prendere esperienze positive e rafforzarle. Potete prendere le piccole gioie della vita e ingrandirle, rischiarare la vostra visione della giornata, sentirvi diventare più leggeri e più felici. Ecco dunque che abbiamo un modo di conferire più sapore, più gioia, più ardore all'esistenza.

Nulla è buono o cattivo, a renderlo tale è il pensiero.
WILLIAM SHAKESPEARE

Vi ricordate quel che abbiamo detto nel primo capitolo in merito alla merce dei re? Il sovrano ha la facoltà di governare il proprio regno. Ebbene, il vostro reame è il vostro cervello, e, come il re può guidare il suo, voi potete far funzionare il vostro, a patto che cominciate ad assumere il controllo del modo con cui rappresentate le vostre esperienze esistenziali. Tutte le submodalità delle quali ci siamo occupati dicono al cervello come deve sentire. Come ricorderete, noi ignoriamo come sia in realtà la vita: sappiamo soltanto come ce la rappresentiamo. Sicché, se abbiamo un'immagine negativa che si presenta in dimensioni massicce, luminosa, possente, risonante, ecco che il cervello ci darà la "botta" di un'esperienza massiccia, lucente, possente, risonante. Ma se quell'immagine negativa la prendiamo e la riduciamo, la oscuriamo, ne facciamo una vuota cornice, ecco che le toglieremo ogni potere, e il cervello risponderà in conformità. Anziché lasciarci mettere in uno stato d'animo negativo, potremo sbarazzarci di quell'immagine e affrontarla senza esserne turbati.

Il linguaggio ci fornisce molti esempi del potere delle nostre rappresentazioni. Che cosa intendiamo affermare dicendo che un tale ha un brillante futuro? E come vi sentite quando udite una persona affermare che il suo futuro appare tetro? Che cosa intendete, quando parlate di far luce su una questione? E cosa intendiamo, dicendo che questi o quegli ha esagerato o che ha un'immagine distorta di qualcosa? E che cosa vuol dire la gente quando afferma di sentire un peso sulla sua mente o che avverte un blocco mentale? E voi, che cosa intendete dire affermando che qualcosa ha un suono giusto o che sentite un campanello d'allarme, o ancora che tutto è andato a gonfie vele?

Abbiamo la tendenza a scambiare queste locuzioni per mere metafore. Ma non lo sono. Di solito, si tratta anzi di precise descrizioni di ciò che sta avvenendo dentro la mente. Ripensate a quel che avete fatto pochi istanti fa, quando avete preso un ricordo spiacevole e l'avete ingrandito. E ricorderete che, così facendo, avete accentuato gli aspetti negativi dell'esperienza e avete messo voi stessi in uno stato d'animo di negatività. Siete in grado di trovare un modo migliore di descrivere quell'esperienza che non sia dire semplicemente che ne avete esagerato, ingrandito le dimensioni? Sicché, istintivamente sappiamo quanto possenti siano le nostre immagini mentali. Tenete presente che siamo in grado di tenere sotto controllo il nostro cervello, e che non dev'essere il cervello a controllare noi.

Ecco ora un semplice esercizio che è di aiuto a molti. Vi è mai capitato di essere assillati da un insistente dialogo interno? Vi siete mai trovati in una situazione in cui il vostro cervello non si decide a tacere? Molte volte accade che il nostro cervello dialoghi e dialoghi, e noi dibattiamo questioni con noi stessi o tentiamo di averla vinta in vecchie discussioni o di pareggiare annosi conti. Se vi capita, ebbene, abbassate semplicemente il volume. Fate in modo che la voce dentro la vostra testa sia più sommessa, più lontana, più debole. È quanto basta, in molti casi, a liquidare il problema. Oppure, avete uno di quei dialoghi interni che sempre vi limitano? Lo udite dire sempre le stesse cose, solo con voce sensuale, con tono e ritmo quasi civettuolo: "Non puoi riuscirci." E come va adesso? Può darsi che vi sentiate più che mai motivati a fare ciò che la voce vi dice di non fare. Provateci, e costaterete voi stessi la differenza.

E adesso, un altro esercizio. Questa volta, pensate a un qualcosa nella vostra esperienza che eravate assolutamente motivati a compiere. Rilassatevi e formate un'immagine mentale di quella stessa esperienza che sia la più chiara possibile. E adesso vi farò alcune domande in merito. Rispondete a esse una per una, dopo una pausa di riflessione. Non ci sono risposte giuste e risposte sbagliate: persone diverse ne forniranno di differenti.

Guardando l'immagine, scorgete una sequenza cinematografica o un'istantanea fotografica? È a colori o in bianco e nero? È vicina o lontana? A sinistra, a destra o al centro? È nella parte alta, bassa o mediana del vostro campo visivo? È associata – vale a dire la vedete con i vostri occhi – o è dissociata, vale a dire la scorgete come un osservatore esterno? È incorniciata oppure vedete un panorama ininterrotto? È illuminata o fioca, scura o chiara? A fuoco o sfocata? Mentre compite l'esercizio, abbiate cura di notare quali submodalità hanno per voi maggior forza, quali hanno il massimo potere quando focalizzate la vostra attenzione su di esse.

Adesso passate in rassegna le vostre submodalità uditive e cinestesiche. Udendo quel che succede, avvertite la vostra voce o quella di altri presenti sulla scena? Udite un dialogo o un monologo? E i suoni sono forti o sommessi? Hanno varie inflessioni o sono monotoni? Sono ritmici oppure discontinui? La loro successione è rapida o lenta? I suoni sono intermittenti oppure costituiscono una colonna sonora continua? Qual è la cosa che soprattutto udite o dite a voi stessi? Dove localizzate il suono, da dove cioè proviene? Quando lo avvertite, è duro o morbido? Caldo o freddo? Aspro o dolce? Elastico o rigido? Solido o liquido? Tagliente o smussato? Dove localizzate la sensazione nel vostro corpo? È acida o dolce?

Può sembrare a prima vista che ad alcune di queste domande sia difficile fornire una risposta. Se avete la tendenza a formare le vostre rappresentazioni interne principalmente in modo cinestesico, di sicuro vi sarete detti: "Ma io non mi creo immagini." Tenete presente che si tratta di una credenza e, finché continuerete a farla vostra, sarà vera. A mano a mano che acquisterete maggiore consapevolezza delle vostre modalità, imparerete a migliorare le vostre percezioni mediante quel che viene detta sovrapposizione. In altre parole: se per esempio siete innanzitutto uditivi, la cosa migliore per voi sarà quella di attaccarvi a tutti gli stimoli uditivi di cui vi servite per captare un'esperienza. Rammentate dunque innanzitutto ciò che in quel momento avete udito. Una volta messi in questo stato d'animo, e in possesso di una rappresentazione interna ricca e vigorosa, è anche molto più facile inserirla in una cornice visiva per lavorare su submodalità visive o in una cornice cinestesica per sperimentare le submodalità cinestesiche.

Benone, avete appena sperimentato la struttura di qualcosa che a suo tempo siete stati fortemente motivati a fare. E adesso, voglio che pensiate a qualche cosa che vi piacerebbe di essere fortemente motivati a fare, per la quale al momento attuale non provate sentimenti particolari né avete effettive motivazioni a compierla. Una volta ancora, formate un'immagine mentale, rispondendo poi alle stesse domande di prima e avendo cura di annotare la differenza tra le vostre risposte e quelle che avevate per la cosa che eravate fortemente motivati a compiere. Per esempio, guardando l'immagine, vedete un film o un'istantanea? Continuate poi a passare in rassegna tutte le submodalità visuali, dopo di che passate alle domande relative alle modalità uditiva e cinestesica, e facendolo abbiate cura di notare quali submodalità sono per voi le più forti, quali hanno soprattutto il potere di influire sui vostri stati d'animo.

E adesso, prendete la cosa dalla quale siete stati motivati, che chiameremo esperienza N. 1, e la cosa da cui vorreste essere motivati – esperienza N. 2 – e guardatele simultaneamente. Non è difficile: pensate al vostro cervello come a uno schermo televisivo fisso e osservate entrambe le immagini nello stesso momento. Ci sono differenze in fatto di submodalità, nevvero? Come è ovvio, è facile predirlo, perché *rappresentazioni differenti producono risultati di diverso tipo nel sistema nervoso.* Adesso tornate a quello che avete appreso circa i tipi di submodalità da cui siamo motivati e quindi, pezzo per pezzo, riadattate le submodalità della cosa che ancora non eravate motivati a fare (esperienza N. 2) in modo che corrispondano a quelle della cosa che eravate motivati a fare (esperienza N. 1). Anche in questo caso saranno diverse per individui diversi, ma è probabile che l'immagine dell'esperienza N. 1 risulti più chiara della N. 2, più precisa e più vicina. Voglio che vi concentriate sulle differenze tra le due, manipolando la seconda rappresentazione in modo che diventi sempre più simile alla prima. Ricordatevi di fare lo stesso anche con le rappresentazioni uditive e cinestesiche. E adesso, eseguite!

Qual è ora il vostro atteggiamento circa l'esperienza N. 2? Ne siete maggiormente motivati? Dovreste esserlo, se avete armonizzato le submodalità dell'esperienza N. 1 con quelle della N. 2 (per esempio, se l'esperienza N. 1 era un film e la N. 2 un fotogramma, avete trasformato in un film l'esperienza N. 2).

Continuate il procedimento con tutte le submodalità, visive, uditive e cinestesiche. Quando trovate gli specifici avvii (submodalità) che vi inducono a entrare in uno stato d'animo desiderabile, allora potete collegare questi avvii a stati indesiderabili, e pertanto cambiarli in ogni istante.

Tenete presente che rappresentazioni interne simili daranno origine a stati d'animo o a sentimenti simili, e che sentimenti o stati d'animo simili promuoveranno azioni affini. Se poi scoprite che cosa in particolare vi fa sentire motivato ad agire in un certo senso, ecco che saprete esattamente che cosa dovete fare con ogni esperienza perché vi sentiate motivati. A partire dalla condizione di motivazione, potete indurvi a compiere azioni efficaci.

È importante tener presente che certe submodalità chiave esercitano su di noi maggiore influenza di altre. Così per esempio, ho lavorato con un ragazzo che non era motivato ad andare a scuola, e sembrava che gran parte delle submodalità visive lo toccassero ben poco. Se però diceva a se stesso certe parole con un certo tono di voce, si sentiva immediatamente spinto ad andare a scuola. Inoltre, quando era motivato avvertiva una tensione nei bicipiti, mentre invece quando non era motivato o era irritato, avvertiva tensione alla mandibola e il suo tono di voce era assai diverso. Semplicemente cambiando queste due sole submodalità, sono riuscito a trasporlo istantaneamente da uno stato di profondo turbamento o di immotivazione a uno stato di motivazione. Lo stesso si può fare col cibo. Una donna amava moltissimo il cioccolato a causa della sua consistenza e cremosità e detestava l'uva perché la sentiva cricchiante sotto i denti. Non ho avuto altro da fare che indurla a immaginarsi intenta a mangiare lentamente un grappolo d'uva, mordendo i chicchi lentamente e avvertendone la consistenza mentre se li aggirava dentro il cavo orale. Inoltre, le ho fatto dire le stesse cose con la stessa tonalità e facendolo immediatamente ha cominciato a desiderare l'uva e a provarne piacere, e d'allora non ha più smesso.

In quanto imitatori, sarete sempre curiosi di sapere come qualcuno riesce a ottenere un qualsivoglia risultato, mentale o fisico che sia. Così per esempio capita che persone vengano da me e mi dicano: "Sono terribilmente depresso." Io non chiedo: "Perché è depresso?" passando poi a chieder loro di raffigurare a se stessi e a me perché lo sono. Farlo, significherebbe semplicemente metterli in uno stato di ancor maggiore depressione. Io non desidero sapere perché sono depressi, ma voglio sapere *in che modo* sono depressi, e pertanto chiedo: "Come fa a ottenerlo?" Di solito ne ricavo un'occhiata sbalordita, perché la persona che ho davanti non si rende conto che, per mettersi in stato di depressione, bisogna compiere certe cose nella propria mente e nella propria fisiologia. Domando pertanto: "Se io fossi nel suo corpo, come farei a diventare depresso? Che cosa mi figurerei? Che cosa direi a me stesso? E come lo direi? Che tonalità userei?" Sono procedimenti che determinano specifiche azioni mentali e fisiche, e quindi specifici risultati emozionali. Se cambiate la struttura di un procedimento, esso può diventare qualcosa d'altro, qualcosa di diverso da uno stato di depressione.

Una volta che vi sia noto come fare certe cose con la vostra nuova consapevolezza, potete cominciare a governare il vostro cervello e a creare gli stati d'animo che vi aiutano a vivere un'esistenza della qualità da voi desiderata e meritata. Per esempio: come fate a diventare frustrati o depressi? Prendete qualcosa e ne fate, nella vostra mente, un'immagine smisurata? Continuate a parlare a voi stessi con voce di tono triste? E adesso, come fate a creare sentimenti di estasi, di gioia? Proiettate a voi stessi immagini luminose? E queste si muovono lentamente o velocemente? Che tono di voce usate parlando a voi stessi? Supponete che qualcuno mostri di amare il suo lavoro, mentre voi non lo amate, ma vi piacerebbe amarlo. Scoprite che cosa quel tale fa per creare quella sua sensazione, e resterete sbalorditi della rapidità con cui siete in grado di cambiare. Ho visto gente che è stata in terapia per anni e che ha cambiato le proprie problematiche, stati d'animo e comportamenti, nel giro di pochi minuti. In fin dei conti, frustrazione, depressione ed estasi sono processi creati da immagini e suoni mentali specifici e da azioni fisiche sulle quali consciamente o inconsciamente si esercita un controllo.

Vi rendete conto che usando questi strumenti in maniera efficace potete cambiare la vostra esistenza? Se amate la sensazione di sfida che vi viene dal vostro lavoro ma detestate fare le pulizie di casa, avete di fronte a voi due possibilità: o assumere una domestica o notare la differenza tra il vostro modo di rappresentarvi il lavoro e il modo con cui vi raffigurate le pulizie di casa. Rappresentandovi le pulizie di casa e il lavoro stimolante secondo le stesse submodalità, proverete un immediato impulso a darvi alle pulizie. Potrebbe essere un ottimo sistema da usare con i vostri figli!

E che cosa accadrebbe se prendeste tutte le cose che odiate fare ma pensate di dover comunque fare, e collegaste loro le submodalità del piacere? Tenete presente che poche cose comportano un sentimento implicito. Avete appreso ciò che è piacevole e avete appreso ciò che è spiacevole. Potete semplicemente rietichettare queste esperienze nel vostro cervello. E se prendeste tutti i vostri problemi, li rimpiccioliste e interponeste una certa distanza tra loro e voi? Le possibilità sono infinite. Siete voi ad avere le redini in mano.

È importante tenere presente che, al pari di ogni capacità, anche questa esige ripetizione e pratica. Quanto più spesso compirete consciamente questo semplice spostamento di submodalità, tanto più rapidamente riuscirete a ottenere il risultato che volete. Potrete costatare che il fatto di cambiare la luminosità o l'opacità di un'immagine ha su di voi effetto più intenso che non cambiarne posizione o dimensione; e così costaterete come la luminosità dovrebbe essere una delle prime cose da manipolare quando volete trasformare alcunché.

Qualcuno di voi si chiederà: questi cambiamenti di submodalità sono un'ottima cosa, ma come si può impedire che tornino a mutare, ridiventando quelli di prima? So che posso cambiare il mio modo di sentire in quel momento, e va bene, ma posso operare cambiamenti più automatici, più costanti.

Il modo di ottenerlo c'è, ed è un procedimento che noi chiamiamo modulo dello scatto. Si può farvi ricorso per risolvere alcuni dei problemi più persistenti e delle peggiori abitudini dei singoli. Un modulo di scatto consiste nel prendere rappresentazioni interne che di regola generano stati di improduttività e indurle a promuovere automaticamente nuove rappresentazioni interne che vi mettano negli stati di produttività da voi desiderati. Se per esempio scoprite che rappresentazioni interne vi fanno provare la voglia di mangiare in eccesso, con il modulo dello scatto potete creare una nuova rappresentazione interna che vi indurrà, se la vedete o la udite, ad allontanare da voi il cibo. Se, ogniqualvolta vi viene voglia di stramangiare, collegate le due rappresentazioni, la prima istantaneamente darà il via alla seconda, mettendovi nello stato d'animo di rifiuto del cibo. L'aspetto migliore del modulo dello scatto consiste nel fatto che, una volta che l'abbiate effettivamente fatto vostro, non dovete più pensarci: il processo si avvierà automaticamente senza sforzi a livello conscio. Ecco come opera il modello dello scatto.

MOSSA N. 1: Identificate il comportamento che volete cambiare. E adesso createvi una rappresentazione interna di quel comportamento quale lo vedete con i vostri occhi. Se per esempio volete cessare di mangiarvi le unghie, createvi un'immagine di voi che alza la mano, si porta le dita alle labbra, e morde le unghie.

MOSSA N. 2: Una volta in possesso di una chiara immagine del comportamento che volete cambiare, dovete crearvi una rappresentazione diversa, un'immagine di voi stessi quale sareste se compiste il mutamento desiderato, e che cosa quel cambiamento significherebbe per voi. Potete immaginarvi intenti a toglervi le dita di bocca, esercitando una lieve pressione su un dito che stavate per mordere e vedendo le vostre unghie perfettamente curate e voi stessi ben vestiti, azzimati, più controllati, animati da maggior fiducia in voi stessi. L'immagine che vi fate di voi stessi in quello stato desiderato deve essere dissociata perché si deve creare una rappresentazione interna ideale, dalla quale essere continuamente attratti, anziché una che sentite di avere già.

MOSSA N. 3: Fate scattare le due immagini in modo che l'esperienza improduttiva automaticamente dia il via all'esperienza produttiva. Una volta che abbiate messo in moto questo meccanismo generativo, qualsiasi cosa utilizzavate per scatenare l'onicofagia, adesso vi porrà in uno stato d'animo in cui vi avvicinerete a quell'immagine ideale di voi stessi. In tal modo, create una modalità affatto nuova per il vostro cervello di affrontare ciò che in passato può avervi turbati.

Ed ecco adesso come si opera lo "scatto": cominciate facendo una grande, lucida immagine del comportamento che volete cambiare, poi nell'angolo inferiore destro dell'immagine inserite una piccola immagine scura di come vorreste essere. E adesso prendete la piccola immagine e, in meno di un secondo, fatela aumentare di dimensione e luminosità in modo che letteralmente invada l'immagine del comportamento ormai indesiderato. Mentre compite quest'operazione, pronunciate la parola "viaaa!" con tutta l'euforia e l'entusiasmo possibili. Avrete l'impressione che sia un tantino goliardico, ma tenete presente che il fatto di dirlo con tono sovreccitato invia al vostro cervello una serie di possenti segnali positivi. Una volta costruita l'immagine nella vostra mente, l'intero processo non dovrebbe richiedere più tempo di quello necessario a pronunciare la parola "viaaa!" Adesso, di fronte a voi avete un'immagine grande, luminosa, perfettamente a fuoco e colorita, di come vorreste essere, mentre l'antica immagine di come eravate è stata fatta a pezzetti.

La chiave del modulo consiste nella velocità e nella ripetizione. Dovete vedere e sentire quella piccola immagine scura divenire enorme e lucente, e invadere in maniera esplosiva la precedente grande immagine, distruggendola e sostituendola con una raffigurazione ancora più grande e lucente di come vorreste che le cose siano. E adesso sperimentate la grandiosa sensazione di vedere le cose come le volete voi. Quindi, aprite per brevissimi istanti gli occhi in modo da interrompere questo stato d'animo; richiudeteli, ed eseguite ancora una volta lo "scatto". Cominciate col visualizzare come grandi, le cose che volete cambiare, e quindi fate crescere in dimensioni e lucentezza la vostra piccola immagine attraverso fasi di "viaaa!" che vi permetteranno di sperimentarla. Concedetevi il tempo di sperimentarla. Aprite gli occhi. Chiudete gli occhi. Visualizzate ciò che volete cambiare. Visualizzate l'immagine originaria e come desiderate cambiarla. Ripetete il "viaaaa!" Fatelo cinque sei volte, il più rapidamente possibile, ricordando che la chiave del processo è la velocità oltre al fatto di divertirsi nel farlo. Quello che dite al vostro cervello è: visualizza questo "viaaa!", fa' questo, visualizza questo "viaaa!", fa' questo, fa' quello... finché la vecchia immagine automaticamente faccia scattare la nuova immagine, i nuovi stati d'animo e quindi il nuovo comportamento.

Adesso proiettatevi la prima immagine, e che cosa accade? Se, per esempio, avete eseguito lo scatto con il modulo dell'onicofagia, quando poi vi immaginate intenti a mordervi le unghie troverete difficile farlo, lo avvertirete come qualcosa davvero contro natura. Se così non accade, dovreste ripetere il modulo, questa volta facendolo con maggior chiarezza e rapidità, badando a sperimentare solo per un istante la sensazione positiva che ricavate dalla nuova immagine prima di riaprire gli occhi e ricominciare il procedimento. La faccenda può non funzionare se l'immagine verso la quale avete scelto di tendere non è abbastanza esaltante o desiderabile. È della massima importanza che sia molto attraente, qualcosa che realmente volete o che sia più importante per voi del vecchio comportamento. A volte, è di aiuto aggiungere nuove submodalità, come odore o sapore. Il modulo dello "scatto" produce risultati con sorprendente rapidità a causa di certe tendenze del cervello, il quale propende ad allontanarsi da cose spiacevoli e a indirizzarsi verso cose piacevoli. Creando l'immagine della cessata necessità di mordervi le unghie delle dita, in modo che risulti più attraente dell'immagine della necessità di mordervele, inviate al vostro cervello un potente segnale relativo al comportamento al quale aspirare. È quello che ho fatto io stesso per smetterla con l'onicofagia, la quale era per me un'abitudine del tutto inconscia. Il giorno dopo essermi dedicato al modulo dello "scatto", all'improvviso mi sono sorpreso mentre stavo per ricominciare a mordermi le dita. Avrei potuto considerarlo uno scacco; invece, ho visto come un progresso il fatto che assumessi consapevolezza della mia abitudine. Dopo di che, mi sono limitato a eseguire dieci moduli di "scatto", e da allora non ho più pensato a mangiarmi le unghie.

Lo stesso potete fare con paure e frustrazioni. Prendete qualcosa che vi incute timore, e adesso raffiguratevelo elaborando il modo in cui vorreste che fosse. Rendete questa immagine davvero attraente. E adesso, "scatto" sette volte di seguito. Poi pensate alla cosa che temevate. Qual è ora la vostra sensazione? Se il modulo dello "scatto" è stato eseguito in maniera efficace, nel momento in cui pensate alla cosa che temevate dovreste automaticamente passare subito a pensare come volete che le cose siano.

Un'altra variazione del modulo dello "scatto" consiste nell'immaginare davanti a voi una fionda. Tra i due corni della fionda c'è un'immagine del comportamento attuale che volete cambiare. Inserite nella fionda una piccola immagine di come vorreste essere. Poi, mentalmente osservate questa piccola immagine che viene tirata sempre più indietro, finché la fionda è tesa al massimo, quindi lasciatela andare e guardate colpire la vecchia immagine di fronte a voi, mandandola a pezzi, e vedete la nuova penetrare nel vostro cervello. È della massima importanza che, eseguendo l'operazione, mentalmente tiriate la fionda quanto più è possibile prima di lasciarla andare, e nel momento in cui lo fate e la nuova immagine colpisce e infrange la vecchia, limitante raffigurazione di voi stessi, pronunciate la parola "viaaa!" Se il procedimento sarà stato eseguito in maniera corretta, quando lasciate andare la fionda, l'immagine dovrebbe venire a voi con tanta velocità da farvi tirare indietro la testa. A questo punto fermatevi e concedetevi un momento di riflessione su qualche altro pensiero o comportamento limitante che vorreste cambiare e servitevi del sistema della fionda per ottenere il mutamento.

Non dimenticate che la vostra mente può sfidare le leggi dell'universo secondo una modalità di importanza cruciale: essa può procedere all'indietro. Il tempo non può farlo, né possono farlo gli eventi, la vostra mente sì però. Ammettiamo, per esempio, che entrando nel vostro ufficio per prima cosa notiate che un importante rapporto di cui avevate bisogno non è stato completato, fatto che tende a porvi in uno stato per niente produttivo. Vi sentite fuori di voi dalla rabbia, vi sentite frustrato, pronto a precipitarvi fuori dall'ufficio per dare una lavata di capo alla segretaria. Ma l'urlata non produrrebbe il risultato da voi desiderato, anzi non farebbe che peggiorare una situazione già di per sé niente affatto piacevole. Il segreto consiste nel cambiare il vostro stato d'animo, nel mettervi in uno stato d'animo tale da darvi modo di far fare quello che desiderate, e potete ottenerlo rimaneggiando le vostre rappresentazioni interne.

In tutte queste pagine, ho parlato e riparlato dell'essere un sovrano, della capacità di esercitare un còntrollo e di far funzionare a modo vostro il cervello. Adesso avete visto come si fa. I pochi esercizi che finora abbiamo descritto, sono stati sufficienti a mostrarvi che avete la capacità di esercitare il completo dominio sui vostri stati d'animo. Pensate a quel che sarebbe la vostra esistenza se ricordaste tutte le vostre esperienze positive come lucenti, vicine, colorate dal punto di vista visivo, gioiose, ritmiche e melodiche dal punto di vista sonoro, e morbide, calde e nutrienti dal punto di vista cinestesico. E come sarebbe la vostra esistenza se le vostre esperienze negative le metteste in un ripostiglio, sotto forma di piccole immagini confuse, immobili, con voci quasi impercepibili e forme troppo vaghe perché possiate captarle davvero dal momento che sono troppo lontane da voi? Gli uomini di successo, tutto questo lo fanno inconsciamente; sanno come alzare il volume delle cose che sono loro di aiuto e abbassare quello delle cose che non lo sono. In questo capitolo avete imparato come fare a imitarli.

Con questo non voglio certo suggerirvi di ignorare i problemi. Ci sono cose che vanno affrontate. Tutti conosciamo persone che trascorrono una giornata nel corso della quale novantanove cose sono andate a gonfie vele e che rincasano in stato di totale depressione. E perché? Perché un'unica cosa è andata storta. Hanno trasformato quell'unica cosa che non è andata per il suo verso in una grande, lucente, impellente immagine, e tutte le altre in immagini piccole, nebulose, silenziose, impalpabili.

Molti sono coloro che trascorrono l'intera esistenza in questo modo. Ho pazienti che mi dicono: "Sono sempre depresso." E lo affermano quasi con orgoglio, perché esserlo è divenuto parte integrante della loro visione del mondo. Molti terapeuti a questo punto darebbero inizio al lungo, arduo compito di riesumare le cause della depressione, e farebbero parlare il paziente per ore e ore. Frugherebbero cioè nella sua pattumiera mentale allo scopo di scoprire esperienze originarie di tetraggine e trascorsi traumi emozionali. Di tecniche del genere sono fatti certi lunghissimi e costosissimi rapporti terapeutici.

Non c'è nessuno che sia sempre depresso. La depressione non è una condizione permanente, come la perdita di una gamba, bensì uno stato d'animo in cui si può entrare e uscire. In realtà, gran parte di coloro che sperimentano la depressione, in vita loro hanno avuto molti momenti felici, forse altrettanti e magari più della media, ma semplicemente non rappresentano a se stessi queste esperienze in maniera radiosa, ampia, sotto forma di immagini associate, e può anche darsi che i momenti felici se li raffigurino come remoti anziché vicini. A questo punto, concedetevi un istante per ricordare un evento verificatosi una settimana fa, e allontanatelo da voi. Vi sembra ancora un'esperienza così recente? E che accade se la portaste più vicino a voi? Non sembra ancora più recente? Vi sono persone che prendono le loro esperienze felici del momento e le allontanano da sé, in modo che sembrino avvenute molto tempo fa, mentre i loro problemi li accumulano vicino a sé. Non avete mai udito qualcuno dire: "Ho bisogno solo di distanziarmi dai miei problemi"? Per farlo, non è necessario raggiungere in volo un paese lontano: è sufficiente allontanarli da voi nella vostra mente e costatare la differenza. Gli individui che si sentono depressi spesso hanno il cervello imbottito di immagini massicce, fragorose, vicine, pesanti, insistenti dei momenti brutti, mentre quelli buoni sono ridotti a evanescenti fantasmi. La maniera per cambiare questa situazione non consiste nello sguazzare nei brutti ricordi, ma nel mutare le submodalità, la struttura stessa dei ricordi. Quindi, collegate ciò che vi faceva sentire a disagio a nuove rappresentazioni che vi rendono pronti ad affrontare le sfide dell'esistenza con forza, umorismo, pazienza ed energia.

Ci sarà chi dice: "Un momento, le cose non si possono mica cambiare in quattro e quattr'otto!" E perché no? Spesso è molto più facile afferrare qualcosa in un lampo che non in un lungo periodo di tempo. Il cervello impara così. Pensate a un film: vedete migliaia di fotogrammi e li integrate in un tutto dinamico. Cosa accadrebbe se vedeste un unico fotogramma, e quindi un'ora dopo un altro, e un terzo a distanza di uno o due giorni? Evidentemente ne ricavereste ben poco. I cambiamenti personali possono agire allo stesso modo. Se fate qualcosa, se operate un cambiamento nella vostra mente proprio adesso, se mutate il vostro stato d'animo e il vostro comportamento, avrete la possibilità di indicare a voi stessi, nella maniera più spettacolare, ciò che è possibile, ed è uno scossone più produttivo che non mesi e mesi di angoscianti lambiccamenti. La fisica dei quanti insegna che le cose non cambiano lentamente nel tempo, bensì compiendo balzi appunto quantici. Si salta da un livello di esperienza all'altro. Se non vi piace come vi sentite, cambiate quello che rappresentate a voi stessi. È semplicissimo.

Prendiamo adesso un altro esempio, l'amore. Per gran parte di noi, l'amore è un'esperienza meravigliosa, eterea, quasi mistica. Ma è anche importante, dal punto di vista dell'imitazione di modelli, tener presente che l'amore è uno stato d'animo e che, alla pari di tutti gli stati, di tutti i risultati, è il prodotto di specifiche azioni o stimoli percepiti e rappresentati in certi modi. Come succede che ci si innamori? Uno dei più importanti ingredienti percettivi dell'innamoramento consiste nell'associazione con tutte le cose che vi piacciono in una persona e nella dissociazione dalle cose che non vi piacciono. L'innamoramento può essere una sensazione quanto mai inebriante, disorientante, perché non è equilibrata, nel senso che non si stende un bilancio delle buone e cattive qualità di una persona, per poi mettere l'elenco in un computer e vedere che cosa ne vien fuori. Si è totalmente associati con alcuni elementi di un altro individuo che si trovano esaltanti, e non si è affatto consapevoli, almeno in quel momento, dei "difetti" di quella stessa persona.

Che cosa mina i rapporti? Com'è ovvio, i fattori sono molti. Uno può essere il fatto che non si istituisce più un'associazione con gli aspetti che inizialmente attraevano in una certa persona. Anzi, potete essere giunti al punto da istituire un'associazione con tutte le esperienze spiacevoli che con l'altro avete avuto e una dissociazione dalle esperienze piacevoli con lui condivise. E com'è che questo accade? Può succedere che una persona abbia rilevato e reso grande l'immagine dell'abitudine del suo partner di lasciare aperto il tubetto del dentifricio o di buttare i propri indumenti sul pavimento. O magari, lui non le scrive più lettere d'amore, o lei ricorda quel che lui le ha detto durante un litigio e ascolta quel dialogo che continua a risuonarle nella testa, risperimentando le sue sensazioni del momento; non ricorda più la gentilezza con cui lui l'ha accarezzata quello stesso giorno o le belle cose che le ha detto la settimana prima, o ciò che ha fatto per lei in occasione del suo compleanno. E gli esempi potrebbero continuare a lungo. Certo, non c'è niente di "sbagliato" nel farlo; solo che questo modulo di rappresentazioni con ogni probabilità non contribuirà al consolidamento del vostro rapporto. E se, invece, nel bel mezzo di un litigio, vi rammentate della prima volta che avete baciato o stretto la mano di lei o di un momento in cui il vostro beneamato ha fatto per voi qualcosa di davvero particolare e quell'immagine tornate a renderla grande, vicina, luminosa? Partendo da questo stato d'animo, come trattereste la persona che amate?

È della massima importanza non perdere di vista ogni modulo comunicativo e porsi regolarmente la domanda: "Se continuo a raffigurarmi le cose a questo modo, quale sarà il probabile risultato conclusivo? Dove mi sta portando il mio comportamento attuale? È proprio in questa direzione che voglio andare?" È preferibile non dover scoprire più tardi che qualcosa che avreste potuto cambiare semplicemente e facilmente vi ha portato a una situazione nella quale preferireste non trovarvi.

Potrebbe essere utile costatare se avete un modo particolare di servirvi di associazioni e dissociazioni. Ci sono molte persone che trascorrono gran parte del loro tempo in condizioni di dissociazione da moltissime loro rappresentazioni, e di rado accade che costoro appaiano emozionalmente toccati da qualcosa. La dissociazione presenta certi vantaggi: se per esempio ve ne state alla larga da emozioni troppo profonde, relative a certe realtà, disporrete di maggiori risorse per affrontarle. D'altro canto, se questa è la vostra costante modalità di rappresentarvi gran parte delle vostre esperienze esistenziali, in effetti viene a mancarvi quello che amo definire il succo della vita, ed è una enorme quantità di gioia. Sono venuti a consulto da me individui conservatori che riuscivano a fatica a esprimere i loro sentimenti in merito all'esistenza che conducevano e io li ho indotti a creare nuovi moduli percettivi. Ingrandendo moltissimo le loro rappresentazioni interne associate, sono rinati a nuova vita, hanno costatato che la loro esistenza era un'esperienza affatto nuova.

Al contrario, se tutte o gran parte delle vostre rappresentazioni interne sono pienamente associate, potete finire per trovarvi in una condizione di debolezza emozionale, tale che potete incontrare gravi difficoltà ad affrontare l'esistenza, perché la cosa anche minima vi turba, e la vita non è sempre allegra, facile o esaltante. Un individuo che sia in tutto e per tutto associato a ogni aspetto della vita, è estremamente vulnerabile, e di solito prenderà tutto troppo sul serio.

Il segreto del vivere bene è di istituire un equilibrio fra tutte le cose, ivi compresi i filtri percettivi di associazione e dissociazione. Possiamo creare un'associazione o una dissociazione con qualsiasi cosa vogliamo. Il segreto consiste nel creare associazioni consce, cosa questa che ci è di aiuto in quanto possiamo controllare ogni rappresentazione che facciamo sorgere nel nostro cervello. Vi ricordate di ciò che abbiamo detto circa il potere delle nostre credenze? Abbiamo visto che queste non sono innate e che possono essere cambiate. Quando eravamo piccoli, credevamo in cose che oggi ci appaiono ridicole, e il capitolo sulle credenze lo abbiamo concluso con una domanda chiave: come facciamo ad adottare le credenze produttive e a sbarazzarci delle negative? Il primo passo consiste nell'assumere consapevolezza dei possenti effetti che le credenze hanno sulle nostre esistenze. Il secondo passo l'avete compiuto in questo capitolo, e consiste nel cambiare il modo di rappresentare a se stessi quelle stesse credenze. Infatti, se mutate la struttura del come rappresentate una cosa a voi stessi, cambierete il vostro atteggiamento emozionale in merito, e pertanto ciò che per voi è vero nella vostra esperienza esistenziale. Potete raffigurarvi cose in un modo che vi conferisca continuamente potere, e farlo subito.

Ricordatelo: una credenza è un forte stato emozionale di certezze circa particolari persone, cose, idee o esperienze esistenziali. E come si fa a creare la certezza in questione? Mediante specifiche submodalità. Pensate forse che potreste avere la stessa certezza circa qualcosa di vago, sfocato, minuscolo, remoto nella vostra mente?

Inoltre, il vostro cervello ha un sistema di archiviazione. Ci sono persone che le cose in cui credono le conservano a sinistra, e a destra invece quelle di cui non sono certe. So che quest'affermazione può sembrare risibile, ma si può cambiare una persona che abbia questo sistema di codificazione semplicemente persuadendola a prendere dalla parte destra del cervello le cose di cui non ha certezza e a ricollocarle in quella sinistra dove archivia le cose in cui crede. Non appena lo fa, questo individuo comincia a sentirsi certo, a credere in un'idea o in un concetto sul conto del quale sino a un istante prima nutriva incertezza.

Questo cambiamento di credenze lo si ottiene semplicemente istituendo un confronto tra il modo di rappresentarsi qualcosa di cui si sa senz'ombra di dubbio che è vera, e qualcosa di cui non si è certi. Cominciate con una credenza di cui siete assolutamente certi, per esempio che vi chiamate Mario Rossi, che avete trentacinque anni, che siete nato a Roma o che amate i vostri figli con tutto il vostro cuore oppure che Miles Davis è il massimo sassofonista della storia. Pensate a qualcosa in cui credete senza riserve, della cui verità siete assolutamente convinti. E adesso, pensate a qualcosa di cui non siete certi, in cui vorreste credere, ma della quale in questo momento non siete proprio sicuri. Potreste servirvi di una delle "sette menzogne del successo" di cui al capitolo 5, badando però di non farlo con qualcosa in cui non credete affatto, perché dirvi che non credete in questo o quello in realtà significa che *credete* che non sia vero.

E adesso, ricorrete alle vostre submodalità, come abbiamo fatto prima trattando delle motivazioni. Ripercorrete tutti gli aspetti visivi, uditivi e cinestesici della cosa in cui credete totalmente; poi fate lo stesso per la cosa di cui non siete certi, avendo coscienza delle differenze tra l'una e l'altra. Nelle cose in cui credete vi siete imbattuti in un certo luogo, e nelle cose di cui non siete certi in un altro? Oppure, le cose in cui credete sono più vicine, più brillanti o più grandi di quelle di cui non siete certi? Una è una fotografia statica, l'altra un'immagine mobile? O una si muove più velocemente dell'altra?

E adesso, procedete come per le motivazioni. Riprogrammate le submodalità della cosa di cui non siete certi, in modo che corrispondano a quelle della cosa in cui credete. Cambiate i colori e la collocazione, cambiate le voci, i toni, i ritmi, il timbro e i suoni. Cambiate le submodalità della grana, del peso, della temperatura. Come vi sentite una volta conclusa l'operazione? Se avrete trasformato senza errori la rappresentazione che prima era per voi fonte di incertezza, vi sentirete certi proprio di quella cosa che solo un momento prima vi riempiva di incertezza.

L'unica difficoltà con cui molti si trovano alle prese è la loro convinzione che le cose non si possano cambiare con tanta velocità; ma non può essere proprio questa una credenza che val la pena di cambiare per prima?

Lo stesso procedimento può essere usato per scoprire, nella propria mente, la differenza tra ciò che non capite e ciò che siete certi di comprendere. Se qualcosa vi riesce oscuro, può essere perché la vostra rappresentazione interna è piccola, sfocata, fioca o remota, mentre le cose che comprendete ve le rappresentate più vicine, più luminose, meglio a fuoco. E osservate quel che accade nella vostra sfera emozionale quando cambiate le vostre rappresentazioni, in modo da renderle esattamente uguali a quelle delle cose che comprendete.

Com'è ovvio, avvicinare le cose o renderle più luminose non comporta per tutti un'intensificazione dell'esperienza; può anche accadere esattamente il contrario. Ci sono persone che sentono le cose intensificarsi quando si oscurano o si sfocano. Il problema è di scoprire quali submodalità sono decisive per voi o per la persona che volete aiutare a cambiare, e poi di disporre di potere personale sufficiente per portare a termine l'impresa utilizzando questi strumenti.

Quel che in realtà facciamo lavorando con submodalità consiste nel ridefinire il sistema di stimoli che dice al cervello come deve atteggiarsi nei confronti di un'esperienza. Il vostro cervello risponde a qualsiasi segnale (submodalità) gli si fornisca. Se gli fornite segnali di un tipo, il cervello proverà sofferenza; se gli fornite submodalità diverse, nel giro di pochi istanti potete sentirvi benissimo. Così, per esempio, mentre a Phoenix in Arizona stavo conducendo un Training Professionale Neurolinguistico, ho notato che tra i presenti molti erano coloro i quali rivelavano forte tensione muscolare facciale, con mimiche che ho interpretato come manifestazioni dolorose.

Ho passato mentalmente in rassegna ciò che avevo detto senza trovar nulla che potesse aver stimolato una risposta del genere in tante persone, e finalmente mi sono deciso a chiedere a uno dei presenti: "Qual è la sensazione che prova in questo momento?" La risposta è stata: "Ho un violento mal di testa." Subito dopo, la stessa affermazione l'ha fatta un'altra persona e poi altre ancora; oltre il 60% dei partecipanti al corso aveva l'emicrania; la loro spiegazione era che le luci fortissime, necessarie per le riprese con il videotape, li abbagliavano, cosa che trovavano irritante, addirittura dolorosa. Inoltre, eravamo in un locale senza finestre, e circa tre ore prima il sistema di aerazione si era guastato, per cui faceva un caldo atroce: tutte situazioni che avevano creato uno squilibrio psicologico nei presenti. E allora, che potevo fare, mandarli tutti a comprarsi un analgesico? Naturalmente no. Il cervello fornisce dolore solo quando riceve stimoli rappresentati in modo tale da dirgli di provare dolore. Sicché, ai presenti ho fatto descrivere le submodalità della loro sofferenza. Per alcuni era un senso di pesantezza e pulsazione, per altri era diverso. Alcuni sentivano una sofferenza molto forte e chiara, mentre per altri era di piccola entità. Ho voluto poi che cambiassero le loro submodalità di sofferenza, innanzitutto dissociandosene e mettendosi al di fuori di se stessi. Quindi li ho fatti uscire dalle loro sensazioni inducendoli a vedere la forma e le dimensioni della sofferenza e collocandola a circa tre metri di distanza, di fronte a loro. Hanno quindi reso la loro rappresentazione più grande e più piccola facendola crescere e prorompere attraverso il soffitto, per poi discendere riducendosi. Ho poi voluto che lanciassero il dolore nel sole dove l'hanno visto fondersi e ridursi a niente, per tornare sulla terra come benefica luce che nutriva le piante. Alla fine ho chiesto loro come si sentivano. In meno di cinque minuti, il 95% di loro non aveva più mal di testa. Avevano cambiato la rappresentazione interna di ciò che segnalavano al cervello di fare, per cui questo, che adesso riceveva nuovi segnali forniva anche una nuova risposta. All'altro 5% occorsero cinque minuti in più per operare cambiamenti più specifici; un uomo aveva avuto un'emicrania particolarmente violenta, ma anche lui adesso si sentiva benissimo.

Quando descrivo questo processo, qualcuno trova difficile credere alla possibilità di eliminare la sofferenza con tanta facilità e rapidità. Pure, non l'avete fatto voi stessi inconsciamente molte volte? Non ricordate occasioni in cui avvertivate un dolore, ma poi siete stati presi da qualche attività oppure è accaduto qualcosa di eccitante, e non avete più avvertito la sofferenza? Il dolore può semplicemente andarsene e non tornare, a meno che non si cominci ad autorappresentarselo. Con un po' di consapevole governo delle proprie rappresentazioni interne, si può facilmente e a volontà eliminare i mali di testa. Infatti, una volta che abbiate appreso i segnali che producono specifici risultati nel vostro cervello, potete indurvi a sentire in pratica tutto quello che volete e nella maniera che desiderate.

Un ultimo avvertimento: una più ampia serie di filtri applicati all'esperienza umana può governare o condizionare la vostra capacità di mantenere nuove rappresentazioni interne o anche di ottenere subito mutamenti. I filtri in questione riguardano ciò che teniamo nel massimo conto e i benefici inconsci che possiamo ricavare dal nostro comportamento attuale. Il problema e l'importanza dei valori costituisce un paragrafo a sé e nel capitolo 16, che tratta del processo di *reframing* ovvero ricontestualizzazione, parleremo di vantaggi secondari inconsci. Se il dolore vi invia importanti segnali relativi a qualcosa che dovete cambiare nel vostro corpo, a meno che non soddisfacciate tale bisogno il dolore con ogni probabilità tornerà a farsi avvertire, perché svolge un'utile funzione.

In base a quello che avete appreso finora, potete già migliorare in misura notevole la vostra esistenza come pure quella di tutti i vostri conoscenti. Vediamo adesso un altro aspetto del modo con cui plasmiamo la nostra esperienza, un ingrediente di importanza fondamentale che può metterci in grado di imitare efficacemente quasi chiunque.

7
LA SINTASSI DEL SUCCESSO

Ma ogni cosa sia fatta con decoro e con ordine.

1 Corinzi 14, 40

In questo libro si parla di continuo della necessità di scoprire come facciamo le cose. Abbiamo costatato che le persone in grado di ottenere grandi risultati compiono sempre un insieme di azioni specifiche, sia mentali sia fisiche. Se produciamo le stesse azioni, otterremo risultati simili. C'è però un altro fattore che influisce sui risultati, ed è la sintassi dell'azione. La sintassi, il nostro modo di ordinare le azioni, può differenziare moltissimo il tipo di risultati che otteniamo.

Qual è la differenza tra "il cane ha morso il tale" e "il tale ha morso il cane"? E la differenza tra "Mario mangia l'aragosta" e "l'aragosta mangia Mario"? La differenza è enorme, eppure le parole sono esattamente le stesse. La diversità sta nella sintassi, nella maniera in cui sono disposte. Il significato dell'esperienza è determinato dall'ordine dei segnali forniti al cervello. Intervengono gli stessi stimoli, le parole sono le stesse, ma il significato è diverso, ed è importantissimo capirlo se si vuole effettivamente imitare i risultati di individui di successo. L'ordine con cui le cose sono presentate fa sì che il cervello le registri in un certo modo specifico. È esattamente quel che accade con gli ordini impartiti a un computer: se il programma che gli fornite è nell'ordine giusto, il computer produrrà il risultato da voi desiderato; se invece gli ordini, in sé corretti, vengono programmati in successione diversa, non otterrete il risultato sperato.

Ci serviamo del termine "strategia" per descrivere tutti questi fattori – i tipi di rappresentazioni interne, le necessarie submodalità e l'indispensabile sintassi – che cooperano alla produzione di un risultato particolare.

Disponiamo di una strategia per produrre quasi ogni nostra cosa: sentimento d'amore, attrazione, motivazione, decisione e via dicendo. Se ci rendiamo conto di quali sono le azioni che compiamo, e in quale ordine, per prendere una decisione, se siamo indecisi possiamo cambiare atteggiamento e diventare decisi, e questo in pochi istanti, perché sapremo quali tasti premere e come fare a produrre, nel nostro biocomputer interno, i risultati cui aspiriamo.

Un'ottima metafora dei componenti e dell'uso di strategie è quella della cottura di dolci. Ammettiamo che ci sia un pasticciere che faccia le più buone torte di cioccolato al mondo. Siete in grado di ottenere risultati della stessa qualità? Ovviamente sì, a patto che possediate la ricetta di quel tale. Ora, la ricetta non è null'altro che la strategia, uno specifico programma circa le risorse da usare e circa il modo con cui utilizzarle. Se ritenete che abbiamo tutti lo stesso sistema neurologico, allora credete anche che tutti abbiamo a disposizione le stesse risorse potenziali. È la nostra strategia, vale a dire l'uso che di quelle risorse facciamo, a determinare i risultati che otteniamo. Questa legge vale anche nel mondo degli affari: un'azienda può disporre anche di maggiori risorse, ma di norma a dominare il mercato sarà la società che possiede strategie tali da permetterle un'utilizzazione ottimale delle proprie risorse.

E allora, di che cosa avete bisogno per produrre torte della stessa qualità dell'esperto pasticciere? Vi occorre la ricetta e dovete applicarla nella maniera più esatta; in tal caso otterrete gli stessi risultati, anche se in precedenza non avete mai messo in forno una torta del genere. E può darsi che il pasticciere per anni e anni abbia continuato a provare e riprovare, fino a giungere alla ricetta definitiva. Ma voi potete risparmiarvi anni di tentativi applicando la sua ricetta, ricalcando le sue azioni.

Vi sono strategie di successo finanziario, strategie utili per creare e mantenere una salute perfetta, per sentirsi felici e amati durante tutta la propria vita. Se trovate persone che hanno un gran successo finanziario o rapporti soddisfacenti, non dovete far altro che scoprirne le strategie e applicarle allo scopo di ottenere risultati simili, risparmiando tempo e sforzi enormi. È questo il grande potere dell'imitazione, e grazie a esso per ottenere quel che volete, non dovrete faticare per anni e anni.

Che cosa ci dice una ricetta per metterci in grado di compiere azioni efficaci? Per prima cosa specifica gli ingredienti necessari per produrre il risultato. Nella "pasticceria" dell'esperienza umana, gli ingredienti sono i nostri cinque sensi. Tutti i risultati sono costruiti e creati grazie a una specifica utilizzazione dei sistemi di rappresentazione visivo, uditivo, cinestesico, gustativo e olfattivo. C'è qualcosa d'altro che una ricetta ci dice? Sì, ci indica i quantitativi da usare. Per quanto riguarda le strategie, possiamo figurarci le submodalità alla stregua appunto dei quantitativi. Le strategie ci dicono di quali quantitativi esatti abbiamo bisogno. Per esempio, ci indicano l'entità dell'immissione visiva, vale a dire quanto luminosa o buia, quanto vicina o remota è l'esperienza, e ancora quale ne sia il ritmo, la consistenza.

E questo è tutto? Se conoscete gli ingredienti e sapete in che quantitativi usarli, siete forse in grado di produrre una torta della stessa qualità dell'ottimo pasticciere? No, a meno che non conosciate anche la sintassi della produzione, in altre parole quando fare qualcosa, e in quale ordine. Che accadrebbe se, confezionando la torta, metteste nell'impasto per primo ciò che il pasticciere originario mette per ultimo? Otterreste un dolce della stessa qualità? C'è da dubitarne. Se invece usate gli stessi ingredienti negli stessi quantitativi e nella stessa sequenza, otterrete risultati simili.

Possediamo una strategia per ogni cosa, per le motivazioni come per fare acquisti, per l'amore come per sentirci attratti da qualcuno. Certe sequenze di stimoli specifici comporteranno sempre uno specifico esito. Le strategie sono come la combinazione per aprire la cassaforte delle vostre risorse cerebrali: se possedete i numeri giusti e la giusta sequenza, la serratura scatterà ogni volta. Sicché, dovete trovare la combinazione che apre la vostra cassaforte, e le combinazioni che aprono le casseforti delle altre persone.

Quali sono gli elementi strutturali della sintassi? I nostri sensi. Abbiamo a che fare con immissioni sensorie a due livelli: interno ed esterno. La sintassi è il modo con cui mettiamo assieme questi elementi.

Così per esempio si possono avere due tipi di esperienze visive: esterna e interna. Mentre leggete questo libro, guardando le lettere nere sul fondo bianco, avete un'esperienza visiva esterna. Invece ricorderete che, nel capitolo precedente, abbiamo operato con le modalità e le submodalità visive nella nostra mente. Non eravamo davvero là a vedere la spiaggia e le nuvole, non eravamo davvero nei momenti felici o tristi che ci rappresentavamo nella mente. Al contrario, li abbiamo sperimentati in una maniera visuale interna.

Lo stesso vale per le altre modalità. Possiamo udire un treno che fischia fuori della finestra, ed è un'esperienza uditiva esterna. Oppure possiamo udire una voce nella nostra mente, ed è un'esperienza uditiva interna. Se il tono della voce è ciò che importa, si ha un'esperienza uditiva tonale. Se le parole, cioè il significato convogliato dalla voce è ciò che importa, si ha una codificazione, una digitazione uditiva. Potete sentire la consistenza del tessuto del bracciolo della poltrona sulla quale siete seduti, ed è un'esperienza cinestesica esterna. Oppure potete avere, nel vostro profondo, la sensazione di qualcosa che vi fa sentire bene o male, ed è un'esperienza cinestesica interna.

Per elaborare una ricetta, dobbiamo avere un sistema per descrivere quel che si deve fare, e quando. Allo stesso modo, possediamo un sistema di notazione per descrivere le strategie. Rappresenteremo i processi sensori con una notazione stenografica, usando V per visivo, U per uditivo, C per cinestesico, i per interno, e per esterno, t per tonale e d per digitale. Quando vedete qualcosa nel mondo esterno (visualizzazione esterna) potete rappresentarlo con Ve. Quando avvertite una sensazione interna, essa sarà Ci. Prendiamo in considerazione la strategia di una persona motivata dalla vista di qualcosa (Ve), che quindi dica qualcosa a se stessa (Uid), creando all'interno di sé la sensazione propulsiva (Ci). La strategia sarà rappresentata come segue: Ve-Uid-Ci. Potreste "parlare" tutto il giorno a questa persona per dirle come dovrebbe fare qualcosa, ma è assai improbabile che riusciate a farvi intendere. Se invece le "mostrate" un risultato e le indicate quel che dovrebbe dire a se stessa quando lo vede, potrete mettere quella persona in un certo stato d'animo quasi all'istante. Nel prossimo capitolo vi mostrerò come far venire alla luce strategie che gli individui usano in situazioni specifiche. Per il momento, desidero farvi vedere come queste strategie operano.

Abbiamo strategie per ogni cosa, moduli rappresentativi che producono sempre esiti specifici. Pochi di noi sanno come fare a servirsi consciamente di tali strategie, ragion per cui entriamo e usciamo da vari stati d'animo, a seconda degli stimoli che ci colpiscono. Non dovete far altro che elaborare la vostra strategia per produrre seduta stante lo stato d'animo desiderato; ed è necessario che siate in grado di riconoscere le strategie di altri, in modo da sapere esattamente a che cosa essi reagiscono.

Per esempio, c'è un vostro modo costante di organizzare le vostre esperienze esterne e interne quando volete procedere a un acquisto? Indubbiamente c'è. Certi stimoli, nella giusta sequenza, vi porranno immediatamente in uno stato d'animo ricettivo all'acquisto. Noi tutti possediamo sequenze che continuamente seguiamo per produrre specifici stati d'animo e attività. Presentare l'informazione secondo la sintassi di un altro, è una forma di rapporto efficacissima; e, se lo si fa nel modo adatto, le vostre comunicazioni diverranno praticamente irresistibili perché automaticamente provocheranno certe risposte.

Quali altre strategie esistono? Ve ne sono di persuasione? Esistono modi di organizzare il materiale che presentate a qualcun altro, in modo che risulti praticamente irresistibile? Ma certo. E strategie di motivazione, di seduzione, di apprendimento, di attività sportive, di vendita? Ci sono, eccome. E che dire della depressione e dell'estasi? Esistono modi specifici di rappresentare le proprie esperienze nel mondo in sequenze tali da promuovere quelle emozioni? Potete scommetterci. Ci sono strategie di management efficace, ci sono strategie di creatività. Quando certe cose vi stimolano, entrate nello stato d'animo corrispondente. Avete solo bisogno di conoscere qual è la vostra strategia, per mettervi a volontà in un certo stato. Dovete essere in grado di ricostruire le strategie usate da altri se volete sapere come si fa a dare agli altri ciò che essi vogliono.

Sicché, è indispensabile per noi trovare la sequenza specifica, la sintassi specifica suscettibile di produrre un certo stato d'animo. Se siete in grado di farlo, e se volete produrre l'azione necessaria, potete creare il vostro mondo come desiderate che sia. A parte le necessità fisiche dell'esistenza, come cibo e acqua, uno stato d'animo è quasi tutto ciò che potete desiderare d'altro, e per ottenerlo dovete semplicemente conoscere la sintassi, la giusta strategia.

Un'esperienza quanto mai produttiva di imitazione di modelli l'ho fatta con un generale dell'esercito USA, al quale ho parlato delle *Tecnologie della Prestazione Ottimale* come ad esempio l'NLP. Gli ho detto che potevo ridurre di metà il tempo di ogni suo programma addestrativo, e perfino aumentare la competenza dei singoli, sempre in quello stesso, breve lasso di tempo. Il generale era incuriosito ma non convinto, e così sono stato assunto per insegnare capacità NLP. Dopo un addestramento coronato da successo, l'esercito mi ha proposto un contratto per elaborare programmi addestrativi e insegnare a un gruppo di membri delle forze armate come imitare efficacemente modelli; l'accordo prevedeva che sarei stato pagato solo se avessi ottenuto i risultati promessi.

Il primo progetto di cui mi è stato ordinato di occuparmi consisteva nell'insegnare in quattro giorni alle reclute come sparare con efficacia e precisione con una pistola calibro 45. In passato, non più del 70% dei soldati che partecipavano al corso superava le prove, e al generale era stato detto che non ci si poteva aspettare di più. Non avevo mai sparato in vita mia con un'arma da fuoco, e neppure mi andava l'idea di farlo. John Grinder e io eravamo stati in origine soci in questo progetto, per cui ero convinto che, dato che lui sapeva sparare, saremmo riusciti a farcela. Poi, per una serie di contrattempi, John aveva dovuto rinunciare, e credo che non sia difficile immaginarsi in quale stato d'animo mi trovassi. Inoltre, correva voce che un paio degli addestrandi avrebbero fatto di tutto per sabotare il mio lavoro, indignati com'erano per la cospicua somma di danaro che avrebbe dovuto essermi pagata, e avevano tutte le intenzioni di impartirmi una lezione. Senza nessuna pratica di armi da fuoco, perduto il mio asso nella manica rappresentato da John Grinder, e al corrente del fatto che c'era chi voleva farmi lo sgambetto, a quale soluzione ricorrere?

Per prima cosa, ho preso l'enorme immagine del fallimento che era andata creandosi nella mia mente, e l'ho letteralmente rimpicciolita e raggrinzita, dopo di che ho cominciato a creare una nuova serie di rappresentazioni circa il da farsi. Ho cambiato i miei sistemi di credenze, passando da "i migliori elementi dell'esercito non sono in grado di fare ciò che vien loro richiesto, per cui evidentemente non posso riuscirci neppure io", a "gli istruttori di tiro con la pistola sono, sì, i migliori nel loro campo, ma sanno poco o niente degli effetti che le rappresentazioni interne hanno sulle prestazioni o su come copiare le strategie dei migliori tiratori". Essendomi così messo in uno stato di grande disponibilità, ho detto al generale che avrei avuto bisogno di conoscere i suoi migliori tiratori, in modo da scoprire esattamente quel che facevano - nella loro mente e sotto forma di azioni fisiche - per ottenere il risultato di un tiro efficace e accurato. Una volta che avessi scoperto "la differenza che fa la differenza", avrei potuto insegnarla ai suoi soldati in un tempo minore, ottenendo così i risultati desiderati.

Lavorando con il mio gruppo, ho scoperto le credenze chiave condivise da alcuni dei migliori tiratori del mondo, e le ho messe a confronto con le credenze dei soldati che non sapevano sparare in maniera efficace. Ho scoperto quindi la sintassi mentale e la strategia comuni ai migliori tiratori e le ho ricalcate, in modo da poterle insegnare a uno che sparasse per la prima volta. La sintassi in questione era il risultato di migliaia se non di centinaia di migliaia di tiri e di minuscoli cambiamenti in fatto di tecniche usate. Ho quindi copiato i componenti fondamentali della fisiologia dei migliori tiratori.

Avendo così scoperto la strategia ottimale volta all'ottenimento del risultato noto con il nome di tiro efficace, ho programmato un corso di un giorno e mezzo per tiratori novellini. I risultati? In meno di due giorni, il 100% dei soldati si è qualificato, e il numero di coloro che hanno ottenuto la qualifica di tiratori scelti era superiore di tre volte a quello ottenuto con il normale corso di quattro giorni. Insegnando ai novizi come trasmettere al loro cervello gli stessi segnali che gli esperti inviavano al proprio, ho fatto di loro dei buoni tiratori in meno di metà del tempo normalmente richiesto. Poi mi sono occupato degli uomini che avevo assunto a modelli, vale a dire i migliori tiratori americani, e ho insegnato loro come migliorare le loro strategie. Il risultato, un'ora dopo: uno dei tiratori ha ottenuto il suo punteggio più alto da sei mesi a quella parte, un altro ha fatto più centri di quanti ne avesse ottenuti in ogni gara di cui avesse memoria. Nel rapporto che ha presentato al generale, il colonnello ha parlato del primo salto di qualità ottenuto nel tiro della pistola dopo la prima guerra mondiale.

Quel che mi importa è che vi rendiate conto che anche se avete poche o punte informazioni precedenti, e anche se vi trovate in circostanze che vi sembrano assolutamente negative, purché abbiate un buon modello da imitare per ottenere un risultato, potrete scoprire esattamente quel che il modello fa e replicarlo, così ottenendo risultati simili in un periodo di tempo molto più breve di quel che ritenevate possibile.

Una strategia più semplice è utilizzata da molti atleti per modellarsi sui migliori della loro specialità. Così, per esempio, se volete assumere a modello uno sciatore esperto, dovrete studiare attentamente la sua tecnica (Ve). Mentre l'osservate, dovrete compiere gli stessi movimenti con il vostro corpo (Ce), finché i movimenti in questione non vi sembrino parte integrante di voi stessi (Ci). Dovreste poi farvi un'immagine interna di un esperto sciatore (Vi). In tal modo, sarete passati da una situazione visuale esterna a una situazione cinestesica esterna e quindi a una cinestesica interna. A questo punto, dovreste avere una nuova immagine visiva interna, precisamente, un'immagine dissociata di voi stessi intenti a sciare (Vi); sarà come assistere a un film di voi stessi intenti a imitare l'altra persona con la massima precisione possibile. Dovrete poi entrare dentro quell'immagine e, a livello associativo, sperimentare le sensazioni che vengono dall'eseguire la stessa azione, esattamente al modo con cui la compie l'atleta esperto (Ci), ripetendo il procedimento più e più volte, quante sono necessarie perché vi sentiate completamente a vostro agio nel farlo; in tal modo avrete fornito a voi stessi la specifica strategia neurologica che vi aiuterà a fornire prestazioni di livello ottimale. E a questo punto potrete provare a farlo nel modo reale (Ce).

La sintassi di questa strategia possiamo sinteticamente indicarla come Ve - Ce - Ci - Vi - Vi - Ci - Ce. È questo uno dei cento modi di assumere qualcuno a modello. Tenete presente che ci sono varie vie per ottenere risultati, e non ce ne sono di giuste o di errate, ma soltanto di efficaci o inefficaci.

Come è ovvio, potete ottenere risultati più puntuali se siete in possesso di informazioni più accurate e precise in merito a tutto ciò che una persona fa per ottenere un risultato. Idealmente, per assumere qualcuno a modello dovreste anche imitarne l'esperienza interna, i sistemi di credenze, la sintassi mentale. Tuttavia, osservando una persona potrete ricalcarne in larga misura la fisiologia, e la fisiologia è l'altro fattore (ne parleremo nel capitolo 9) che crea gli stati d'animo in cui veniamo a trovarci, e quindi i risultati che otteniamo.

Un campo fondamentale in cui la comprensione di strategie e sintassi può produrre differenze di grande rilevanza è l'insegnamento e l'apprendimento. Perché certi bambini "non riescono" a imparare? Sono convinto che le ragioni fondamentali siano due: in primo luogo, molto spesso ignoriamo quale sia la strategia più efficace per insegnare a qualcuno un compito specifico; in secondo luogo, gli insegnanti di rado hanno un'idea precisa del modo di apprendere di bambini diversi. Si tenga presente che tutti abbiamo strategie differenti e, se si ignora quella dell'apprendimento di un altro, urteremo contro gravi difficoltà nel tentativo di istruirlo.

Per esempio, ci sono individui che hanno una pessima pronuncia. Non per questo sono meno intelligenti di quelli che ne hanno una buona. La buona pronuncia dipende in larga misura dalla sintassi dei propri pensieri, vale a dire dal modo di organizzare, immagazzinare e ripescare informazioni in un dato contesto. Essere in grado di ottenere risultati costanti dipende dal fatto che la sintassi mentale di cui si è in possesso serva al compito che si chiede di eseguire al proprio cervello. In questo è conservata qualsiasi cosa si sia vista, udita o percepita. Innumerevoli ricerche hanno dimostrato che persone in condizioni di trance ipnotica sono in grado di ricordare (di avere accesso a) cose che non sono in grado di rammentare consciamente.

Se avete una cattiva pronuncia, il problema sta nel modo con cui rappresentate a voi stessi le parole. E allora, qual è la migliore strategia in questo caso? Essa non è certo di tipo cinestesico, dal momento che è difficile sentire una parola a livello cinestesico. E non è neppure esattamente uditiva, poiché troppe sono le parole che chi ha tale difetto non è in grado di pronunciare in maniera accettabile. E allora? La pronuncia comporta la capacità di inserire caratteri visivi esterni in una sintassi specifica. La maniera di apprendere a pronunciare correttamente consiste nel formare immagini visive accessibili in ogni istante.

Prendiamo la parola "Albuquerque". La maniera migliore per imparare a pronunciarla non consiste nel ripeterla più volte, bensì nell'immagazzinarla nella propria mente sotto forma di immagine. Nel prossimo capitolo parleremo dei modi con cui gli individui attingono alle diverse parti del loro cervello. Per esempio Bandler e Grinder, i fondatori dell'NLP, hanno scoperto che la direzione verso la quale spostiamo i nostri occhi determina a quale parte del nostro sistema nervoso abbiamo più libero accesso. Per ora accontentiamoci di rilevare che gran parte delle persone ricordano meglio immagini visive quando spostano lo sguardo in alto a sinistra. La maniera migliore per imparare a pronunciare Albuquerque consiste nel collocare la parola in alto a sinistra, formandosene una chiara immagine visiva.

A questo punto, devo però introdurre un altro concetto: lo spezzettamento. Di solito, gli individui sono in grado di elaborare a livello conscio solo da cinque a nove "pezzi" di informazione alla volta. Persone capaci di imparare rapidamente sono in grado di eseguire anche i più complessi compiti perché spezzettano informazioni in piccoli elementi, e quindi le riassemblano nel tutto originario. La maniera per imparare a pronunciare Albuquerque consiste dunque nello spezzettarla in tre frammenti minori, tipo *Albu/quer/que*. Scrivete questi tre elementi su un pezzo di carta, tenetelo in alto a sinistra dei vostri occhi; leggete *Albu*; quindi chiudete gli occhi, e vedete il frammento nella vostra mente. Riaprite gli occhi; leggete *Albu*, non pronunciatelo, limitatevi a vederlo; quindi richiudete gli occhi e rivedetelo nella vostra mente. Continuate a farlo quattro, cinque, sei volte finché, chiudendo gli occhi, riuscite a vedere chiaramente *Albu*. Prendete poi il secondo pezzo, *quer*. Puntate lo sguardo sulle lettere e seguite lo stesso procedimento di prima, e poi fatelo con l'elemento *que*, finché l'intera immagine *Albuquerque* sia immagazzinata nella vostra mente. Se avete un'immagine precisa, probabilmente avete anche la sensazione (cinestesica) che è pronunciata correttamente. Allora sarete in grado di vedere la parola con tale chiarezza, che potrete pronunciarla non solo in un senso ma anche in quello contrario. Provate: pronunciate Albuquerque, quindi pronunciatela al contrario. Una volta fatto questo, possiederete per sempre una giusta pronuncia della parola. E lo stesso potete fare con ogni parola, anche se in passato avete avuto difficoltà persino a pronunciare il vostro nome.

Un altro aspetto dell'apprendimento consiste nello scoprire le strategie d'apprendimento preferite da altri. Come si è già detto, ciascuno di noi ha una particolare struttura neurologica, uno specifico ambito mentale. Ma di rado insegniamo tenendo conto delle capacità del singolo, e anzi partiamo dal presupposto che tutti apprendano allo stesso modo.

Facciamo un esempio. Qualche tempo fa mi è stato inviato un giovane, il quale ha portato con sé un rapporto di sei cartelle e mezzo in cui si diceva che era dislessico, incapace di apprendere una corretta pronuncia e che a scuola era alle prese con problemi di ordine psicologico. Mi sono reso subito conto che le preferenze del ragazzo andavano all'elaborazione cinestesica di gran parte delle sue esperienze. E, una volta capito qual era il suo modo di elaborare l'informazione, sono stato in grado di aiutarlo. Il ragazzo aveva la massima presa sulle cose che percepiva tattilmente. D'altro canto, gran parte dei procedimenti didattici standard hanno carattere visivo o uditivo; nel caso specifico, il problema non consisteva nel fatto che il ragazzo avesse difficoltà di apprendimento, bensì nel fatto che i suoi insegnanti non riuscivano a istruirlo in modo da permettergli di percepire, immagazzinare e ripescare in maniera efficace le informazioni.

La prima cosa che ho fatto è stata di prendere il rapporto e farlo a pezzi: "È tutto un mucchio di sciocchezze," ho detto al ragazzo, e il mio gesto ha attratto la sua attenzione. Si aspettava la solita sfilza di domande, ma io ho cominciato a parlargli dei suoi principali modi di utilizzare il proprio sistema nervoso. Gli ho detto: "Scommetto che sei uno sportivo." E lui: "Eh, sì, me la cavo mica male." Sono così venuto a sapere che era un ottimo surfista. Abbiamo parlato per un po' di surf, ed eccolo subito euforico e attento, in uno stato di effettiva sensibilità cinestesica, più ricettivo di quanto mai lo avessero visto gli insegnanti. Gli ho spiegato che aveva la tendenza a immagazzinare le informazioni in maniera cinestesica e che questo gli assicurava grandi vantaggi da un lato, ma che dall'altro il suo stile di apprendimento gli procurava difficoltà per quanto riguardava la pronuncia. Gli ho indicato allora come procedere visivamente, lavorando con le sue submodalità in modo da mettersi, nei confronti della pronuncia, nella stessa condizione di sensibilità cinestesica che aveva verso il surf. Nel giro di quindici minuti, sono riuscito a ottenere da lui una pronuncia corretta.

E che dire dei bambini disadattati? Molte volte, si tratta di ragazzi, non tanto con un'incapacità ad apprendere, quanto con un disadattamento strategico, i quali hanno bisogno di apprendere come servirsi delle proprie risorse. Ho insegnato le opportune strategie a una maestra che ha lavorato con ragazzi con difficoltà di apprendimento tra gli 11 e i 14 anni, che durante i test non erano riusciti mai a pronunciare più del 70% delle parole proposte loro; pochissimi, anzi, erano andati al di là del 25-50%. La maestra si è resa ben presto conto che il 90% dei suoi scolari "disadattati" era in possesso di strategie di pronuncia visive o cinestesiche; nel giro di una settimana dacché ha cominciato a servirsi delle nuove strategie di pronuncia, 19 dei suoi 26 scolari hanno raggiunto un punteggio del 100%, due del 90%, due dell'80% e gli altri tre del 70%, e la maestra afferma che si è verificato anche un grande cambiamento in fatto di problemi comportamentali che "come per magia sono scomparsi". Adesso la maestra intende presentare un rapporto alle autorità scolastiche del suo distretto, perché il metodo venga introdotto in tutte le scuole della regione.

Sono convinto che uno dei massimi problemi pedagogici consiste nel fatto che gli insegnanti ignorano le strategie dei loro allievi. Non conoscono la combinazione che dà accesso al *caveau* dei loro pupilli. A tutt'oggi, il procedimento didattico è stato incentrato su ciò che gli allievi *devono* apprendere, non su come *possono* apprendere nel migliore dei modi. Le *Tecnologie della Prestazione Ottimale* insegnano le specifiche strategie che persone diverse utilizzano per apprendere, nonché le maniere migliori per impadronirsi di un argomento specifico.

Sapete in che modo Albert Einstein ha elaborato la teoria della relatività? Lui stesso ha detto che una delle cose fondamentali che lo hanno aiutato nel compito è stata la sua capacità di visualizzare "l'effetto che può fare trovarsi a cavallo di un raggio di luce". Un individuo che non possa formarsi la stessa immagine nella propria mente, avrà difficoltà a capire la relatività, sicché la prima cosa che dovrà apprendere è la maniera più efficace di governare il proprio cervello. Ed è appunto di questo che si occupano le *Tecnologie della Prestazione Ottimale*.

Gli stessi problemi con cui si è alle prese in campo didattico, sono presenti in quasi ogni altro settore. Se ci si serve dello strumento sbagliato o della sequenza errata, si otterrà un risultato erroneo. Se invece si fa ricorso allo strumento e alla sequenza esatti, si otterranno risultati spettacolosi. Tenete presente che si è in possesso di una strategia per ogni cosa. Prendiamo il caso di un venditore; forse che non gli sarebbe d'aiuto conoscere le strategie di acquisto dei clienti? E se per caso il cliente è accentuatamente cinestesico, è consigliabile che il venditore cominci col mostrargli i bei colori delle automobili che quello sta osservando? Sarà preferibile "colpirlo" con una forte sensazione, per esempio facendolo sedere al volante, toccare la tappezzeria, insomma mettendolo nello stato d'animo in cui si troverebbe se sfrecciasse lungo un'autostrada. Se invece il cliente è un visivo, sarà opportuno cominciare con i colori, le linee, le altre submodalità visive adatte alla sua strategia.

Ammettiamo che tu sia un allenatore: forse che non ti sarebbe d'aiuto conoscere quali siano le motivazioni adatte a diversi componenti della squadra e di che tipo siano gli stimoli maggiormente efficaci se vuoi metterli nello stato d'animo più produttivo? Come c'è un modo di formare una molecola di DNA o di costruire un ponte, così esiste una sintassi ottimale per ogni compito, una strategia cui gli individui possono costantemente far ricorso per ottenere i risultati ai quali aspirano.

Qualcuno di voi si dirà: "Certo, tutto questo va benissimo se uno è capace di leggere nella mente altrui. Ma io non sono in grado di capire quali sono le strategie di un altro, non mi basta parlare con qualcuno qualche istante per sapere come posso indurlo a comprare o a fare qualche cosa." Se non sapete come fare, è perché ignorate che cosa cercare – o come chiederlo. Se chiedete nella maniera giusta, con sufficiente convinzione e impegno, otterrete quasi tutto. Ci sono cose per procurarsi le quali occorrono grande convinzione ed energia; potete averle, certo, ma bisogna darci dentro davvero. Le strategie, invece, sono facili, e bastano pochi istanti per far venire a galla quelle di un individuo, come si dirà nel prossimo capitolo.

8
COME SCOPRIRE LE STRATEGIE ALTRUI

> *"Cominciamo dall'inizio," disse il re con tono grave, "va' avanti finché arrivi alla fine, e lì fermati."*
>
> LEWIS CARROLL, *Alice nel paese delle meraviglie*

Avete mai visto un esperto di serrature all'opera? Sembra che compia magie: gioca con la serratura, ode quello per cui nessun altro ha orecchio, vede cose che altri non vedono, e in qualche modo riesce a ricostruire l'intera combinazione di una cassaforte.

I grandi comunicatori agiscono allo stesso modo. Si può ricostruire la sintassi mentale di chiunque, si può cioè aprire la combinazione della cassaforte della mente altrui e della propria pensando come un esperto di casseforti. Bisogna, per questo, cercare cose che prima non si sono viste, prestare orecchio ad altre mai prima udite, sentirne tattilmente di mai prima sentite, e porre le domande che prima non si sapevano rivolgere. Se questo lo si fa con abilità e attenzione, si può scoprire, in qualsiasi situazione, la strategia di chiunque, si può cioè imparare a dare agli altri proprio quel che vogliono e insegnar loro a farlo da sé.

Il segreto per scoprire strategie consiste nel sapere che le persone sono disposte a dirvi tutto ciò che vi occorre sapere circa le loro strategie. Ve lo diranno a parole; o con il modo in cui si servono del proprio corpo; persino con il modo in cui si servono degli occhi. Si può apprendere a leggere una persona con la stessa precisione con cui si legge una mappa o un libro. Tenetelo presente: una strategia non è che uno specifico ordine di rappresentazioni – visive, uditive, cinestesiche, olfattive, gustative – che produce un risultato specifico, e non occorre far altro che indurre le persone a sperimentare la propria strategia e prendere attenta nota di ciò che specificamente fanno per ripeterla.

Ma prima di riuscire a scoprire davvero le strategie altrui, bisogna sapere che cosa cercare, quali sono gli indizi che vi dicono quale parte del proprio sistema nervoso un individuo sta usando in quel momento. È anche importante riconoscere alcune delle tendenze che le persone fanno di solito proprie, servendosene per stabilire rapporti migliori e ottenere risultati maggiori. Così per esempio, gli individui tendono a utilizzare questa o quella parte della loro neurologia - visiva, uditiva e cinestesica - più di altre. Esattamente come ci sono individui destri e altri mancini, si tende a preferire una modalità rispetto alle altre.

Ma prima di scoprire le strategie altrui, dobbiamo scoprirne il principale sistema rappresentativo. Gli individui soprattutto visivi tendono a vedere il mondo per immagini; e siccome tentano di stare al passo con le immagini che hanno nel cervello, hanno la tendenza a parlare in fretta. Non si curano di come pronunciano le parole, ma si sforzano di attribuire parole alle immagini. Amano esprimersi con metafore visive, dicendo come le cose appaiono loro, quali sono gli elementi che vedono profilarsi, quali sono gli aspetti chiari e quelli oscuri.

Le persone prevalentemente uditive si mostrano invece più selettive circa le parole che usano. Hanno voce più sonora, il loro eloquio è più lento, più ritmico, più misurato. Siccome le parole per loro hanno grande importanza, stanno attenti a quel che dicono. Amano espressioni come: "Questo mi suona bene", "Ti sento perfettamente", "Tutti i salmi finiscono in gloria".

Ancora più lenti risultano gli individui prevalentemente cinestesici, i quali reagiscono soprattutto a ciò che sentono tattilmente. La loro voce è di solito fonda, spesso le parole escono loro di bocca lente, quasi fossero impastate. I cinestesici si servono di metafore tratte dal mondo fisico: sono sempre intenti a "cogliere" qualcosa di "concreto", le cose per loro sono "pesanti" e "intense", aspirano a "entrare in contatto" con la realtà, dicono per esempio: "Sto cercando una risposta, ma ancora non sono riuscito ad afferrarla."

Ciascuno di noi ha in sé elementi delle tre modalità, ma nella stragrande maggioranza degli individui un sistema predomina su tutti. Mentre studiate le strategie degli altri, è necessario anche che scopriate qual è il loro principale sistema rappresentativo, in modo da poter trasmettere il vostro messaggio in maniera che venga recepito. Se avete a che fare con un individuo a orientamento visivo, è inutile che procediate con i piedi di piombo: respirate a fondo, e buttatevi a parlare a ruota libera. Insomma, esprimetevi in modo che il vostro messaggio corrisponda alla maniera di funzionare della sua mente.

È sufficiente osservare le persone e prestare attento orecchio al loro modo di parlare, per farsi immediatamente un'idea dei sistemi cui fanno ricorso. L'NLP utilizza ancora più specifici indicatori di ciò che ha luogo nella mente di un individuo.

È un luogo comune che gli occhi sono lo specchio dell'anima, ma solo di recente ci siamo resi conto di quanto sia vero questo adagio. Basta osservare con una certa attenzione gli occhi di una persona per rendersi immediatamente conto del sistema rappresentativo di cui si serve in un momento particolare, se visivo, uditivo o cinestesico.

Rispondete a questa domanda: di che colore erano le candeline sulla torta del vostro dodicesimo compleanno? Soffermatevi

---

Gli occhi delle persone intente a rappresentarsi internamente informazioni, si muovono, per quanto piccolo possa essere lo spostamento. Nel caso di una persona normalmente destra, vale quanto segue, e le sequenze risultanti hanno carattere costante. (NB: ci sono individui la cui organizzazione è di segno contrario, in essi cioè il movimento avviene in senso opposto, da destra a sinistra.)

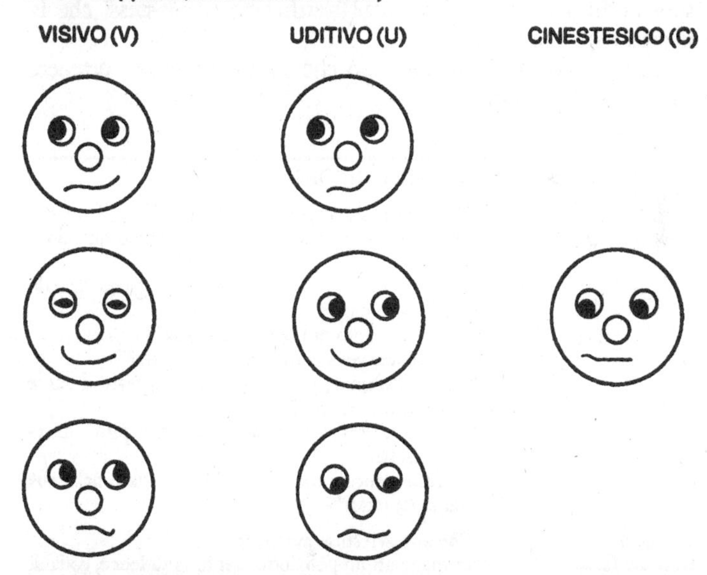

I movimenti degli occhi possono darvi modo di sapere come una persona si rappresenta internamente il mondo esterno. La rappresentazione interna del mondo esterno costituisce la "mappa" della realtà di un individuo, e ogni mappa è unica.

---

un momento a pensare; per rispondere, il 90% di voi sposterà gli occhi a sinistra in alto, perché è in quel punto che persone destre e persino mancine collocano immagini visive mnemoniche. E adesso, un'altra domanda: che aria avrebbe Topolino con la barba? Soffermatevi un istante a pensarci. È probabile che questa volta i vostri occhi si siano appuntati verso destra in alto, perché è quello il punto in cui si collocano le immagini artificiali. Sicché, è sufficiente osservare gli occhi degli individui per capire qual è il sistema sensorio al quale fanno ricorso. "Leggendo" i loro occhi, potete "leggerne" le strategie. Per strategia si intende una sequenza di rappresentazioni interne che permettono a una persona di eseguire un certo compito. La sequenza dice il "come" di ciò che qualcuno sta facendo. Mandate a mente lo specchietto della pagina precedente in modo da potere riconoscere e capire a quali stimoli obbedisce l'occhio.

Mentre conversate con qualcuno, osservate i movimenti dei suoi occhi. Ponetegli domande relative alle sue immagini o suoni o sensazioni mnemoniche. In quale direzione si muovono i suoi occhi a ciascuna domanda? Verificherete voi stessi che la mappa risponde al vero.

Ecco ora alcune domande-tipo che potete porre per ottenere specifiche risposte-tipo.

PER OTTENERE:	DOVETE CHIEDERE:
immagini visive ricordate	"Quante finestre ci sono in casa tua?" "Qual è la prima cosa che vedi al mattino quando ti svegli?" "Che tipo era il tuo ragazzo/la tua ragazza quando avevi sedici anni?" "Qual è la stanza più buia di casa tua?" "Che colore aveva la tua prima bicicletta?" "Qual è l'animale più piccolo che hai visto durante la tua ultima visita allo zoo?" "Di che colore erano i capelli del tuo primo maestro/maestra?" "Sapresti elencare tutti i colori che ci sono nella tua stanza da letto?"
immagini visive artificiali	"Che aria avresti se avessi tre occhi?" "Immaginati un poliziotto con testa di leone, coda di coniglio e ali d'aquila." "Immagina il profilo dei tetti della tua città che si dissolve in fumo." "Riesci a vederti con i capelli d'oro?"

immagini uditive ricordate

"Qual è la prima parola che hai detto oggi?"
"Qual è la prima parola che ti è stata detta oggi da qualcuno?"
"Dimmi il titolo di una delle tue canzoni preferite di quand'eri più giovane."
"Quali sono i suoni naturali che ti piacciono più di tutti?"
"Qual è la terza parola dell'inno nazionale?"
"Canta a te stesso *La Montanara.*"
"Ascolta nella tua mente una cascatella in una tranquilla sera estiva."
"Qual è la porta di casa tua che sbatte più rumorosamente?"
"Ascolta nella tua mente il ritornello della tua canzone preferita."
"Cos'è più sommesso, il rumore che fa sbattendo la portiera della tua auto o quello del coperchio del tuo bagagliaio?"
"Quale fra le persone che conosci ha la voce più gradevole?"

immagini uditive artificiali

"Se potessi rivolgere una domanda qualsiasi a Garibaldi, Cavour o Dante Alighieri, quale domanda gli porresti?"
"Cosa risponderesti se qualcuno ti chiedesse come si potrebbe eliminare la possibilità di una guerra nucleare?"
"Immaginati che il suono del clacson di un'auto si trasformi in quello di un flauto."

dialogo interno uditivo

"Ripeti a te stesso, interiormente, questa domanda: 'Qual è oggi, nella mia vita, la cosa che reputo più importante?' "

parole cinestesiche

"Immagina la sensazione del ghiaccio che ti si scioglie in mano."
"Come ti sentivi stamattina, appena ti sei alzato dal letto?"
"Immaginati la sensazione di un pezzo di legno che si trasforma in seta."
"Che temperatura aveva all'incirca l'acqua del mare o della piscina quando ci hai fatto il bagno l'ultima volta?"
"Qual è, in casa tua, il tappeto più morbido?"
"Immaginati di calarti in una vasca da bagno piena di bella acqua calda."
"Pensa alle sensazioni che proveresti se, passando la mano su un ruvido pezzo di corteccia, incontrassi improvvisamente un pezzo morbido, fresco, di muschio."

Per esempio, se gli occhi di un individuo si alzano verso sinistra, vuol dire che egli si è rappresentato visivamente qualcosa a memoria. Se si spostano verso l'orecchio sinistro, vuol dire che stava ascoltando qualcosa. Se si abbassano verso destra, significa che la persona attinge alla parte cinestesica del suo sistema rappresentativo.

Allo stesso modo, se vi riesce difficile ricordare qualcosa, ciò accade probabilmente perché non collocate i vostri occhi in una posizione tale da darvi chiaro accesso a quella informazione. Se cercate di rammentare qualcosa che avete visto qualche giorno fa, volgere lo sguardo a destra non vi aiuterà a vedere quell'immagine. Se invece alzate gli occhi verso sinistra, scoprirete che siete in grado di ricordare rapidamente. Una volta che sapete in che direzione volgere lo sguardo per cercare l'informazione immagazzinata nel vostro cervello, sarete in grado di trovarla rapidamente e facilmente. (In circa il 5-10% delle persone, la direzione di queste indicazioni è di segno opposto. Cercate di scoprire un amico mancino o una persona ambidestra con indicazioni rovesciate.)

Ci sono altri aspetti della fisiologia delle persone che ci forniscono indizi circa le loro abitudini. Quando una persona respira a fondo, facendo alzare e abbassare il torace, vuol dire che pensa in termini visivi. Quando il respiro è regolare, con movimento del diaframma oltre che del torace, il pensiero è di tipo uditivo. Un respiro addominale profondo è indicativo di una modalità cinestesica. Osservate tre persone intente a respirare, notando il ritmo e la localizzazione del respiro stesso.

Non meno rivelatrice è la voce. Gli individui visivi parlano a raffica e di solito con tono di voce acuto, nasale o forzato. Voci basse, fonde e lente, sono di solito cinestesiche. Un ritmo uniforme e limpido e un tono di voce risonante sono indicativi di modalità uditive. "Leggibile" è anche il colorito della pelle. Se pensate visivamente, la vostra faccia tenderà a impallidire. Una modalità cinestesica è rivelata da rossore. Se qualcuno tiene la testa alzata, è in una modalità visiva. Se la tiene diritta o leggermente piegata, come se stesse ascoltando, è in una modalità uditiva. Se la tiene bassa o i muscoli del collo sono rilassati, la sua modalità è cinestesica.

Sicché, persino dalla minima comunicazione potete ricavare chiari, inequivocabili segni circa la modalità di funzionamento della mente di una persona e i messaggi ai quali è abituata a rispondere. La maniera più semplice per far venire alla luce strategie consiste semplicemente nel porre domande. Tenete presente che ci sono strategie per ogni cosa – per vendere e per comprare, per essere motivati e per innamorarsi, per attrarre gli altri e per essere creativi. Vorrei adesso passarne in rassegna alcune. La maniera migliore di imparare non consiste nell'osservare, bensì nel fare. Per tale motivo, gli esercizi qui di seguito illustrati sarebbe bene che li faceste, se possibile, con qualcuno.

Il segreto per promuovere efficacemente la strategia di un individuo consiste nel porlo in uno stato pienamente "associato", perché in tal caso non ha scelta: deve dirvi esattamente quali sono le sue strategie, se non verbalmente, almeno non verbalmente, con il movimento degli occhi, i cambiamenti somatici, e via dicendo. Lo stato d'animo è la linea diretta con la strategia, è l'interruttore che apre i circuiti d'accesso all'inconscio di una persona. Tentare di promuovere strategie quando una persona non sia in uno stato pienamente associato, è come tentare di mettere in moto un'auto senza batteria. Sono inutili le discussioni di carattere intellettuale; qui si tratta di indurre altre persone a rivivere il loro stato d'animo e quindi la sintassi che l'ha prodotto.

Una volta ancora, pensate alle strategie come a ricette. Se conoscete un cuoco che prepara le migliori torte al mondo, restereste delusi se vi dicesse che non sa esattamente come le prepara, e che lo fa inconsciamente. Non è in grado di rispondervi se gli chiedete i quantitativi degli ingredienti usati, e magari vi dice: "E chi lo sa? Un pizzico di questo e un pochino di quello." In tal caso fareste bene a dirgli di mostrarvi come fa. Lo mettete in cucina a preparare la torta, notando ogni mossa che compie e, prima che butti nell'impasto un po' di questo o di quello, dovreste prenderlo e pesarlo. Seguendo il cuoco notando gli ingredienti, i quantitativi e la sintassi, vi troverete ad avere una ricetta che in futuro potrete replicare.

La scoperta di strategie avviene esattamente allo stesso modo, nel senso che dovete mettere l'altro nella cucina – rimetterlo, voglio dire, nel momento in cui ha sperimentato una particolare condizione – e quindi scoprire quale sia stata la primissima cosa che l'ha fatto entrare in quella condizione. Qualcosa che ha visto o udito? Oppure ha toccato qualcosa o qualcuno? E quando ve l'abbia detto, chiedetegli: "E poi, che cosa è accaduto, per metterti in questa condizione? È stato...?" E così via, finché non ritorna nello stato d'animo di cui eravate alla ricerca.

Tutte le scoperte di strategie seguono questo modulo. Dovete riportare l'altro individuo nel giusto stato d'animo, inducendolo a ricordare un momento specifico in cui era motivato, si sentiva amato o particolarmente creativo, o quale che sia la strategia che intendete far venire alla luce. Inducetelo poi a ricostruire la sua strategia ponendogli domande chiare, succinte, relative alla sintassi di ciò che ha visto, udito e sentito. Alla fine, in possesso della sintassi, cercate di ottenere le submodalità della strategia, in altre parole scoprite cosa c'era di specifico nelle immagini, nei suoni e nelle sensazioni. Forse le dimensioni dell'immagine? Oppure il tono della voce?

Applicate poi la tecnica della scoperta di strategie motivazionali con qualcun altro. Innanzitutto, mettetelo in uno stato d'animo ricettivo, chiedendogli per esempio: "Riesci a ricordare un momento in cui eri totalmente motivato a fare qualcosa?" Quella di cui andate alla ricerca è una risposta coerente, in cui la voce e il linguaggio del corpo dell'altro vi forniranno il messaggio in maniera chiara, esatta, credibile. Tenete presente che difficilmente sarà consapevole di gran parte della sequenza che si è prodotta in lui. Se questa fa parte da qualche tempo del suo comportamento, avviene con estrema rapidità, e allo scopo di ricostruire ciascuna delle fasi per cui è passato dovete chiedergli di rallentare e fare grande attenzione a ciò che dice e a ciò che i suoi occhi e il suo corpo vi rivelano.

Se chiedete a un tale: "Ti ricordi quando ti sei sentito molto motivato?" e quegli alza le spalle e replica con un "Bah", significa che non è ancora nello stato d'animo voluto. Può capitare che un altro dica di sì, e contemporaneamente scuota la testa con un cenno di diniego, e anche in questo caso non è davvero associato all'esperienza, non è nello stato d'animo giusto. Sicché, dovete prima di tutto avere la certezza che sia in grado di rivivere la specifica esperienza che lo ha messo in quel particolare stato d'animo. E quindi, la domanda che dovete rivolgergli sarà: "Riesci a ricordare un momento specifico in cui eri totalmente motivato a fare qualcosa? Riesci a riandare a quel momento, a reinserirti in quell'esperienza?" E quasi sempre funziona.

Una volta che l'abbiate riportato allo stato d'animo, gli chiederete: "Visto che ricordi quel periodo, qual è stata la primissima cosa che ti ha reso totalmente motivato? È stato qualcosa che hai visto o udito, il contatto con qualcosa o con qualcuno?" Se risponde che ha udito un discorso interessante, e immediatamente si è sentito motivato a fare alcunché, vuol dire che la sua strategia è promossa da un elemento uditivo esterno (Ue) e che non lo si potrebbe motivare mostrandogli qualcosa o facendogli fare un'azione fisica. Si tratta di un individuo che risponde soprattutto a parole e suoni.

A questo punto sapete come attrarne l'attenzione. Ma non è ancora tutto. Le persone rispondono a eventi sia esterni che interni, per cui dovrete scoprire la parte interna della sua strategia, e quindi chiedetegli: "Dopo che hai udito quella tal cosa, qual è stata quella immediatamente successiva che ti ha totalmente motivato? Hai creato un'immagine nella tua mente? Ti sei detto qualcosa? Hai provato una certa sensazione o emozione?"

Se risponde che nella sua mente si è formata un'immagine, vorrà dire che il secondo elemento della sua strategia è di carattere visuale interno (Vi). In altre parole: dopo che costui ha udito qualcosa che lo ha motivato, immediatamente forma un'immagine mentale che lo motiva ulteriormente. È probabile che si tratti di un'immagine che lo aiuta a focalizzare la propria attenzione su ciò che desidera fare.

Ma ancora non siete in possesso del suo intero quadro strategico, e quindi è necessario che continuiate a interrogarlo, chiedendo: "Dopo aver udito qualcosa e aver visto un'immagine nella tua mente, qual è stato l'elemento successivo della tua motivazione? Ti sei detto qualcosa? Hai sentito qualcosa dentro di te o c'è stato un evento esterno?" Se si è trattato di un sentimento che ha completato la motivazione, avrete sott'occhio l'intero quadro della sua strategia. L'individuo in questione ha cioè prodotto una serie di rappresentazioni, in questo caso Ue - Vi - Ci, alla quale si deve la sua condizione di motivazione. Ha udito qualcosa, ha visto un'immagine nella propria mente, si è sentito motivato. Gran parte delle persone hanno bisogno di uno stimolo esterno e di due o tre interni prima di essere nella giusta condizione, ma ve ne sono di quelle le cui strategie implicano una sequenza di dieci o magari quindici diverse rappresentazioni perché raggiungano lo stato desiderato.

E adesso che conoscete la sintassi della sua strategia, dovete scoprire le submodalità. Chiedetegli pertanto: "Quali caratteristiche aveva quel qualcosa che hai udito e che ha promosso la tua motivazione? È il tono della voce di chi ti parlava, oppure le parole, la velocità o il ritmo dell'eloquio? Com'era l'immagine che ti sei fatta nella mente? Era grande, luminosa...?" A questo punto, potrete verificare le sue risposte parlandogli nello stesso tono di qualcosa che vorreste che fosse motivato a fare, dicendogli poi ciò che dovrebbe rappresentarsi nella mente e le sensazioni che dovrebbe provare. Se lo fate esattamente, vedrete quel tale entrare nello stato di motivazione sotto i vostri occhi. Se dubitate dell'importanza che ha la sintassi, provate a cambiare l'ordine, dicendo all'individuo quali saranno le sue sensazioni e che cosa dirà a se stesso, e non riuscirete a interessarlo minimamente, perché avrete usato gli ingredienti giusti ma nell'ordine sbagliato. Quanto tempo occorre per scoprire la strategia di una persona? Dipende dalla complessità dell'attività che volete conoscere. A volte bastano un paio di minuti per apprendere l'esatta sintassi che induce quel tale a fare tutto ciò che volete.

Ammettiamo per esempio che siate allenatore di atletica leggera. Volete motivare l'individuo di cui all'esempio precedente a divenire un fondista; sebbene riveli un certo talento e non manchi di interesse, non è davvero motivato al punto da impegnarsi a fondo. E dunque, da dove cominciare? Portandolo con voi a vedere i vostri migliori corridori al lavoro? Vi mettete a parlare a raffica per promuovere in lui una reazione, per mostrargli quanto voi stessi siete coinvolti? No, certamente no. Ogni pezzetto di un comportamento del genere agirebbe su quel tale a livello di strategia visiva, e lo lascerebbe del tutto freddo.

Al contrario, vi converrà far leva su di lui puntando sugli stimoli uditivi che lo mettono in moto. Sicché, non comincerete parlando a raffica, come fareste con un visivo, e neppure a voce lenta, strascicata, come fareste con un cinestesico, ma parlerete con voce ben modulata, ferma, chiara, sonante, vale a dire con le stesse submodalità di tono e ritmo che costituiscono il momento iniziale della sua strategia motivazionale. Potrete per esempio dirgli: "Sono certo che hai sentito parlare a lungo dei successi che abbiamo riportato con il nostro programma di allenamenti. Tutta l'università non fa che parlarne, e quest'anno abbiamo attirato molto pubblico, e dovresti sentire il tifo che fanno. Certi ragazzi mi hanno detto che le grida degli spettatori sono state di grande incoraggiamento per loro e che li aiutano a raggiungere livelli che mai si sarebbero aspettati di toccare. E le ovazioni, quando tocchi il filo d'arrivo, sono strabilianti. Mai udito nulla di simile in tanti anni che faccio l'allenatore."

Adesso sì che parlate il suo linguaggio, servendovi del suo stesso sistema rappresentativo. Potreste sprecare ore a illustrargli il nuovo grande stadio, e da parte sua otterreste indifferenza. Dovete invece fargli sentire le grida della folla nel momento in cui supera la linea d'arrivo, ed ecco che l'avrete agganciato.

Ma questa è soltanto la prima parte della sintassi, la spinta iniziale, di per sé insufficiente a motivarlo fino in fondo. Dovete anche ricostruire la sequenza interna. A seconda delle descrizioni che gliene fornite, potreste partire dagli indizi uditivi, dicendogli per esempio: "Quando senti le ovazioni dei tifosi della tua città, sarai in grado di immaginare te stesso intento a fare la più bella gara di tutta la tua vita, e ti sentirai assolutamente motivato a compierla."

Se siete alla testa di un'azienda, motivare i vostri dipendenti è quasi certamente una vostra preoccupazione di fondo; e se non lo è, è probabile che non restiate a lungo in affari. Ma, quanto più ne sapete di strategie motivazionali, tanto più vi renderete conto di come sia difficile motivare davvero la gente. Infatti, posto che ciascuno dei vostri dipendenti abbia una diversa strategia, è tutt'altro che facile addivenire a una rappresentazione che soddisfi tutti i loro bisogni, e se seguite soltanto la vostra personale strategia, motiverete unicamente coloro che sono come voi.

Che fare, dunque? Be', comprendere le strategie dovrebbe fornirvi due idee chiare. In primo luogo, che ogni tecnica motivazionale indirizzata a un gruppo dovrebbe comportare qualcosa per ognuno dei suoi componenti: un elemento visivo, un elemento uditivo, un elemento cinestesico. Dovreste mostrar loro certe cose, farne udire loro altre, dare loro sensazioni, ed essere in grado di variare voce e intonazioni in modo da istituire il contatto con tutti e tre i tipi.

In secondo luogo, non esiste sostitutivo dell'operare con gli altri in quanto individui. Si possono, sì, fornire a un gruppo spunti di carattere generale su cui i suoi singoli componenti potranno lavorare, ma per attingere davvero alle strategie proprie di individui diversi, la soluzione ideale sarebbe quella di evocare strategie individuali.

Finora, non abbiamo fatto che cercare la formula base per portare alla luce la strategia di chicchessia. Ma per potersene servire efficacemente, è indispensabile essere in possesso di maggiori particolari circa ogni singolo momento della strategia stessa; in altre parole, al modulo fondamentale è necessario aggiungere le submodalità.

Così per esempio, se la strategia di acquisto di una persona comincia con alcunché di visivo, che cosa è che ne cattura lo sguardo? Colori accesi? Grandi dimensioni? L'individuo in questione si entusiasma alla vista di certe forme particolarmente vistose? Se è un uditivo, è attratto da voci sexy o da voci possenti? Gli piacciono di più rumori forti, clamori, oppure suoni sommessi, finemente armonizzati? Conoscere la modalità principale di qualcuno è già un buon inizio. Per essere precisi, per premere il tasto giusto, dovete saperne di più. Per avere successo in fatto di vendite, è assolutamente indispensabile la comprensione delle strategie. Ci sono venditori che le capiscono istintivamente, e quando hanno di fronte un potenziale cliente, immediatamente fanno venire a galla le sue strategie decisionali. Per esempio, possono cominciare con un: "Ho notato che si serve della copiatrice di un nostro concorrente; sa, sono curioso e mi piacerebbe sapere che cosa l'ha indotta ad acquistarla: l'ha vista o ne ha letto, oppure qualcuno gliene ha parlato? Oppure è stata semplice simpatia per il venditore o per il prodotto?" Possono sembrare domande un tantino bizzarre, ma un venditore in grado di istituire un buon rapporto saprà spiegare che la sua curiosità deriva dal fatto che vuole davvero soddisfare le esigenze del cliente; e le risposte che otterrà possono fornirgli informazioni preziosissime sul modo di presentare il suo prodotto nella maniera più efficace.

I clienti hanno strategie d'acquisto assolutamente specifiche. Ci sono molti modi di commettere errori, per esempio cercando di vendere a un cliente qualcosa di cui non ha bisogno in una maniera che non gli piace. Ma non ci sono altrettanti modi di fare le cose giuste. Sicché, per essere efficace, un venditore deve riportare i suoi clienti a un momento in cui hanno comprato qualcosa che è piaciuta loro particolarmente, deve scoprire che cosa li ha indotti a decidersi per l'acquisto. Quali erano gli ingredienti chiave e le submodalità? Un venditore che impari a portare alla luce strategie apprenderà anche a conoscere gli esatti bisogni del cliente, e allora sarà in grado di soddisfarli davvero e di crearsi il cliente fisso. Quando si riesce a scoprire la strategia di qualcuno, si può imparare in pochi istanti ciò che altrimenti richiederebbe giorni e settimane.

E adesso occupiamoci delle strategie limitanti, come per esempio l'ingestione eccessiva di cibo. Un tempo io pesavo centoventi chili. Come avevo fatto a ridurmi in quelle condizioni? Molto facile: avevo sviluppato una strategia di grandi mangiate, e ne ero completamente dominato. Ho scoperto che cosa era la mia strategia, ripensando a momenti in cui non avevo affatto appetito, eppure un istante dopo ero bramoso di cibo.

Riandando a quei momenti, mi sono chiesto: "Che cosa mi faceva venir voglia di mangiare? Qualcosa che vedevo o udivo, il contatto di qualcosa o di qualcuno?" Era, me ne sono accorto, qualcosa che avevo visto. Per esempio, ero al volante, e mentre l'auto correva, a un tratto scorgevo l'insegna di una certa catena di fast-food, e immediatamente mi creavo nella mente l'immagine del mio cibo preferito, e mi dicevo: "Accidenti, che fame!" E questo creava sensazioni di fame, e le traducevo in atto fermandomi e concedendomi un pasto. Non avevo affatto appetito, finché non vedevo i cartelli che mettevano in moto quella strategia, ma quei cartelli erano ovunque. Inoltre, se qualcuno mi chiedeva: "Ti andrebbe di mangiare un boccone?" anche se non avevo affatto appetito cominciavo a raffigurarmi mentalmente l'ingestione di certi cibi, e mi dicevo: "Accidenti che fame!", cosa che creava la sensazione di fame, e aggiungevo: "Ma sì, andiamo a buttar giù qualcosa." Inoltre, c'erano gli spot televisivi in cui apparivano cibi su cibi, ed era come se mi chiedessero: "Non hai fame? Possibile che tu non abbia fame?" Il mio cervello rispondeva elaborando immagini, e io mi dicevo: "Accidenti che fame!", ciò che creava la sensazione che mi indirizzava verso il ristorante più vicino.

Alla fine, sono riuscito a cambiare comportamento cambiando strategia, ed ecco come: la vista dei cartelli di cibarie mi induceva a immaginarmi intento a guardarmi allo specchio e a commentare, alla vista del mio grasso, orrendo corpo: "Ho un aspetto disgustoso. Posso fare tranquillamente a meno di questo pasto." Poi mi immaginavo intento a uscirne, vedevo il mio corpo farsi più forte, immaginavo di dirmi: "Ottimo lavoro! Adesso hai un aspetto niente male", e questo creava in me il desiderio di continuare a esercitarmi. Ho istituito il collegamento tra i vari momenti ricorrendo alla ripetizione – la vista del cartello, l'immediata presentazione a me stesso dell'immagine di me grasso, l'ascolto del mio dialogo interiore, e così via, più e più volte, finché la vista dei cartelli e il fatto di udire la domanda: "Ti piacerebbe andare a pranzare?" automaticamente mettevano in moto la mia nuova strategia. Il risultato da essa prodotto è il corpo che attualmente mi ritrovo e le abitudini alimentari che adesso coltivo. Anche voi potete scoprire strategie mediante le quali la vostra mente inconscia crea risultati da voi non desiderati, e queste strategie voi potete cambiarle – e subito!

Una volta che abbiate scoperto le strategie di un'altra persona, potete fare in modo che costui, o costei, si senta profondamente amato mettendo in moto esattamente gli stimoli che in precedenza hanno fatto sì che in quell'individuo insorgesse tale sentimento. Potete anche ricostruire la vostra personale strategia amorosa. Le strategie amorose differiscono da molte altre strategie per un aspetto fondamentale. Invece di tre o quattro procedure successive, di solito se ne ha una sola: un tocco, una parola detta, un certo modo di guardare una persona che la fa sentire totalmente amata.

Significa questo forse che tutti quanti abbiamo bisogno, per sentirci amati, di un'unica procedura? Niente affatto. Io preferisco averle tutte e tre, e sono certo che per voi è lo stesso; desidero che qualcuno mi tocchi nel modo giusto, che mi dica di amarmi e mi dimostri che mi ama. Tuttavia, esattamente come un senso spesso è onnidominante, un'unica maniera di esprimere amore apre all'istante la vostra combinazione, facendovi sentire totalmente amati.

Come si fa a scoprire la strategia amorosa di qualcuno? Ormai dovreste saperlo. Qual è la prima cosa da fare? Mettete la persona di cui desiderate evocare la strategia nello stato d'animo adatto. Ricordatevi che lo stato d'animo è la sostanza che mette in moto i circuiti. Per cui, chiederete all'altro: "Ti ricordi di un tempo in cui ti sentivi totalmente amato?" e per accertarvi che l'altro sia nel giusto stato d'animo, aggiungete subito dopo: "Ti ricordi di un momento specifico in cui ti sentivi totalmente amato? Torna a quel tempo. Ti ricordi come ti sentivi? Adesso rivivi quei sentimenti nel tuo corpo."

In tal modo metterete la persona nel giusto stato d'animo, dopo di che potrete passare all'evocazione della strategia. Chiedete: "Ricordi quel periodo, avverti quei profondi sentimenti d'amore, ma per questo è *assolutamente necessario* che una persona ti mostri amore facendoti regali, guardandoti in un certo modo, portandoti in certi luoghi? È assolutamente indispensabile che quella persona ti esibisca il suo amore in questo modo perché tu ti senta particolarmente amato?" Fate attenzione alla risposta e alla sua congruenza. Quindi, rimettete la persona nello stato d'animo e chiedetele: "Rammentati del tempo in cui ti sentivi totalmente amato. Allo scopo di provare quei profondi sentimenti d'amore, è assolutamente necessario che l'altro ti esprima il suo amore in un certo modo, perché tu ti senta totalmente amato?" Fate attenzione alle risposte verbali e non verbali per vedere se concordano. Infine, una domanda ancora: "Ricordati di come ci si sente a essere totalmente amati. Perché tu provi quei profondi sentimenti d'amore, è necessario che qualcuno ti tocchi in un certo modo, e solo allora ti senti davvero amato?"

Una volta che abbiate scoperto l'ingrediente chiave che crea in una persona quei profondi sentimenti d'amore, dovrete scoprire le specifiche submodalità, per esempio chiedendo: "Perché

COME SCOPRIRE STRATEGIE AMOROSE

Ti ricordi di un tempo in cui ti sentivi totalmente amato?

Riesci a ricordarne un momento specifico?

Torna a quel momento e rivivilo... (in tal modo rimettete la persona nello stato d'animo adeguato).

V: Perché tu provi questi profondi sentimenti d'amore, è *assolutamente necessario* che il tuo partner dimostri di amarti...

portandoti fuori?
facendoti regali?
guardandoti in un certo modo?

***È assolutamente necessario* che il tuo partner dimostri di amarti a questo modo perché ti senta davvero amato? (Giudicare dalla fisiologia.)**

U: Perché tu provi questi profondi sentimenti d'amore, è *assolutamente necessario* che il tuo partner...

ti dica che ti ama in un certo modo? (Giudicare dalla fisiologia.)

C: Perché tu provi questi profondi sentimenti d'amore, è *assolutamente necessario* che il tuo partner...

ti tocchi in un certo modo? (Giudicare dalla fisiologia.)

Adesso passate alle submodalità. Esattamente come? Indicamelo, dimmelo, dimostramelo. (Verificate la strategia da segni esterni e interni. Giudicate in base alla congruenza fisiologica.)

tu ti senta totalmente amato, come esattamente bisogna che qualcuno ti tocchi?" Fate che l'interessato ve lo dimostri, e quindi verificatelo, toccando lui o lei in quel modo, e se l'avrete fatto esattamente, noterete un immediato cambiamento di stato d'animo.

Lo faccio ogni settimana nel corso dei miei seminari, e il risultato non manca mai. Noi tutti abbiamo un certo modo di guardare, di accarezzare o farci accarezzare i capelli, un certo tono di voce, un modo di dire "ti amo", che ci fa sciogliere. Moltissimi lo scoprono all'improvviso; ma, messi nello stato d'animo adatto, siamo perfettamente in grado di scoprire quel qualcosa che ci fa sentire assolutamente, totalmente amati.

E poco importa se i partecipanti al seminario non mi conoscono, se si trovano in una stanza piena di sconosciuti. Se ricostruisco la loro strategia amorosa, se li tocco o li guardo nel modo giusto, semplicemente si sciolgono. Hanno pochissime scelte, perché il loro cervello riceve proprio il segnale che crea in loro la sensazione di essere totalmente amati.

Solo una minoranza di persone ha due strategie amorose invece di una sola. Costoro pensano a un tocco e pensano a qualcosa che amano sentirsi dire. Sicché, dovete tenerli nello stato d'animo giusto e indurli a operare una distinzione. Chiedete loro: se potessero avere solo il tocco ma non il suono, si sentirebbero totalmente amati? Se avessero il suono ma non il tocco, si sentirebbero totalmente amati? Se sono nel giusto stato d'animo, saranno in grado di operare senza meno una chiara distinzione. Ricordatevi che abbiamo bisogno di tutti e tre gli aspetti, ma che ce ne è uno solo che apre la combinazione della cassaforte e che opera magie.

Il fatto di conoscere la strategia amorosa del vostro partner o di vostro figlio può costituire uno dei sostegni più poderosi del rapporto che con lui istituite. Se sapete come fare perché quella persona si senta in ogni momento amata, disporrete di un poderoso strumento che avrete sempre a portata di mano. Se non ne conoscete la strategia amorosa, le cose possono mettersi piuttosto male. Sono certo che tutti noi almeno una volta nella vita ci siamo trovati nella situazione di amare qualcuno e di esprimere il nostro amore senza essere creduti o, viceversa, qualcuno ci ha espresso il suo amore ma noi non l'abbiamo creduto. La comunicazione non si è instaurata perché le rispettive strategie non corrispondevano.

Nei rapporti si crea un'interessante dinamica. All'inizio dei rapporti stessi, nello stadio che chiamerò di corteggiamento, siamo attivamente impegnati. Come far sapere all'altro che lo amiamo? Basta dirglielo? Basta dimostrarglielo o basta che lo tocchiamo? Certo che no! Durante il corteggiamento facciamo tutto questo, e dimostriamo, parliamo, tocchiamo. Con l'andare del tempo, continuiamo a fare tutte e tre le cose? Certe coppie sì, ma costituiscono l'eccezione, non già la regola. Forse che per questo amiamo meno l'altro? No di certo, soltanto non siamo più impegnati allo stesso modo. Ci sentiamo a nostro agio nel rapporto; sappiamo che quella persona ci ama, e noi l'amiamo. E allora, come comunichiamo a essa i nostri sentimenti d'amore? Probabilmente allo stesso modo in cui vorremmo che ce li comunicasse a sua volta. E in questo caso, che ne è della qualità dei sentimenti d'amore nell'ambito del rapporto? Vediamo un po'.

Prendiamo il caso di un marito che abbia una strategia amorosa uditiva: come è più probabile che esprima il proprio amore alla moglie? Dicendoglielo, naturalmente. Ma che accade se lei ha una strategia amorosa visiva, per cui il suo cervello la fa sentire profondamente amata solo a patto che riceva certi stimoli visivi? Col passare del tempo, né l'uno né l'altro membro della coppia si sentirà totalmente amato. Nella fase del corteggiamento facevano tutto, dimostravano, parlavano, toccavano, mettendo in moto l'uno le strategie amorose dell'altro. Ed ecco che adesso il marito se ne viene fuori a dire: "Ti amo, tesoro." E lei replica: "No, che non mi ami!" E lui: "Ma che diavolo stai dicendo? Come fai a sostenere una cosa del genere?" E lei allora: "Oh, le parole non costano niente. Tu non mi regali più fiori, non mi porti più in nessun luogo, non mi guardi più in quel certo modo." E allora lui magari chiede: "Che cosa intendi dire? Guardarti come? Ma se ti ho detto che ti amo." Lei non prova più quel profondo sentimento di essere amata, perché a quello specifico stimolo che avvia quel sentimento, suo marito non fa più costante ricorso.

Prendiamo in considerazione il caso opposto: il marito visivo, la moglie uditiva. Lui mostra a lei di amarla, regalandole questo o quello, portandola qua e là, mandandole fiori, e un bel giorno lei dice: "Tu non mi ami." Lui monta su tutte le furie: "Come fai a dirlo? Ma guardati un po' in giro, la casa che ho acquistato per te, i luoghi in cui ti porto." Replica la moglie: "Oh sì, ma mai una volta che tu mi dica che mi ami." "Ma io ti amo!" urla lui con un tono di voce che non corrisponde affatto alla strategia di lei, e la conseguenza è che la moglie non si sente per niente amata.

E che dire del tipo di unione più male assortita che sia dato trovare, quella tra un uomo cinestesico e una donna a orientamento visivo? Lui rincasa, fa per abbracciarla, e lei: "Non toccarmi, tu mi metti sempre le mani addosso. Non sai far altro che starmi appiccicato. Perché non andiamo mai da nessuna parte? E perché prima di toccarmi non mi guardi?" Qualcuno di questi scenari vi risulta familiare? Vi rendete adesso conto come mai un rapporto sia finito perché all'inizio facevate tutto, ma con l'andare del tempo avete cominciato a comunicare il vostro amore in un unico modo, mentre il vostro partner aveva bisogno di un altro modo o viceversa?

La consapevolezza è uno strumento possente. La maggior parte di noi ritiene che la nostra mappa del mondo corrisponda esattamente al mondo stesso. Ci diciamo: io so benissimo cosa mi fa sentire amato, e questo deve poter funzionare con chiunque altro. Ma dimentichiamo che la mappa non è tutt'uno con il territorio, che essa è solo il nostro modo di vedere il territorio.

E adesso che sapete come portare alla luce una strategia amorosa, sedetevi con il vostro partner e scoprite che cosa è che fa sentire lui o lei totalmente amati. E una volta evocata la vostra personale strategia amorosa, insegnate al vostro partner come provocare in voi il sentimento di essere davvero amato. I cambiamenti che il fatto di comprenderlo può produrre nella qualità del vostro rapporto valgono infinitamente di più del denaro speso per acquistare questo libro.

Gli individui hanno strategie per ogni cosa. Se qualcuno si alza al mattino perfettamente sveglio e pieno di vita, vuol dire che ha una strategia per ottenerlo, anche se probabilmente ignora quale essa sia. Ma se glielo chiedete, sarà in grado di dirvi che cosa si dice, che cosa sente o che cosa vede per essere così sveglio. Non dimenticate che il modo di rivelare una strategia consiste nel portare il pasticciere in cucina, in altre parole nel metterlo nello stato d'animo che desiderate, e nello scoprire ciò che ha fatto per creare e conservare quello stato d'animo. Potete per esempio chiedere a un individuo che al mattino si sveglia senza difficoltà di ricordare un particolare mattino in cui si è svegliato prontamente e senza difficoltà alcuna; chiedetegli di ricordare la primissima cosa di cui ha avuto coscienza. Potrà magari rispondervi che ha udito una voce interna ordinargli: "È ora di alzarsi; giù dal letto!" Domandategli poi di rievocare la cosa immediatamente successiva che lo ha indotto a scuotersi dal sonno. Si è raffigurato o ha sentito qualcosa? Risposta possibile: "Mi sono immaginato che saltavo giù dal letto e mi infilavo sotto la doccia calda. Allora mi sono dato una scossa, e via." Può sembrare una strategia piuttosto semplice, non è vero? Ma a questo punto dovete scoprire il tipo e i quantitativi specifici degli ingredienti, per cui vi converrà chiedere: "Di che tipo era la voce che ti ha detto che era ora di alzarsi? Quali qualità aveva?" Risposta probabile: "La voce era forte e parlava molto velocemente." Domanda successiva: "Come era la scena che ti sei raffigurato?" Risposta possibile: "Era luminosa, in veloce movimento." E a questo punto potete applicare a voi stessi quella strategia; ritengo che, come è accaduto a me, scoprirete che accelerando le vostre parole e immagini, aumentando volume e luminosità, riuscite a svegliarvi in un attimo.

Al contrario, se vi riesce difficile addormentarvi, non avete da far altro che rallentare il vostro dialogo interno e creare tonalità sonnacchiose, sbadiglianti, e quasi immediatamente vi sentirete diventare stanchissimi. Provatelo subito. Parlate lentissimamente, come una persona stanchissima, con voce sonnacchiosa dentro di voi. Ditevi... quanto... siete... S-T-A-N-C-H-I – sbadiglio – proprio stanchi... e adesso accelerate e noterete la differenza. Il punto è che si può ricalcare qualsiasi strategia, a patto che si metta qualcuno nello stato d'animo necessario per scoprire esattamente ciò che fa, in quale ordine, in quale sequenza. Importa soprattutto essere sempre in sintonia con quello che i nostri simili fanno bene, e quindi scoprire come lo fanno, quali sono le loro strategie. Il copiare modelli è null'altro che questo.

L'NLP è qualcosa di simile alla fisica nucleare della mente. I fisici hanno a che fare con la struttura della realtà, con la natura del mondo, l'NLP fa lo stesso con la vostra mente, nel senso che vi dà modo di spezzettare le cose, di ridurle alle componenti che le fanno funzionare. Le persone trascorrono un'intera vita nel tentativo di trovare il modo di sentirsi totalmente amate, spendono fortune nel tentativo di "conoscere se stesse" ricorrendo ad analisti, leggendo decine di libri che dovrebbero insegnare il modo di riuscirci. L'NLP ci mette a disposizione una tecnologia per raggiungere questi e molti altri obiettivi in maniera agile, efficiente ed efficace – e immediatamente!

Come già si è visto, un modo di mettersi in uno stato d'animo produttivo consiste nel far ricorso alla sintassi e a rappresentazioni interne.

E adesso, vediamo l'altra faccia, parliamo di fisiologia.

9
FISIOLOGIA, LA STRADA DELL'ECCELLENZA

I diavoli non si possono scacciare dal cuore col tocco di una mano su una mano o su una bocca.

TENNESSEE WILLIAMS

Durante i miei seminari, provoco sempre situazioni di frenesia rumorosa, gioiosa, caotica. Chi varchi l'uscio nel momento giusto, si troverà magari in mezzo a trecento persone che saltano, urlano e strillano, ruggiscono come leoni, agitano le braccia, tirano pugni all'aria, battono le mani, gonfiano il petto, fanno la ruota come pavoni, e insomma si comportano come se avessero tanto potere personale da accendere o spegnere a piacimento le luci di un'intera città.

Che diavolo sta succedendo? È semplicemente l'altra metà del circuito cibernetico, quella fisiologica. Il pandemonio ruota attorno a un unico centro: agire come se ci si sentisse più potenti, più felici di quanto ci si sia mai sentiti prima, agire come se si sapesse che si riuscirà, agire come se si fosse traboccanti di nuova energia. Uno dei modi di mettersi nello stato d'animo che aiuta a raggiungere qualsiasi risultato consiste nell'agire "come se" lo si fosse già raggiunto. E questo è massimamente efficace se si mette la propria fisiologia nello stato in cui ci si troverebbe se già si fosse ottenuto il risultato sperato.

La fisiologia è lo strumento più potente di cui disponiamo per ottenere fulminei cambiamenti di stato. C'è un antico proverbio che dice: se vuoi essere potente, fingiti potente. Mai detto più vero è stato pronunciato. Io mi aspetto che dai miei seminari le persone ottengano risultati decisivi, devono essere nello stato fisiologico più produttivo possibile, perché non si dà azione potente senza una potente fisiologia.

Se fate vostra una fisiologia vitale, dinamica, esuberante, automaticamente farete vostro uno stato d'animo dello stesso tipo. La leva più importante di cui disponiamo in qualsiasi situazione è la fisiologia. E ciò perché questa opera con grande rapidità e senza errori. Fisiologia e rappresentazioni interne sono indissolubilmente connesse. Sono solito affermare che "non esiste una mente, esiste solo un corpo" e anche che "non esiste un corpo, esiste solo una mente". Se cambiate la vostra fisiologia, seduta stante cambierete le vostre rappresentazioni interne e il vostro stato d'animo.

Riuscite a rievocare un periodo in cui eravate completamente a terra? Come percepivate il mondo? Quando vi sentite fisicamente stanchi o malati, il mondo vi appare di sicuro assai diverso rispetto a quando vi sentite riposati, desti, pieni di vita. La manipolazione fisiologica è un poderoso strumento di controllo del proprio cervello. Ed è pertanto della massima importanza rendersi conto di quanto profondamente ci influenza, del fatto cioè che non si tratta di una variabile estranea, bensì di una parte assolutamente insostituibile di quel circuito cibernetico che è sempre in azione.

Quando la vostra fisiologia ha un crollo, l'energia positiva del vostro stato d'animo subisce la stessa sorte. Quando la vostra fisiologia migliora e si esalta, lo stesso avviene con il vostro stato d'animo. Sicché, la fisiologia è la leva del cambiamento emozionale. Ci sono due modi di cambiare gli stati d'animo: mutare rappresentazioni interne o mutare fisiologia. Se dunque volete cambiare istantaneamente il vostro stato d'animo – che fare? Tac! Cambiate la vostra fisiologia, vale a dire il modo di respirare, o il portamento, l'espressione facciale, la qualità del movimento, e così via.

Se cominciate a sentirvi stanchi, ci sono alcune cose specifiche che si possono fare con la propria fisiologia per comunicarlo a se stessi: lasciar cadere le spalle, rilassare grandi gruppi muscolari, e simili. Si può diventare stanchi semplicemente notando le proprie rappresentazioni interne, in modo che queste trasmettano al sistema nervoso il messaggio che siete stanchi. Se cambiate la vostra fisiologia nel modo in cui essa è quando vi sentite forti, essa cambierà le vostre rappresentazioni interne e il modo di sentirvi in quel momento. Se continuate a dire a voi stessi che siete stanchi, formate la rappresentazione interna che vi mantiene stanchi. Se vi dite che avete le risorse di essere sul chi vive, all'altezza della situazione, se adottate consciamente la fisiologia corrispondente, il vostro corpo farà lo stesso. Cambiate la vostra fisiologia, e cambierete il vostro stato d'animo.

Nel capitolo dedicato alle credenze, vi ho detto qualcosa degli effetti che queste hanno sulla salute. Gli scienziati vanno di continuo scoprendo aspetti che sottolineano il fatto che malattie e salute, vitalità e depressione sono spesso frutto di nostre decisioni: di norma, non si tratta di decisioni consce, e tuttavia decisioni sono.

Nessuno si dice consciamente: "Preferisco essere depresso che felice." Ma che cosa fanno le persone depresse? Di solito, pensiamo che la depressione sia solo uno stato mentale, ma a essa pertiene anche una fisiologia chiarissima, perfettamente identificabile. Non è difficile visualizzare una persona depressa. Chi lo è, molto spesso cammina a testa bassa, e ciò perché accede a una modalità cinestesica e/o parla a se stesso di cose che lo fanno sentire depresso. L'individuo in questione lascia cadere le spalle, ha il respiro debole, poco profondo, insomma ha tutto ciò che contribuisce a mettere il suo corpo in condizioni di depressione fisiologica. Costui ha deciso di essere depresso? Ma certo! La depressione è un risultato che per essere creato richiede immagini somatiche assai specifiche. Tutti gli autori di fumetti se ne rendono perfettamente conto.

L'aspetto interessante è che si può altrettanto facilmente produrre il risultato chiamato estasi, cambiando la propria fisiologia in certi modi specifici. In fin dei conti, che cosa sono le emozioni? Sono una complessa associazione di stati psicologici. Senza cambiare nessuna delle sue rappresentazioni interne, posso cambiare nel giro di pochi secondi lo stato d'animo di qualsiasi persona depressa. Non occorre per questo individuare le immagini che il depresso elabora nella propria mente: basta cambiarne la fisiologia e, tac!, se ne cambia lo stato d'animo.

Se vi drizzate sulla persona, se tenete le spalle erette, se respirate a fondo, se tenete lo sguardo alzato, insomma se vi mettete in uno stato di fisiologia produttiva, non potrete essere depressi. Provate e vedrete. Diritti, con le spalle erette, respirate a fondo, alzate gli occhi, muovetevi, e vedrete se, con un portamento del genere, riuscite a sentirvi depressi. Costaterete che praticamente è quasi impossibile, perché il vostro cervello riceve dalla vostra fisiologia il messaggio: devi stare sul chi vive, essere vitale, pieno di risorse. E il cervello obbedisce.

Quando qualcuno viene da me e mi dice che non può fare questa o quella cosa, io replico: "Agisci come se fossi capace di farla." Consueta risposta: "Ma se non so come fare?" E io allora: "Agisci come se lo sapessi. Atteggiati come ti atteggeresti se sapessi quel che devi fare. Respira come respireresti se sapessi, adesso, subito, come riuscirci. Assumi l'espressione facciale che avresti se ce l'avessi fatta." E non appena gli interessati assumono quella posizione corporea, respirano a quel modo, mettono la loro fisiologia in quel certo stato, immediatamente sentono di potercela fare. E funziona senza fallo, grazie a quella straordinaria leva che consiste nella capacità di adattare e cambiare la fisiologia. Più e più volte, semplicemente operando questo cambiamento, riuscirete a far fare agli altri cose mai fatte prima, e ciò perché, lo ripeto, nell'istante in cui cambiano la propria fisiologia mutano anche il proprio stato d'animo.

Pensate a qualcosa che immaginate di non riuscire a fare, ma che vi piacerebbe poter fare. Come vi atteggereste se sapeste che ne avete la possibilità? Come parlereste? Come respirereste? Seduta stante, mettetevi, con la massima coerenza possibile, nella fisiologia in cui sareste se sapeste di poterne venire a capo. Fate in modo che il vostro intero corpo vi trasmetta lo stesso messaggio; fate in modo che il vostro atteggiamento corporeo, il respiro e il volto, riflettano la fisiologia che sarebbe vostra se sapeste che siete in grado di riuscire. E adesso notate la differenza tra questo stato d'animo e quello in cui eravate prima. Se mantenete coerentemente la giusta fisiologia, vi sentirete "come se" foste in grado di compiere ciò di cui non vi ritenevate capaci prima.

Lo stesso si verifica con la pirobazia. Quando certuni si trovano di fronte al letto di carboni accesi, sono in uno stato di totale fiducia e prontezza grazie alla combinazione di rappresentazioni interne e fisiologia. Ragion per cui possono, fiduciosamente e senza danno alcuno, attraversare il letto di carboni accesi. Altri, invece, all'ultimo momento si lasciano prendere dal panico. Possono cioè aver cambiato le loro rappresentazioni interne di ciò che sta per accadere, per cui adesso si immaginano il peggior scenario possibile; oppure può accadere che l'intenso calore li faccia uscire dallo stato di fiducia quando si trovano sull'orlo del letto di carboni. Risultato: i loro corpi si mettono a tremare di paura, oppure essi si mettono a piangere, si immobilizzano, con la muscolatura bloccata, oppure presentano altre vistose reazioni fisiologiche. Per aiutarli a sbarazzarsi in un istante delle loro paure e a intraprendere un'azione a dispetto di apparenze insuperabili, devo fare una unica cosa: cambiarne lo stato d'animo. Sicché, la pirobazia non costituisce semplicemente un insegnamento di ordine intellettuale, ma fornisce l'esperienza necessaria per cambiare il proprio stato d'animo e comportamento in un istante così da raggiungere i propri scopi, indipendentemente da ciò che si pensava o sentiva prima.

Che cosa faccio dunque quando mi trovo di fronte una persona che trema, piange, è completamente bloccata, strilla sull'orlo del letto di carboni accesi? Posso semplicemente cambiarne le rappresentazioni interne, inducendola a pensare come si sentirà una volta che sia riuscita ad arrivare sana e salva all'estremità opposta. E questo la induce a crearsi una rappresentazione interna che ne cambia la fisiologia. Nel giro di due, tre, quattro secondi, quella persona si trova a essere in uno stato di pienezza di risorse, e la vedete cambiare ritmo di respiro ed espressione facciale. Poi le dico di andare, e quello stesso individuo che un istante prima era lì, paralizzato dalla paura, attraversa deciso la distesa di carboni accesi e arriva tutto esultante dall'altra parte. A volte, però, certuni hanno chiare immagini interne di loro stessi che bruciano o inciampano, le quali sono più intense delle loro rappresentazioni di essere capaci di compiere sani e salvi la pirobazia. In tal caso, devo cambiarne le submodalità, e può volerci del tempo.

L'altro sistema cui ricorro, e che è più efficace quando qualcuno sia totalmente in preda al panico davanti ai carboni ardenti, consiste nel mutarne la fisiologia. In fin dei conti, se l'individuo cambia le sue rappresentazioni interne, il sistema nervoso deve segnalare al corpo di cambiare portamento, modulo respiratorio, tensione muscolare, e via dicendo. E allora, perché non andare direttamente alla fonte, aggirando tutte le altre comunicazioni e cambiando direttamente la fisiologia? Sicché, mi accosto all'individuo piangente e gli ordino di alzare gli occhi. Così facendo, comincia ad accedere agli aspetti visivi anziché a quelli cinestesici della sua neurologia. E quasi immediatamente smette di piangere. Provatelo su voi stessi: se siete sconvolti o piangenti, volgete lo sguardo all'insù. Drizzate le spalle, mettetevi in stato visivo. I vostri sentimenti cambieranno quasi all'istante. Potete farlo anche con i vostri figli. Quando si fanno male, dite loro di alzare gli occhi: pianto e dolore cesseranno o per lo meno diminuiranno d'intensità in maniera cospicua, e questo quasi all'istante. Poi, magari, faccio stare la persona come starebbe se avesse piena fiducia in se stessa e sapesse di poter percorrere sana e salva il campo pirobatico, la faccio respirare come respirerebbe in tal caso e le faccio dire qualcosa con il tono di voce di chi abbia totale fiducia in se stesso. In tal modo, il suo cervello riceve un nuovo messaggio relativo al come sentire, e nello stato che ne risulta l'individuo che era completamente paralizzato dalla paura solo pochi istanti prima può compiere l'azione che gli serve per raggiungere i suoi scopi.

La stessa tecnica può essere applicata ogniqualvolta si abbia la sensazione di non riuscire a fare alcunché, come per esempio non saper avvicinare un uomo o una donna, non sapere parlare con il proprio capo, e simili. Possiamo cambiare il nostro stato e dotarci del potere di compiere l'azione, sia cambiando le immagini e i dialoghi dentro la nostra mente, sia mutando portamento, modo di respirare, tono di voce. L'ideale è cambiare sia fisiologia che tono, e se lo si fa ci si sente immediatamente pieni di risorse e in grado di compiere le azioni necessarie all'ottenimento dei risultati desiderati.

Lo stesso vale per l'esercizio fisico. Se vi allenate duramente e siete a corto di fiato, e continuate a dirvi che siete stanchi, oh, come siete stanchi, e quanto avete corso, vi abbandonerete a una fisiologia – come sedervi e ansimare – che sosterrà quella comunicazione. Se, al contrario, e anche se siete senza fiato, consciamente starete eretti e imporrete al vostro respiro un ritmo normale, vi sentirete a posto nel giro di pochi istanti.

Al cambiamento dei nostri sentimenti, e quindi delle nostre azioni, ottenuto cambiando rappresentazioni interne e fisiologia, si accompagna un'influenza sui processi biochimici e bioelettrici del nostro organismo. Da indagini compiute risulta che quando gli individui cadono in uno stato di depressione, il loro sistema immunitario si comporta allo stesso modo, e la quantità dei loro globuli bianchi diminuisce. Avete mai visto una fotografia Kirlian di una persona? Si tratta, come forse saprete, della rappresentazione su lastra dell'energia bioelettrica di un individuo, ed essa muta in maniera rimarchevole col mutare degli stati d'animo o dell'umore di un individuo. A causa del nesso esistente fra mente e corpo, negli stati di intensità può cambiare l'intero nostro campo bioelettrico, e si possono compiere imprese che altrimenti sembrerebbero impossibili. Tutto ciò che ho sperimentato e letto mi dice che i nostri organismi hanno minori limiti, sia in senso positivo che negativo, di quanto finora siamo stati indotti a credere.

Il dottor Herbert Benson, che ha scritto abbondantemente sui rapporti tra mente e corpo, riferisce episodi straordinari del potere del *voodoo* in varie parti del mondo. Presso una tribù di aborigeni australiani, gli stregoni praticano una costumanza che è detta "affilare l'osso" e che consiste nel gettare un incantesimo di potenza tale che la vittima sa con assoluta certezza che si ammalerà di un morbo terribile e con ogni probabilità fatale. Ecco quanto dice il dottor Benson a proposito di un fatto del genere accaduto nel 1925: "L'uomo che scopra di essere stato segnato nelle ossa da un nemico, si riduce in uno stato davvero pietoso. Appare sbalordito, gli occhi fissi al proditorio 'affilatore', e con la mano alzata fa il gesto di chi vuol tenere lontano il letale fluido che si immagina gli sia entrato nell'organismo. Ha le guance soffuse di pallore, lo sguardo vitreo, il viso stravolto... Tenta di urlare, ma di solito il suono gli muore in gola, e se ne vede la bocca schiumante. Comincia a tremare in tutto il corpo, i muscoli gli si contraggono involontariamente. Vacilla, cade all'indietro, e ben presto sembra svenuto, ma eccolo subito dopo contorcersi come se fosse in agonia e, coprendosi il volto con le mani, prendere a gemere... Il decesso segue in un tempo relativamente breve."

Non so come la pensiate voi, ma si tratta di una delle più vivide e orripilanti descrizioni che mi sia mai capitato di leggere. E non vi chiedo certo di imitarla. Ma costituisce al tempo stesso uno dei più eloquenti esempi immaginabili del potere della fisiologia e della fede. Dal punto di vista tradizionale, a quell'uomo non è stato fatto niente, proprio niente. Ma il potere delle sue convinzioni e il vigore della sua stessa psicologia hanno creato una forza negativa, terrificante, che lo distrugge.

Si tratta di un'esperienza limitata alle sole società che consideriamo primitive? No di certo. Esattamente lo stesso processo si verifica ogni giorno attorno a noi. Benson cita il dottor Engel della facoltà di Medicina dell'Università di Rochester, il quale ha raccolto un vasto archivio di notizie di ogni parte del mondo, riguardanti morti improvvise in circostanze inspiegabili. In ciascuno di tali casi, nulla di terribile è accaduto nel mondo esterno: semplicemente, il defunto è stato vittima delle proprie interne rappresentazioni negative.

Ciò che mi sembra degno di nota, è che, a quanto sembra, si sono compiute maggiori ricerche e si sono raccolti più numerosi aneddoti sull'aspetto dannoso del rapporto mente-corpo, che non sull'aspetto positivo. Udiamo sempre parlare dei terrificanti effetti che lo stress ha su persone che perdono la voglia di vivere dopo la morte di un essere amato. E a quanto pare, tutti sanno che stati e emozioni negative possono ammazzarci, ma assai meno si sente parlare dei modi con cui stati positivi possono risanarci.

Uno dei più celebri episodi del genere è quello riferito da Norman Cousins che nella sua *Anatomy of an Illness* racconta come sia miracolosamente guarito da una lunga, spossante malattia a furia di risate. Il riso è stato uno dei poderosi strumenti di cui Cousins si è avvalso in un cosciente sforzo di mobilitare la propria volontà di vivere e di star bene. Il suo "regime" consisteva in larga misura nel restare tutta la giornata a guardare film, programmi televisivi e a leggere libri che lo facessero ridere. Cosa che evidentemente ha mutato le rappresentazioni interne che costantemente si faceva. E Cousins ha costatato che ne conseguivano immediati, positivi cambiamenti fisici. Dormiva meglio, i suoi dolori si erano attenuati, la sua condizione fisica era migliorata da cima a fondo.

Alla fine è completamente guarito, sebbene uno dei medici che lo aveva in cura affermasse che aveva solo cinque probabilità su cento di totale risanamento. E Cousins conclude: "Ho imparato a non sottovalutare mai le capacità di rigenerazione della mente e del corpo umani, anche quando le prospettive sembrino remotissime. La forza vitale può darsi sia la meno nota e compresa sulla terra."

Certe affascinanti ricerche di cui si incominciano ad avere i dati, gettano luce sulle esperienze di Cousins e su altre simili. Si tratta di studi che riguardano l'effetto che le nostre espressioni facciali hanno sui nostri sentimenti, e la conclusione è, non tanto che sorridiamo quando ci sentiamo bene o ridiamo quando siamo di ottimo umore, ma piuttosto che sorridere e ridere danno il via a processi biologici che ci fanno sentir bene. Aumentano l'afflusso del sangue al cervello, cambiano il livello di ossigenazione encefalica e il livello di stimolazione dei neurotrasmettitori. Lo stesso accade con altre espressioni. Se quelle facciali vengono adeguate alla fisiologia della paura, dell'ira, del disgusto o della sorpresa, sono questi i sentimenti che proveremo.

I nostri corpi sono i nostri orti... le nostre volontà sono gli ortolani.

WILLIAM SHAKESPEARE

Nel volto ci sono un'ottantina di muscoli che agiscono come lacci emostatici, vuoi mantenendo costante l'afflusso di sangue mentre il corpo compie rapidi movimenti rotatori oppure alterando l'afflusso di sangue al cervello, e pertanto entro certi limiti influendo sul funzionamento di questo. In un rimarchevole rapporto redatto nel 1907, il medico francese Israel Waynbaum avanzava l'ipotesi che le espressioni facciali effettivamente mutassero i sentimenti, ed è la stessa costatazione a cui oggi approdano altri ricercatori. Il dottor Paul Ekman, docente di psichiatria alla University of California di San Francisco, ha per esempio dichiarato al *Los Angeles Times* il 5 giugno 1985: "Sappiamo che un uomo in preda a un'emozione lo rivela con l'espressione del volto, ma adesso abbiamo costatato che accade anche il contrario, nel senso che si diviene l'espressione facciale che si assume... Se uno ride soffrendo, dentro di sé non avverte sofferenza; se in volto si mostra dolore, dentro si prova dolore." In effetti, soggiunge il dottor Ekman, allo stesso principio si attiene di norma chi vuole ingannare le "macchine della verità": individui che riescono a porsi nello stato fisiologico della convinzione, anche se in realtà mentono, faranno registrare la propria convinzione alla macchina della verità.

È proprio quello che io e altri seguaci del metodo NLP siamo andati insegnando per anni, e oggi sembra che la comunità scientifica finalmente verifichi ciò che noi avevamo già ampiamente costatato e utilizzato. In questo volume ci sono molte altre cose che nei prossimi anni troveranno convalida; ma è inutile che il lettore attenda che un ricercatore accademico gliene dimostri la validità: può servirsene immediatamente, ottenendo subito i risultati desiderati. Questa è la miglior verifica.

Si stanno scoprendo tanti e tali aspetti delle correlazioni tra mente e corpo, che alcuni insegnano addirittura che tutto ciò che in realtà si deve fare è avere buona cura del proprio organismo: se il corpo funziona al meglio, anche il cervello funzionerà in maniera più efficace. È questo il succo dell'opera di Moshe Feldenkrais, il quale ha scoperto che, agendo semplicemente a livello cinestesico, si può cambiare l'immagine di sé, il proprio stato d'animo e il funzionamento generale del cervello, e anzi sostiene che la qualità dell'esistenza è tutt'uno con la qualità dei nostri movimenti. Le sue ricerche costituiscono una preziosissima fonte di trasformazione umana ottenuta cambiando in maniera assai particolare la fisiologia.

Un importante corollario della fisiologia è la coerenza. Se io vi trasmetto quello che ritengo essere un messaggio positivo, ma la mia voce è fievole e incerta e il linguaggio del mio corpo è scomposto e incongruente, il mio messaggio risulterà contraddittorio. L'incoerenza mi impedisce di essere tutto quello che potrei essere, di creare i miei stati d'animo più produttivi. Trasmettere a se stessi messaggi contraddittori è una maniera subliminale di darsi la zappa sui piedi.

Certamente, ciascuno di voi ha vissuto momenti in cui non prestava fede a qualcuno senza saper dire esattamente perché. Ciò che l'individuo diceva appariva sensato, ma per qualche ragione in realtà non gli credevate. La vostra mente inconscia coglieva ciò che alla vostra mente conscia sfuggiva. Così, per esempio, a una vostra domanda l'individuo in questione rispondeva in maniera affermativa ma in pari tempo scuoteva il capo come per dire di no; oppure diceva: "Posso farlo", ma voi notavate che stava curvo, con gli occhi bassi, tratteneva il respiro, tutti elementi che rivelavano al vostro inconscio che in realtà quel tale rispondeva: "No, questo non posso farlo." Una parte di lui voleva eseguire ciò che gli veniva chiesto, mentre una parte lo rifiutava; una parte di lui era fiduciosa mentre un'altra non lo era. L'incoerenza operava a suo danno: con le parole rappresentava una cosa, con la fisiologia un'altra.

Tutti noi abbiamo pagato e paghiamo il prezzo dell'incoerenza, quando accade che una parte di noi vuole davvero alcunché ma un'altra parte dentro di noi sembra bloccarci. Coerenza è potere. Le persone che hanno costantemente successo sono quelle che sono in grado di fare agire insieme tutte le loro risorse mentali e fisiche nell'esecuzione di un compito. Soffermatevi per un momento a pensare alle tre persone più coerenti che conoscete e quindi alle tre più incoerenti a voi note. Qual è la differenza fra esse? Qual è l'effetto che individui coerenti hanno su di voi, e quale è quello esercitato da persone contraddittorie?

Sviluppare la coerenza, ecco un'importante chiave del potere personale. Quando comunico, lo faccio con l'enfasi delle parole, del respiro, della mia intera fisiologia. Quando il mio organismo e le mie parole concordano, invio al mio cervello espliciti segnali che gli dicono che è questo appunto che voglio ottenere, e la mia mente risponde di conseguenza.

Se dite a voi stessi: "Eh, sì, credo che sia proprio così che si debba fare", ma la vostra fisiologia è debole e indecisa, che genere di messaggio riceve il cervello? Se i segnali trasmessi dal vostro organismo sono deboli o contraddittori, il vostro cervello non ha una chiara idea sul da farsi. È come un soldato che stia per affrontare una battaglia guidato da un comandante il quale dica: "Be', forse dovremmo fare così, non sono certo che funzioni, ma facciamolo, e vediamo cosa succede." In quale stato d'animo si troverà il soldato?

Se vi dite: "Devo assolutamente fare questo o quello", e la vostra fisiologia concorda, in altre parole se il vostro portamento, la vostra espressione facciale, il vostro respiro, i vostri movimenti, il modo e il tono della voce sono congruenti, ci riuscirete senz'altro. Tutti noi desideriamo addivenire a condizioni di coerenza e l'iniziativa più efficace che si può prendere a tale scopo è di accertarsi di essere in uno stato fisiologico di fermezza, decisione e coerenza. Se le vostre parole e il vostro corpo sono in disaccordo, la vostra efficacia ne risulterà sminuita.

Un modo di assicurarsi la coerenza è di imitare la fisiologia di persone che siano coerenti. L'essenza della duplicazione del modello consiste nello scoprire quale parte del cervello usa l'individuo efficiente. Se volete esserlo anche voi, dovete usare il cervello allo stesso modo; e se ripeterete esattamente la fisiologia altrui, farete appello alla stessa parte del vostro cervello. In questo momento siete in uno stato di coerenza? Se non lo siete, mettetevici. Per quanta parte del vostro tempo siete in stato di incoerenza? Potete essere coerenti più spesso? Cominciate fin da adesso: identificate cinque persone che abbiano fisiologie espressive di potere, e che vorreste ricalcare. In che senso queste fisiologie differiscono dalla vostra? Come si siedono, stanno, si muovono quelle persone? Quali sono alcune delle loro espressioni e gesti fondamentali? Sedetevi come si siede uno di costoro, atteggiate il vostro volto a mimiche simili, fate gesti dello stesso tipo, e notate come vi sentirete.

Nel corso dei nostri seminari, noi facciamo imitare ai partecipanti le fisiologie di altri, ed essi costatano che hanno accesso a uno stato d'animo affine, e che affini sono anche le loro sensazioni. E dunque provate a compiere questo esercizio, che è necessario eseguire in compagnia di un altro. Dite a costui di rievocare un ricordo particolarmente intenso e, senza dirvi di che si tratta, di mettersi nello stato d'animo corrispondente. E adesso rispecchiate esattamente il suo atteggiamento, il modo di sedersi e di accavallare le gambe, la posizione delle braccia e delle mani, la tensione che leggete nel suo volto e nel suo corpo, il portamento del capo e i movimenti degli occhi, delle gambe e del collo. Imitatene la piega della bocca, il ritmo respiratorio, insomma cercate di mettervi nel suo stesso stato fisiologico, e se lo farete con attenzione ci riuscirete. Ricalcando la fisiologia di quel tale, fornirete al vostro cervello gli stessi segnali che égli trasmette al suo, sarete in grado di avvertire sentimenti simili o identici; e spesso vi capiterà anche di scorgere versioni delle stesse immagini che appaiono a lui e di pensare versioni vostre dei pensieri che gli passano per la mente.

Fatto questo, annotate un paio di termini atti a descrivere lo stato d'animo in cui vi trovate, vale a dire ciò che provate mentre imitate esattamente l'altro. Quindi eseguite un controllo con lui, onde scoprire quali erano i suoi sentimenti, e costaterete che nell'ottanta, novanta per cento dei casi, avrete usato lo stesso termine per descrivere la condizione in cui eravate. In ogni seminario, sono numerosi coloro i quali effettivamente cominciano a vedere ciò che l'altro vede e che descrivono esattamente dove l'altro si era collocato o identificano le persone che l'altro si raffigurava mentalmente. La precisione a volte è tale da sfuggire a ogni tentativo di spiegazione razionale; la si potrebbe paragonare a una esperienza extrasensoriale, con la differenza però che noi non ci dedichiamo a nessun training psichico. Tutto ciò che facciamo, consiste nel trasmettere ai nostri cervelli gli stessi messaggi delle persone che ci servono da specchio.

So benissimo che tutto questo risulta difficile da credere, ma i partecipanti ai miei seminari hanno imparato che per ottenerlo bastano cinque minuti di esercizio. Non posso garantirne la riuscita fin dalla prima volta, ma se si insiste si finisce per trovarsi nello stesso stato di collera, dolore, tristezza, euforia, gioia o estasi in cui si trova l'altra persona, senza tuttavia che in precedenza vi sia stata tra i due una conversazione nel corso della quale l'altro abbia rivelato i suoi sentimenti.

Recenti ricerche hanno fornito sostegno scientifico a queste costatazioni empiriche. Stando a quanto si legge in un articolo apparso sul periodico *Omni*, due ricercatori hanno scoperto che alle parole corrisponde un caratteristico modulo bioelettrico encefalico. Il neurofisiologo Donald York della Facoltà di medicina dell'Università del Missouri e Tom Jenson, specialista della patologia della parola, hanno costatato che gli stessi moduli sono rilevabili in tutti gli individui, e nel corso di un esperimento sono riusciti a registrare le stesse onde encefaliche in persone parlanti lingue diverse. Hanno già programmato elaboratori elettronici perché riconoscano quei moduli di onde cerebrali, sì da poter interpretare le parole nella mente di un individuo prima ancora che vengano pronunciate. I computer sono in grado di leggere nelle menti, nello stesso modo in cui possiamo farlo noi quando riproduciamo esattamente la fisiologia altrui.

In uomini dotati di grande potere, come John F. Kennedy, Martin Luther King e Franklin D. Roosevelt, sono rilevabili aspetti fisiologici particolari, come certi modi di parlare, certe tonalità o atteggiamenti fisici, e chi sia in grado di ricopiarne le rispettive fisiologie attingerà alle stesse parti produttive del cervello, elaborando le informazioni allo stesso modo, provando, alla lettera, le stesse loro sensazioni. Evidentemente, dal momento che nella creazione di stati d'animo respiro, movimento e tonalità sono fattori di importanza cruciale, immagini fotografiche di queste persone non bastano a fornire la quantità di informazioni che sarebbe desiderabile. L'ideale è un film o un video. Per qualche istante, replicate esattamente il loro portamento, le loro espressioni facciali e i loro gesti, e comincerete a provare sentimenti simili. Se rammentate il tono di voce di quella persona, potrete provarvi a dire qualcosa allo stesso suo modo.

Noterete anche che tutti costoro hanno in comune la coerenza, nel senso che la loro fisiologia trasmette un messaggio unitario, non già messaggi conflittuali. Se quando ne avete imitato le fisiologie eravate incoerenti, le vostre sensazioni non saranno quali le loro perché non trasmetterete al vostro cervello gli stessi messaggi. Se per esempio ricalcavate la fisiologia di qualcuno e in pari tempo dicevate a voi stessi: "Ho un'aria scema", non godrete davvero dei benefici del rispecchiamento perché non eravate coerenti. Il vostro corpo diceva una cosa, la vostra mente un'altra. Il potere deriva dall'emissione di un unico, congruente messaggio.

Se riuscite a procurarvi una registrazione su nastro di Martin Luther King, parlate come lui parla, duplicandone la tonalità, l'intensità e il ritmo, e vi capiterà di avvertire un senso di potere e di forza mai avvertiti prima. È uno dei grandi vantaggi che si ricava anche dalla lettura di un libro di un John F. Kennedy, di un Benjamin Franklin o di un Albert Einstein, che vi metterà in uno stato d'animo simile al loro; comincerete cioè a pensare come gli autori, a creare rappresentazioni interne. Duplicandone la fisiologia, potrete sentirvi come loro a livello somatico, e persino comportarvi come si comportavano essi.

Non vi piacerebbe aumentare seduta stante i vostri poteri interni, la vostra "magia"? Cominciate a ricalcare consciamente la fisiologia di persone che rispettate o ammirate, e potrete cominciare a creare gli stessi loro stati d'animo. Spesso riesce possibile ottenere un'imitazione assolutamente perfetta. Com'è ovvio, dovrete evitare di assumere a modello la fisiologia di una persona in stato di depressione: meglio farlo con persone che siano in uno stato d'animo di potente produttività perché duplicarle metterà a vostra disposizione una gamma di scelte e la possibilità di attingere a parti del vostro cervello che forse non avete mai efficacemente usato in passato.

Durante un seminario, ho avuto a che fare con un ragazzo che non riuscivo a comprendere. Era nello stato fisiologico meno produttivo che avessi mai visto, e mi era impossibile portarlo a un livello di maggior potere. Poi è risultato che aveva subito un incidente che gli aveva distrutto una parte dell'encefalo; e tuttavia sono riuscito a farlo agire "come se", vale a dire ad assumere me a modello e a porsi in uno stato fisiologico al quale non riteneva di poter accedere. E imitandomi, il suo cervello ha iniziato a lavorare in maniera affatto nuova. Alla fine del seminario, gli altri a stento riuscivano a riconoscerlo: il ragazzo sentiva e agiva in maniera completamente diversa da prima. Mimando la fisiologia di un'altra persona, aveva cominciato a compiere nuove scelte di pensiero, emozione e azione.

Se doveste imitare i sistemi di credenze, la sintassi mentale e la fisiologia di un grande atleta, significa forse che anche voi, dopo qualche tentativo di ricalco, sarete in grado di correre il miglio in meno di quattro minuti? Ovviamente no, perché non ripeterete esattamente il modello, dal momento che non avete sviluppato il modo di trasmettere al vostro sistema nervoso gli stessi, costanti messaggi che a lui sono possibili grazie a una costante pratica. È importante tener presente che certe strategie esigono un livello di sviluppo o programmazione psicologica che voi non possedete. Potete aver imitato il più grande pasticciere del mondo, ma se cercate di cucinare la stessa torta in un forno che non supera i 100° mentre il suo arriva ai 300°, è impossibile che otteniate lo stesso risultato. Tuttavia, servendovi della sua ricetta, potrete pur sempre migliorare i risultati che ottenete anche con il vostro forno; e se ricalcate il modo con cui è riuscito a far sì che il suo forno aumenti le proprie prestazioni nel corso degli anni, potrete ottenere gli stessi risultati. Allo scopo di aumentare la vostra capacità di produrre risultati ricalcando strategie, dovrete forse dedicare qualche tempo al compito di incrementare la potenzialità del vostro forno. Ne parleremo nel prossimo capitolo.

Prestare attenzione alla fisiologia significa assicurarsi una gamma di scelte. Come si spiega che la gente assuma droga, ingurgiti alcool, fumi sigarette, mangi in maniera eccessiva? Non si tratta forse di tentativi indiretti di cambiare stato d'animo cambiando fisiologia? In questo capitolo, abbiamo illustrato modalità dirette di rapido cambiamento di stati d'animo. Respirando, atteggiando il corpo o i muscoli facciali in modi nuovi, immediatamente mutate la vostra condizione interna, ottenendo gli stessi risultati che si hanno col cibo, con l'alcool o con le droghe, senza però dannosi effetti collaterali per il vostro fisico e la vostra psiche. Tenete presente che in ogni circuito cibernetico a detenere le leve di comando è l'individuo che ha il massimo di scelte. In ogni insieme, l'aspetto di maggior momento è l'elasticità. Restando uguali tutte le altre componenti, il sistema dotato della massima elasticità avrà più scelte e possibilità di influire su altri aspetti del sistema. Lo stesso accade con le persone: gli individui che dispongono delle massime scelte sono quelli che più comandano. L'imitazione di modelli serve a creare possibilità, e non esiste modo più rapido e più dinamico di farlo di quello che passa per la fisiologia.

La prossima volta che incontrate una persona di enorme successo, che ammirate e rispettate, copiatene i gesti, avvertite la differenza, godetevi il mutamento che si verificherà nel vostro modo di pensare. Fate questa esperienza: nuove scelte vi aspettano! E adesso prendiamo in considerazione un altro aspetto della fisiologia, i cibi che mangiamo, il modo in cui respiriamo, le sostanze nutritizie che forniamo a noi stessi.

10
ENERGIA: IL COMBUSTIBILE DELL'ECCELLENZA

La salute del popolo è l'effettivo fondamento da cui dipendono la sua felicità e i suoi poteri in quanto nazione.

BENJAMIN DISRAELI

Abbiamo visto che la fisiologia è la strada per l'eccellenza. Uno dei modi di influire sulla fisiologia consiste nel cambiare la modalità di utilizzazione del proprio sistema muscolare, mutando cioè portamento, espressioni facciali, ritmo respiratorio. Le cose di cui parlo dipendono anche da un sano livello di funzionamento biochimico, col presupposto che il proprio organismo venga depurato e nutrito anziché inquinato e intossicato. In questo capitolo parleremo dei sostegni della fisiologia, vale a dire di ciò che si mangia e si beve e del modo di respirare.

Definisco l'energia il carburante dell'eccellenza. Si possono cambiare, da un capo all'altro della giornata, le proprie rappresentazioni interne: se la vostra biochimica è sconvolta, essa farà sì che il cervello crei rappresentazioni distorte, sconvolgendo l'intero sistema al punto che sarà assai improbabile che riusciate a utilizzare ciò che avete imparato. Potete possedere la più bella automobile da corsa del mondo, ma se cercate di farla andare a birra, non si muoverà affatto. Oppure, potete disporre dell'auto giusta e del carburante opportuno, ma se le candele non funzionano, dalla vettura non otterrete certo il massimo. In questo capitolo vorrei esporvi alcune idee sull'energia e su come portarla ai massimi livelli. Quanto maggiore è il livello di energia, tanto più efficiente sarà il vostro organismo; e quanto più efficiente sarà il vostro organismo, tanto meglio vi sentirete e potrete utilizzare i vostri talenti per ottenere risultati ottimali.

Conosco per esperienza diretta l'importanza dell'energia e quali magici effetti può produrre la sua abbondanza. Un tempo pesavo centoventi chili, adesso ne peso poco più di cento. Prima, non posso proprio dire che cercassi di rendermi la vita gradevole in tutti i modi: la mia fisiologia non mi aiutava certo a ottenere risultati degni di nota. Quel che riuscivo a imparare, a fare e a creare aveva un'importanza secondaria rispetto a quel che mangiavo e a ciò che vedevo stando davanti al televisore. Un giorno, però, decisi che ero stanco di vivere a quel modo e cominciai a studiare il modo di produrre uno stato di salute ottimale e a imitare individui che erano riusciti a farlo con se stessi.

In campo alimentare, tuttavia, erano tali le contraddizioni e la confusione, che in un primo tempo non ho saputo da che parte cominciare. Leggevo un libro che mi diceva di fare questo e quell'altro e sarei vissuto nella maniera più perfetta. Questo mi riempiva di euforia finché non prendevo in mano il libro successivo, in cui leggevo che se facevo quello che mi diceva di fare il primo ci avrei rimesso le penne, e che quindi dovevo fare invece questo e quest'altro. Inutile dire che il terzo libro contraddiceva gli altri due. Gli autori erano tutti medici, ma non riuscivano ad accordarsi neppure sugli elementi base.

Io non andavo alla ricerca di credenziali, bensì di risultati, e mi sono rivolto pertanto a persone che ottenevano risultati per i loro organismi, individui pieni di salute e di vitalità. Ho scoperto che cosa facevano, e ho fatto lo stesso. Tutto ciò che andavo imparando lo elencavo, costituendo così un complesso di principi ai quali obbedire ed elaborando un programma di sessanta giorni di vita salubre. Ho applicato quei principi e ho perso tredici chili in poco più di trenta giorni. Ma, cosa più importante ancora, ho scoperto un modo di vivere perfettamente coerente, che nulla aveva a che fare con le diete, un modo di vivere che concordava con il funzionamento del mio organismo.

Vi esporrò adesso i principi che ho seguito in questi ultimi cinque anni; prima però permettetemi di fornirvi un esempio di come hanno trasformato la mia fisiologia. Un tempo avevo bisogno di otto ore di sonno, e al mattino per aprire gli occhi mi occorrevano tre sveglie, una che suonava, un'altra che accendeva la radio e una terza che accendeva la luce. Adesso sono in grado di dirigere un seminario tutta la sera, andare a dormire all'una o alle due di notte e svegliarmi, dopo cinque o sei ore di sonno, pieno di energia, di forza e di vitalità. Se il mio sangue fosse pieno di scorie, se il mio livello energetico fosse sconvolto, sfrutterei al massimo una fisiologia limitata, mentre al contrario la mia è tale da permettermi di mobilitare tutte le mie capacità fisiche e mentali.

In questo capitolo vi fornirò sei chiavi di una fisiologia possente, indomabile. Molto di ciò che dirò risulterà in contraddizione con cose in cui avete sempre creduto, e in parte smentisce le nozioni di buona salute che avete fatto vostre. Ma questi sei principi si sono rivelati miracolosi nel mio caso e in quello delle persone alle quali li ho applicati, nonché di migliaia di altre che fanno propria una scienza della salute chiamata "igiene naturale". Vorrei che anche voi rifletteste e concludeste se possono essere valide nel vostro caso e se le vostre attuali abitudini igieniche costituiscono la maniera migliore di aver cura del vostro organismo. Applicate i sei principi in questione per un periodo di venti-trenta giorni e giudicatene la validità sulla scorta dei risultati che ve ne deriveranno, anziché in base a ciò che siete abituati a credere. Dovete capire come il vostro organismo funziona, dovete rispettarlo e averne cura, ed esso si prenderà cura di voi. Ormai avete appreso a governare il vostro cervello; a questo punto dovete imparare a governare il vostro corpo.

Cominciamo con la prima chiave del vivere sano: il potere del respiro. Fondamento della salute è una buona circolazione sanguigna, quella che trasporta ossigeno ed elementi nutritizi a tutte le cellule del nostro organismo. Se avete una circolazione sanguigna sana, condurrete una vita lunga e sana. Qual è la leva che controlla il sistema? Il respiro, la maniera cioè di ossigenare l'organismo, e pertanto di stimolare i processi bioelettrici di ogni singola cellula.

Vediamo più da vicino come funziona l'organismo. La respirazione non condiziona solo l'ossigenazione delle cellule, bensì anche il flusso della linfa che contiene i leucociti, le cellule bianche che proteggono l'organismo dagli assalti degli agenti patogeni. Che cos'è il sistema linfatico? C'è chi lo ritiene, erroneamente, il sistema di scarico dell'organismo. Ogni cellula del nostro corpo è circondata da linfa, e nel nostro organismo il quantitativo di questa è di quattro volte superiore a quello del sangue. Ecco come funziona il sistema linfatico: dal cuore il sangue viene pompato nelle arterie e da queste nei minuscoli capillari; il sangue porta con sé ossigeno e sostanze nutritizie, e attraverso i capillari, che sono porosi, l'uno e le altre si diffondono nella linfa che avvolge le cellule le quali, dotate come sono di intelligenza o affinità per ciò di cui hanno bisogno, assumono l'ossigeno e le sostanze nutritizie necessarie al loro buon funzionamento ed espellono tossine che in parte ritornano nei capillari; ma le cellule morte, le proteine ematiche e altri materiali tossici devono essere rimossi dal sistema linfatico, il quale viene attivato da una respirazione profonda.

Le cellule somatiche dipendono dal sistema linfatico quale unico mezzo per eliminare i materiali tossici e i fluidi in eccesso, che limitano l'assunzione di ossigeno. I fluidi passano per i noduli linfatici, dove vengono neutralizzate e distrutte le cellule morte e le altre tossine, eccezion fatta per le proteine ematiche. Che importanza ha il sistema linfatico? Se dovesse cessare di funzionare per ventiquattr'ore, moriremmo perché attorno alle cellule resterebbero proteine ematiche e fluidi in eccesso.

Il sistema circolatorio è dotato di una pompa che è il cuore. Invece il sistema linfatico ne è privo, e l'unico modo per tener in movimento la linfa è la respirazione profonda e l'attività muscolare. Sicché, se volete avere un sistema circolatorio sano e un sistema linfatico e immunitario ben funzionante, dovete respirare a fondo ed eseguire movimenti che li stimolano. Guardatevi attentamente da ogni "programma igienico" che innanzitutto non vi insegni a ripulire a fondo il vostro organismo attraverso una profonda respirazione.

Il dottor Jack Shields, un eminente linfologo di Santa Barbara, California, di recente ha condotto una interessante ricerca sul sistema immunitario, inserendo terminali televisivi in organismi umani per costatare quali siano gli eventi che stimolano la purificazione del sistema linfatico; ed è giunto alla costatazione che una profonda respirazione diaframmatica è la maniera più efficace per ottenere tale risultato; essa crea una specie di vuoto che ha per effetto di risucchiare la linfa nella corrente sanguigna e moltiplicare la velocità con cui l'organismo elimina le tossine. In effetti, respirazione profonda ed esercizio fisico possono accelerare anche di quindici volte tale processo fisico.

Se da questo capitolo non ricavaste altro che la convinzione di quanto sia importante respirare a fondo, aumentereste in maniera notevole il vostro livello di salute somatica, e del resto è questo il motivo per cui sistemi igienici come lo yoga prestano tanta attenzione al modo di respirare. Nulla è altrettanto efficace ai fini della depurazione dell'organismo.

Basta un po' di buon senso per rendersi conto che, di tutti gli elementi necessari alla buona salute, l'ossigeno è quello che ha importanza decisiva; ma è opportuno rendersi anche conto fino a che punto lo sia. Il dottor Otto Warburg, premio Nobel e direttore dell'Istituto di fisiologia cellulare Max Planck, ha studiato gli effetti che l'ossigeno ha sulle cellule, riuscendo a trasformare cellule normali, perfettamente sane, in cancerose semplicemente diminuendo il quantitativo di ossigeno fornito loro. La sua opera è stata continuata negli Stati Uniti dal dottor Harry Goldblatt che ha descritto gli esperimenti da lui condotti su una varietà di ratti che, a quanto risultava, non avevano mai presentato tumori maligni. A tale scopo, ha estratto cellule di ratti neonati e le ha suddivise in tre gruppi, uno dei quali è stato posto in una campana di vetro e privato di ossigeno per periodi di trenta minuti. E, al pari del dottor Warburg, anche Goldblatt ha costatato che dopo poche settimane molte di quelle cellule morivano, mentre il movimento di altre si rallentava, e altre ancora cominciavano a mutare struttura acquisendo l'aspetto di tumorali maligne. Gli altri due gruppi di cellule venivano conservate in campane di vetro dove il contenuto di ossigeno era mantenuto costantemente al livello della sua concentrazione atmosferica.

Dopo trenta giorni, Goldblatt ha iniettato i tre gruppi di cellule in tre gruppi di ratti. Dopo due settimane, quando ormai le cellule erano state completamente riassorbite dagli organismi degli animali, non si è verificata alcuna conseguenza per quel che riguarda i gruppi normali, mentre in quelli del terzo gruppo, cui erano state iniettate cellule periodicamente private di ossigeno, si sono sviluppati tumori maligni. Le rilevazioni sono state ripetute a un anno di distanza: i tumori maligni erano rimasti tali e le cellule normali erano rimaste normali.

Che cosa ci dice tutto questo? I ricercatori sono giunti alla conclusione che la mancanza di ossigeno ha almeno in apparenza parte cospicua nel trasformare le cellule normali in cancerose, e che comunque influisce sulla qualità della vita delle cellule stesse. Non si dimentichi che la qualità della vita del nostro organismo è tutt'uno con quella delle cellule. Sicché, una buona ossigenazione dell'organismo non può non apparire un'assoluta priorità, e un'efficace respirazione costituisce indubbiamente il punto di partenza.

Il guaio è che la maggior parte degli individui non sa respirare. Mentre in media un cittadino statunitense su tre presenta tumori, solo un atleta americano su sette ne viene colpito. Come mai? Le ricerche di cui si è detto cominciano a dare una spiegazione. Gli atleti forniscono al sistema circolatorio il più importante e vitale elemento, l'ossigeno; un altro motivo sta nel fatto che gli atleti spronano il loro sistema immunitario a funzionare a livelli ottimali, stimolando il movimento della linfa.

E ora, ecco il sistema di respirazione più efficace per depurare l'organismo. Il ritmo da seguire è il seguente: inalare aria per un secondo (cioè, contando uno), trattenerla per circa quattro secondi (contando fino a quattro), espirarla per circa due (contando fino a due). Se la inalate per quattro secondi, dovete trattenerla per sedici ed espirarla per otto. Perché l'espirazione deve avere una durata doppia dell'inalazione? Perché così facendo si eliminano tossine attraverso il sistema linfatico. E perché trattenerla per una durata pari a quattro volte quella dell'inspirazione? Perché così facendo si ossigena completamente il sangue e si attiva il sistema linfatico. La respirazione dovrebbe cominciare dalla parte inferiore dell'addome, come se si trattasse di un aspirapolvere avente il compito di eliminare le tossine del circolo sanguigno.

Dopo aver fatto dell'esercizio fisico vi sentite molto affamati? Avete voglia, dopo una corsa di sei chilometri, di sedervi e di mangiarvi una grossa bistecca? Risulta che di solito non lo si fa. E perché? Perché grazie a una sana respirazione l'organismo ha già avuto ciò di cui ha maggiormente bisogno. Ed ecco dunque qual è la prima chiave di una vita sana: eseguite dieci profonde respirazioni, col ritmo che si è detto sopra, almeno tre volte al giorno. Il ritmo, lo ripeto, è il seguente: uno di inspirazione, trattenere il respiro per quattro, espirare l'aria per due. Per esempio: respirate a fondo, cominciando dall'addome attraverso il naso contando sette (oppure un tempo più lungo o più breve a seconda della vostra capacità). Trattenete il respiro per quattro volte tanto, vale a dire per ventotto, quindi espirate lentamente attraverso la bocca per un periodo doppio di quello di inspirazione, vale a dire quattordici. Non dovete sforzarvi, stabilite voi stessi il numero di secondi in cui potete farlo sviluppando un po' alla volta una maggiore capacità polmonare. Eseguite l'esercizio per dieci volte di seguito tre volte al giorno, e noterete un netto miglioramento della vostra salute.

L'altra essenziale componente di una respirazione salubre è il quotidiano esercizio aerobico ovvero "esercizio con l'aria". Il jogging è un'ottima cosa, ma un tantino stressante. Eccellente il nuoto. Tuttavia, uno dei migliori esercizi aerobici eseguibile in tutte le condizioni climatiche consiste nel saltellare sui piedi, cosa che si può fare senza difficoltà e senza che comporti alcuno stress per l'organismo.

È importante che lo si faccia appunto senza sforzarsi affatto. Si può cominciare lentamente, aumentando la durata dell'esercizio fino ad arrivare a trenta minuti senza fatica, dolori o stress. Prima di cominciare a saltare su e giù, costruitevi una solida base; e se eseguite l'esercizio a dovere, sarete in grado di respirare a fondo e di continuare fino a essere ben allenati. Ci sono molti libri che insegnano a compiere questo esercizio, in inglese detto *trampolining* (salto sul trampolino), i quali insegnano che esso rafforza ogni organo del corpo.

Il secondo principio consiste nell'ingerire alimenti ricchi d'acqua. Il 70% del nostro pianeta è coperto da acque, di acqua è composto l'80% del nostro organismo, e l'acqua deve essere presente in larga misura nella nostra dieta, la quale deve comportare almeno il 70% di alimenti che ne siano ricchi, e ciò significa frutta e verdura fresca o le rispettive spremute.

C'è chi raccomanda di bere da otto a dodici bicchieri di acqua al giorno per "lavare l'organismo". Ma è un'idiozia. In primo luogo perché gran parte dell'acqua che beviamo è tutt'altro che buona, perché probabilmente contiene cloro, fluoro, minerali e altre sostanze tossiche. Una buona idea sarebbe quella di bere acqua distillata, ma quale che sia il genere di acqua che si ingurgita, non si può lavare il proprio organismo inondandolo. Il quantitativo di acqua che bevete dovrebbe essere determinato dalla vostra sete.

Anziché lavare l'organismo inondandolo, conviene ingerire alimenti che siano naturalmente ricchi d'acqua, e sulla terra ce ne sono solo di tre tipi: frutta, verdura e germogli. Questi vi forniranno acqua in abbondanza e l'acqua è una sostanza che dà vita oltre a depurare l'organismo. Quando si segua una dieta povera di alimenti ricchi d'acqua, è pressoché garantito un funzionamento malsano dell'organismo. Scrive il dottor Alexander Bryce in *The Laws of Live and Health*: "Quando all'organismo vengono forniti troppo pochi liquidi, il sangue mantiene un peso specifico eccessivo e i prodotti di scarto del ricambio tissulare e cellulare vengono eliminati solo in parte, con la conseguenza che l'organismo viene avvelenato dai suoi stessi escreti, e non è certo esagerata l'affermazione che il motivo principale ne va ricercato nel fatto che all'organismo stesso non sia stata fornita una quantità di liquido sufficiente a eliminare in soluzione i metaboliti prodotti dalle cellule."

La dieta dovrebbe ininterrottamente aiutare l'organismo con il processo di depurazione, anziché ingombrarlo di sostanze alimentari indigeribili. L'accumulo di metaboliti nell'organismo è causa di malattie, e un modo di mantenere il sangue e il corpo tutto quanto il più libero possibile da prodotti di scarto e da tossine consiste nel limitare l'ingestione di sostanze, alimentari e no, che mettano a dura prova gli organi escretivi dell'organismo; l'altro consiste nel fornirgli acqua in misura sufficiente da contribuire alla diluizione ed eliminazione di tali prodotti metabolici. Continua il dottor Bryce: "Non c'è liquido noto ai chimici capace di sciogliere altrettante sostanze solide dell'acqua, che è effettivamente il miglior solvente che esista. Se quindi se ne forniscono all'organismo quantitativi sufficienti, si otterrà una stimolazione dell'intero processo nutritizio perché gli effetti paralizzanti dei residui tossici verranno eliminati grazie al fatto che essi verranno disciolti e successivamente escreti da reni, pelle, intestino e polmoni. Se al contrario si permette a questi materiali tossici di accumularsi nell'organismo, ne deriveranno malattie di ogni sorta."

Come si spiega che la principale causa di mortalità nei paesi ad alto tenore di vita sia data dalle cardiopatie? E come mai capita tanto spesso di aver notizia di individui che all'età di quarant'anni cadono e muoiono su un campo da tennis? Uno dei motivi va ricercato nel fatto che per tutta la vita hanno intasato il loro organismo. Ricordatelo: la qualità della vostra vita dipende dalla qualità della vita delle vostre cellule.

Alexis Carrel, premio Nobel 1912 e all'epoca membro del Rockefeller Institute, si era proposto di comprovare questa teoria prelevando tessuti di pollo (i polli vivono in media undici anni) e mantenendone in vita le cellule indefinitamente, liberandole in continuazione dai loro prodotti di scarto e fornendo loro le sostanze nutritizie di cui avevano bisogno. Le cellule rimasero in vita per trentaquattro anni, dopo di che gli scienziati del Rockefeller Institute si convinsero che avrebbero potuto continuare a farlo per sempre e decisero pertanto di porre fine all'esperimento.

In che percentuale la vostra dieta è composta di alimenti ricchi d'acqua? Se doveste fare un elenco di tutte le cose che avete ingerito in una settimana, quale sarebbe la percentuale in questione? Sarà del 70%? Ne dubito. Del 50%? Del 25%? Del 14%? Quando pongo il problema durante i miei seminari, vengo a scoprire che la gente non ingerisce di solito più del 15-20% di alimenti ricchi d'acqua. Ed è una percentuale decisamente superiore a quella della media della popolazione. Permettetemi di dirvi che il 15% è un quantitativo da suicidio, e se non mi credete scorrete le statistiche relative a cancro e cardiopatie e guardate quali sono gli alimenti che la National Academy of Sciences raccomanda di evitare, e il quantitativo d'acqua contenuto in quegli stessi alimenti.

I più grossi e più forti tra gli animali viventi sono erbivori: gorilla, elefanti, rinoceronti e via dicendo si nutrono tutti di alimenti ricchi d'acqua. E gli erbivori campano più a lungo dei carnivori. E lo stesso vale per l'organismo umano. Se volete sentirvi vivi e vegeti, il buon senso vi dice di mangiare alimenti ricchi d'acqua. Molto semplice. Come potete accertarvi che il 70% della vostra dieta consista di alimenti ricchi d'acqua? Facile: d'ora in poi, mangiate un'insalata a ogni pasto, e come spuntino meglio un frutto che una tavoletta di cioccolato. E vedrete che differenza, se il vostro corpo funziona meglio e questo vi dà modo di sentirvi come siete realmente!

Il terzo principio della vita sana è quello della buona combinazione degli alimenti. Non molto tempo fa, un medico, certo Steven Smith, ha celebrato il suo centesimo compleanno. A chi gli chiedeva come fosse riuscito a campare tanto a lungo, ha risposto: "Abbiate cura del vostro stomaco per i primi cinquant'anni di vita, e lui si prenderà cura di voi nei successivi cinquanta." Mai parole più vere sono state pronunciate.

Molti grandi scienziati si sono occupati della combinazione degli alimenti, e il più noto tra essi è il dottor Herbert Shelton. Ma il primo a occuparsene a fondo è stato Ivan Pavlov, celeberrimo per le sue ricerche d'avanguardia sugli stimoli e le risposte agli stessi. C'è gente che riesce a fare, della combinazione tra cibi, qualcosa di estremamente complicato, mentre invece è semplicissimo: ci sono cibi che devono essere ingeriti con altri, e alimenti di tipo diverso esigono succhi digestivi diversi, e non tutti i succhi digestivi sono tra loro compatibili.

Per esempio, mangiate assieme carne e patate? Pane e formaggio? Latte e cereali. Pesce e riso? E se vi dicessi che si tratta di combinazioni che fanno malissimo al vostro organismo, perché vi tolgono energia? Probabilmente replichereste che, se fin qui ho detto cose sensate, adesso sto dando i numeri.

Permettetemi di spiegarvi perché si tratta di combinazioni dannosissime e come potete fare per risparmiare una quantità di energia nervosa che altrimenti sprechereste. Alimenti diversi vengono digeriti in maniera differente. Quelli ricchi di amido, come riso, pane, patate, eccetera, richiedono un ambiente digestivo alcalino, inizialmente fornito nel cavo orale dall'enzima che ha nome ptialina. I cibi proteinici (carne, latticini, noci, e simili) richiedono un ambiente acido, fornito dall'acido cloridrico e dalla pepsina.

Una legge della chimica vuole che due sostanze di segno contrario, un acido e un alcale, non possono agire contemporaneamente perché si neutralizzano a vicenda. Se ingerite una proteina insieme con un amido, la digestione ne sarà ostacolata o addirittura bloccata. E il cibo non digerito si trasforma in terreno di coltura di batteri che lo fanno fermentare e lo decompongono, dando origine a gas e provocando turbe digestive.

Combinazioni alimentari incompatibili sottraggono energia e sono potenzialmente patogene. La combinazione sbagliata crea eccessiva acidità, con conseguente ispessimento del sangue che scorre più lentamente, privando l'organismo di ossigeno. Ricordatevi, per piacere, come vi sentivate dopo l'ultimo pasto natalizio: credete forse che vi faccia bene, che vi assicuri una buona circolazione sanguigna, che sia fonte di una fisiologia energetica? Che produca i risultati cui aspirate? Sapete qual è il medicinale più venduto negli Stati Uniti? Un tempo era un tranquillante, il Valium; oggi invece è il Tagamet, che serve per le turbe gastriche. Ma forse c'è un modo intelligente di mangiare, e consiste nella giusta combinazione dei cibi.

E c'è un modo semplicissimo di arrivarci. Mangiare un solo cibo "secco", vale a dire povero d'acqua, a pasto. Rientrano nella categoria i salumi (un'anguria è invece ricca d'acqua). Siccome certuni non intendono rinunciare ai loro cibi secchi, facciano per lo meno quel poco che possono fare, e cioè evitino di ingerire, durante lo stesso pasto, carboidrati ricchi di amidi e alimenti proteici. Evitino la solita carne con contorno di patate. Se pensate di non poter vivere senza l'una e le altre, ebbene, mangiate carne a pranzo e patate a cena, o viceversa. Non è poi così difficile. Potete entrare nel miglior ristorante del mondo, e dire: "Voglio una bistecca senza contorno di patate arrosto, ma vorrei anche una insalatona e della verdura al vapore." Nessun problema: le proteine si mescoleranno benissimo con l'insalata e con le verdure che sono cibi ricchi d'acqua. Potete anche ordinare una, due patate al forno senza la bistecca, e concedervi un'enorme insalata e verdure al vapore. Credete che dopo un pasto del genere vi sentirete lo stomaco vuoto? Macché.

Al mattino vi alzate stanchi anche dopo sei, sette, otto ore di sonno? Volete sapere perché? Mentre dormite, il vostro organi-

ELENCO PER UNA GIUSTA COMBINAZIONE DEGLI ALIMENTI

Frutta
(il cibo più ricco d'acqua)

AGRA

ananas
arancia
cedro
fragola
lampone
limone
mandarino
mapo
mela cotogna
melagrana
mora
pompelmo
susina

AGRODOLCE

albicocca
ciliegia
fico (fresco)
kiwi
mango
mela
mirtillo
papaia
pera
pesca
pesca noce
prugna
uva

DOLCE

banana
dattero
frutta secca
uva (moscata e passa)

Verdure senza amidi
(cibi ricchi d'acqua)

asparago
bietola verde
broccoli
cardo
cavolini di Bruxelles
cavolo
cavolo rapa
cavolo riccio
cetriolo
cicoria
crescione
fagiolini
funghi
germogli
indivia
lattuga
melanzana
peperone dolce
pomodoro
prezzemolo
radicchiella
rapa
scariola
sedano
spinaci
verza
zucchini

Verdure con pochi amidi

barbabietola
carciofo
carota
cavolfiore
piselli freschi

Carboidrati
(cibi "secchi")

cereali (frumento, mais, orzo, riso ecc.)
fagioli
lenticchie
pane, pasta, pizza
patate
piselli secchi
zucche

Proteine
(cibi "secchi")

*carne
cocco
*formaggi
*latte
noci
olive
*pesce
*pollame
*soia
*uova
*yogurt

Grassi e Oli

avocado
burro
*panna
*lardo
margarina
mais
noce
oliva
sesamo
soia

*elencati per chiarezza ma sconsigliati

Irritanti (da usare poco): aglio - cipolla - porro - rafano - scalogno

1. Combinazioni eccellenti: Proteine - Verdure senza amidi,
   Carboidrati - Verdure senza amidi,
   Grassi e Oli - Verdure senza amidi.
2. Combinazioni buone: Proteine - Verdure con pochi amidi,
   Carboidrati - Verdure con pochi amidi,
   Carboidrati - Grassi e Oli.
3. Combinazioni insufficienti: Proteine - Carboidrati,
   Proteine - Grassi e Oli.
   Proteine e Carboidrati non dovrebbero mai essere combinati.
   I Grassi impediscono la digestione delle Proteine. Se proprio volete combinarli, metteteci insieme un'insalata mista.
4. La frutta si mangia sempre da sola. La frutta dolce va mangiata dopo l'altra frutta. Meloni e angurie si mangiano da soli o combinati con frutta agra o agrodolce.
5. Mai bere durante o subito dopo un pasto.

smo lavora, anzi fa gli straordinari per digerire quelle incompatibili combinazioni di alimenti che vi siete messi sullo stomaco. Per molti, la digestione richiede maggior quantità di energia nervosa di quanta ne occorra per quasi tutto il resto. Quando gli alimenti sono impropriamente combinati nel tubo digerente, il tempo necessario per digerirli può essere di otto, dieci, anche dodici e quattordici ore, e magari di più. Allorché i cibi siano invece rettamente combinati, l'organismo è in grado di compiere efficacemente il suo compito, e la digestione dura in media da tre a quattro ore, sicché non si è costretti a sprecare energie in quest'attività. Dopo aver ingerito un pasto ben combinato, bisogna aspettare almeno tre ore e mezzo prima di ingerire altro cibo. Inoltre, si deve tener presente che bere durante i pasti ha per effetto di diluire i succhi digestivi, e dunque di rallentare il processo digestivo.

Un ottimo manuale sulla combinazione degli alimenti è *Food Combining Made Easy* del dottor Herbert Shelton, e un ottimo libro sull'argomento è quello scritto da Harvey e Marilyn Diamond, intitolato *Fit for Life*, che contiene una quantità di ricette ben combinate. Potrete ricavarne informazioni di carattere immediato scorrendo l'elenco delle combinazioni qui pubblicato e limitandovi a seguirne i principi quando mangiate.

E adesso, passiamo al quarto principio, la legge del consumo controllato. Vi piace mangiare? Piace anche a me. Volete imparare come si fa a mangiare molto? Semplice: mangiate poco. In tal modo, resterete in vita tanto a lungo da poter mangiare molto.

Lo hanno dimostrato numerosissime ricerche mediche. Il modo più sicuro per aumentare la durata della vita di un animale consiste nel ridurre il quantitativo di alimenti che ingerisce. Il dottor Clive McCay ha condotto in merito una celebre ricerca alla Cornell University. Per il suo esperimento, si è servito di ratti da laboratorio ai quali ha ridotto di metà la razione di cibo, e così facendo ha raddoppiato la durata della loro vita. Uno studio di convalida condotto dal dottor Edward J. Masaro all'University of Texas ha dato risultati ancor più interessanti. Masaro ha lavorato su tre gruppi di ratti; quelli del primo potevano mangiare quanto volevano, quelli del secondo hanno avuto la razione ridotta del 60%, e quelli del terzo potevano, sì, mangiare a piacimento, ma il quantitativo di proteine loro somministrato era stato dimezzato. E sapete come sono andate le cose? Dopo 810 giorni, soltanto il 13% dei ratti del primo gruppo era ancora in vita; di quelli del secondo gruppo, ai quali la razione era stata ridotta del 60%, ne restava in vita il 97%, e di quelli del terzo gruppo, ai quali era stato dimezzato il consumo di proteine, era rimasto il 50%.

Qual è il succo di tutto questo? Ecco la conclusione del dottor Ray Waldorf, celebre ricercatore dell'UCLA, l'Università di Los Angeles: "La sottonutrizione è a tutt'oggi l'unico metodo a noi noto che ritardi in misura cospicua i processi anginoidi e che allunghi al massimo la durata della vita negli animali a sangue caldo. Le ricerche in merito sono senza dubbio alcuno applicabili agli esseri umani perché hanno dato risultati positivi con tutte le specie fin qui studiate."

Le ricerche hanno comprovato che il deterioramento fisiologico, compreso quello naturale del sistema immunitario, veniva nettamente ritardato dalla restrizione alimentare. Sicché, il messaggio che se ne ricava è semplice e chiaro: mangia meno e vivrai di più. (È anche importante il momento in cui si mangia. Meglio non ingerire cibo immediatamente prima di mettersi a letto, e una abitudine caldamente raccomandabile è quella di non introdurre nell'organismo altri alimenti, eccezion fatta per la frutta, dopo le 21.) Io sono come tutti voi: anche a me piace mangiare. Il cibo può essere una forma di divertimento, ma fate in modo che il divertimento non vi ammazzi. E se volete ingerire grandi quantità di cibo, potete farlo, a patto però che siano alimenti ricchi d'acqua.

Il quinto principio di un programma di vita sana consiste nel consumare frutta in abbondanza. La frutta è l'alimento perfetto: richiede il minimo di energia per essere digerito e restituisce al vostro organismo il massimo. L'unica sostanza che alimenta il cervello è il glucosio; la frutta è composta in larga misura di fruttosio, facilmente convertibile in glucosio, e per lo più contiene dal 90 al 95% di acqua, il che significa che è insieme disintossicante e nutriente. L'unico problema che comporta è che molte persone ignorano come mangiarla in modo da utilizzarne efficacemente le sostanze nutritizie.

La frutta va sempre mangiata a stomaco vuoto, per la semplice ragione che non subisce la prima digestione nello stomaco, bensì nell'intestino tenue. In altre parole, la frutta attraversa in pochi minuti lo stomaco ed entra nell'intestino, dove libera i propri zuccheri. Se nello stomaco ci sono carni, patate o amidi, la frutta rimane intrappolata e comincia a fermentare. Non vi è mai capitato di mangiare frutta come dessert dopo un pasto copioso, e trovarvi per il resto della serata con la bocca impastata? Il motivo va ricercato nel fatto che non avete mangiato nel modo giusto. Sempre frutta a stomaco vuoto, dunque.

La frutta migliore è quella fresca, e altrettanto salubri sono le spremute di frutta fresca. Meglio non berne da una lattina o da una bottiglietta, e ciò perché molte volte il succo è stato scaldato durante il processo di sigillatura, con la conseguenza che si è acidificato. Volete fare l'acquisto più prezioso possibile? Possedete un'automobile? Ebbene, vendete l'automobile e comprate uno spremifrutta. Questo vi porterà molto più lontano della vettura. E in ogni caso, compratevene subito uno: potrete ingerire i succhi come se fossero la frutta, sempre a stomaco vuoto, e il succo viene digerito tanto rapidamente che un quarto d'ora dopo potete mangiare un vero e proprio pasto.

Il dottor William Castillo, capo del celebre progetto di ricerca sulle cardiopatie di Framington, nel Massachusetts, sostiene che la frutta è il miglior alimento per proteggersi dalle cardiopatie perché contiene bioflavinoidi, sostanze che impediscono al sangue di ispessirsi e dunque di bloccare le arterie, oltre a rafforzare i capillari; ed è noto che capillari deboli spesso hanno come conseguenza emorragie interne e attacchi cardiaci.

Qualche tempo fa mi è capitato, nel corso di uno dei seminari sulla salute da me promossi, di conversare con un maratoneta, un uomo piuttosto scettico per natura, che tuttavia ha consentito a fare, mangiando, un uso appropriato di frutta, ottenendo il risultato di abbassare di nove minuti e mezzo il suo tempo sul percorso della maratona. Inoltre, ha ridotto della metà il tempo che gli occorreva per riprendersi dalla fatica, e per la prima volta in vita sua si è qualificato per la Maratona di Boston.

Un'ultima cosa vorrei che teneste presente a proposito della frutta. Con che cosa cominciare la giornata? In che cosa deve consistere la prima colazione? Credete forse che sia una buona idea quella di saltare dal letto e ingombrare lo stomaco con una quantità di cibo, per digerire il quale vi ci vorrà un'intera giornata? Pessima idea, invece.

Quel che vi occorre è qualcosa che sia di facile digestione, che vi fornisca il fruttosio di cui l'organismo possa immediatamente servirsi e che aiuti a disintossicare l'organismo. Quando vi alzate e volete sentirvi in perfetta forma per tutta la giornata, non mangiate altro che frutta fresca o spremute di frutta fresca, senza ingerire altro almeno fino alle 12. Quanto più a lungo riuscirete a tirare avanti non avendo in corpo altro che frutta, tanto maggiori saranno le possibilità che darete al vostro organismo di depurarsi. Se vi svezzerete dal caffè e da altre porcherie con cui vi caricavate l'organismo all'inizio della giornata, proverete vitalità e energia in un modo che vi sembrerà incredibile. Provate per dieci giorni, e costaterete voi stessi i risultati.

Il sesto principio di una vita sana riguarda la leggenda delle proteine. Avrete di certo sentito dire che se una grossa bugia la si proclama a voce alta e a lungo, prima o poi la gente ci crederà. E questo vale per il meraviglioso mondo delle proteine; mai è stata raccontata menzogna più grossa di quella stando alla quale gli esseri umani, per mantenere un ottimo stato di salute e di benessere, richiedono una dieta altamente proteica.

È probabile che ne siate convinti; c'è chi dalle proteine si aspetta un aumento del proprio livello energetico, altri ritengono che le proteine significhino aumento della resistenza, altri ancora che rafforzino le ossa. In realtà, un eccesso proteico comporta effetti diametralmente opposti in ognuno di questi casi.

Vediamo un po' qual è il quantitativo di proteine di cui si ha effettivamente bisogno; e quando ritenete che questo sia massimo? Probabilmente durante l'infanzia. Ora, la natura ha inventato un alimento, il latte materno, che fornisce al bambino tutto ciò di cui ha bisogno. Ebbene, il latte materno contiene il 2,38% di proteine alla nascita. Percentuale che in capo a sei mesi si riduce all'1,2-1,6%. Niente di più, e dunque da dove avete ricavato la convinzione che gli esseri umani hanno bisogno di massicci quantitativi di proteine?

In realtà, nessuno ha un'idea precisa della quantità di proteine di cui abbisogniamo. Dopo un decennio di studi sull'argomento, il dottor Mark Hegstead, già docente di scienze dell'alimentazione alla Facoltà di medicina dell'Università di Harvard, è giunto alla costatazione che la maggior parte degli esseri umani si adatta a qualsivoglia assunzione di proteine si metta loro a disposizione. Inoltre, persino studiosi come Frances Lappé, autrice di *Diet for a Small Planet*, che per quasi un decennio si è fatta assertrice dell'idea di una dieta a base di legumi intesa a procurare all'organismo tutti gli aminoacidi essenziali, ora riconosce di essersi sbagliata, e dice che non è necessaria una combinazione di proteine e che una dieta vegetariana sufficientemente equilibrata basta ad assicurare il necessario apporto proteico. Stando alla National Academy of Sciences, il maschio americano adulto ha bisogno di 56 grammi di proteine al giorno. In un rapporto della International Union of Nutritional Sciences, si legge che il fabbisogno di proteine per i maschi adulti varia, a seconda dei paesi, da 39 a 110 grammi al giorno. Come si vede, nessuno ha le idee molto chiare in merito. Perché si avrebbe bisogno di tante proteine? Presumibilmente per sostituire quelle che si perdono. In realtà, però, attraverso l'escrezione e la respirazione se ne eliminano solo un minuscolo quantitativo. E allora, da dove sono state ricavate queste cifre?

Ci siamo messi in contatto con la National Academy of Sciences e abbiamo chiesto come sono arrivati ai loro 56 grammi. In effetti, dalla loro letteratura risulta che ne bastano solo 30, eppure gli studiosi di quell'istituto raccomandano di assumerne 56 grammi. D'altra parte, essi stessi affermano che un'eccessiva ingestione di proteine sovraccarica il sistema urinario e provoca affaticamento. E allora, come mai si spiega che raccomandino un quantitativo maggiore di quello a loro stesso dire indispensabile? Stiamo ancora aspettando una risposta soddisfacente.

Qual è il più efficace marketing che ci sia? Quello che riesce a far credere al pubblico che, se non usa certi prodotti, rischia di morire. Ed è proprio quel che è accaduto con le proteine. Sono state le aziende che campano con la vendita di alimenti e prodotti ricchi di proteine a inventare questa leggenda.

Analizziamo la faccenda un po' più attentamente. Da dove viene l'idea che le proteine rappresentino una fonte di energia? Le fonti energetiche dell'organismo sono costituite in primo luogo dal glucosio che proviene da frutta, verdura e germogli, e secondariamente dagli amidi e dai grassi. Sicché, le proteine a questo non servono. Servono forse ad aumentare la resistenza dell'organismo? Ancora una volta, falso. Un eccesso proteico carica l'organismo di sostanze azotate che causano fatica. Le proteine assicurano ossa robuste? Sbagliato anche questo: l'eccesso proteico è sempre collegato all'osteoporosi, che come è noto comporta l'indebolimento e l'assottigliamento delle ossa. L'ossatura più robusta che sia dato di incontrare sulla terra è quella di erbivori e vegetariani.

Potrei fornirvi cento motivi del perché ingerire proteine è una delle cose più sbagliate che si possa fare, dirvi per esempio che uno dei sottoprodotti del metabolismo proteico è l'ammoniaca, e aggiungere due altre considerazioni. In primo luogo che la carne contiene forti quantitativi di acido urico il quale è uno dei prodotti di scarto o di escrezione dell'organismo, frutto del metabolismo delle cellule viventi. I reni estraggono l'acido urico dal sangue e lo inviano alla vescica perché esca con le urine; ma se l'acido urico non viene rimosso prontamente e totalmente dal sangue, una parte di esso si deposita nei tessuti, provocando poi l'insorgenza di gotta o di calcoli renali o vescicali. I malati di leucemia di solito presentano quadri ematici con alti livelli di acido urico. Una bistecca media contiene 0,90 grammi di acido urico; l'organismo riesce a eliminare nel corso di una giornata circa 0,5 grammi di acido urico. E che cosa credete che conferisca il sapore alla carne? Appunto l'acido urico, derivante dagli animali morti che mangiate. Se ne dubitate, provate a mangiare carne *kosher* prima che sia stata insaporita mediante spezie: l'animale macellato in maniera *kosher*, cioè pura secondo il metodo ebraico, è privato del sangue, quindi di gran parte dell'acido urico, e la carne priva di acido urico risulta insapore. È proprio questo che volete introdurre nel vostro organismo, una sostanza che di norma viene eliminata dall'animale mediante l'urina?

Come se non bastasse, la carne pullula di batteri della putrefazione, germi che proliferano nel colon. Il dottor Jay Milton Hoffman, nel suo libro *The Missing Link in the Medical Curriculum Which is Food Chemistry in Its Relationship to Body Chemistry*, sostiene che "quando un animale è vivo, il processo osmotico del colon impedisce ai batteri della putrefazione di penetrare in altre parti del suo corpo. Ma quando l'animale muore, il processo osmotico cessa e i batteri migrano attraverso le pareti del colon e invadono le carni, rendendole più tenere." Sapete benissimo che la carne deve essere fatta frollare, e a farla frollare sono appunto i batteri della putrefazione.

Ecco quanto dicono altri esperti a tale proposito: "I batteri presenti nelle carni sono assai affini a quelli che si trovano nel letame, e in certe carni fresche sono ancora più numerosi che nel letame fresco. Tutte le carni vengono infettate da germi del letame quando l'animale viene ucciso, e il loro numero aumenta quanto più a lungo la carne sia conservata."

È questo che amate mangiare?

Se proprio non potete fare a meno di ingerire carne, ecco come dovreste comportarvi. In primo luogo, procuratevi carni di animali che abbiano pascolato allo stato brado, vale a dire senza che siano stati loro somministrati ormoni per farli crescere e ingrassare. In secondo luogo, riducete drasticamente il quantitativo di carne che ingerite normalmente: limitatevi a consumarla a un solo pasto al giorno.

Con questo non voglio certo dire che vi basterà abolire o ridurre la carne per essere in buona salute, e neppure che se ne mangiate non potete essere sani. Nessuna delle due affermazioni risponderebbe al vero. Ci sono molti mangiatori di carne che sono più sani di certi vegetariani, e ciò per la semplice ragione che fra questi ultimi non manca chi mostra la tendenza a credere che, se non mangia carne, può mangiare qualsiasi altra cosa. E io non sono certo di quest'avviso.

Tenete tuttavia presente che potete essere più sani e più felici di quanto siate attualmente se decidete di smettere di ingerire la carne e la pelle di altri esseri viventi. Sapete che cosa avevano in comune Pitagora, Socrate, Platone, Aristotele, Leonardo da Vinci, Newton, Voltaire, Henry David Thoreau, George Bernard Shaw, Benjamin Franklin, Thomas Edison, Albert Schweitzer e il Mahatma Gandhi? Erano tutti vegetariani. Personaggi che non costituiscono certo modelli negativi, vi pare?

I latticini sono forse meglio? Da un certo punto di vista, sono anche peggiori. Ogni mammifero produce latte che contiene elementi in quantità adeguate alla specie, e molti problemi possono risultare dall'ingestione di latte di altri animali, mucche incluse. Così, ad esempio, nel latte vaccino si trovano ormoni della crescita destinati a far sì che un vitello, che alla nascita pesa una quarantina di chili, due anni dopo pesi sui quattro-cinque quintali. Un bambino alla nascita pesa 2,5-3,5 chili e ventun anni dopo raggiunge la maturità fisica con un peso oscillante fra i cinquanta e gli ottanta chili circa. Esistono forti divergenze fra gli studiosi circa gli effetti del latte e dei latticini; così per esempio, il dottor William Ellis, grande esperto del problema, studioso degli effetti che queste sostanze hanno sulla circolazione sanguigna, sostiene che chi vuole procurarsi allergie, deve bere latte; se si vuole intasare l'organismo, si beva latte; e il motivo, secondo il dottor Ellis, va ricercato nel fatto che pochi adulti riescono a metabolizzare le proteine del latte vaccino, la principale delle quali è la caseina, indispensabile al metabolismo del bovino perché questo sia in buona salute. Ma la caseina non è proprio l'ideale per gli esseri umani; dalle ricerche condotte da Ellis, risulta che bambini e adulti incontrano molte difficoltà nella digestione della caseina; almeno nei lattanti, oltre il 50% della caseina ingerita non viene digerita; e quelle proteine solo parzialmente digerite spesso entrano nel circolo sanguigno, irritando i tessuti e favorendo l'insorgenza di allergie. Alla fine, tocca al fegato il compito di eliminare tutte le proteine di origine vaccina solo parzialmente digerite, cosa che a sua volta comporta un superfluo, grave carico dell'intero sistema escretorio, e del fegato in particolare. Facilmente digeribile dagli esseri umani è al contrario la lactalbumina, la principale proteina contenuta nel latte umano. Quanto all'apporto di calcio da parte del latte, Ellis sostiene che da esami del sangue praticati su 25.000 persone, risulta che il più basso livello di calciemia è riscontrato in coloro che bevono da tre a cinque bicchieri di latte al giorno.

Sempre stando a Ellis, chi voglia garantirsi un apporto sufficiente di calcio non ha che da ingerire verdure fresche, burro di sesamo o noci, tutti ricchissimi di calcio e utilizzabili senza difficoltà dall'organismo. Va inoltre tenuto presente che, se si ingerisce calcio in eccesso, si corre il rischio che esso si accumuli nei reni dando origine a calcoli, e ne consegue che per mantenere relativamente bassa la concentrazione di calcio nel sangue, l'organismo deve eliminare circa l'80% di quello che viene ingerito. Comunque, ci sono altre fonti di calcio oltre al latte. Per esempio, le cime di rapa a parità di peso contengono un quantitativo di calcio due volte maggiore del latte. Stando a molti esperti, gran parte di coloro che ingeriscono troppo calcio sono per lo meno imprudenti.

Qual è l'effetto principale che il latte ha sull'organismo? Il latte ingerito diviene una massa mucillaginosa che si indurisce, aderendo a qualsiasi altra sostanza si trovi nell'intestino tenue, rendendo assai più difficile il funzionamento dell'organismo. E il formaggio? Non è che latte concentrato. Tenete presente che per produrre un chilo di formaggio occorrono da quattro a cinque litri di latte, e già il contenuto di grasso del formaggio costituisce un valido motivo per limitarne l'ingestione. Se proprio avete voglia di formaggio, tagliatene qualche pezzetto e aggiungetelo a una insalatona. In tal modo disporrete in abbondanza di un alimento ricco d'acqua che controbilancerà almeno in parte gli effetti intasanti del formaggio. Per certuni, rinunciare a questo è anatema, e troppi sono coloro che amano la pizza e i formaggi fermentati. Yogurt? Fa altrettanto male. Gelato? Non è certo un alimento fatto per tenervi in ottima forma. Questo non vuol dire che dobbiate per forza rinunciare a quei meravigliosi sapori, ma potete mettere delle banane gelate in uno spremifrutta e ottenere qualcosa che abbia il sapore e la consistenza del gelato ma che fa davvero bene all'organismo.

Se non avete mai sentito dire queste cose a proposito dei prodotti caseari, lo si deve a una serie di motivi che in parte hanno a che fare con condizionamenti e sistemi di credenze superati, ma in parte anche con il fatto che, per quanto riguarda gli Stati Uniti, il governo federale spende circa 2,5 miliardi di dollari all'anno nel trattamento e conservazione dei surplus caseari. Stando a un articolo apparso sul *New York Times* il 18 novembre 1983, la soluzione cui è ricorso il governo è una campagna promozionale intesa a incrementare il consumo di questi prodotti, sebbene essa risulti contraddittoria con altre campagne governative intese a mettere in guardia i consumatori contro i pericoli di un eccesso di grassi. Nei magazzini federali sono attualmente conservate circa 600.000 tonnellate di latte in polvere, 200 mila tonnellate di burro e 4500 tonnellate di formaggi. Per inciso, questo mio non vuole essere un attacco all'industria casearia. Credo che i produttori di latticini siano tra i più solerti produttori del nostro paese; voglio semplicemente dire che non intendo consumarne i prodotti se questi non contribuiscono a mettermi nella mia migliore forma fisica.

Un tempo mi comportavo come forse qualcuno continua a fare tra voi. La pizza era il mio cibo preferito, credevo proprio di non potervi rinunciare. Ma da quando l'ho fatto, mi sento tanto meglio, che mai e poi mai tornerei sui miei passi. Provate a eliminare il latte dalla vostra dieta e a limitare l'ingestione di prodotti caseari per trenta giorni, e giudicate dai risultati fisici che ve ne verranno.

Tutto questo libro è inteso a fornire al lettore informazioni atte a far sì che possa decidere da solo su ciò che è utile, eliminando ciò che è dannoso. Sperimentate su di voi i sei principi del vivere sano che ho esposto, fatelo per un periodo da dieci giorni a un mese – e perché no per tutta la vita? – e vedrete voi stessi se davvero assicurano più alti livelli di energia e una sensazione di vitalità che vi sarà di aiuto in tutto ciò che farete. Mi sia tuttavia concesso di darvi un piccolo avvertimento. Se cominciate a respirare in maniera efficace, tale da stimolare il vostro sistema linfatico, e a combinare correttamente i vostri alimenti, ingerendo cibi che contengano il 70% di acqua, che cosa accadrà? Ricordatevi ciò che afferma il dottor Bryce a proposito del potere dell'acqua. Vi è mai capitato di assistere all'incendio di un edificio munito solo di poche uscite? Tutti si precipiteranno verso le stesse porte, e il vostro organismo agisce allo stesso modo: comincerà a sbarazzarsi dei rifiuti che vi si sono accumulati per anni, utilizzando le nuove energie per farlo al più presto possibile. Vi potrà così capitare di sputare una quantità eccessiva di catarro. Ciò non significa che vi siete beccati un raffreddore, ma che quel raffreddore ve lo siete "mangiato", nel senso che esso è frutto di anni di abitudini alimentari assolutamente errate. Il vostro organismo avrà adesso l'energia sufficiente a far sì che gli organi escretori si liberino degli eccessi di prodotti di scarto che prima erano accumulati nei tessuti e nel sangue, e a qualcuno può capitare che dai tessuti vengano immesse in circolo tossine sufficienti a causare un lieve mal di testa. Dovrebbe allora ricorrere a una pillola? Niente affatto! Quelle tossine le volete dentro di voi o fuori di voi? E quell'eccesso di catarro, preferite che si trovi nel fazzoletto o nei polmoni? Un piccolo prezzo da pagare per correggere anni di abitudini igieniche atroci. Nella stragrande maggioranza dei casi, tuttavia, non ci saranno reazioni negative, ma ci si sentirà come non mai pieni di energia e si proverà uno stato di benessere senza precedenti.

Come è ovvio, in questo libro non c'è spazio sufficiente per discutere a fondo di diete, per cui molti argomenti, come grassi animali e vegetali, zucchero e sigarette, sono stati trascurati. Spero tuttavia che questo capitolo vi sproni a proseguire da soli la ricerca sulla vostra salute personale. E se desiderate avere maggiori informazioni su come la penso io, potete scrivere al Robbins Research Institute a Del Mar, California, per avere un elenco di altri materiali che possono esservi utili, come per esempio ricette; oppure potete mettervi in contatto con la American Natural Hygiene Society (813-855-6607), di cui condivido e sostengo i punti di vista.

Tenete presente che il nostro stato fisiologico condiziona le nostre percezioni e i nostri comportamenti, che ogni giorno che passa si accumulano dati che confermano che il modo di mangiare degli americani, a base di pessimi alimenti, di fast-food, di additivi e di sostanze chimiche, ha per effetto che le scorie si accumulano nei tessuti corporei, ostacolando l'ossigenazione e alterando il livello bioelettrico dell'organismo, contribuendo agli effetti più diversi, dal cancro ai delitti. Una delle cose più terrificanti che mai mi sia capitato di leggere riguardava la dieta di un delinquente minorile abituale, riportata da Alexander Schauss nel suo libro *Diet, Crime and Delinquency*.

Per colazione, il ragazzo mandava giù cinque tazze di cioccolata solubile cui aggiungeva zucchero, una ciambella dolce e due bicchieri di latte. La merenda consisteva di una stringa di liquerizia di 20 centimetri e di tre salamini. A pranzo, ingoiava due hamburger, patate fritte, altra liquerizia, un bel po' di fagioli e quasi mai un'insalata. Nel pomeriggio, altra merenda a base di pane bianco e una tazza di cioccolata. Poi, un panino di burro d'arachidi e gelatina, una lattina di minestra di pomodoro e un bicchierone di frappé, seguito da una coppa di gelato, un altro po' di cioccolata, e un bicchierino d'acqua.

Un po' troppo zucchero per un ragazzo, non vi sembra? E qual era il contenuto d'acqua dei cibi che inghiottiva, e questi erano ben combinati? Una società che concede ai suoi giovani una dieta anche vagamente simile a questa, evidentemente ha qualcosa che non funziona. Non credete infatti che quegli "alimenti" influissero sulla fisiologia, e quindi sullo stato d'animo e sul comportamento del ragazzo in questione? Questi, un quattordicenne, interrogato in merito al suo comportamento alimentare, ha rilevato i seguenti sintomi: la sera si addormentava, poi però si svegliava e non riusciva più a riprendere sonno. Soffriva di mali di testa e di pruriti, aveva la sensazione che qualcosa gli camminasse sulla pelle, stomaco e intestini erano malfunzionanti; era facile agli ematomi; aveva spesso incubi; gli girava la testa, aveva sudorazioni fredde e attacchi di debolezza; se non mangiava di continuo, provava fame e si sentiva venir meno. Ancora: aveva una pessima memoria; aggiungeva zucchero a gran parte di ciò che mangiava o beveva; era inquieto; non riusciva a lavorare in fretta, e non sapeva mai prendere decisioni; si sentiva depresso, continuamente preoccupato e confuso. Bastava un nulla per rattristarlo profondamente, esagerava cose da nulla e si arrabbiava con facilità; si sentiva spaventato e nervosissimo; facilmente emozionabile, scoppiava in lacrime senza motivo.

C'è da meravigliarsi che, in queste condizioni, il ragazzo manifestasse comportamenti criminali? Per fortuna, lui e molti altri suoi simili attualmente stanno cambiando radicalmente il proprio comportamento, non già perché abbiano subito condanne detentive, ma perché una causa importante del loro atteggiamento, la loro condizione biochimica, è stata cambiata mediante una dieta. Il comportamento criminale non è soltanto "nella mente": le variabili biochimiche influiscono sullo stato d'animo e quindi sul comportamento. Nel 1952 James Simmons, preside della Facoltà di igiene dell'Università di Harvard, ha dichiarato che è "imprescindibile la necessità di un nuovo atteggiamento nelle ricerche sulle malattie mentali... Non è escluso che oggi si sprechino troppo tempo, energie e denaro cercando di ripulire i pozzi neri della nostra mente, mentre sarebbe più proficuo cercare di scoprire e rimuovere le specifiche cause biologiche delle patologie mentali." (Citato in *Diet, Crime and Delinquency* di Alexander Schauss.)

Può darsi che la vostra dieta non abbia fatto di voi un criminale, ma perché non abbracciare uno stile di vita che vi permetta di essere quasi sempre in condizioni fisiologiche produttive?

Da molti anni a questa parte ho goduto di uno stato di perfetta salute. Ma il mio fratello minore nello stesso periodo si è sentito sempre stanco e in preda a malesseri. Ne abbiamo parlato assieme più volte e, visti i cambiamenti avvenuti in me negli ultimi sette anni, ha deciso di cambiare anche lui. Ma, com'è inevitabile, si è trovato di fronte a gravi ostacoli quando ha tentato di cambiare abitudini dietetiche, e sono insorti in lui desideri ardenti di cibi assolutamente sconsigliabili.

Soffermatevi un momento a riflettere. Come nasce in voi un desiderio ardente? Be', tanto per cominciare dovete rendervi conto che esso non nasce spontaneamente, ma che voi lo create col vostro modo di rappresentarvi le cose. D'accordo, in gran parte si tratta di un processo inconscio. Tuttavia, perché vi mettiate in condizioni tali da provare un intenso desiderio di un certo tipo, dovete creare una rappresentazione interna di tipo particolare. Ricordatevi che le cose non accadono semplicemente e che ogni effetto ha una causa.

Mio fratello nutriva un desiderio sfrenato o, se preferite, si era fatto un feticcio dei polli fritti della catena Kentucky Fried Chicken. Gli capitava di passare in auto davanti a uno dei ristoranti della catena, e subito sorgeva in lui il ricordo del pollo fritto, gli pareva di sentirselo croccante in bocca (submodalità cinestesiche-gustative), pensava al calore e alla consistenza del cibo che gli scendeva nell'esofago. Gli bastavano pochi istanti di rievocazione del genere, e di insalate neppure più da parlarne - quel che voleva era solo pollo fritto. E così, un bel giorno, poco dopo che avevo scoperto il modo di servirmi delle submodalità per promuovere cambiamenti, finalmente mio fratello mi ha chiesto di aiutarlo a controllare i suoi impulsi che ne minavano abitudini dietetiche e salute. Gli ho chiesto di crearsi una rappresentazione interna di se stesso intento a mangiare un pollo fritto, e subito gli è venuta l'acquolina in bocca. Ho poi voluto che mi descrivesse dettagliatamente le modalità visive, uditive, cinestesiche e gustative della sua rappresentazione interna. Era un'immagine che si formava a destra in alto, di grandezza naturale, mobile e a colori. Sentiva se stesso commentare: "Mmm, come è buono!"

Apprezzava la croccantezza e il calore del pollo. Poi gli ho chiesto di rappresentarsi il cibo che detestasse maggiormente, qualcosa che gli desse la nausea al solo pensarci, ed erano le carote. (Questo già lo sapevo, perché ogni volta che mi vedeva bere succo di carote impallidiva.) Gli ho chiesto di descrivermi dettagliatamente le submodalità delle carote. Dapprima non voleva neppure pensarci, gli veniva il voltastomaco, diceva che le carote erano in basso a sinistra, che erano scure, un po' più piccole del naturale, un'immagine ferma, una sensazione fredda. Quanto alla rappresentazione uditiva, essa suonava: "Che roba disgustosa! Non ci penso neanche, a mangiarle. Le detesto." Le submodalità cinestesiche e gustative erano di qualcosa di molle (per lo più stracotto), fetido, mucillaginoso, con un sapore di roba marcia. Gli ho ordinato di mangiarne un po' mentalmente, e ha cominciato a sentirsi davvero male, a dire che non ce la faceva. Gli ho chiesto allora: "Se lo facessi, che sensazioni avresti in gola?" La sua risposta è stata che gli sarebbe venuto da vomitare.

Scoperte così esattamente le differenze fra il suo modo di rappresentarsi il pollo fritto e le carote, gli ho chiesto di sostituire all'improvviso le rispettive sensazioni, allo scopo di contrarre abitudini alimentari più sane. E lui si è detto disposto a farlo, ma con un tono pessimistico quale di rado mi è capitato di sentire. L'ho indotto a sostituire tutte le submodalità, a prendere l'immagine del pollo e spostarla su e giù a sinistra e immediatamente gli si è dipinta in volto un'espressione di disgusto. Gli ho fatto oscurare l'immagine, riducendola e trasformandola in un'istantanea, mentre si diceva, con il tono di cui si era servito in precedenza per le carote: "Questa roba è disgustosa, non posso proprio mangiarla, la detesto." Gli ho fatto prendere mentalmente il pollo, sentire quant'era molle, avvertire il sapore del grasso fetido, sfatto, marcescente, e mio fratello ha ricominciato a sentirsi male. Gli ho detto di mangiarne un pezzo, e ha opposto un rifiuto. Perché adesso il pollo inviava al suo cervello gli stessi segnali che prima gli venivano dalle carote, per cui provava le stesse senzazioni. Alla fine gli ho ordinato di inghiottire un pezzo di pollo e lui: "Sto per vomitare."

Poi sono passato alla rappresentazione delle carote facendo esattamente il contrario. Gliene ho fatto portare l'immagine a destra, a grandezza naturale, ben illuminata, con i colori esattamente a fuoco, mentre diceva a se stesso: "Mmmh, com'è buono," e le mangiava e ne avvertiva la consistenza calda e croccante. Adesso le carote gli piacevano. Quella sera siamo usciti a cena e per la prima volta dacché è adulto ha ordinato carote; e non solo gli sono piaciute, ma andando al ristorante siamo passati davanti a uno dei punti di vendita della catena Kentucky Fried Chicken senza che provasse il desiderio di entrarvi. E da allora ha mantenuto le nuove abitudini dietetiche.

Qualcosa di simile sono riuscito a fare, nel giro di cinque minuti, con mia moglie Becky, inducendola a sostituire le submodalità del cioccolato - dolce, ricco, cremoso - con quelle di un alimento che le dava la nausea, le ostriche - limacciose, scivolose, fetide... - e da allora non ha più assaggiato il cioccolato.

I sei principi esposti in questo capitolo possono diventare anche i vostri per assicurarvi la buona salute cui aspirate. Immaginatevi come sarete tra un mese, se avrete davvero seguito le norme e i concetti che ho illustrato.

Figuratevi la persona che sarete una volta mutata la vostra biochimica mangiando e respirando nella maniera appropriata. E che ne direste di cominciare la vostra giornata con dieci profonde, pulite, forti respirazioni che conferiscano vigore a tutto il vostro organismo? Che ne direste se cominciaste ogni vostra giornata sentendovi pronti, gioiosi, in pieno controllo del vostro organismo? Se cominciaste a mangiare alimenti sani, disintossicanti, ricchi d'acqua, e la smetteste di ingerire la carne e i latticini che intasano il vostro organismo? Se cominciaste a combinare i vostri alimenti in maniera appropriata, onde disporre dell'energia necessaria per le cose che davvero contano? Se ogni sera andaste a letto con la sensazione di aver sperimentato una condizione di vitalità tale da permettervi di essere tutto ciò che volete? Se foste sicuri di vivere in maniera salubre, pieni di insospettate energie?

Se immaginate quella persona, e vi piace ciò che vedete, vuol dire che tutto quel che vi offro è alla vostra portata. Ci vuole solo un po' di autodisciplina e neppure tanta, perché una volta liberativi delle antiche abitudini non tornerete più a esse. Ogni sforzo disciplinato comporta molteplici compensi. Sicché, se vi piace quello che vedete, fatelo. Cominciate oggi stesso, e la vostra esistenza cambierà per sempre.

E adesso che vi siete messi nello stato d'animo più adatto a ottenere validi risultati, scopriamo insieme la Formula Fondamentale del Successo.

PARTE SECONDA

LA FORMULA FONDAMENTALE DEL SUCCESSO

11
SBARAZZARSI DELLE PASTOIE. CHE COSA VOLETE?

C'è un'unica forma di successo: vivere come si vuole.

CRISTOPHER MORLEY

Nella prima parte di questo libro vi ho indicato quelli che a mio giudizio sono gli strumenti del supremo potere, e adesso possedete le tecniche e il discernimento necessari a scoprire come gli esseri umani ottengono risultati e come copiarne le azioni per assicurarvi risultati simili. Avete imparato a dirigere la mente e a sostentare l'organismo; sapete come fare per realizzare tutto quello che volete e come aiutare altri a fare altrettanto.

Resta tuttavia aperto un problema di vasta portata. Che cosa volete? E che cosa vogliono le persone che amate e alle quali vi interessate? La seconda parte di questo libro pone appunto questi interrogativi, opera discriminanti, indica le strade che potete battere per servirvi nella maniera più armoniosa, efficace e diretta delle vostre capacità. Già sapete come si diventa un esperto tiratore, adesso dovete individuare il giusto obiettivo.

Strumenti poderosi sono di scarsa utilità se non avete un'idea precisa dell'uso che volete farne. Ammettiamo che troviate la miglior sega a motore mai inventata e che vi aggiriate con essa per la foresta. Che cosa ne farete? Se sapete quali alberi volete tagliare, e perché, avrete in pugno la situazione. In caso contrario, disporrete di un magnifico utensile praticamente inutile.

Abbiamo già visto che la qualità dell'esistenza è tutt'uno con la qualità delle nostre comunicazioni. In questa parte del libro tratteremo del modo di perfezionare le capacità di comunicare, sì da poter affrontare nella maniera più efficace le situazioni. È della massima importanza definire una strategia, per sapere esattamente dove si vuole arrivare e ciò che vi può aiutare a raggiungere la meta.

Prima di procedere, riassumiamo ciò che abbiamo fin qui appreso. La cosa più importante che ormai sapete è che non ci sono limiti alle vostre possibilità. Il segreto sta nella capacità di imitazione. L'eccellenza può essere replicata. Voi dovete semplicemente ricalcarne il modello con la massima precisione, e sarete in grado di fare esattamente la stessa cosa, si tratti di camminare sul fuoco, guadagnare un milione di dollari, istituire un perfetto rapporto personale. Come si fa a imitare un modello? Per prima cosa, dovete rendervi conto che tutti i risultati sono frutto di uno specifico insieme di azioni. Ogni effetto ha una causa. Se riproducete esattamente le azioni di qualcuno, sia a livello interno che esterno, ecco che anche voi potrete ottenere lo stesso risultato finale. Dovete cominciare col modellarvi sulle azioni mentali dell'altro, partendo dal suo sistema di credenze, passando poi alla sua sintassi mentale, per rispecchiarne infine la fisiologia. Se fate tutte e tre le cose in maniera efficiente e armonica, sarete in grado di ottenere qualsiasi risultato.

Come si è visto, il successo o il fallimento cominciano dalla fede: se credete di poter fare qualcosa lo farete, se non ci credete non ne sarete capaci. Anche se ne avete le abilità e le risorse, ma dite a voi stessi che non potete, bloccate i sentieri neurologici capaci di renderlo possibile. Se invece dite a voi stessi che quel qualcosa potete farlo, ecco che spalancate quelle strade che vi forniscono le risorse necessarie per la realizzazione.

Abbiamo visto anche qual è la Formula Fondamentale del Successo: conosci il risultato al quale miri, sviluppa la sensibilità necessaria a sapere dove vai a parare e l'elasticità indispensabile a mutare comportamento finché non trovi quello che fa al caso tuo e raggiungerai senz'altro lo scopo che ti sei prefisso. Al pari di un timoniere che guida il proprio battello, devi cambiare atteggiamento finché non trovi quello giusto.

Abbiamo parlato anche della capacità di mettersi in uno stato d'animo produttivo e di come adeguare la propria fisiologia e le proprie rappresentazioni interne per utilizzarle ai fini della soddisfazione dei propri desideri. Se vi impegnate, avrete successo.

La gente non è pigra. Semplicemente, ha mete svigorite, mete che non ispirano affatto.

ANTHONY ROBBINS

C'è un'importante aggiunta da fare, ed è che a questo processo inerisce un incredibile dinamismo. Quanto maggiori sono le risorse su cui potrete contare, tanto maggiore sarà il potere di cui disporrete; quanto più forti vi sentirete, a tanto maggiori risorse potrete attingere, disponendo di stati d'animo sempre più produttivi.

Una ricerca affascinante ha avuto per oggetto quella che è stata chiamata la "sindrome della centesima scimmia"; ne riferisce Lyall Wattson nel suo libro *Life-Tide*. A una tribù di scimmie che viveva su di un'isola giapponese è stato fornito un nuovo alimento: batate appena estratte dalla terra e ancora coperte di sabbia. Siccome gli altri cibi non richiedevano preparazione di sorta, le scimmie da prima si sono mostrate restie a cibarsi delle batate sporche, poi una ha risolto il problema lavando i tuberi in un torrente e insegnando alle altre a fare lo stesso. A questo punto, è accaduto l'incredibile. Non appena un certo numero di scimmie, circa un centinaio del totale, ha acquisito quella nozione, altre scimmie che non avevano contatto di sorta con esse, e persino esemplari che vivevano su altre isole, hanno cominciato a comportarsi allo stesso modo. Tra questi due gruppi e quello originario non c'era interazione, e tuttavia il nuovo comportamento si è diffuso.

Non è certo un caso unico. Si sa anzi di molti casi di individui che non hanno modo di mettersi in contatto tra loro, e che pure agiscono sostanzialmente all'unisono. Un fisico ha una certa idea, e contemporaneamente tre altri fisici lontani dal primo hanno la stessa trovata. Come succede? Nessuno sa dirlo con esattezza, ma molti scienziati e studiosi del cervello ritengono che ci sia una sorta di coscienza collettiva alla quale tutti possiamo attingere e che, quando ci collochiamo sullo stesso piano mediante credenze, focalizzando l'attenzione o utilizzando la nostra fisiologia, abbiamo modo di accedere appunto a questa coscienza collettiva.

I nostri organismi, cervelli e stati d'animo, sono come un diapason in armonia con questo livello esistenziale superiore; sicché, più sintonizzati si è, meglio si può attingere a quel ricco deposito di conoscenze e sentimenti. Se le informazioni penetrano in noi dall'inconscio, esse possono giungerci anche da zone completamente fuori di noi, purché siamo in una condizione sufficientemente produttiva per riceverle.

Un elemento importante di questo processo consiste nel sapere ciò che si vuole. La mente inconscia è perennemente intenta a elaborare informazioni allo scopo di avviarci in certe direzioni; anche a livello inconscio, la mente deforma, cancella, opera generalizzazioni, con la conseguenza che, prima di poter agire efficacemente, dobbiamo sviluppare la percezione dei risultati che ci proponiamo. Maxwell Maltz ha definito quest'attività "psicocibernetica". Quando la mente ha un obiettivo ben definito, può concentrarsi e dirigere il corso, riconcentrandosi e cambiando direzione. Non lo raggiunge se non ha invece una meta ben definita, perché la sua energia va sperperata. Come quel tale con la miglior sega a motore del mondo, che si aggira per la foresta senza sapere perché ci sia venuto.

La capacità degli individui di attingere appieno alle loro risorse personali è in diretta correlazione con i loro obiettivi, e lo ha comprovato una ricerca di cui è stato oggetto un gruppo di ex allievi della Yale University laureati nel 1953. È stato loro chiesto se avevano un chiaro, specifico insieme di obiettivi, accompagnato da un piano per raggiungerli, ed è risultato che solo il 3% degli intervistati aveva messo per iscritto i propri obiettivi. Dopo vent'anni i ricercatori hanno intervistato i membri superstiti del gruppo, scoprendo che quel 3% che si era proposto mete precise aveva una situazione economica migliore del restante 97%. Com'è ovvio, la ricerca ha riguardato solo la situazione finanziaria degli interessati; tuttavia, gli intervistatori hanno anche scoperto che aspetti meno facilmente quantificabili, come il livello di felicità e gioia, sembravano essere superiori in quel 3% che aveva messo per iscritto i propri obiettivi, ciò che dimostra le potenzialità insite nel prefissarsi mete.

In questo capitolo vedremo come si fa a formulare i propri obiettivi, sogni e desideri, come fissarsi bene nella mente ciò che si vuole e come fare per ottenerlo. Avete mai tentato di comporre un puzzle senza prima aver visto l'immagine cui deve corrispondere? Orbene, è proprio ciò che succede quando cercate di organizzare la vostra vita senza conoscere gli esiti cui mirate. Se invece questi vi sono noti, fornirete al vostro cervello una chiara immagine delle informazioni ricevute dal sistema nervoso alle quali si deve attribuire l'assoluta priorità. Bisogna trasmettergli messaggi chiari perché il cervello operi in maniera efficiente.

Chi ben comincia è alla metà dell'opera.

PROVERBIO

Ci sono individui che sembrano sempre perduti in un mare di confusione. Procedono in un senso, poi in un altro, imboccano una strada, e all'improvviso fanno dietro front: semplice, non sanno quello che vogliono; ma non si può raggiungere un obiettivo se non lo si conosce.

In questo capitolo, vi sentirete esortare a sognare. Ma è assolutamente indispensabile che lo facciate in maniera concentrata, focalizzata. Se semplicemente leggete quanto qui è scritto, non vi servirà a niente. Dovrete al contrario munirvi di carta e matita o, se lo preferite, di un registratore, e considerare il capitolo alla stregua di un laboratorio per la definizione di obiettivi in dodici fasi. Sedetevi in un luogo dove vi sentiate particolarmente a vostro agio, come una scrivania che amate, un tavolo al sole, un posto insomma che vi vada perfettamente a genio. Dedicate un'ora a scoprire quel che vi proponete di essere, di fare, vedere e creare; e può darsi che sia l'ora più proficua che avete mai trascorso. Qui imparerete a fissare obiettivi e a determinare esiti; a tracciare una mappa delle strade che dovete percorrere nel corso della vostra esistenza, a figurarvi dove volete arrivare e come vi proponete di giungervi.

Innanzitutto, un avvertimento importante: inutile porre limitazioni alle vostre possibilità. Ovviamente, questo non significa gettare a mare il buon senso. Se siete alti un metro e sessanta, è quasi inutile che decidiate che il vostro obiettivo è di partecipare a un campionato di basket. E, cosa più importante, distoglierete le vostre energie dall'obiettivo fondamentale. Ma se agite con intelligenza, non ci saranno limiti al raggiungimento degli obiettivi a voi disponibili. Obiettivi limitati equivalgono a esistenze limitate, ragion per cui fissatevi gli obiettivi più alti possibili. Dovete sapere quel che volete, perché questo è l'unico modo per riuscire a raggiungerlo. E formulando le vostre mete, seguite queste cinque regole:

1. *Indicate il vostro obiettivo in termini positivi*. Dite ciò che "volete" che accada. Troppo spesso, gli individui indicano come propri obiettivi cose che "non vogliono" che accadano.
2. *Siate quanto più precisi è possibile*. Che aspetto, suono, consistenza e odore ha il vostro obiettivo? Impegnate tutti i vostri sensi nella descrizione dei risultati cui aspirate. Quanto più ricca sarà la vostra descrizione sotto il profilo sensorio, tanto meglio sarete in grado di dotare il vostro cervello delle potenzialità necessarie a realizzare il vostro desiderio. Inoltre, fissate una precisa data o termine di attuazione.
3. *Elaborate una procedura di verifica*. Dovete sapere che aspetto avrete, come vi sentirete, che cosa vedrete e udrete nel vostro mondo esterno, una volta raggiunto il vostro obiettivo. Se lo ignorate, può darsi che lo abbiate già raggiunto senza saperlo; in altre parole, potrete aver vinto e sentirvi perdente, a meno che non stabiliate un punteggio.

4. *Non perdete il controllo della situazione.* Il risultato cui aspirate dev'essere da voi stabilito e da voi perseguito. Non deve dipendere da altri il fatto di dover cambiare per essere felici. Siate certi che la vostra meta corrisponda a situazioni sulle quali potete agire direttamente.
5. *Accertatevi che la vostra meta sia ecologicamente sana e desiderabile.* Proiettate nel futuro le conseguenze del vostro obiettivo concreto, il quale deve essere tale da produrre benefici per voi e per altri.

Durante i miei seminari, pongo sempre una domanda che rivolgo adesso anche a voi: se sapeste di non poter fallire, che cosa fareste? Se foste assolutamente certi del successo, quali attività imprendereste, quali azioni compireste?

Non c'è chi non abbia un'idea di ciò che vuole, anche se a volte si tratta di aspirazioni vaghe: più amore, più denaro, più tempo libero. Tuttavia, per dar modo ai nostri biocomputer di ottenere un risultato, è necessario essere più precisi, non limitarsi a desiderare una nuova auto, una nuova casa, un lavoro migliore.

Nel vostro elenco entreranno anche aspirazioni che avrete perseguito per anni, insieme a cose che non avete mai prima formulato consciamente. Ma è necessario che decidiate consciamente ciò che volete, perché dal saperlo dipenderà ciò che realizzerete. Prima che alcunché accada nel mondo esterno, deve aver luogo nel mondo interno, e quando si ha una rappresentazione interna di ciò che si vuole, ecco che si verifica qualcosa di assai singolare: la vostra mente e il vostro organismo vengono a essere programmati al raggiungimento di quello scopo. Per superare le nostre attuali limitazioni, dobbiamo innanzitutto sperimentare una maggior concentrazione mentale, e farne beneficiare la nostra esistenza.

Mi sia concesso di ricorrere a una semplice metafora fisica. Provate i seguenti esercizi: alzatevi in piedi, mettetevi diritti, con i piedi leggermente divaricati e le punte in avanti. Allungate le braccia di fronte a voi in modo che siano parallele al pavimento. Adesso voltatevi a sinistra, spostando il più possibile le braccia. Prendete nota del punto sulla parete in corrispondenza del quale le vostre dita si sono fermate. Adesso tornate alla posizione di partenza, chiudete gli occhi e immaginatevi intenti a ripetere la rotazione, questa volta però giungendo molto più in là con lo spostamento. Rifatelo, arrivando più lontano ancora. Ora riaprite gli occhi ed eseguite la rotazione in realtà, osservando quel che succede. Il vostro spostamento è stato molto maggiore? Certamente. Avete cioè creato una nuova realtà esterna, preprogrammando il vostro cervello a superare i precedenti limiti.

Tenete presente quanto si è detto or ora, e fate lo stesso con la vostra esistenza. Perché vi accingete a crearla quale voi volete che sia. Di norma, nella vita si può giungere fino a un certo punto, ma nella vostra mente dovete crearvi una realtà maggiore di quella che avete sperimentato in passato, ed ecco che allora riuscirete a proiettare all'esterno la vostra realtà interna.

1. *Cominciate col fare un inventario dei vostri sogni, delle cose che desiderate avere, essere, fare, condividere.* Create le persone, i sentimenti, i luoghi che volete siano parte integrante della vostra vita. E adesso sedetevi, prendete carta e penna e cominciate a scrivere. È indispensabile che continuiate a far andare la penna senza fermarvi per almeno dieci-quindici minuti. Non cercate di stabilire in precedenza come riuscirete a farlo. Semplicemente, mettetevi a scrivere. Non ci sono limiti. Servitevi dove è possibile di abbreviazioni, in modo da poter passare subito all'obiettivo successivo. Ma l'importante è che la vostra penna continui a scorrere. Concedetevi tutto il tempo necessario per mettere assieme un vasto campionario di risultati attinenti al vostro lavoro, alla vostra famiglia, ai vostri rapporti, ai vostri stati mentali, emozionali e fisici, alle vostre condizioni sociali e materiali, e via dicendo. Sentitevi un re: ricordate che tutto è alla vostra portata, e che conoscere il vostro obiettivo è la chiave fondamentale per raggiungerlo.

Una delle modalità di maggior momento nella fissazione di obiettivi, è di dar libero, giocoso corso alla vostra mente. Le limitazioni di cui soffrite ve le siete create voi stessi. Esistono forse in altri luoghi che non siano la vostra mente? Sicché, ogniqualvolta cominciate a porre limitazioni a voi stessi, sbarazzatevene, e fatelo visivamente. Createvi cioè nella mente l'immagine di un lottatore che sbatte il suo avversario fuori dal ring, e poi fate lo stesso con tutti i vostri limiti. Afferrate le convinzioni impastoianti e gettatele fuori dal ring, e abbiate piena consapevolezza del sentimento di libertà che provate facendolo. Ecco, questa è la fase 1. Su, stendete subito il vostro elenco!

2. Facciamo adesso un secondo esercizio. *Ripercorrete l'elenco che avete appena steso, calcolando quanto tempo a vostro avviso vi occorrerebbe per raggiungere quei risultati*: sei mesi, un anno, due anni, cinque anni, dieci anni, vent'anni. È di notevole aiuto aver presente la cornice temporale in cui si vuole agire. Tenete conto del modo con cui è venuto in essere il vostro elenco. Alcuni costate-

ranno che a predominare nell'elenco stesso sono cose che vogliono oggi, subito; altri che i loro sogni più alti sono collocati in un lontano futuro, in un immaginario tempo di realizzazione e soddisfazione totali. Se tutti i vostri obiettivi sono a breve termine, è indispensabile che ricorriate a una visione più ampia di potenzialità e possibilità. Se tutti i vostri obiettivi sono a lungo termine, è indispensabile che procediate passo passo, stabilendo fasi. Un viaggio di duemila chilometri comincia con un unico passo, ed è importante avere consapevolezza sia dei primi passi che di quelli conclusivi.

3. E adesso, un altro esercizio ancora: *Scegliete i quattro vostri più importanti obiettivi per quest'anno.* Individuate le cose nelle quali siete più impegnati, quelle che vi entusiasmano maggiormente, suscettibili di darvi le massime soddisfazioni. Scrivetele. E scrivete anche perché intendete assolutamente realizzarle. Siate chiari, concisi, concreti. Dite a voi stessi perché siete certi di poterle raggiungere e perché è così importante che lo facciate.

Se riuscite a trovare motivi sufficienti per fare alcunché, sarete in grado di ottenere tutto ciò che volete. Il proposito di fare qualcosa, è una motivazione assai più forte dell'obiettivo che perseguiamo. Jim Rohn, il mio primo maestro di realizzazione personale, mi ha sempre insegnato che se si hanno sufficienti ragioni si può fare proprio tutto. Le ragioni sono la differenza tra essere semplicemente interessato e impegnarsi concretamente al raggiungimento di una meta. Molte sono le cose che diciamo di volere, mentre in realtà ci limitiamo a nutrire per esse un interesse passeggero. Per ottenere dei risultati, dobbiamo essere totalmente impegnati in quel senso. Se per esempio vi limitate a dirvi che volete diventare ricchi, è una meta, certo, che però non dice molto al vostro cervello. Se invece capite che cosa vuole dire essere ricchi, che cosa significa per voi diventarlo, sarete molto più motivati a realizzarlo, dal momento che il perché si fa qualcosa è assai più importante del come lo si fa. Se avete un perché sufficientemente forte, riuscirete anche e sempre a immaginarvi il come. Se avete abbastanza ragioni, in questo mondo potete in pratica ottenere tutto.

4. *Adesso che avete un elenco di vostri obiettivi fondamentali, riesaminateli mettendoli a confronto con le cinque regole di formulazione degli obiettivi.* Le vostre mete sono state fissate in maniera concreta? Sono specifiche sotto il profilo sensorio? Avete una procedura di

verifica? Descrivete che cosa sperimenterete quando le avrete raggiunte. In termini sensori i più chiari possibile, che cosa vedrete, udrete, percepirete, fiuterete? Notate anche se quegli obiettivi sono davvero perseguibili, ecologici, desiderabili per voi e per altri? Se non rispondono a una di queste condizioni, cambiateli in modo da adeguarvi a essi.

5. *A questo punto, stendete un elenco delle risorse di maggior momento che avete già a disposizione.* Quando date mano a una costruzione, dovete sapere di quali strumenti siete in possesso. E per elaborare una visione potenziante del vostro futuro, dovete fare lo stesso. E dunque, stendete un elenco delle carte che avete in serbo: tratti caratteriali, amici, risorse finanziarie, istruzione, tempo, energia e via dicendo, in modo da ottenere un inventario delle forze, abilità, risorse e strumenti.

6. *Fatto questo, focalizzate la vostra attenzione sui momenti in cui queste risorse le avete utilizzate nella maniera più abile.* Identificate da tre a cinque periodi della vostra vita in cui avete avuto pieno successo; pensate ai momenti in cui, in affari, nello sport, in materia finanziaria, nei rapporti personali, avete fatto qualcosa particolarmente bene, e può essere di tutto, da un colpo fortunato in borsa a una giornata stupenda passata con i vostri bambini. Mettetelo per iscritto, indicate che cosa è stato ad assicurarvi la riuscita, di quali qualità o risorse avete fatto efficace uso, e che cosa, in quella situazione, vi ha dato la certezza del successo.

7. *A questo punto descrivete il tipo di persona che vorreste essere per raggiungere i vostri obiettivi.* È necessaria una grande disciplina, un alto livello di istruzione? Dovete organizzare bene il vostro tempo? Se per esempio volete diventare un leader politico che emerga sulla massa, descrivete il tipo di persona che viene eletto e che ha davvero la capacità di esercitare un'influenza su grandi masse.

Si sente molto parlare di successo, ma ben poco delle componenti del successo, cioè delle attitudini, delle credenze e dei comportamenti che permettono di ottenerlo. Se non avete una perfetta comprensione dei componenti, vi riuscirà difficile assemblare il tutto; pertanto, scrivete qualche frase o una pagina intera sui tratti caratteriali, le abilità, le attitudini, le credenze e le discipline che dovreste personalmente avere per ottenere tutto quello che desiderate. Prendetevi tutto il tempo necessario.

8. *A questo punto, con poche frasi indicate che cosa vi impedisce di ottenere le cose che attualmente desiderate.* Un modo di superare le limitazioni che voi stessi vi siete create consiste nel sapere esattamente quali sono. Anatomizzate la vostra personalità, per scoprire che cosa vi trattiene dalla realizzazione delle vostre aspirazioni. Siete incapaci di pianificare? Oppure sapete programmare ma siete carenti in fatto di azione? Tentate di fare troppe cose alla volta, oppure vi fissate su un'unica cosa al punto da perdere di vista tutto il resto? In passato, vi è capitato di immaginarvi lo scenario peggiore possibile, permettendo poi a quella rappresentazione interna di impedirvi d'intraprendere un'azione? Tutti noi abbiamo modalità di autolimitazione, abbiamo strategie di fallimento, ma il fatto di riconoscere le nostre trascorse strategie limitanti ci permette, a questo punto, di cambiarle.

Possiamo sapere ciò che vogliamo, perché lo vogliamo, chi ci aiuterà, e molte altre cose, ma l'ingrediente chiave, quello che a conti fatti ci permetterà di raggiungere i nostri obiettivi, è costituito dalle nostre azioni. Per guidarle, dobbiamo elaborare un piano gradino per gradino. Quando si costruisce una casa, ci si limita forse a procurarsi un mucchio di legname, dei chiodi, un martello, una sega e quindi ci si mette a lavorare, segando e martellando a caso, per vedere che cosa ne vien fuori? Credete che sia questa la strada del successo? Assai improbabile. Per costruire una casa, avete bisogno di un progetto, di una pianta, di una sequenza e di una struttura, in modo che le vostre azioni si rafforzino a vicenda. In caso contrario, avrete semplicemente una caterva disordinata di materiali. Lo stesso vale per la vostra esistenza. E dunque, quel che vi occorre adesso è tracciare il vostro piano in vista del successo.

Quali sono le azioni indispensabili da compiere con costanza per ottenere il risultato desiderato? Se non lo sapete con esattezza, pensate a qualcuno che possiate imitare, qualcuno che abbia già ottenuto ciò che voi desiderate.

Dovete cominciare con i vostri obiettivi finali. e quindi procedere all'indietro, passo dopo passo. Se una delle vostre principali mete è rendervi finanziariamente indipendente, il passo precedente può consistere nel divenire presidente della vostra azienda, e quello ancora precedente nell'essere nominato vicepresidente o nell'ottenere un altro importante incarico. Un altro passo può consistere nella ricerca di un consigliere finanziario o di un fiscalista abile, che vi aiuti ad amministrare il vostro denaro. È della massima importanza che continuiate a procedere all'indietro finché troviate qualcosa che potete fare oggi stesso a pro del raggiungimento di quell'obiettivo. Oggi potreste forse aprire un conto o procurarvi un volume che vi insegni le strategie finanziarie delle persone di successo. Quali sono i principali gradini – e quali alcune delle cose che potete fare oggi, domani, questa settimana, questo mese, quest'anno, per ottenere i risultati sperati? Procedendo all'indietro, passo dopo passo, in nome del successo in ogni vostra cosa, dagli affari alla vita personale, potete tracciare la mappa esatta del sentiero da seguire, dal vostro obiettivo finale a quel che potete fare oggi stesso.

Servitevi dell'informazione contenuta in quest'ultimo esercizio come guida per tracciare il vostro programma. E se non siete certi di quale esso dovrebbe essere, chiedete a voi stessi che cosa vi impedisce di avere ciò che volete attualmente. La risposta alla domanda sarà l'indicazione di qualcosa da compiere subito per cambiare. La soluzione di tale problema diverrà un obiettivo corollario ovvero un gradino verso il raggiungimento dei vostri obiettivi maggiori.

9. *Adesso concedetevi il tempo di riprendere in considerazione ciascuno dei vostri quattro obiettivi principali e tracciate un primo abbozzo di un programma graduale relativo al modo di raggiungerlo.* Ricordatevi di partire dall'obiettivo e di chiedervi: che cosa devo fare innanzitutto per realizzarlo? Oppure: che cosa mi impedisce di raggiungerlo adesso, e che cosa posso fare per cambiare la situazione? Accertatevi che i vostri programmi comprendano qualcosa che possiate fare oggi.

Eccovi così giunti al termine della prima parte della Formula Fondamentale del Successo. Ormai conoscete con esattezza l'esito cui aspirate. Avete definito i vostri obiettivi sia a breve che a lungo termine, e anche gli aspetti della vostra personalità che vi sono di aiuto o di ostacolo nella realizzazione. Ora è necessario che elaboriate una strategia relativa al come arrivarci.

Qual è la maniera migliore di raggiungere l'eccellenza? Consiste nell'assumere a proprio modello qualcuno che abbia già fatto quel che voi volete fare.

10. *E dunque, sceglietevi qualche modello.* Può trattarsi di persone del vostro stesso ambiente oppure di individui celebri che abbiano avuto e abbiano enorme successo. Scrivete i nomi di tre-cinque persone che hanno realizzato le vostre stesse aspirazioni, e

indicate brevemente le qualità e i comportamenti che hanno assicurato loro la riuscita. Fatto questo, chiudete gli occhi e immaginatevi per un istante che ciascuno di costoro vi dia qualche consiglio sulla maniera migliore di procedere nel raggiungimento dei vostri obiettivi. Scrivete l'idea principale che ognuno di loro vi esporrà, come se stesse parlando con voi personalmente; può darsi che essa riguardi il modo con cui il personaggio in questione ha superato una difficoltà o una limitazione o quali sono le cose cui fare attenzione o da cercare. Immaginatevi che vi parlino e accanto a ciascuno dei loro nomi, annotate la prima idea che vi viene in merito a ciò che ritenete che ognuno di loro vi direbbe. Anche se non li conoscete personalmente, mediante questo procedimento essi possono diventare ottimi consiglieri per quanto attiene al vostro futuro.

Adnan Khashoggi ha assunto a proprio modello Rockefeller. Voleva diventare un uomo d'affari ricco, coronato dal successo, per cui ha ricalcato qualcuno che aveva compiuto ciò che lui stesso desiderava compiere. Steven Spielberg ha imitato gente della Universal Studios prima ancora di esserne assunto. In pratica, tutti coloro che hanno avuto grande successo hanno avuto un modello, un mentore o insegnanti che li hanno avviati nella giusta direzione.

A questo punto, avete una chiara rappresentazione interna della meta verso la quale volete dirigervi. Potrete così risparmiare tempo e energia, evitare di battere strade sbagliate, perché seguirete l'esempio di persone che già hanno ottenuto il successo. Chi sono le persone del vostro ambiente che possono servirvi da modello? Possono essere amici, familiari, leader politici, celebrità, e se non conoscete buoni modelli, mettetevi subito alla loro ricerca.

Quel che avete fatto fin qui è consistito nel fornire segnali al vostro cervello in modo da elaborare un modello chiaro e conciso di risultati. Gli obiettivi sono simili a magneti, nel senso che attraggono le cose che li rendono realizzabili. Nel capitolo 6, avete visto come si fa a governare il proprio cervello, a manipolare le proprie submodalità per rafforzare immagini positive e diminuire il potere delle negative. Applicate questa stessa conoscenza ai vostri obiettivi.

Sondate la vostra storia personale, fino a scoprire un momento in cui siete stati capaci di indiscutibile successo in qualche campo. Chiudete gli occhi e formate l'immagine più chiara e luminosa possibile di quella realizzazione, notando se l'immagine la formate a sinistra o a destra, in alto, al centro o in basso. Notate inoltre tutte le submodalità, vale a dire le dimensioni, la forma, la qualità del suo movimento, come pure il tipo di suoni e le sensazioni interne che essa determina. E adesso, ripensate ai risultati che avete annotato in precedenza, formando un'immagine di quali sarebbero se aveste realizzato tutto ciò che oggi avete descritto. Collocate la stessa immagine dalla stessa parte dell'altra e rendetela grande, lucente, focalizzata e colorata quanto più possibile. Costatate come vi sentite. Senza dubbio vi sentite già molto diversi, assai più certi del successo, di come eravate quando avete cominciato a formulare le vostre mete.

Se avete difficoltà a far questo, usate il metodo della sostituzione rapida di cui abbiamo parlato in precedenza, in altre parole, spostate l'immagine di ciò che volete essere dall'altra parte della vostra cornice mentale. Rendetela sfocata e in bianco e nero, quindi prontamente spostatela, collocandola esattamente nello stesso punto della vostra immagine di successo, facendo sì che sfondi e infranga ogni rappresentazione di possibile fallimento che avete eventualmente percepito. Muovetela in modo che acquisisca tutte le qualità di grandezza, lucentezza, colore e focalizzazione della cosa che avete già realizzato. Sono esercizi che dovreste fare più volte, in modo che il vostro cervello acquisisca un'immagine sempre più chiara e intensa di ciò che vi proponete di compiere. Il cervello risponde soprattutto a ripetizioni e sentimenti profondi, ragion per cui se riuscite a sperimentare in continuità la vostra esistenza quale la desiderate, con l'accompagnamento di profondi e intensi sentimenti, avrete la quasi certezza di attuare i vostri desideri. Tenete presente che la strada del successo è perennemente in costruzione.

11. È certo buona cosa avere obiettivi differenziati. Tuttavia, ancora meglio è essere in grado di immaginarsi che cosa significherebbe, per voi, ciascuno di essi. *E adesso, createvi il vostro giorno ideale.* Quali persone sarebbero con voi? Che cosa fareste? Come comincerebbe la giornata? Dove andreste? Dove sareste? Immaginatela dal momento in cui vi svegliate a quello in cui vi mettete a letto. In quale ambiente vi trovereste? Come vi sentireste andando a letto al termine di una giornata perfetta? Prendete carta e penna, descrivetelo particolareggiatamente, tenendo presente che tutti i risultati, le azioni e le realtà che sperimentiamo partono da creazioni dentro la nostra mente, ragion per cui immaginate la vostra giornata quale massimamente la desiderate.

12. A volte ci dimentichiamo che i sogni cominciano a casa, dimentichiamo cioè che il primo passo verso il successo consiste nell'assicurarsi un'atmosfera capace di alimentare la nostra creatività, tale che ci aiuti a essere tutto ciò che essere possiamo.

Infine, progettate il vostro ambiente perfetto. Voglio che abbiate preciso il senso del luogo in cui vi trovate. Lasciate briglia sciolta alla vostra fantasia. Nessuna limitazione. Qualsiasi cosa desideriate, ecco ciò che dovete metterci dentro. Ricordatevi di pensare come un re. Concepite un ambiente capace di portare alla luce il meglio di ciò che siete come individuo. Dove vorreste essere: in un bosco, sull'oceano, in un ufficio? Di quali strumenti vorreste disporre – tavolozza, colori, strumenti musicali, un computer, un telefono? Quali persone vorreste avere attorno a voi, che siano capaci di darvi aiuto, onde avere la certezza di aver raggiunto e creato tutto ciò che desiderate in vita?

Se non avete una chiara rappresentazione della vostra giornata ideale, quali sono le vostre prospettive di crearvela? Se ignorate quale dovrebbe essere il vostro ambiente ideale, come potreste crearlo? Come vorreste raggiungere un obiettivo se non sapete neppure quale esso sia? Non dimenticate che il cervello abbisogna di segnali chiari, diretti, circa ciò che deve compiere, e che la vostra mente ha il potere di procurargli tutto ciò che volete, ma che può farlo solo a patto che riceva segnali inequivocabili, luminosi, intensi, perfettamente a fuoco.

Pensare è il lavoro più arduo che ci sia, ed è probabilmente questo il motivo per cui così pochi ci si dedicano.

HENRY FORD

Eseguire gli esercizi descritti in questo capitolo potrebbe essere uno dei passi più importanti da voi compiuti per la produzione di codesti inequivocabili messaggi. Non si possono raggiungere le proprie mete se si ignora quali esse siano. Se qualcosa ricaverete da questo capitolo, dovrebbe essere la convinzione che i risultati arrivano comunque. Se non fornite alla vostra mente la programmazione dei risultati cui aspirate, qualcun altro provvederà a fornirglieli. Se non avete un vostro piano personale, qualcun altro vi inserirà nei suoi piani. Se vi limitate semplicemente a leggere questo capitolo, vorrà dire che avrete sprecato il vostro tempo, perché è imperativo che vi concediate il tempo di eseguire tutti gli esercizi qui descritti, i quali all'inizio possono non risultare facili; ma, credetemi, ne val la pena; e, quando comincerete a farlo, vi accorgerete che diventano sempre più piacevoli. Uno dei motivi per cui la maggioranza degli individui ottiene ben poco è perché il successo di solito è celato dietro un duro lavoro; e una buona progettazione ovvero un'elaborazione degli obiettivi comporta un duro lavoro. È facile, per molti, accantonare queste considerazioni e farsi intrappolare nel lasciarsi vivere, anziché programmare la propria esistenza. Cominciate subito a esercitare il vostro potere personale, concedendovi il tempo di autodisciplinarvi, in modo da eseguire appieno gli esercizi qui descritti. Qualcuno ha detto che nella vita ci sono solo due pene: quella della disciplina e quella del rimpianto, e che la prima pesa pochi grammi mentre la seconda pesa tonnellate. L'applicazione di questi dodici principi vi darà una forte carica. E dunque, non mancate di eseguirli.

È anche importante che i vostri obiettivi li rivediate a intervalli regolari. A volte noi cambiamo, ma le nostre mete rimarranno le stesse a patto che non abbiamo mai cessato di voler ottenere gli stessi risultati. A distanza di qualche mese, è opportuno aggiornare sistematicamente i propri obiettivi, e magari farlo in maniera più sistematica una volta all'anno, una volta ogni sei mesi. È opportuno che teniate un diario che possa fornirvi una registrazione continua delle vostre mete in ogni momento dell'esistenza. I diari sono utili da consultare per costatare come la vostra esistenza si sia evoluta e quale sia stata la vostra crescita. Se la vostra è una vita che val la pena di essere vissuta, varrà anche la pena di metterla a verbale.

Pensate che tutto questo funzioni? Potete scommetterci che funziona. Tre anni fa mi sono seduto a un tavolo e ho progettato la mia giornata ideale e il mio ambiente ideale, e oggi ho sia l'una che l'altro.

All'epoca, vivevo in un buco a Marina del Rey in California, ma sapevo che volevo qualcosa di più, e ho deciso pertanto di compiere il mio personale *stage* di formulazione degli obiettivi; ho deciso di progettarmi la giornata perfetta, e quindi di programmare il mio subconscio onde crearmi quell'esistenza ideale, sperimentando quotidianamente nella mia immaginazione esattamente il tipo di vita che più desideravo. Ecco, è così che ho cominciato. Sapevo che aspiravo a essere in grado di alzarmi al mattino avendo di fronte l'oceano, e poi di fare una corsa sulla spiaggia, e avevo un'immagine perfettamente chiara di un luogo dove c'erano insieme verzura e una spiaggia.

Volevo inoltre disporre di un ampio locale di lavoro, e lo vedevo alto, spazioso, a pianta circolare, al secondo o al terzo piano di casa mia; volevo una limousine con autista, desideravo potermi dedicare a un'attività con quattro o cinque partner energici e vitali quanto me, persone con le quali mettere sul tavolo nuove idee e discuterle regolarmente. Sognavo di avere per moglie la donna ideale. Non avevo denaro, ma volevo essere finanziariamente indipendente.

Sono riuscito a procurarmi tutto ciò che mi ero mentalmente programmato: tutto ciò che ho allora sognato, si è adesso realizzato. La mia dimora è esattamente quella che mi ero immaginata quando vivevo a Marina del Rey, la mia donna ideale l'ho incontrata sei mesi dopo averla immaginata, e l'ho sposata un anno e mezzo più tardi. Mi sono creato un ambiente che alimenta appieno la mia creatività, che di continuo stimola il mio desiderio di essere tutto ciò che posso essere e che ogni giorno mi fa sentire grato della sorte toccatami. E tutto questo perché? Perché mi sono dato una meta, e giorno per giorno, coerentemente, ho fornito al mio cervello il chiaro, preciso, diretto messaggio che quella era la mia realtà. E, avendo un inequivocabile, preciso obiettivo, la mia forte mente inconscia ha guidato i miei pensieri e le mie azioni all'ottenimento dei risultati sperati. Essa ha lavorato a mio pro, ed essa può operare a vostro beneficio.

Quando manca una visione, il popolo è senza freno.

PROVERBI, 29, 18

A questo punto, vi resta da fare ancora un'ultima cosa: stendere un elenco di ciò che già avete ottenuto, e che in precedenza erano semplici obiettivi, di tutto ciò che nella vostra giornata ideale siete già in grado di fare, le attività e le persone della vostra vita per le quali soprattutto ringraziate la vostra sorte, le risorse che già avete a disposizione. È quello che chiamo un diario di gratitudine. Accade a volte che certuni si fissino a tal punto su ciò che vogliono, da non saper apprezzare né utilizzare ciò che già hanno. Il primo gradino per il raggiungimento di uno scopo consiste nel costatare quello che si ha e, ringraziandone la sorte, nell'applicarlo a futuri raggiungimenti. Noi tutti abbiamo modo di rendere in ogni momento migliore la nostra esistenza, e la realizzazione dei vostri sogni più alti dovrebbe cominciare oggi stesso, con quei passi quotidiani che possono instradarvi sul sentiero giusto. Ha scritto Shakespeare che "l'azione è eloquenza".

Orbene, cominciate oggi stesso con azioni eloquenti che vi condurranno ad ancor più eloquenti risultati.

In questo capitolo, abbiamo visto quanto importante sia formulare con precisione i propri obiettivi, e lo stesso vale per tutte le nostre comunicazioni con noi stessi e con gli altri. Più precisi saremo, tanto più efficienti risulteremo.

E adesso, vi illustrerò alcuni degli strumenti indispensabili per ottenere una precisione del genere.

12
IL POTERE DELLA PRECISIONE

Il linguaggio umano è come una pentola rotta che facciamo risuonare battendola perché gli orsi danzino a quel ritmo, mentre in realtà aspiriamo solo e sempre a muovere gli astri a pietà.

GUSTAVE FLAUBERT

Pensate a un momento in cui avete udito pronunciare parole che vi sono sembrate magiche. Forse è stato in occasione di una pubblica manifestazione, come quel comizio di Martin Luther King che ha esordito dicendo: "Ho un sogno." O forse sono state parole di vostro padre, di vostra madre, di un particolare insegnante. Tutti noi ricordiamo istanti in cui qualcuno ha parlato con tanta forza, precisione e risonanza, che le loro parole ci sono rimaste impresse per sempre. "Le parole sono la droga più possente usata dall'umanità," ha scritto Rudyard Kipling, e non c'è nessuno tra noi che non si sovvenga di momenti in cui certe parole sembravano avere appunto quel potere magico, inebriante.

Quando John Grinder e Richard Bandler si sono messi a studiare persone di successo, hanno costatato che avevano molti attributi in comune, e che uno dei principali era la capacità di comunicare con precisione. Per avere successo, un manager deve saper maneggiare l'informazione, e Bandler e Grinder hanno costatato che i dirigenti più riusciti sembravano possedere la geniale capacità di arrivare al nocciolo dell'informazione rapidamente e di comunicare agli altri ciò che avevano appreso, mostrando la tendenza a servirsi di locuzioni e parole chiave capaci di trasmettere con la massima precisione le loro idee.

I due ricercatori hanno anche compreso che i manager in questione non avevano necessità di conoscere proprio tutto, ma che operavano una distinzione tra ciò che dovevano sapere e ciò che non era necessario che sapessero, focalizzando la propria attenzione sul primo di tali elementi. Bandler e Grinder hanno anche rilevato che terapeuti di grido come Virginia Satir, Fritz Perls e il dottor Milton Erickson si servivano di alcune delle stesse locuzioni, una fraseologia che molte volte permetteva loro di ottenere risultati immediati con i loro pazienti nel corso di un paio di sedute anziché di un paio d'anni.

Nulla di sorprendente nella scoperta di Bandler e Grinder. Come ricorderete, abbiamo costatato che la mappa non è un territorio, che le parole da noi usate per descrivere le esperienze non sono le esperienze stesse, ma semplicemente la miglior rappresentazione verbale che siamo in grado di darne. È quindi perfettamente logico che una delle misure del successo sia l'accuratezza e la precisione con cui le nostre parole sono in grado di trasmettere ciò che vogliamo, in altre parole la massima approssimazione possibile della nostra mappa al territorio. Come tutti noi siamo in grado di rammentare momenti in cui certe parole hanno agito su di noi a guisa di una magia, così possiamo anche ricordare momenti in cui la nostra comunicazione è risultata del tutto errata, assolutamente vuota. Forse credevamo di dire una certa cosa, ma l'altro captava esattamente il messaggio opposto. Se il linguaggio preciso ha la capacità di avviare i nostri simili in direzioni utili, un linguaggio sciatto può avviarli in direzione sbagliata. "Se il pensiero corrompe il linguaggio, anche il linguaggio può corrompere il pensiero," ha scritto George Orwell, il cui *1984* si fonda appunto su questo principio. In questo capitolo illustreremo gli strumenti che aiutano a comunicare con maggior precisione ed efficacia, e il lettore apprenderà anche come si fa a guidare altri verso lo stesso risultato. Ci sono semplici strumenti verbali che ognuno può utilizzare per porre fine al pasticcio linguistico, alle deformazioni delle quali tanti di noi sono prigionieri. Le parole possono essere mura ma possono anche essere ponti, ed è importante sapersene servire come mezzo di unione anziché di scissione.

Durante i miei seminari, annuncio ai partecipanti che mostrerò loro come ottenere tutto quel che vogliono, e a tale scopo faccio loro scrivere su un pezzo di carta appunto la proposizione: "Come ottenere tutto quel che voglio." Poi faccio una lunga premessa, e finalmente spiattello loro la formula magica.

"Come si fa a ottenere quel che si vuole?" Mia risposta: "Chiedete. Fine della lezione."

E il mio non è affatto uno scherzo. Dicendo "chiedete", non intendo affatto riferirmi a piagnistei, implorazioni o atteggiamenti striscianti. Non li esorto ad aspettarsi una mancia o un'elemosina, né che qualcun altro si dia da fare per loro. Ciò che intendo dire è che devono imparare a chiedere in maniera intelligente e precisa. Imparare a porre domande aiuta insieme a definire i propri obiettivi e a raggiungerli. Nel capitolo precedente avete appreso i rudimenti del farlo quando si formulano i propri intendimenti, obiettivi specifici e attività da compiere per raggiungerli. A questo punto, vi occorrono specifici strumenti verbali. Ed eccovi cinque linee di condotta per chiedere in maniera intelligente e precisa.

1. *Rivolgete domande specifiche.* Dovete descrivere quel che volete, sia a voi stessi che agli altri. Con che tono, quanto a lungo, fino a che punto? Quando, dove, come, con chi? Se la vostra azienda ha bisogno di un prestito, lo otterrete a patto che sappiate come chiederlo. Non lo avrete se andrete a dire semplicemente: "Abbiamo bisogno di altro denaro per inaugurare una nuova linea di prodotti. Vi prego, fateci un prestito." Al contrario, dovete definire esattamente ciò di cui avete bisogno, perché e quando. Dovete essere insomma in grado di chiarire che cosa saprete produrre con quel denaro. Nei nostri seminari sulla formulazione di obiettivi, c'è sempre qualcuno che dice di aver bisogno di altro denaro, e io offro loro qualche moneta da venticinque cent. Hanno chiesto e hanno ricevuto, ma non hanno domandato in maniera intelligente, e così non hanno ottenuto quel che volevano.

2. *Chiedete a qualcuno che sia in grado di aiutarvi.* Non basta infatti rivolgere richieste specifiche, ma dovete rivolgere richieste specifiche a chi disponga di risorse: conoscenze, capitali, sensibilità, esperienza finanziaria. Ammettiamo che siate in lite con il vostro coniuge. Il vostro matrimonio sta andando a rotoli. Potete mettere a nudo il vostro cuore, essere sincero e specifico quant'è umanamente possibile. Ma se cercate l'aiuto di qualcuno che si trovi nella stessa vostra disgraziata situazione, non caverete un ragno dal buco.

Trovare la persona giusta alla quale rivolgersi ci riporta all'importanza di imparare ciò che funziona. Qualsiasi cosa vogliate – un miglior rapporto coniugale, un lavoro più interessante, un programma più intelligente di investimento dei vostri soldi – si tratta pur sempre di qualcosa che qualcuno ha già o di qualcosa che qualcuno già fa. Il segreto consiste nello scoprire gli individui in questione e che cosa esattamente fanno. Molti di noi si accontentano di un buonsenso da bar: troviamo un orecchio benevolo e ci aspettiamo che sappia tradurre le nostre parole in risultati. Non sarà in grado di farlo, a meno che la simpatia non s'accompagni a esperienza e conoscenza.

3. *Assicurate un vantaggio alla persona alla quale chiedete.* Non limitatevi semplicemente a chiedere e ad aspettare che quel qualcuno vi dia qualcosa. Innanzitutto, scoprite in che modo potete voi essergli utili per primi. Se avete l'idea di un affare e avete bisogno di denaro per metterla in pratica, uno dei modi per farlo consiste nel trovare qualcuno che possa insieme aiutarvi e trarne beneficio. Dimostrategli come la vostra idea può procurare un guadagno non solo a voi, ma anche a lui. Assicurare un vantaggio ad altri non sempre significa che si debba farlo tangibilmente. Il valore che create può essere semplicemente un sentimento, una sensibilità, un sogno, ma molto spesso è quanto basta. Se veniste da me e mi diceste che vi occorrono diecimila dollari, probabilmente vi risponderei: "Occorrono a tanti altri." Se veniste a dirmi che avete necessità di quel denaro per migliorare la vita della gente, potrei cominciare a prestarvi orecchio. E se mi dimostrate specificamente come intendete aiutare altre persone e creare nuovi valori a loro pro, oltre che per voi stessi, potrei rendermi conto di come sareste in grado di creare un valore anche per me.

4. *Chiedete con coerente convinzione.* La maniera migliore per ottenere un rifiuto, è di dare un'impressione di ambiguità. Se siete convinti di ciò che state per chiedere, come fare perché anche altri lo siano? Sicché, quando rivolgete una richiesta, esponetela con assoluta convinzione. Esprimetela con parole e con la vostra fisiologia. Dovete essere capaci di mostrare che siete persuasi di ciò che vi occorre, che siete certi del successo, che non dubitate che ne deriverà una valorizzazione, non soltanto per voi, ma anche per colui al quale rivolgete la domanda.

Ci sono persone che seguono puntualmente questi quattro principi. Rivolgono richieste specifiche; le rivolgono a chi è in grado di aiutarle; creano nuovi valori per la persona alla quale pongono la domanda; e questa è priva di ambiguità. Eppure, non riescono a ottenere quel che speravano, e ciò perché non fanno propria anche la quinta regola. Non chiedono, cioè, "finché". Ma questa è la quinta e più importante componente del chiedere in maniera intelligente.

5. *Continuate a chiedere finché ottenete quel che desiderate.* Il che non significa che dovete chiedere sempre allo stesso modo. Ricordate che la Formula Fondamentale del Successo recita che dovete far vostra la sensibilità necessaria per sapere dove andate a parare, e che dovete avere l'elasticità indispensabile per cambiare. Sicché, quando chiedete, dovete cambiare atteggiamento e operare correzioni di rotta finché non ottenete quel che volete. Se studiate le biografie di persone di successo, avrete modo di costatare che costoro continuano a chiedere, a compiere tentativi, a cambiare, e ciò perché sanno che prima o poi troveranno qualcuno in grado di soddisfare i loro bisogni.

Qual è la parte più difficile della formula? Per certuni, il carattere specifico della richiesta. Noi non apparteniamo a una cultura che attribuisca molta importanza alla comunicazione precisa, e non è escluso che la società americana da questo punto di vista sia piuttosto carente. Il linguaggio è lo specchio dei bisogni di una società. Un eschimese possiede decine di parole per designare la neve, e ciò dal momento che, per essere un eschimese efficiente, si devono poter compiere sottili distinzioni tra i diversi tipi di neve. C'è neve in cui si sprofonda, neve commestibile, neve con cui si può costruire un igloo, neve sulla quale si possono far correre i cani, neve sul punto di sciogliersi, e via dicendo. Io sono originario della California, e in pratica di neve ne ho vista ben poca, sicché l'unico termine che possiedo per designarla è appunto "neve" – e per me è sufficiente.

Molte locuzioni e parole usate dai membri della nostra società hanno punto o poco significato specifico. E io queste parole generiche, nonsensiche, le definisco "pasticci". Non compongono un linguaggio descrittivo, ma sono più che altro vaghe allusioni. Un pasticcio è l'affermazione "Maria ha l'aria depressa" o "Maria ha l'aria stanca". O, peggio ancora, "Maria è depressa", "Maria è stanca". Un linguaggio specifico è invece l'affermazione: "Maria è la donna di trentadue anni con gli occhi azzurri e i capelli castani che siede alla mia destra. Sta appoggiata allo schienale, sta bevendo una Diet Coke, ha lo sguardo spento e respira piano." C'è una certa differenza tra fornire una descrizione accurata di un'esperienza esteriormente verificabile e avanzare congetture su ciò che è visibile. Chi esprime "pasticci", non ha idea di quel che passa per la mente di Maria. Semplicemente, fa ricorso alla sua mappa c presume di sapere quale sia l'esperienza dell'interessata.

Non c'è espediente al quale un uomo non ricorrerebbe pur di evitare quella grande fatica che è pensare.

THOMAS EDISON

Avanzare supposizioni è il segno distintivo del comunicatore pigro, ed è una delle cose più pericolose che si possa fare nei rapporti con altri. Un buon esempio ne è fornito dall'incidente di Three Mile Island. Stando a un articolo del *New York Times*, molte delle insufficienze che hanno portato alla fuga di radiazioni e alla chiusura dell'impianto nucleare erano già state segnalate in rapporti dei tecnici; e come hanno in seguito ammesso funzionari della società proprietaria dell'impianto, tutti sono partiti dal presupposto che qualcun altro si occupasse della faccenda. Risultato: uno dei più gravi incidenti nucleari nella storia degli Stati Uniti. Buona parte di ciò che diciamo è fatto null'altro che di generalizzazioni e presupposti insensati, quella sorta di pigro linguaggio che rende impossibile la vera comunicazione. Se le persone dicessero con precisione quali esattamente sono le loro preoccupazioni e se voi poteste scoprire che cosa vogliono per farle cessare, potreste affrontare il problema; ma se fanno ricorso a locuzioni e generalizzazioni vaghe, vi trovate a essere sperduti nella loro stessa nebbia mentale. Il segreto di una efficace comunicazione sta nell'andare al di là di quella nebbia, sta nel diventare un distruttore di pasticci verbali.

Ci sono infiniti modi di sabotare l'effettiva comunicazione servendosi di un linguaggio pigro, tutto generalizzazioni. Se volete comunicare in maniera efficace, dovete essere pronti a cogliere la chiacchiera insensata quando si manifesta, e sapere come porre le domande che danno modo di giungere alle questioni specifiche. Lo scopo della precisione linguistica consiste nel raccogliere il massimo di informazioni possibili, e quanto più si è in grado di farsi una rappresentazione dell'esperienza interna dell'altro, tanto meglio si possono promuovere cambiamenti.

Un modo di affrontare l'incontrollato flusso verbale è costituito dal modello della precisione che si può visualizzare con le vostre mani. Spostate una delle vostre mani all'insù e a sinistra dei vostri occhi, in modo che questi siano nella posizione migliore per immagazzinare visivamente l'informazione relativa; guardate poi un dito alla volta, ripetendo più e più volte la frase che volete dire. Quindi passate al dito successivo e così via, finché non avete memorizzato le frasi corrispondenti a ogni dito. Fate quindi lo stesso con l'altra mano, ripetendo il procedimento

MODELLO DI PRECISIONE

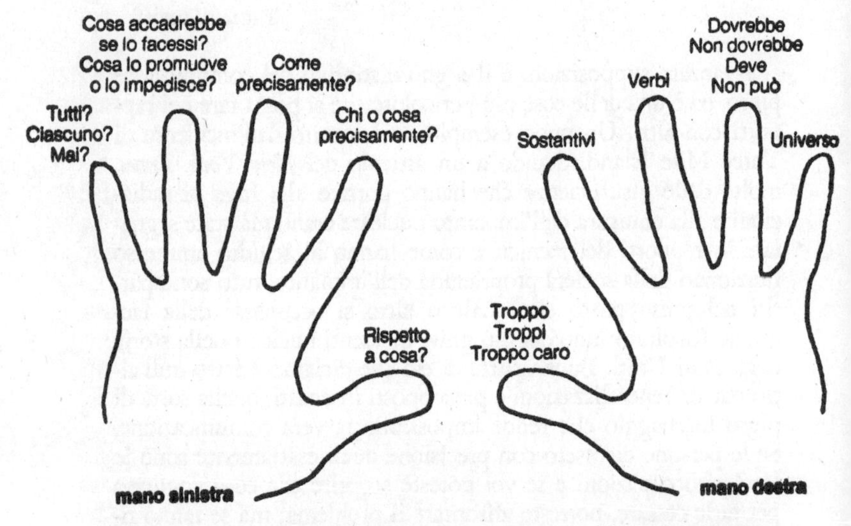

con tutte le dita, guardando la frase, imprimendovela con chiarezza nella mente. Fatto questo, vedete se un'occhiata a ciascun dito vi basta per farvi tornare alla mente seduta stante la parola o la frase all'estremità del dito stesso, e continuate a memorizzare il diagramma qui sopra riprodotto finché l'associazione sia automatica.

Adesso che vi siete fissati nella mente queste parole e frasi, passiamo al loro significato, con l'avvertenza che il modello di precisione costituisce una guida per evitare alcune trappole del linguaggio, ed è insieme una mappa dei più dannosi equivoci in cui molto spesso si cade. L'idea è quella di rilevarli quando vengono a galla e di indirizzarli diversamente. Il modello di precisione ci fornisce i mezzi per limitare le deviazioni, le cancellazioni e le vuote generalizzazioni degli altri, pur mantenendo un rapporto con essi.

Cominciamo con i mignoli. Su quello della mano destra dovreste avere la parola "universali", sul sinistro le parole "tutti, ciascuno, mai". Gli universali sono un'ottima cosa, sempre che rispondano al vero. Se affermate che *ogni* individuo ha bisogno di ossigeno e che *tutti* gli insegnanti della scuola frequentata da vostro figlio sono diplomati o laureati, affermate semplicemente dei fatti. Ma ben più spesso gli universali costituiscono un modo per abbandonarsi a un incontrollato flusso verbale. Per esempio, vi imbattete in un gruppo di ragazzini rumorosi, e vi dite: "Oggigiorno i bambini sono tutti maleducati." Uno dei vostri dipendenti combina un pasticcio, e voi: "Non so proprio perché la pago, questa gente. Non fanno mai il loro dovere." In entrambi i casi – e assai spesso quando ci serviamo degli universali – siamo passati da una verità limitata a una verità generalizzata. Può darsi che quei bambini fossero davvero rumorosi, ma non tutti i ragazzini sono maleducati. Può darsi che un certo dipendente si riveli incapace, ma non tutti lo sono. Sicché, la prossima volta che udite pronunciare simili generalizzazioni, rifatevi al modello di precisione; ripetete l'affermazione che avete udito, quindi concentrate la vostra attenzione sul mignolo della mano destra, quello degli universali.

Esempio: "Tutti i bambini sono maleducati." Chiedetevi: "Proprio tutti?" Risposta: "Be', non lo credo. Lo sono forse quei particolari ragazzini."

"I miei dipendenti non lavorano mai." Chiedetevi: "Proprio mai?" Risposta: "Be', non credo che sia poi vero. Quel tale senza dubbio ha combinato un pasticcio, ma non posso certo dire che questo sia vero anche per gli altri."

Adesso avvicinate i due anulari e passate in rassegna le parole successive: "dovrebbe, non dovrebbe, deve, non può". Se qualcuno vi dice che non può fare qualcosa, qual è il segnale che invia al proprio cervello? Un segnale limitante, che in effetti gli rende impossibile fare quella particolare cosa. Se chiedete alle persone perché non possono far qualcosa o perché devono fare qualcosa che non hanno voglia di fare, di solito, costaterete, non sono certo a corto di risposte. Il modo di rompere quel circolo vizioso consiste nel chiedere: "Che cosa accadrebbe se tu fossi capace di farlo?" Porre questa domanda, istituisce una possibilità di cui prima gli individui non erano consapevoli e li induce a prendere in considerazione il prodotto della loro attività.

Lo stesso procedimento è applicabile al dialogo interno. Quando vi capita di dirvi: "Questo non posso farlo", chiedetevi subito: "Che cosa accadrebbe se io fossi in grado di farlo?" La risposta sarà un elenco di azioni e sentimenti positivi, produttivi, creando così nuove rappresentazioni di possibilità, quindi nuovi stati d'animo, nuove azioni, e potenzialmente nuovi risultati. Il semplice fatto di porre a voi stessi quella domanda, comincerà a cambiare la vostra fisiologia e il vostro modo di pensare, conferendovi nuove possibilità.

Potete anche chiedervi: "Che cosa mi impedisce di fare adesso quella certa cosa?", in tal modo rendendo chiaro a voi stessi che cosa specificamente bisogna che cambiate.

Passate ora al medio, quello che sta per i verbi, e chiedetevi: "Come precisamente?" Ricordate che il vostro cervello, per funzionare in maniera efficiente, ha bisogno di segnali chiari, e che un linguaggio confuso e un pensiero nebuloso intontiscono il cervello. Se qualcuno afferma: "Mi sento depresso", non fa altro che descrivere uno stato di ristagno; non vi dice niente di specifico, non vi fornisce alcuna informazione sulla quale si possa lavorare in maniera concreta. Se dunque qualcuno vi dice che è depresso, chiedetegli come precisamente è depresso, che cosa specificamente lo fa sentire in quello stato.

Per ottenere che sia più specifico, spesso bisogna passare da una parte all'altra del modello di precisione. Se dunque chiedete all'altro di essere più preciso, la sua risposta potrà per esempio suonare: "Sono depresso perché faccio sempre confusione con il mio lavoro." Quale sarà la prossima domanda? Questo è universalmente vero? Assai improbabile. Per cui dovete chiedergli: "Combini *sempre* confusione con il tuo lavoro?" Con ogni probabilità, la risposta suonerà: "Be', non sempre."

Giungendo alle specificità, vi siete messi sulla strada dell'identificazione di un problema da poter concretamente affrontare. Di solito accade che una persona abbia combinato pasticci in un campo ristretto, e li abbia assunti a simbolo di gravi carenze che esistono solo nella sua mente.

A questo punto, accostate i vostri indici, quello che rappresenta i sostantivi e quello che sta per "chi o che cosa precisamente". Ogniqualvolta sentite pronunciare sostantivi designanti individui, località o cose nel contesto di un'affermazione generalizzante, domandate: "Chi o che cosa precisamente?" È proprio ciò che avete fatto con i verbi, passando da una nebulosità non specifica al mondo reale.

I sostantivi non specifici costituiscono una delle peggiori forme di nebulosità verbale. Quante volte vi è capitato di sentire qualcuno affermare "loro non mi capiscono" oppure "loro non vogliono darmi una *chance* vera", ma chi sono specificamente quei "loro"? Se si tratta di un'azienda, ci sarà probabilmente una persona che formula certe decisioni, e dunque dovrete trovare il modo di individuare la persona in carne e ossa che prende le decisioni concrete. Un "loro" anonimo può condurvi a prendere la peggiore delle cantonate. Se si ignora chi sono i "loro", ci si sente impotenti, incapaci di cambiare la propria situazione; ma se si focalizza la propria attenzione su individui specifici, si può riacquistare il controllo della situazione.

Se qualcuno vi dice: “Il tuo progetto non può funzionare” dovete scoprire qual è specificamente il problema dell’altra parte. Se vi limitate a replicare con un: “Sì, invece, funziona benissimo”, non manterrete il rapporto né risolverete la situazione; molto spesso non è in discussione l’intero progetto, ma solo una piccola parte di esso, e se vi proverete a rimaneggiare l’intero piano, vi troverete a essere come un aereo che voli senza il radar. Dovrete invece lasciar stare tutto il resto, ma occuparvi di quell’unica cosa che rappresenta il problema; se infatti specificate dove questo si trova e lo affrontate, sarete sulla buona strada per addivenire a cambiamenti validi. Tenete presente che, quanto maggiore è l’approssimazione di una mappa al territorio reale, tanto più preziosa essa è. Quanto meglio riuscite a scoprire in che cosa consista il territorio, tanto maggiore sarà il vostro potere di cambiarlo.

Adesso accostate i vostri pollici per l’ultima parte del modello di precisione. Uno di essi corrisponde a “troppo, troppi, troppo caro”, mentre l’altro dice: “rispetto a cosa”.

Quando diciamo “troppo, troppi, troppo caro”, ricorriamo a un’altra forma di cancellazione, spesso basata su un arbitrario costrutto immagazzinato da qualche parte del vostro cervello. Può capitarvi di dirvi che più di una settimana di vacanza comporta una troppa lunga assenza dal lavoro, oppure che la richiesta di vostro figlio, di avere un *home computer* da cinquecentomila lire, è eccessiva: troppo caro.

Ma potrete uscire dalle vostre generalizzazioni istituendo un paragone. Due settimane di assenza dal lavoro possono essere un’ottima cosa se tornerete rilassati e in grado di lavorare al meglio. Un *home computer* può essere troppo caro se credete che non servirà a niente; se invece lo ritenete un valido strumento di apprendimento, può valere molto di più di quanto non abbiate ritenuto. L’unico modo per formulare razionalmente giudizi del genere consiste nell’avere solidi punti di riferimento, e costaterete che, cominciando a usare il modello di precisione, finirete per servirvene con la massima naturalezza.

Per esempio, a volte capita che qualcuno mi dica: “Il suo seminario è troppo caro.” Se io replico: “Rispetto a che cosa?”, magari la sua risposta suonerà: “Be’, rispetto ad altri seminari ai quali ho partecipato.”

Allora scopro quali sono gli specifici seminari ai quali si riferisce, e a proposito di uno di essi chiedo all'interessato: "In che senso specifico quel seminario è come il mio?" Risposta: "Be', in realtà non lo è."

"Interessante. E cosa accadrebbe se scoprisse che il mio seminario vale davvero il tempo e il denaro che gli si deve dedicare?"

Ecco allora che il ritmo di respiro del mio interlocutore cambia, che sorride e che risponde: "Non so... Penso che lo troverei di mio gusto."

"Che cosa specificamente potrei fare per aiutarla a pensarla subito così sul conto del mio seminario?"

"Ecco, se dedicasse più tempo a questo o quell'argomento, probabilmente ne sarei soddisfatto."

"Benone, se dedicassi più tempo a quel tale argomento, riterrebbe che il seminario vale il suo tempo e il suo denaro?"

E lui risponde di sì. Che cosa è accaduto nel corso di questa conversazione? È accaduto che abbiamo toccato con mano il mondo reale, i punti specifici che dovevamo affrontare. Da una serie di generalizzazioni siamo passati a una serie di specificazioni; e una volta approdati a queste, ci siamo trovati in grado di affrontarle in modo da risolvere i nostri problemi. Lo stesso accade con quasi ogni tipo di comunicazione. La strada dell'intesa è lastricata di informazioni specifiche.

Adesso, per qualche giorno, cercate di appuntare la vostra attenzione sul linguaggio usato da altri, cominciando a identificare cose come universali e verbi e sostantivi non specifici. Come farlo? Accendete il vostro televisore e assistete a un'intervista, identificando la nebulosità verbale cui i partecipanti fanno ricorso, e rivolgete al televisore domande tali da ottenere le informazioni specifiche di cui avete bisogno.

Ecco ora alcune modalità interiori di ascolto. Evitate termini come "buono", "cattivo", "meglio", "peggio" – termini indicativi di una qualche forma di valutazione o giudizio. Se udite frasi come: "È una cattiva idea", oppure "È una buona cosa mangiare tutto quello che si ha sul piatto", potrete replicare: "Stando a chi?" oppure con un: "Come fai a saperlo?" A volte, gli individui fanno affermazioni collegando cause ed effetto. Come per esempio: "Queste sue uscite mi hanno fatto andare fuori dei gangheri", oppure: "Quello che hai detto mi ha fatto pensare." Orbene, quando udite frasi del genere, vi converrà chiedere: "In che senso specifico X causa Y?" e diverrete miglior comunicatore e miglior imitatore di modelli.

Un'altra cosa nei confronti della quale bisogna essere molto cauti, è la "lettura verbale" della mente. Se qualcuno dice: "So con certezza che mi ami", o "Tu pensi che io non ti creda", dovrete chiedere: "Come fai a saperlo?"

L'ultima modalità da apprendere è un po' più sottile, ottima ragione per prestarle ancora maggiore attenzione. Che cosa hanno in comune parole come "attenzione", "affermazione", "ragione"? Sono sostantivi, certo. Ma nel mondo esterno non possiamo trovarli. Avete mai visto un'attenzione? Non è una persona, non è un luogo, non è una cosa, e ciò per il semplice motivo che deriva da un verbo designante l'atto dell'essere attenti. I sostantivi astratti sono parole che hanno perduto la propria specificità. Quando ne udite uno, vi conviene far vostro un procedimento che vi conferirà il potere di dare un nuovo indirizzo alla vostra esperienza e di cambiarla.

Se qualcuno dice: "Voglio mutare la mia esperienza", il modo di imprimerle un nuovo indirizzo consiste nel chiedere: "Che cosa vuoi sperimentare?" Se l'altro risponde: "Voglio l'amore", replicate con un: "Come vuoi essere amato?" oppure con un: "Che cosa significa amare?" C'è una differenza in fatto di specificità tra le due forme? Certo che c'è.

Ci sono altri modi di dirigere le comunicazioni ponendo le giuste domande. Uno consiste nel "contesto dell'esito". Se chiedete a qualcuno cosa lo turba o cosa non va, otterrete una dissertazione sull'argomento. Se invece gli chiedete: "Cosa vuoi?" o "Come vuoi cambiare le cose?", avrete deviato la conversazione dal problema alla soluzione. In ogni situazione, per quanto disastrosa, c'è sempre un esito desiderabile cui pervenire, e il vostro obiettivo dovrebbe consistere nel cambiare la direzione, nel puntare su quell'esito allontanandovi dal problema.

Lo potrete fare ponendo le domande giuste. Ce ne sono molte. Nell'NLP se ne parla come di "questioni-esito". Eccone alcune:

"Che cosa voglio?"
"Qual è l'obiettivo?"
"Che cosa ci sto a fare qui?"
"Che cosa desidero per te?"
"Che cosa voglio per me?"

C'è un'altra importante considerazione da fare: preferite sempre le domande relative al "come" rispetto a quelle relative al "perché". Queste seconde possono fornirvi ragioni, spiegazioni, giustificazioni e scuse, ma di solito non vi mettono a disposizione utili informazioni. Non chiedete a vostro figlio perché incontra difficoltà con l'algebra, ma piuttosto di che cosa ha bisogno per ottenere risultati migliori. Inutile chiedere a un collaboratore perché non è riuscito a ottenere un certo contratto al quale tenevate: chiedetegli piuttosto come può cambiare in modo da darvi la certezza che la prossima volta non farà cilecca. I buoni comunicatori non si curano di razionalizzare le ragioni per le quali qualcosa è andata storta, ma mirano piuttosto a scoprire come si può farla andare a buon fine, e le domande giuste vi avvieranno appunto in quella direzione.

E adesso, un'ultima osservazione che si rifà alle credenze che conferiscono potere, di cui abbiamo parlato nel capitolo 5 ("Le sette menzogne del successo"). Ogni vostra comunicazione con altri e con voi stessi dovrebbe muovere dal presupposto che tutto ha uno scopo e che potete servirvene per ottenere i risultati sperati. Ciò significa che le vostre capacità di comunicare dovrebbero essere il riflesso di un atteggiamento positivo, e non già fallimentare. Se state componendo un puzzle, e uno dei pezzi non trova la sua collocazione, non per questo lo prendete per un fallimento: non smettete di occuparvi del puzzle, lo considerate semplicemente un avvertimento, vi rendete conto che dovete provare con un altro pezzo in apparenza più promettente. È utile servirsi della stessa regola generale nelle vostre comunicazioni. C'è sempre una domanda o una frase specifica suscettibile di trasformare quasi ogni problema in comunicazione. Se vi attenete ai princìpi generali che abbiamo illustrato in questo capitolo, sarete in grado di trovare l'una e l'altra in ogni situazione. ("Ogni situazione", ho detto – cominciate fin d'ora a servirvi del vostro modello di previsione!)

Nel capitolo seguente, ci occuperemo di ciò che sta alla base di ogni interazione umana riuscita, della colla che tiene assieme le persone: la magia del rapporto.

13
LA MAGIA DEL RAPPORTO

L'amico che ti comprende è quello che ti crea.

ROMAIN ROLLAND

Pensate a un momento in cui con un'altra persona eravate in completa sintonia. Poteva essere un amico, un amante, un familiare, oppure qualcuno incontrato per caso. Riandate a quel momento, e sforzatevi di pensare che cosa c'era, in quella persona, che vi faceva sentire in perfetta sintonia con essa.

Probabilmente scoprirete che la pensavate allo stesso modo o che avevate le stesse reazioni in merito a un certo libro, film o esperienza. Forse non ve ne siete accorti, ma è probabile che aveste anche identici moduli di respirazione o di eloquio, e magari un background affine o credenze simili. A qualsiasi conclusione approdiate, si tratterà sempre dello stesso elemento base: rapporto. Per rapporto si intende la capacità di penetrare nel mondo di qualcun altro, facendogli sentire che lo capite, che avete un forte legame comune. E per rapporto si intende anche la capacità di passare senza esitare dalla vostra alla sua mappa del mondo, ed è questa l'essenza della comunicazione riuscita.

Il rapporto è il miglior strumento per ottenere risultati con altre persone. Come si è detto nel capitolo 5, dedicato alle "Sette menzogne del successo", la gente costituisce la nostra risorsa principale, e il rapporto è il modo che si ha per attingere a tale risorsa. Quale che sia la vostra aspirazione nella vita, se siete in grado di istituire rapporti con le persone giuste sarete in grado di soddisfare i loro desideri, ed esse di soddisfare i vostri.

La capacità di stabilire rapporti è una delle capacità più importanti di cui una persona possa essere dotata. Per essere un buon attore o un buon venditore, un buon genitore o un buon amico, un buon persuasore o un buon politico, ciò di cui in realtà si ha bisogno è il rapporto, in altre parole la capacità di stabilire un possente legame comune e una situazione di comprensione reciproca.

Qualsiasi cosa vogliate fare, vedere, creare, condividere o sperimentare in vita, si tratti di addivenire a una realizzazione di carattere spirituale o di guadagnare un milione di dollari, ci sarà qualcun altro in grado di aiutarvi a raggiungere più rapidamente e più facilmente il vostro obiettivo; qualcun altro sa come pervenirvi prima o più efficacemente, oppure può fare qualcosa per aiutarvi ad arrivare più speditamente alla meta; e il modo di "replicare" quella persona consiste nell'istituire un rapporto, il magico legame che unisce gli individui e li fa sentire partner.

Sapete qual è il peggior cliché mai coniato? "Gli opposti si attraggono." Al pari di moltissime affermazioni in realtà false, essa contiene un nocciolo di verità. Quando le persone hanno abbastanza elementi in comune, quelli che li differenziano aggiungono un po' di pepe al legame. Ma in generale, chi vi appare attraente? Con chi desiderate trascorrere il vostro tempo? Andate in cerca di qualcuno che dissenta da voi su ogni cosa, che abbia interessi diversi, che preferisca dormire quando voi volete giocare e giocare quando voi avete sonno? Ovviamente, no. Preferite stare con persone simili a voi, e tuttavia uniche.

Quando due individui sono simili tra loro tendono anche a piacersi a vicenda. Forse che si creano circoli di persone diverse le une dalle altre? No, ci si unisce perché si è stati commilitoni, perché si è collezionisti di francobolli, perché avere qualcosa in comune istituisce rapporti. Mai andati a un congresso? Non si tratta forse di un legame istantaneo che si istituisce tra persone che mai si erano viste prima?

Gran parte degli americani preferisce gli inglesi o gli iraniani? La risposta è facile. E con quali di essi hanno più cose in comune? Anche qui, risposta facile. Pensate al Medio Oriente: credete che ci sia qualche problema? Ritenete forse che arabi ed ebrei condividano le stesse credenze religiose, che abbiano lo stesso sistema giuridico, lo stesso linguaggio? E si potrebbe continuare a lungo; certo è comunque che i problemi con cui sono alle prese sono il risultato delle loro differenze.

In effetti, quando parliamo di individui che "presentano divergenze", intendiamo riferirci alle modalità del non essere simili, da cui derivano difficoltà d'ogni sorta. Prendiamo per esempio i neri e i bianchi degli Stati Uniti. Da cosa possono insorgere le complicazioni? Dal fatto che l'attenzione si focalizzi sulle modalità di essere diversi, le differenze di colore, cultura, costumanze. E da un cospicuo insieme di differenze possono derivare gravi crisi sociali. L'armonia tende a essere il risultato di affinità, come del resto è confermato da mille vicende storiche. È vero su scala generale, è vero su scala individuale.

Prendiamo un qualsiasi rapporto tra due persone: costaterete che a creare inizialmente il legame che le unisce è stato qualcosa che avevano in comune. Potevano avere modi diversi di fare questo o quello, ma sono state le comunanze ad avvicinarle. Pensate a una persona che vi piaccia davvero, e notate che cos'è che vi attrae in essa: non è forse il fatto che è simile a voi, o per lo meno somiglia a come vorreste essere? Certo non vi dite: "Accidenti, questo tale la pensa in modo opposto al mio proprio su ogni questione. Che grand'uomo!" Vi capiterà invece di dirvi: "Che tipo in gamba, è in grado di vedere il mondo proprio come lo vedo io, e anzi di rendere più chiaro il mio punto di vista." Pensate poi a qualcuno che non potete sopportare. È come voi o no? Certamente vi dite: "Buon Dio, che rompiscatole, possibile che non veda le cose come le vedo io?"

Questo non significa certo che non ci sia modo di uscire da un circolo vizioso di differenze creatrici di conflitti che a loro volta creano altri conflitti i quali producono maggiori differenze ancora, per la semplice ragione che, ovunque ci sia differenza, ci sono anche somiglianze. Tra bianchi e neri negli Stati Uniti ci sono moltissime differenze: tali, però, se le cose si vogliono vedere in questa luce. Ma non è forse vero che bianchi e neri hanno parecchio in comune? Tutti siamo uomini e donne, fratelli e sorelle, con timori e aspirazioni simili. C'è modo di passare dalla discordia all'armonia, e consiste nel concentrarsi sulle somiglianze anziché sulle differenze. Il primo passo verso un'effettiva comunicazione è di apprendere a tradurre la propria mappa del mondo in quella di un altro. E cos'è a permettervi di farlo? La capacità di istituire rapporti.

Se vuoi convincere uno della bontà della tua causa, innanzitutto persuadilo che sei un suo sincero amico.

ABRAHAM LINCOLN

Come facciamo a istituire rapporti? Creando o scoprendo cose in comune. Per servirsi del linguaggio dell'NLP, questo processo viene detto "rispecchiamento" ovvero "adeguamento". Ci sono molti modi di istituire una comunanza con altri, e quindi un rapporto. Si possono rispecchiare interessi, in altre parole avere esperienze simili o un modo di vestirsi affine oppure esercitare attività non diverse; ancora, si può rispecchiare l'associazione, vale a dire avere amici o conoscenti simili. Si possono rispecchiare credenze, e si tratta sempre di esperienze comuni, ed è così che si creano amicizie e rapporti. E tutte queste esperienze hanno un elemento in comune: vengono comunicate mediante parole. La maniera migliore di creare un "adeguamento" è di scambiarsi informazioni sull'uno e sull'altro mediante parole. Tuttavia, da ricerche compiute risulta che solo il 7% di ciò che viene comunicato tra persone viene trasmesso dalle parole: il 38% lo è dal tono di voce. Mi ricordo di quand'ero bambino, e mia madre alzava la voce e diceva: "Anthony!" con un tono che significava ben più che il mio solo nome. Il 45% della comunicazione, la parte più cospicua, è un risultato della fisiologia o del linguaggio corporeo. Le espressioni facciali, i gesti, la qualità e il tipo dei movimenti della persona che compie una comunicazione ci dicono molto di più che non le parole in quanto tali, e questo spiega perché un attore può aggredirvi, dirvi parolacce e tuttavia farvi ridere. Perché a farvi ridere non sono le parole, ma il modo di presentarle, il tono di voce e la fisiologia.

Sicché, se tentate di istituire un rapporto semplicemente mediante il contenuto della vostra conversazione, vuol dire che trascurate i modi fondamentali con cui si può comunicare l'affinità al cervello di un'altra persona. Una delle maniere più efficaci per istituire rapporti consiste nel rispecchiare l'altro o creare una fisiologia comune con lui, ed è appunto ciò che faceva il grande ipnoterapeuta Milton Erickson, il quale aveva appreso a rispecchiare le modalità di respirazione e il portamento, la tonalità di voce e i gesti altrui. E così facendo, nel giro di pochi istanti riusciva a creare un rapporto di totale coinvolgimento; persone che non lo conoscevano affatto all'improvviso sentivano di poter riporre assoluta fiducia in lui. Sicché, se riuscite a istituire rapporti mediante semplici parole, pensate all'incredibile solidità di altri possibili rapporti, frutto dell'unione di parole e fisiologia.

Mentre le prime agiscono sulla mente conscia, la fisiologia agisce sull'inconscio, al livello cioè in cui il cervello pensa: "Ehi, quella persona è come me! Non può non essere un tipo come si deve." E, una volta che questo accada, si crea una formidabile attrazione, un fortissimo legame, tanto più forte proprio per il fatto di essere a livello inconscio. E non si ha consapevolezza di nulla, se non del nesso che è venuto costituendosi.

POSSIBILI COMPONENTI DELLA VOCE DA RISPECCHIARE

Volume (risonante/sommesso): la sonorità della voce.
Ritmo: l'andatura o velocità dell'eloquio.
Tono (alto/basso): il tenore o la frequenza della voce.
Timbro: le caratteristiche o qualità individuali della voce.

E dunque, come si fa a rispecchiare la fisiologia di un altro? Quali sono i suoi tratti fisici da riprodurre? Cominciate dalla voce: rispecchiatene tono e locuzioni, timbro, la velocità con cui parla, le pause che fa, il volume della voce stessa. Rispecchiate termini o frasi cari a quel tale, osservatene il portamento, il modo di respirare, il modo di guardare, il linguaggio del corpo, le espressioni facciali, i gesti che fa con le mani e altri movimenti caratteristici. Ogni aspetto della fisiologia, dal modo in cui un tale posa i piedi per terra a quello con cui gira la testa, è qualcosa che si può rispecchiare. Ora, io capisco che a prima vista possa sembrare un tantino assurdo.

Ma che cosa accadrebbe se poteste rispecchiare tutto in un altro individuo? Accadrebbe che costui penserebbe di aver trovato un'anima gemella, qualcuno che lo comprende appieno, capace di leggerne i più riposti pensieri, una persona tale e quale lui. Ma per creare una situazione di rapporto, non è necessario che rispecchiate tutto, ma proprio tutto, di una persona. Se cominciate con il tono della voce o con espressioni facciali, potete creare rapporti saldissimi con chiunque.

Nei prossimi giorni, esercitatevi a rispecchiare le persone con cui avete a che fare. Rispecchiate i loro gesti e il loro portamento. Rispecchiate la frequenza e la localizzazione del loro respiro. Rispecchiate il ritmo e il volume della loro voce. E costatate se le altre persone si sentono più vicine a voi e se voi vi sentite più vicini a loro.

Vi ricordate dell'esperimento di rispecchiamento descritto nel capitolo sulla fisiologia? Quando un individuo rispecchia la fisiologia di un altro, è in grado di sperimentare non soltanto il suo stesso stato d'animo, ma anche lo stesso tipo di esperienze interne e persino i pensieri. Orbene, che accadrebbe se diventaste un rispecchiatore talmente abile da poter sapere che cosa pensa un altro? Che genere di rapporti potreste allora istituire, e che cosa ricavarne? Potrà sembrare una panzana, eppure i comunicatori di professione lo fanno di continuo. Il rispecchiamento è una capacità come tante altre. Richiede pratica per essere sviluppata, e tuttavia potete cominciare a servirvene immediatamente, ottenendo subito risultati.

Se analizzate il rispecchiamento, noterete che comporta due elementi chiave, attenta osservazione ed elasticità personale. Ecco un esperimento da compiere quando siete in compagnia di altri. Sceglìete una persona che fungerà da rispecchiatore, mentre un'altra farà da guida, e in un paio di minuti dovrà passare per il maggior numero possibile di cambiamenti fisici, mutando espressioni facciali, portamento, modo di respirare; mutando grandi cose, come la maniera di tenere le braccia, e piccole come la posizione del collo. È un ottimo esercizio da compiere con bambini. Si divertiranno un mondo. Alla fine dell'esperimento, paragonate le osservazioni compiute, notando fino a che punto siete riusciti a rispecchiare l'altro. Poi cambiate ruoli, e costaterete che vi siete lasciati sfuggire almeno altrettante cose di quante ne avete colte. Chiunque può diventare un esperto rispecchiatore, ma bisogna partire dalla premessa che le persone usano il proprio corpo in centinaia di modi diversi e che, quanto più consapevoli ne siete, tanto meglio riuscirete a farcela. Sebbene le possibilità siano illimitate, le persone, diciamo in posizione seduta, di solito compiono un numero limitato di movimenti. Con una certa pratica, non dovrete neppure più pensarci consciamente: automaticamente rispecchierete i portamenti e le fisiologie delle persone con cui avete a che fare.

Infinite sono le sottigliezze del rispecchiamento efficace, ma il fondamento di tutto è qualcosa di cui si è già parlato nel capitolo relativo alla rivelazione di strategie, vale a dire i tre sistemi rappresentativi di base. Come ricorderete, non c'è nessuno che non faccia ricorso a tutti e tre, anche se nella stragrande maggioranza dei casi si hanno forti preferenze per uno di essi. Spesso si è primariamente visivi, uditivi o cinestesici; e, una volta che si sia identificato il sistema rappresentativo primario di una persona, si avrà grandemente semplificato il compito di istituire rapporti con essa.

Se comportamento e fisiologia fossero il frutto di un casuale insieme di fattori, non occorrerebbe individuare puntigliosamente ogni singolo indizio per poi integrarlo in un insieme. Ma i sistemi rappresentativi sono come le chiavi di un codice segreto. Conoscere un elemento vi fornisce la traccia di una dozzina d'altri. Come si è detto nel capitolo 8, un'intera costellazione di comportamenti va di pari passo col fatto di essere, di-

COME GLI INDIVIDUI PERCEPISCONO LA COMUNICAZIONE

GENERICA	VISIVA	UDITIVA	CINESTESICA
Ti capisco	Vedo il tuo punto di vista	Ti ascolto attentamente	Sento di esser d'accordo con te
Desidero comunicarti qualcosa	Vorrei che tu dessi un'occhiata a quel che ho fatto	Intendo spiegartelo chiaro e tondo	Vorrei che tu lo afferrassi
Capisci quel che tento di comunicarti?	Riesco a darti una chiara immagine?	Quel che ti sto dicendo ti suona giusto?	Riesci a coglierlo bene?
È vero	È vero senz'ombra di dubbio	La notizia è precisa parola per parola	La notizia è solida come una roccia
Non ne sono certo	Mi riesce oscuro	Non mi suona bene	Non sono certo di seguirti
Non mi piace quel che fai	Non riesco a veder chiaro nei tuoi propositi	È una cosa che non desta in me alcuna eco	In sostanza, quel che fai non lo sento giusto
La vita è bella	Ho della vita un'immagine chiara e splendente	La vita è in perfetta armonia	Per me la vita è qualcosa di incredibilmente caldo

ciamo, primariamente visivi. Si tratta di tracce verbali, di frasi come: "Io la vedo così" oppure "Non mi vedo intento a farlo". L'eloquio in questi casi è di solito rapido, la respirazione prevalentemente toracica, il tono di voce acuto, nasale, spesso teso; di solito si nota tensione muscolare, soprattutto delle spalle e dell'addome. Gli individui a orientamento visivo hanno frequente tendenza a indicare col dito; molto spesso hanno spalle curve e collo lungo.

Gli uditivi usano locuzioni come "mi suona bene" e "non mi suona affatto bene". L'eloquio è più modulato, il ritmo equilibrato, la voce tende a una tonalità chiara, risonante, il respiro a essere regolare e profondo, diaframmatico o di tutto il torace. La tensione muscolare risulta equilibrata. È indicativo di una propensione uditiva il fatto che chi la presenta intrecci le mani o incroci le braccia; le spalle tendono a essere leggermente curve, il capo a restare leggermente piegato da una parte.

I cinestesici usano locuzioni come "Non lo sento giusto" oppure "Non riesco ad afferrarlo bene". Parlano lentamente, molte volte con lunghe pause tra una parola e l'altra, e con tono di voce basso e profondo. Molti dei loro movimenti corporei indicano tendenze tattili o comunque una cinestesia esterna. Il rilassamento muscolare rivela una propensione cinestesica interna viscerale. Una posizione caratterizzata da palmi delle mani volti all'insù, braccia piegate e rilassate è cinestesica. Il portamento tende a essere saldo, con la testa diritta.

Ci sono anche altri indizi, con qualche variazione da persona a persona, per cui è sempre necessaria un'attenta osservazione. Ogni individuo è unico; ma quando se ne conosce il fondamentale sistema rappresentativo, si è compiuto un enorme passo avanti nell'apprendere il modo di entrare nel suo universo, e a questo punto non resta che "rispecchiarlo".

Prendiamo a esempio un individuo che sia primariamente uditivo. Se volete persuaderlo a fare qualcosa, chiedetegli di immaginarsi come questa sarà, e se parlate rapidamente, molto rapidamente, con ogni probabilità ci riuscirete; l'individuo in questione ha bisogno di sentire quel che avete da dire, di prestare orecchio alle vostre proposte, di costatare se trovano o meno risonanza in lui. In effetti, può darsi che neppure vi oda, per la semplice ragione che il vostro tono di voce basta a renderlo ricettivo fin dal primo istante. Con uno che sia primariamente visivo, e con cui il vostro approccio sia cinestesico, se esponete le vostre idee parlando molto lentamente, con ogni probabilità l'unico risultato sarà di irritarlo con il vostro ritmo troppo lento, e vi sentirete chiedere di arrivare al punto.

Per illustrare queste differenze, vorrei ricorrere all'esempio di un quartiere residenziale. Una casa sorge in una strada particolarmente tranquilla e silenziosa, a quasi ogni ora del giorno udite uccelli che cantano. Quel che si vede all'interno è così attraente, che vien fatto di chiederci come qualcuno possa passare di lì senza esserne attratto. Al tramonto, gli abitanti della casa vanno in giardino a sentire cantare gli uccelli, udire la brezza che fruscia tra i rami, il suono dei campanelli che, sotto il portico d'ingresso, tintinnano al vento.

Un'altra casa è straordinariamente pittoresca. Basta un'occhiata per sentirsene attratti. Ha un lungo portico bianco che spicca sui pannelli di legno che ricoprono le pareti color pesca. Ci sono moltissime finestre, e quasi a tutte le ore del giorno la casa è inondata di luce. Ci sono tante cose da guardare, dalla scala curvilinea alle eleganti porte di quercia intagliata, e non basterebbe un giorno per esplorarne ogni angolino.

Più difficile da descrivere la terza casa. Bisognerebbe sperimentarla di persona, sentirla. È una costruzione solida e rassicurante, le stanze sono calde. In maniera indefinibile, essa tocca in chi la vede una corda profonda. Verrebbe quasi quasi da definirla "nutriente". Ti senti come se fossi seduto in un angolo, ad assaporare quell'atmosfera che ti rende così sereno.

In tutti e tre i casi sto parlando della stessa casa, la prima volta da un punto di vista uditivo, la seconda da uno visivo, la terza da uno cinestesico. Se mostrate la casa a un gruppo di persone, per metterne in risalto la ricchezza dovrete attingere a tutte e tre le modalità. Il sistema rappresentativo fondamentale di ogni persona determinerà quale delle tre descrizioni le sembrerà più allettante. Non dimenticate, però, che le persone le utilizzano tutte e tre e che la maniera più efficace di comunicare consiste nel toccarle tutte, pur focalizzando l'attenzione sul sistema di cui l'altra persona si avvale di preferenza.

Cominciate con lo stendere un elenco di parole visive, uditive e cinestesiche. Nei prossimi giorni, prestate orecchio alle persone con cui parlate, e rilevate il genere di termini che usano più spesso. Poi parlate con loro servendovi di parole dello stesso tipo, e notate quel che accade. Quindi, per un po' fatelo ricorrendo a un altro sistema rappresentativo, una volta ancora notando le conseguenze.

Permettetemi di fornirvi un esempio della straordinaria efficacia che può avere il rispecchiamento. Qualche tempo fa ero a New York; avevo bisogno di rilassarmi, per cui mi sono recato a Central Park. Ho passeggiato per un po', quindi mi sono seduto su una panchina e ho preso a guardarmi attorno, e ben presto ho notato un tale seduto di fronte a me, dall'altra parte del viale. Ho cominciato a rispecchiarlo. (Una volta che ne abbiate preso l'abitudine, è difficile smettere.) Lo rispecchiavo con esattezza, stando seduto come stava seduto lui, respirando allo stesso modo, muovendo i piedi come li muoveva lui. Ha cominciato a gettare briciole agli uccelli, e anch'io ho preso a gettare briciole agli uccelli. Scuoteva di tanto in tanto la testa, e anch'io la scuotevo; poi alzava lo sguardo all'insù, e io lo stesso; mi ha guardato, e io ho guardato lui.

Ben presto, ecco che si alza e mi si avvicina. Nessuna sorpresa: lo attraggo perché mi ritiene tale e quale lui. Cominciamo a chiacchierare, io ne rispecchio esattamente tono di voce e fraseologia, e ben presto se ne esce a dire: "È chiaro che lei è un uomo molto intelligente." E perché lo pensa? Perché sente che io sono proprio come lui, e ben presto eccolo dirmi che ha l'impressione di conoscermi meglio di altre persone con cui ha a che fare da venticinque anni. Ancora qualche istante, ed è pronto a offrirmi un lavoro.

Lo so benissimo, certi individui ai quali parlo di rispecchiamento si irrigidiscono, dicono che è una cosa contro natura, che è una manipolazione. Ma che sia contro natura è un'idea balzana. Ogniqualvolta istituite un rapporto con qualcuno, è del tutto naturale che cominciate a rispecchiarne la fisiologia, la tonalità, e via dicendo. Durante tutti i miei seminari, non manca mai chi si sente turbato dall'idea del rispecchiamento, e io mi limito a fargli notare che, se dà un'occhiata alla persona accanto a lui, noterà che è seduta esattamente allo stesso modo: entrambi, diciamo, a gambe incrociate, le teste piegate con la stessa angolazione, eccetera. Inevitabilmente si rispecchiano a vicenda perché nel corso delle giornate del seminario hanno istituito rapporti fra loro. Chiedo allora a uno dei due cosa ne pensa dell'altro, e la risposta è: "Splendido", oppure: "Me lo sento molto vicino." Poi faccio sì che l'altro cambi la propria fisiologia, che si sieda in posizione completamente diversa, quindi chiedo al primo individuo che cosa ne pensa adesso dell'altro, e le risposte che ricevo sono: "Non lo sento più così vicino", oppure: "Mi è estraneo", o ancora: "Non ne sono più tanto certo."

Sicché, il rispecchiamento è un processo naturale nell'istituzione di rapporti. Già lo si compie inconsciamente; in questo capitolo si insegna che cosa si deve fare – le ricette per istituire rapporti, insomma – allo scopo di ottenere certi risultati ogniqualvolta lo desideriamo con chiunque, anche con uno sconosciuto. E quanto al fatto che il rispecchiamento abbia carattere manipolatorio, ditemi che cosa secondo voi esige sforzi più consapevoli, il fatto di parlare semplicemente col proprio normale ritmo e tono, oppure scoprire il modo in cui una persona comunica meglio ed entrare nel suo mondo? Né dimenticate che, mentre si rispecchia un altro individuo, si sperimenta davvero ciò che gli passa per la mente. Se il vostro intento fosse di manipolare qualcuno, tenete presente che, una volta che cominciate a rispecchiarlo, in effetti cominciate a sentirvi più simile a lui, per cui la domanda diviene: "Avete voglia di manipolare voi stessi?"

Rispecchiare un altro non significa rinunciare alla propria identità. Non siamo individui esclusivamente visivi, uditivi, o cinestesici, e tutti dobbiamo sforzarci di essere elastici. Il rispecchiamento non fa che creare un'affinità fisiologica che sottolinea la nostra comune umanità. Quando mi dedico al rispecchiamento, godo dei benefici, dei sentimenti e pensieri di un'altra persona, e si tratta dunque di una lezione utile, bella, produttiva, circa la maniera di condividere il mondo con altri esseri umani.

Per influire sulla società nel suo complesso, è necessario istituire rapporti con le masse. I leader più efficaci sono quelli che sanno maneggiare tutti e tre i sistemi rappresentativi. Tendiamo a riporre fiducia in persone che fanno appello a tutti e tre i nostri livelli e che ci danno una sensazione di coerenza, nel senso che tutte le componenti della loro personalità trasmettono lo stesso messaggio. Pensate alle ultime elezioni presidenziali americane. Ritenete che Ronald Reagan, alla sua età, sia un uomo visivamente attraente, che abbia un tono di voce e un modo di parlare attraenti, che riesca a fare appello alle emozioni, al patriottismo, alle possibilità che l'uomo della strada avverte dentro di sé? Moltissimi, persino coloro che non ne approvano la politica, risponderebbero con un forte "sì!" a tutte e tre le domande, e non c'è da meravigliarsi che lo abbiano soprannominato il Grande Comunicatore. E adesso pensate a Walter Mondale. È un uomo visivamente attraente? Se pongo la domanda nel corso dei miei seminari, è già molto se ottengo un 20% di risposte affermative. Mondale ha forse un tono di voce e un modo di parlare attraenti? Ancor minore il numero di persone che lo pensa, e persino coloro che concordano con qualsiasi affermazione di Mondale, di rado rispondono di sì a quest'ultima domanda. Mondale riesce a toccarvi emozionalmente, facendo appello al vostro patriottismo, alle possibilità che vi sentite dentro? Di solito, mi sento rispondere con una risatina. Ecco, è questa una delle sue maggiori carenze, e non può quindi sorprendere che Reagan abbia vinto in maniera tanto clamorosa.

Pensate a come sono andate le cose con Gary Hart, un uomo abbastanza attraente a tutti e tre i livelli. Mondale aveva più quattrini ed era già stato alla Casa Bianca, per cui sembrava una scelta obbligata; pure, a essere in corsa fu Hart, ma solo per breve tempo. Come mai? Innanzitutto, perché Hart era contraddittorio. Quando gli fu chiesto perché avesse cambiato nome, rispose che la questione era priva di importanza, smentendo tuttavia la propria affermazione con il linguaggio del corpo e il tono di voce. Forse avrebbe dovuto dire alla stampa: "Sì, ho cambiato nome, ma l'ho fatto perché non mi giudicaste in base a questo, ma piuttosto per la qualità del lavoro che svolgo." Invece, si è rivelato indeciso, e si è dovuto insistere a lungo per convincerlo a parlare delle sue "nuove idee", e quando si è deciso a farlo, molti si sono resi conto che erano idee prive di sostanza: vuote chiacchiere, insomma.

E Geraldine Ferraro? Dal punto di vista visivo, la ritenete una donna attraente? Circa il 60% delle persone alle quali ho posto la domanda ha risposto in senso affermativo. Ma era attraente anche il tono di voce? Su questo punto, Geraldine Ferraro è perdente, e di grosso: dall'80% al 90% delle persone da me interrogate hanno risposto che la sua voce era, non soltanto poco attraente, ma addirittura irritante. E solo il 10% degli interrogati ha affermato che aveva su di loro un impatto emozionale. Riuscite a immaginarvi quanto difficile vi riuscirebbe godere di popolarità, anche con le più sublimi idee del mondo, se la gente si irrita ogni volta che aprite bocca? Il fatto di essere una donna e di appartenere allo stesso schieramento di Mondale non ha aiutato molto la Ferraro. Ma può darsi che non siano state queste le ragioni principali del suo insuccesso. Il suo tono di voce, l'incapacità di toccare il cuore della gente, ma soprattutto la sua contraddittorietà le sono costate assai care. Molte difficoltà sono insorte quando è risultato evidente che i suoi messaggi (sull'aborto, sul nucleare, sulle attività finanziarie di suo marito e via dicendo) erano ambigui. Le scarse capacità comunicazionali dei singoli candidati democratici sono bastate a rendere quasi inevitabile la sconfitta.

E adesso ponete mente al successo, in un altro campo, di Bruce Springsteen. Ai suoi concerti accorrono folle enormi, perché Springsteen offre tutto quel che occorre per gli occhi e le orecchie. Attraente sul piano visivo, parla all'uditorio con voce profonda che tocca le corde emozionali e sa creare rapporti bellissimi, oltre ad apparire del tutto coerente.

Pensate adesso a un presidente della moderna storia americana che certamente appare dotato di poteri carismatici, capace di creare qualcosa di nuovo. Scommetto che vi è venuto in mente John F. Kennedy: è accaduto al 95% delle persone da me interrogate. E perché? Be', ci sono molte ragioni, ma basterà elencarne qualcuna. Credete che Kennedy fosse visivamente attraente? Lo era, eccome: di rado mi è capitato di trovare qualcuno che la pensasse altrimenti in merito. E dal punto di vista uditivo? Il 90% delle persone da me interpellate ha concordato nel ritenerlo attraente anche sotto questo profilo. Inoltre, riusciva a toccare le corde emozionali della gente con affermazioni quali: "Non chiedete ciò che il paese può fare per voi, ma chiedetevi che cosa voi potete fare per il paese." Era un maestro nell'uso delle comunicazioni come mezzo per influire sulla gente. E la sua coerenza? Kruscev deve essersi convinto che non gli mancava di certo: la crisi dei missili cubani è stato un test di coerenza per Kennedy e per Kruscev. Era come se si fissassero a vicenda negli occhi e, come ha notato un giornalista, a un certo punto "Kruscev ha abbassato i suoi".

Lo studio di persone di successo ha portato più e più volte alla stessa conclusione: tutte sono dotate di grande talento per quanto attiene all'istituzione di rapporti. Coloro che sono attraenti a tutti e tre i livelli sono in grado di influire su molti individui. Ma per farlo, non occorre affatto possedere particolari doti naturali; se siete in grado di vedere, udire, percepire, potete istituire rapporti con chiunque, purché facciate ciò che fa l'altro, a questo scopo cercando di individuare le cose che potete rispecchiare nella maniera più discreta e naturale possibile. Perché se rispecchiate un asmatico o uno che abbia una grossa deformazione fisica, anziché istituire un rapporto lo indurrete a credere che vi state burlando di lui.

Esercitandovi con costanza, potrete entrare nel mondo di qualsiasi individuo con cui abbiate a che fare, parlare come lui, e ben presto diventerà per voi una seconda natura, qualcosa che farete senza pensarci consciamente. Non appena sarete in grado di eseguire il rispecchiamento con efficacia, vi renderete conto che farlo vi dà modo di creare qualcosa di più che non un semplice rapporto, e di comprendere l'altra persona. Sarete in grado di indurre gli altri a seguirvi; e non importa quanto diversi da loro siate, non importa in che circostanza li abbiate conosciuti: se siete in grado di stabilire rapporti abbastanza validi con gli altri, ben presto sarete voi in condizione di cambiare i loro comportamenti per adeguarli ai vostri.

Ve ne darò un esempio. Qualche anno fa, la mia azienda di prodotti dietetici si è messa in contatto con un notissimo medico di Beverly Hills; siamo partiti con il piede sbagliato. Lui esigeva una nostra decisione immediata in merito a una certa proposta che aveva avanzato, ma io ero assente ed ero l'unico autorizzato a prendere una decisione in merito. Al medico, però, non garbava di essere a disposizione di uno giovane come me – all'epoca contavo solo ventun anni – e quando finalmente ci siamo incontrati, il luminare era in uno stato d'animo alquanto ostile.

L'ho trovato seduto nel suo studio in posizione rigidissima, i muscoli tesi. Ho preso posto su una seggiola davanti a lui, assumendo esattamente lo stesso portamento e cominciando a rispecchiare il ritmo del suo respiro. Lui parlava svelto svelto, e io facevo lo stesso; lui aveva una maniera particolare di gestire, muovendo circolarmente il braccio destro, e io mi son messo a fare lo stesso. Nonostante le circostanze negative del nostro incontro, abbiamo cominciato a entrare in sintonia. E sapete perché? Perché, mediante l'adeguamento, ho istituito un rapporto con lui, e ben presto mi sono reso conto che ero in grado di pilotarlo. Per prima cosa ho rallentato il ritmo del mio eloquio, e anche lui ha rallentato il suo. Poi mi sono appoggiato allo schienale della sedia, e lui ha fatto lo stesso. All'inizio ero io che lo rispecchiavo, che istituivo l'adeguamento; ma, a mano a mano che il nostro rapporto si sviluppava, eccomi in grado di indurlo a rispecchiare me, ad "adeguarsi" a me. A questo punto mi ha invitato a pranzo, e a tavola siamo diventati amici, come se ci conoscessimo da anni. Pure, quello era un uomo che, nel momento in cui ho messo piede nel suo studio, mi detestava.

Quel che ho fatto con il luminare della scienza medica è consistito nel mettermi al suo passo per poi guidarlo; in una prima fase, bisogna limitarsi a un educato rispecchiamento, muovendosi come si muove l'altro, cambiando gesti a seconda di come li cambia lui. Quando si è raggiunta una notevole abilità in fatto di rispecchiamento, si riesce a cambiare la propria fisiologia e il proprio comportamento quasi altrettanto istintivamente dell'altro. I rapporti non sono statici, non rimangono inalterati una volta istituiti, sono un processo dinamico, fluido, elastico. Se il segreto per istituire un rapporto davvero pregnante e duraturo sta nella capacità di cambiare e di adeguarsi a ciò che fa l'altro, il segreto per diventare una guida è la capacità di cambiare marcia con duttilità e precisione quando l'altro lo faccia.

In una seconda fase, potrete porvi a vostra volta come modelli, e sarà quando il rapporto che avete istituito con l'altro sia diventato un legame quasi tangibile. La seconda fase interviene altrettanto naturalmente della prima: si giunge a un punto in cui si comincia a promuovere cambiamenti anziché limitarsi a rispecchiare l'altro, un punto in cui il rapporto è diventato così intimo che, quando voi cambiate, anche l'altro inconsciamente vi seguirà. Probabilmente vi è capitato di tirar tardi con amici e di non essere affatto stanchi; ma loro sbadigliano, e il rapporto tra voi è talmente stretto, che anche voi vi mettete a sbadigliare. I migliori venditori fanno proprio questo: entrano nel mondo dell'altro, e del rapporto si servono per guidare.

Parlando di rapporti, è addirittura ovvia la domanda: e se qualcuno è matto? Se ne deve rispecchiare la follia o la furia? Be', questa è certamente una scelta, ma nel prossimo capitolo illustreremo il modo di infrangere i moduli altrui, che si tratti di collera o di frustrazione, e mostreremo come farlo rapidamente. Può darsi che la soluzione migliore, nel caso della rabbia, sia quella di infrangere il modulo, anziché rispecchiarlo. A volte, tuttavia, rispecchiando la rabbia di un altro si riesce a penetrare così profondamente nel suo mondo che, quando voi cominciate a rilassarvi, anche l'altro lo fa. Tenete presente che un rapporto non si istituisce semplicemente sorridendo: un rapporto esige sensibilità. L'uomo della strada a volte si rende conto che rispecchiare esattamente la collera è indispensabile, e di tanto in tanto può essere necessario comunicare con un altro a un livello di grande intensità, perché accettare la sua provocazione è uno dei molti metodi con cui ce ne possiamo guadagnare il rispetto.

Ed ecco un altro esperimento. Attaccate discorso con qualcuno; rispecchiatene il portamento, la voce, il respiro. Dopo un po', gradualmente mutate portamento o tono di voce. L'altro vi segue? Se non lo fa, riprendete da capo, ricominciando ad andargli dietro. Tentate poi un'altra strada, con cambiamenti meno vistosi; se i vostri tentativi di pilotarlo restano infruttuosi, vuol dire semplicemente che ancora non avete istituito un rapporto abbastanza solido. In tal caso, aumentate l'intensità del rapporto e rifate il tentativo.

Gli ho ordinato di osservare la vita degli uomini come in uno specchio, e di ricavare dagli altri un esempio per se stesso.

TERENZIO

Qual è la chiave dell'istituzione di rapporti? L'elasticità. Non dimenticate che l'ostacolo maggiore in questo campo consiste nel credere che altri dispongano della vostra stessa mappa; in altre parole che, dal momento che il mondo voi lo vedete in un certo modo, anche gli altri lo vedono così. I buoni comunicatori di rado compiono questo errore, ben sapendo che devono cambiare linguaggio, tono di voce, modo di respirare, gesti, finché non scoprono un approccio che assicuri loro il raggiungimento della meta che si sono preposti.

Se non riuscite a comunicare con qualcuno, potrete essere tentati di definirlo un povero scemo che si rifiuta di ascoltare la voce della ragione. Ma questo in pratica esclude la possibilità di istituire un rapporto; meglio cambiare il vostro modo di parlare e di comportarvi, finché non corrisponda all'immagine del mondo che l'altro fa proprio.

Uno dei principi essenziali dell'NLP è che il significato della vostra comunicazione è la risposta che evocate. La responsabilità in fatto di comunicazione è tutta vostra. Se cercate di persuadere qualcuno a fare alcunché, e quegli fa esattamente l'opposto, il difetto sta nella vostra comunicazione: non siete riusciti a trovare il modo di trasmettere il vostro messaggio.

E questo è di importanza cruciale, qualsiasi cosa facciate. Prendiamo l'esempio dell'insegnamento. L'aspetto più negativo in campo didattico è che gran parte degli insegnanti conoscono la loro materia ma non conoscono i loro allievi, ignorano come questi elaborano le informazioni, non sanno niente dei loro sistemi rappresentativi né come operano le loro menti.

I migliori insegnanti sanno istintivamente come fare a mettersi prima al passo e poi alla guida dei loro allievi. Sono capaci di istituire rapporti, per cui i loro messaggi vengono captati. Ma non c'è ragione perché tutti gli insegnanti non riescano ad apprendere le stesse cose. Imparando a stare al passo con i loro studenti e a fornire informazioni in modo tale da permettere agli allievi di elaborarle effettivamente, possono rivoluzionare l'universo didattico.

Certi insegnanti ritengono che, dal momento che conoscono la loro materia, ogni carenza in fatto di comunicazione sia da attribuire agli studenti incapaci di apprendimento. Si può conoscere tutto, proprio tutto, sul Sacro Romano Impero, ma se non siete in grado di istituire rapporti, di traslare quelle informazioni dalla vostra mappa a quella di altri, la vostra conoscenza è vana, ed è per questo che i migliori insegnanti sono quelli che sanno istituire rapporti.

I fondatori dell'NLP forniscono un ottimo esempio di come dovrebbe funzionare il sistema didattico, quello di uno studente di ingegneria il cui sistema rappresentativo era fondamentalmente cinestesico. Dapprima, costui ebbe gravissime difficoltà a leggere gli schemi dei circuiti elettrici: non riusciva a ricavare un senso da concetti che gli venivano presentati in termini visivi. Poi, un bel giorno, ha cominciato a immaginarsi di essere un elettrone scorrente nel diagramma del circuito che aveva sott'occhio, figurandosi le varie reazioni e i cambiamenti di comportamento che avrebbe avuto a mano a mano che entrava in contatto con componenti del circuito indicati, nei diagrammi, con lettere, e quasi immediatamente essi hanno cominciato ad assumere ben altro senso, e anzi lo studente ha cominciato a divertircisi. Ogni schema significava per lui una nuova odissea, e la cosa gli piaceva a tal punto che è arrivato alla laurea. E ce l'ha fatta perché è stato in grado di apprendere attraverso il suo sistema rappresentativo preferito. Quasi tutti i ragazzi riluttanti a imparare sono in realtà perfettamente in grado di apprendere. Ma gli insegnanti non hanno mai a loro volta appreso come impartire l'insegnamento. Mai hanno istituito rapporti con loro, mai si sono adeguati alle loro strategie di apprendimento.

Se ho insistito tanto sugli aspetti didattici, è perché a conti fatti tutti noi insegniamo, a casa ai nostri figli, sul posto di lavoro ai nostri dipendenti o collaboratori. Quel che vale per una classe, vale anche per una sala del consiglio o un salotto.

Nella magia del rapporto c'è un ultimo, straordinario aspetto, ed è la capacità più facilmente accessibile che ci sia al mondo. Non occorrono libri di testo, non occorre iscriversi a corsi; non è necessario che andiate a studiare sotto la guida di un maestro né che prendiate una laurea. Gli unici strumenti che vi occorrono sono i vostri occhi, le vostre orecchie, il vostro senso tattile, gustativo e olfattivo.

Fin da adesso potete cominciare a coltivare rapporti. Si comunica e si interagisce perennemente, e il rapporto significa semplicemente fare l'una e l'altra cosa nel modo più efficace possibile. Ci si può esercitare al rapporto nella sala d'attesa di un aeroporto, rispecchiando la gente in fila con voi. Lo si può fare dal droghiere, al rapporto ci si può esercitare sul posto di lavoro e in casa. Ammettiamo che dobbiate sottoporvi a un colloquio per ottenere un posto di lavoro: se vi adeguerete all'esaminatore e lo rispecchierete, gli piacerete senz'altro. Se siete in affari, servitevi dell'istituzione di rapporti per creare un immediato legame con i clienti; se volete diventare un abile comunicatore, dovete semplicemente imparare a penetrare nel mondo degli altri, e fin da ora siete in possesso di tutto ciò che vi occorre.

C'è un altro modo di istituire rapporti, ricorrendo a osservazioni che servono a individuare le scelte compiute dalle persone. Ne parleremo nel prossimo capitolo.

14
PARTICOLARITÀ DELL'ECCELLENZA: METAPROGRAMMI

Col tono giusto, si può dire tutto. Col tono sbagliato, nulla: l'unica difficoltà consiste nel trovare il tono.

GEORGE BERNARD SHAW

Uno dei modi migliori per rendersi conto della sorprendente disparità delle reazioni umane, consiste nel parlare a un gruppo di persone: inevitabilmente si rileverà quanto diverse siano le reazioni dei singoli alla stessa realtà. Se volete motivarli, vedrete che qualcuno vi ascolta a bocca aperta, un altro è annoiatissimo; raccontate una barzelletta, e questi si sganascia, quegli resta del tutto indifferente, al punto da farvi credere che ciascuno dei presenti ascolti secondo un diverso linguaggio mentale.

Il problema è perché le persone reagiscono in maniera così diversa a messaggi identici. Perché uno vede il bicchiere mezzo vuoto e l'altro mezzo pieno? Come si spiega che un tale ascolti un messaggio e se ne senta toccato, eccitato, motivato, mentre un altro ode esattamente lo stesso messaggio e non risponde affatto? L'affermazione di Shaw dianzi citata è esattissima: se vi rivolgete a qualcuno nel tono giusto, potete ottenere qualsiasi cosa, e nulla invece se vi rivolgete a lui nel tono sbagliato. Il messaggio più pregnante, il pensiero più profondo, la politica più intelligente, sono assolutamente privi di significato, a meno che non siano compresi sia intellettualmente sia emozionalmente dalla persona cui sono indirizzati, ed è questa una delle chiavi fondamentali, non soltanto del potere personale, ma anche della soluzione di molti dei maggiori problemi con cui siamo collettivamente alle prese. Se volete diventare un grande persuasore, un grande comunicatore sia nel mondo del lavoro che nella vita privata, dovete sapere come si fa a scoprire il tono giusto.

La strada è quella dei metaprogrammi. I metaprogrammi sono le chiavi delle modalità con cui un individuo elabora le informazioni, moduli interni che lo aiutano a formare le sue interne rappresentazioni e a scegliere il proprio comportamento. I metaprogrammi sono insomma i programmi interni di cui ci serviamo per decidere a che cosa fare attenzione. Deformiamo, cancelliamo e generalizziamo informazioni perché la mente conscia è in grado di prestare attenzione solo a un certo numero di informazioni in un dato momento.

Il nostro cervello le elabora suppergiù al modo con cui lo fa un computer, nel senso che riceve un enorme numero di dati che organizza in un insieme che per quella determinata persona ha un senso preciso. Un computer non è in grado di far nulla senza il software, che fornisce la struttura indispensabile all'esecuzione di specifici compiti. I metaprogrammi agiscono nel nostro cervello in maniera assai simile, fornendo la struttura che determina ciò cui faremo attenzione, il nostro modo di ricavare un senso dalle nostre esperienze e le direzioni che seguiremo. I metaprogrammi forniscono il fondamento sulla scorta del quale decidiamo che qualcosa è interessante o tedioso, una potenziale benedizione o una potenziale minaccia. Per comunicare con un computer, bisogna comprenderne il software; per comunicare efficacemente con una persona, bisogna comprenderne i metaprogrammi.

Gli individui dispongono di moduli di comportamento e di moduli in base ai quali organizzano la propria esperienza per istituire quei comportamenti. Soltanto comprendendo questi moduli mentali potete sperare di far giungere a segno il vostro messaggio, si tratti di convincere qualcuno ad acquistare un'automobile o di fargli capire che l'amate davvero. Per quanto le situazioni possano variare, esiste in ciascuno di noi una struttura costante, la sua modalità di capire le cose e di organizzare il proprio pensiero.

Il primo metaprogramma è relativo all'accostamento o all'allontanamento da alcunché. Ogni comportamento umano si incentra sull'impulso ad assicurarsi piacere o a evitare dolore. Ci si scosta da un fiammifero acceso per evitare il dolore della scottatura; si sta ad ammirare un bel tramonto perché si ricava piacere dal meraviglioso spettacolo del giorno che cede il posto alla notte.

Lo stesso vale per azioni meno facilmente definibili. C'è chi percorre un paio di chilometri per andare al lavoro solo perché ricava piacere dall'esercizio fisico, mentre un altro può farsela a piedi perché ha una fobia per l'automobile. C'è chi legge Faulkner, Hemingway o Fitzgerald perché ricava piacere dalla loro prosa e dalla loro perspicacia; in altre parole, costui si avvicina a qualcosa che gli dà piacere. Un altro potrà leggere gli stessi scrittori perché non vuole essere considerato un incolto, e costui non tanto cerca il piacere quanto vuole evitare un dolore: si allontana da qualcosa, anziché avvicinarsi a essa.

Come nel caso degli altri metaprogrammi di cui parlerò, questo processo non ha mai carattere uniforme, nel senso che ciascuno di noi va verso certe cose e da altre si allontana; nessuno risponde allo stesso modo a ogni stimolo, sebbene tutti abbiano una modalità dominante, una forte tendenza verso questo o quel metaprogramma. Vi sono individui curiosi, energici, pronti ad affrontare rischi, che magari si sentono a loro agio soprattutto quando puntano a qualcosa che li stimola; altri tendono alla cautela, a stare sul chi vive, perché vedono il mondo come un luogo ben più periglioso. E costoro tendono a compiere azioni che li allontanino da situazioni dannose o minacciose, anziché essere attratti da quelle eccitanti. Per scoprire in quale direzione vanno gli individui, *chiedete loro cosa vogliono ottenere da un rapporto: una casa, un'auto, un lavoro, o qualsiasi altra cosa.* E se vi dicono quel che vogliono o que' che non vogliono, che cosa significherà quest'informazione?

Moltissimo. Se siete un uomo d'affari che vuol vendere un suo prodotto, potete persuadere il cliente a comprare in due modi: puntando su ciò che il prodotto stesso fa o su ciò che non fa. Cercare per esempio di vender automobili dando risalto ad aspetti come la velocità, l'eleganza o l'attrazione che possono esercitare sulle donne, oppure insistere sull'economicità di consumo, sul basso costo di mantenimento, sulla particolare robustezza in caso di incidente. La strategia cui farete ricorso dovrebbe dipendere in tutto e per tutto da quella del cliente con cui avete a che fare. Ricorrete al metaprogramma errato, e tanto vale che ve ne restiate a casa: voi volete spingerlo in una certa direzione, ma se il metaprogramma è sbagliato lui sarà semplicemente teso a trovare un buon motivo per tirarsi indietro.

Non dimenticate che un'automobile può percorrere la stessa strada in una direzione oppure nell'altra: tutto dipende da quella in cui la si avvia. Lo stesso vale nei rapporti personali. Ammettiamo per esempio che desideriate che vostro figlio dedichi maggior tempo allo studio. Potete dirgli: "Farai meglio a studiare, altrimenti non potrai entrare in un buon college." Oppure: "Guarda Fred. Non studiava, se ne è andato da scuola, e passerà il resto dei suoi giorni a fare il pieno di benzina alle automobili. È questo il tipo di esistenza che ti auguri?" Funzionerà una strategia del genere? Dipende da vostro figlio. Se è motivato soprattutto dall'allontanamento, può darsi che si riveli efficace. Ma che succede se invece è attratto dalle cose che lo eccitano, che esercitano su di lui un richiamo? Se questo è il suo modo di rispondere, non ne cambierete certo il comportamento fornendogli l'esempio di qualcosa da cui allontanarsi. In realtà, coloro che verso le cose puntano, spesso sono irritati o provano risentimento nei confronti di chi presenta loro cose da cui allontanarsi. Motivereste meglio vostro figlio dicendogli: "Se fai questo e quello, potrai sceglierti il college al quale iscriverti."

Il secondo metaprogramma riguarda gli schemi referenziali esterni e interni. Chiedete a qualcuno come sa di aver fatto un buon lavoro. Per certe persone la prova viene dall'esterno: il capo dà loro un colpetto d'approvazione sulla spalla, si congratula con loro. Ottengono un aumento di stipendio, ricevono una grossa gratifica, quel che hanno fatto è notato e apprezzato dai colleghi. È questo un sistema referenziale esterno.

Per altri, la prova viene dall'interno. Costoro, semplicemente "sanno dentro" di aver fatto un buon lavoro. Se avete un sistema referenziale interno, potrà capitarvi di progettare un edificio che otterrà ogni sorta di premi di architettura, ma se non ne siete persuasi voi stessi, non c'è approvazione esterna che possa convincervi del contrario. Può invece capitarvi di eseguire un lavoro accolto senza troppo entusiasmo dal vostro capo o dai vostri colleghi, ma se voi siete convinti che sia una buona cosa, vi fiderete più del vostro istinto che di quello altrui. E questo è un sistema referenziale interno.

Ammettiamo che vogliate convincere qualcuno a partecipare a un seminario. Potrete dirgli: "Devi assolutamente venirci. È bellissimo. Ci sono stato, sono venuti anche altri miei amici, e per tutti noi è stato un vero godimento, ne abbiamo parlato per giorni e giorni. Anche loro affermano che ne ha cambiato in meglio l'esistenza." Ora, se l'individuo cui lo state dicendo ha un sistema referenziale esterno, è possibile che riusciate a convincerlo: dal momento che tante altre persone esprimono approvazione, è molto probabile che anche lui farà lo stesso.

E se invece ha un sistema referenziale interno? Vi riuscirà piuttosto difficile convincerlo riferendogli ciò che altri hanno detto: per lui questo non conta. Potete convincerlo solo facendo appello a ciò che lui stesso sa, per esempio dicendogli: "Ti ricordi quella serie di conferenze alle quali hai assistito l'anno scorso? Allora hai detto che è stata l'esperienza più costruttiva che ti è toccata da anni. Be', mi risulta che c'è qualcosa di simile, e credo che se tu andassi a dare un'occhiata, forse potresti avere un'esperienza dello stesso tipo. Che te ne pare?" Funzionerà? Certo, perché gli parlate nel suo stesso linguaggio.

È importante rilevare che tutti i metaprogrammi sono legati a un contesto e a una forte abitudine. Se avete fatto qualcosa per dieci o quindici anni di seguito, probabilmente avete un robusto sistema referenziale interno; se invece siete un neofita, può darsi che non abbiate un sistema referenziale altrettanto solido per stabilire ciò che è giusto o sbagliato in quel contesto. In altre parole, si ha la tendenza a sviluppare preferenze e modelli nel corso del tempo. Ma, anche se siete destri, quando è utile vi servite della mano sinistra; e lo stesso vale per i metaprogrammi. Non si è monodirezionali, si può variare, si può cambiare.

Qual è il sistema di riferimento che hanno per lo più gli individui? Interno o esterno? Un capo che sia davvero efficiente deve avere un forte sistema referenziale interno, e non potrebbe essere davvero una valida guida se passa il suo tempo a chiedere ad altri che cosa pensano di questo o quello prima di entrare in azione. E, come nel caso dei metaprogrammi, bisogna mirare a un equilibrio ideale, tenendo presente che ben pochi sono coloro i quali agiscono solo e rigidamente in un senso. Un capo davvero valido deve essere in grado di assumere informazioni anche dal mondo esterno, e di sapersene servire. Se non lo fa, la leadership si trasforma in megalomania.

Dopo uno dei miei recenti seminari aperto a ospiti, un tale, venuto con tre amici, mi ha detto con aria dura: "Non sono affatto convinto!" E ha continuato a bombardarmi di obiezioni. Ben presto è risultato evidente che le sue scelte erano compiute in base a un sistema referenziale interno. (Le persone a orientamento esterno di rado accade che vengano a dirvi quello che dovreste fare e come dovreste farlo.) Ed è risultato inoltre evidente che era uno che dalle cose si allontanava. Ragion per cui gli ho detto: "Io non posso convincerla a far niente. Lei è l'unico che possa convincere se stesso." È rimasto sbalestrato dalla mia replica. Si aspettava che difendessi a spada tratta le mie affermazioni, dandogli così l'opportunità di respingerle. Ma a questo punto era costretto a convenire con me, perché dentro di sé sapeva che le cose stavano effettivamente in quel modo. E io ho soggiunto: "Lei è l'unica persona che sa chi avrà da perderci se non frequenta il corso." Di regola, un'uscita del genere mi sarebbe parsa del tutto inopportuna, ma stavo parlando il suo linguaggio, e ha funzionato. Notate bene: io non gli ho detto che a rimetterci sarebbe stato lui se non si fosse iscritto al corso. Se lo avessi fatto, mai e poi mai avrebbe assistito ai miei seminari. Al contrario, gli ho detto: "Lei è l'unica persona che sa (sistema referenziale interno) chi ci rimetterà (chi, cioè, si allontanerà da) se non partecipa al corso." E lui: "Già, questo è vero." Ed è andato a iscriversi al corso. Quando ancora non sapevo nulla di metaprogrammi, avrei tentato di persuaderlo facendolo parlare con altre persone (sistema referenziale esterno) che avessero partecipato al corso, e gli avrei illustrato tutti i benefici che ne avrebbe ricavato (movimento verso le cose). Ma questo sarebbe stato un modo di far colpo su me stesso, non su di lui.

La terza serie di metaprogrammi implica scelte fatte in nome proprio o a pro di altri. Certi individui considerano le interazioni umane soprattutto alla luce di ciò che ne ricavano personalmente, altri alla luce di ciò che possono fare per se stessi e per gli altri. In genere le persone non rientrano mai esclusivamente nell'una o nell'altra categoria. Se la vostra scelta è esclusivamente a vostro pro, finirete per diventare un egoista tutto preso dal proprio io; se scegliete solo a pro degli altri, diventerete un martire.

Ammettiamo che siate addetto all'assunzione di personale: non vi piacerebbe sapere verso quale dei due estremi gravita un candidato? Non molto tempo fa, una grande compagnia aerea ha costatato che il 95% dei reclami che riceveva era causato dal 5% dei suoi dipendenti, i quali erano soprattutto interessati a se stessi e non agli altri. Erano cattivi dipendenti? Sì e no; evidentemente, erano addetti a mansioni per loro sbagliate, e chiaramente non le eseguivano a dovere, anche se in un'altra situazione sarebbero stati svegli, diligenti e partecipi. Erano insomma la moneta giusta infilata nella fessura sbagliata.

Sapete che cosa ha fatto la compagnia aerea? Li ha sostituiti con persone che nelle proprie scelte seguivano l'opinione altrui, e l'azienda lo ha stabilito mediante interviste di gruppo nel corso delle quali agli aspiranti veniva chiesto perché volevano lavorare per la compagnia. Molti di loro pensavano che sarebbero stati giudicati in base alle risposte che davano in presenza dei componenti di un gruppo, mentre in realtà venivano giudicati sulla scorta del loro comportamento quali membri del gruppo stesso.

In altre parole, gli individui che prestavano la massima attenzione, che più spesso rivolgevano occhiate e sorrisi, che mostravano partecipazione per l'individuo che stava in quel momento parlando, erano quelli che ottenevano il massimo punteggio, mentre coloro che prestavano punto o poca attenzione e restavano chiusi nel proprio guscio mentre altri parlavano, sono stati ritenuti preoccupati principalmente di se stessi, e non sono stati assunti. La quantità di reclami è diminuita di oltre l'80% in seguito a questa iniziativa. Ecco perché i metaprogrammi sono così importanti nel mondo degli affari. Come si fa a valutare una persona se si ignora ciò da cui è motivata? Come mettere al giusto posto la persona giusta, tale in termini di capacità di svolgere quel compito specifico, prontezza ad apprendere e struttura interiore? Molte persone intelligentissime percorrono l'intero arco della loro carriera in condizioni di totale frustrazione perché sono addette a compiti in cui non possono fare uso ottimale delle loro effettive capacità. Quella che in un contesto è una carenza, può essere un asso nella manica in un altro.

Nel caso di un'attività terziaria come quella di una compagnia aerea, evidentemente si ha bisogno che i dipendenti tengano conto, nelle loro scelte, delle esigenze altrui. Se assumete un revisore dei conti, meglio che scegliate qualcuno che si ripiega su se stesso. Quante volte vi è capitato di avere a che fare con qualcuno che vi ha lasciato in uno stato di incertezza, che eseguiva il suo lavoro bene a livello intellettuale ma male a livello emozionale? Costui è come un medico che operi le sue scelte in termini personali: potrà essere un brillante diagnostico, ma se non vi dà la sensazione di nutrire interesse per voi, la sua efficienza sarà relativa. In effetti, un individuo del genere riuscirebbe probabilmente meglio come ricercatore che non come medico. Mettere la persona giusta al posto giusto rimane uno dei massimi problemi del mondo degli affari, ma si potrebbe risolverlo se la gente sapesse valutare i modi in cui i candidati a un certo lavoro elaborano le informazioni.

A questo punto, varrà la pena di notare che non tutti i metaprogrammi hanno la stessa valenza. Per la gente, è meglio muovere verso le cose che allontanarsene? Forse sì. E il mondo sarebbe un luogo migliore se la gente facesse le proprie scelte più tenendo conto degli altri che solo di se stessi? Probabilmente sì, ma noi dobbiamo vedercela con la vita qual è, non come vorremmo che fosse. Potete desiderare che vostro figlio si senta attratto anziché respinto dalle cose; ma se volete comunicare con lui, dovete farlo in un modo che funzioni, non in un modo che corrisponda alla vostra idea di come il mondo dovrebbe essere. Il segreto consiste nell'osservare le persone il più attentamente possibile, prestando orecchio a ciò che dicono, alle metafore cui fanno ricorso, a ciò che la loro fisiologia rivela, alle cose che ne attraggono l'attenzione e a quelle che le annoiano. Gli individui rivelano i propri metaprogrammi in maniera continua e coerente, e non richiede troppa fatica stabilire quali siano le tendenze dei singoli e in base a che cosa compiono le proprie scelte in quel particolare momento. Per stabilire se il loro metro di misura è loro stessi o gli altri, osservate quanta attenzione dedicano a questi ultimi. Si protendono ad ascoltarli, le loro espressioni facciali rispecchiano interesse per ciò che altri stanno dicendo, oppure se ne stanno comodamente seduti, con aria annoiata e indifferente? Ciascuno di noi in certi momenti ha come metro di misura se stesso, e a volte è necessario che sia così. Ciò che conta è quello che si fa di continuo e che la procedura per la quale si opta dia modo di produrre i risultati desiderati.

Il quarto gruppo di metaprogrammi riguarda adeguanti e disadeguanti. Facciamo un piccolo esperimento. Guardate le tre figure sottostanti, e dite qual è la correlazione tra loro.

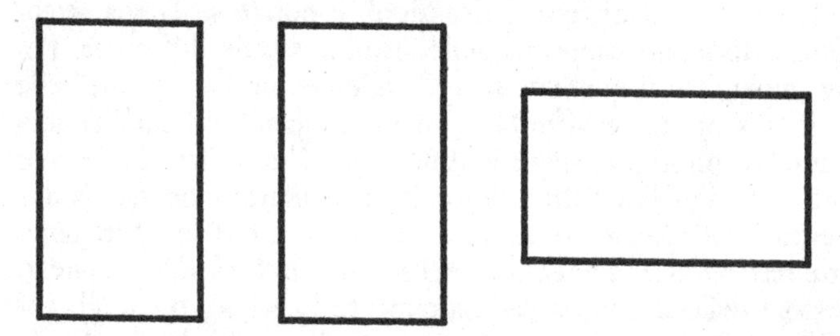

Potreste rispondere in molti modi, dicendo per esempio che sono tutti rettangoli, oppure che hanno tutte quattro lati, o ancora che due sono verticali e una orizzontale, o che due stanno in piedi e una sdraiata o magari che una figura ha esattamente lo stesso rapporto con le altre due, e infine che una è diversa e le altre due simili.

E sono certo che potreste elaborare molte altre indicazioni. Si tratta sempre di definizioni della stessa immagine, che però rispondono ad approcci completamente diversi. Lo stesso vale per coloro che vedono soprattutto le somiglianze, cioè gli adeguanti, o le differenze, cioè i disadeguanti, e questo metaprogramma determina come si severano le informazioni allo scopo di apprendere, capire e simili. Vi sono persone che rispondono al mondo trovando affinità; in altre parole, osservano le cose e notano ciò che hanno in comune, e sono gli "adeguanti". Costoro guardano le nostre figure e magari se ne escono a dire: "Be', sono tutti rettangoli." Un altro tipo di "adeguanti" scopre affinità con eccezioni; costoro guarderanno le figure e potranno commentare: "Sono tutti rettangoli, solo che uno è disposto orizzontalmente e gli altri due verticalmente."

Altri invece sono "disadeguanti", hanno cioè occhi soprattutto per le differenze; e anche in questo caso ce ne sono di due categorie. Gli appartenenti all'una guardano il mondo e rilevano le differenze. Uno di costoro osserverà le figure e commenterà che sono tutte diverse, con diversi rapporti vicendevoli, in altre parole che non si somigliano affatto. I "disadeguanti" dell'altra categoria vedono le differenze con eccezioni, sono cioè simili ad "adeguanti" che scoprono l'identità con eccezioni in senso contrario: il "disadeguante" di questo tipo individua innanzitutto le differenze, alle quali poi aggiunge ciò che le cose hanno in comune. Per stabilire se uno è un "adeguante" o un "disadeguante", chiedetegli quali sono a suo giudizio i rapporti tra una qualsiasi serie di oggetti e situazioni, e notate se la sua attenzione si focalizza dapprima sulle affinità o sulle differenze. Potete immaginarvi quel che succede allorché un "adeguante" che tende a scoprire le affinità si mette assieme con un "disadeguante" proteso a cogliere le differenze? L'uno dice che le cose sono tutte uguali, e l'altro: "Non lo sono affatto, non vedi la differenza?" La spiegazione fornita dal primo è che le figure sono tutte rettangoli, la spiegazione del secondo è che può darsi che lo spessore delle linee non sia esattamente lo stesso, o che gli angoli non siano perfettamente uguali. E allora, chi dei due ha ragione? Entrambi, com'è ovvio, dal momento che tutto dipende dalla percezione individuale. Ciò non toglie che spesso per i "disadeguanti" risulti difficile stabilire rapporti con altri perché tendono sempre a individuare differenze; per costoro è più agevole istituire rapporti con altri "disadeguanti".

È importante capire queste differenze? Permettetemi di fornirvi un esempio tratto dalla mia personale attività. Ho cinque soci, e tutti noi siamo adeguanti, salvo uno. Di solito, è una situazione ideale: siamo simili, legati da vicendevole simpatia, la pensiamo allo stesso modo, vediamo le stesse cose, per cui nel corso delle nostre riunioni raggiungiamo un livello di meravigliosa sinergia; tutti interveniamo buttando giù idee, una migliore dell'altra perché ci sentiamo profondamente affini, vediamo tutti le cose allo stesso modo, costruiamo sulle nostre intuizioni, ci entusiasmiamo.

Ma a un certo punto, entra in scena il nostro "disadeguante", e ogni volta vede le cose in maniera diversa da noi. Noi scorgiamo accordi, lui vede stridori. Noi ci euforizziamo, vorremmo continuare, ma lui si intromette per dirci che la faccenda non funzionerà avendo occhi solo per quei problemi dei quali noi preferiremmo non occuparci. Noi vorremmo librarci, spaziare con la fantasia, lui invece torna con i piedi per terra, e dice: "Oh, davvero? E che ve ne sembra di questo? E di quest'altro?"

È una spina nel fianco? Certo! Ed è un valido socio? Altroché! Noi abbiamo bisogno del suo intervento al momento opportuno durante il processo di programmazione; non vogliamo invece che si aggrappi ai particolari e che mini la nostra collettiva elaborazione di idee. La sinergia che ricaviamo dalla programmazione in comune è più preziosa della sua pignoleria. Ma quando caliamo di tono, abbiamo un bisogno disperato di qualcuno che veda le lacune, le incongruenze e così via. È questa la funzione che svolge, quella che spesso ci salva da noi stessi.

I "disadeguanti" sono in minoranza rispetto agli "adeguanti". Da rilevamenti statistici compiuti risulta che circa il 35% degli intervistati è "disadeguante". (Se lo siete a vostra volta, probabilmente affermerete che le rilevazioni non sono precise.) Tuttavia, sono quanto mai preziosi perché tendono a vedere ciò che sfugge agli altri. Di solito sono piuttosto alieni dai voli poetici, e molto spesso accade che, anche quando si lasciano andare all'entusiasmo, comincino a "disadeguare" e trovino modo di gettar acqua fredda sui propri entusiasmi. Ma la loro sensibilità critica, analitica, è di grande importanza in ogni attività economica. Pensate solo a un gigantesco buco nell'acqua come quello del film *Heaven's Gate.* Tra le quinte, chi avesse avuto modo di darvi un'occhiata, avrebbe visto all'opera un branco di "adeguatori" creativi, tutti con sistemi referenziali interni, tutti protesi alla meta e indifferenti a tutto quanto sarebbe stato necessario per acquisire un certo distacco. Quel che sarebbe occorso loro sarebbe stato un "disadeguante" il quale dicesse: "Un momento! E di questo, e quest'altro, che ne pensate?" e sapesse comunicare le sue idee in modo da riuscire accettabile per i sistemi di riferimento interno degli "adeguanti".

Le due modalità, l'"adeguante" e la "disadeguante", sono della massima importanza perché possono manifestarsi in moltissime circostanze, perfino in campo dietetico. Gli "adeguanti" estremisti molto spesso finiscono per mangiare cose che non sono adatte loro, perché non vogliono saperne di cambiamenti alimentari. Non sanno che farsene di mele o susine: troppa varietà, in fatto di maturità, consistenza, sapori, periodo di conservazione, e altri aspetti. E preferiscono cibi in scatola o surgelati perché quelli non cambiano mai. Sarà cibo schifoso, ma scalda il cuore invariabile dell'"adeguante".

Se aveste da offrire un posto di lavoro che sia sempre lo stesso, ripetitivo, anno dopo anno, chi assumereste? Una persona portata a cogliere le differenze? No di certo. Vi conviene assumere un individuo che prediliga le affinità e che sarà felicissimo di una mansione del genere, disposto a starci per tutto il tempo che voi vorrete. Se, al contrario, avete il problema di una mansione che richiede un alto grado di flessibilità o di continuo cambiamento, assumereste una persona portata a cogliere affinità? Evidentemente, no. Sono differenziazioni che possono riuscire utilissime quando si tratti di scoprire quali attività sono più congeniali alle persone per un periodo di tempo massimo.

Vi servireste della stessa tecnica di persuasione con un "adeguante" e un "disadeguante"? Li adibireste alla stessa mansione? Trattereste allo stesso modo due bambini che seguono strategie diverse nella scoperta di affinità e differenze? Certamente no. Con questo non si vuol dire che le strategie sono immutabili. Gli esseri umani non sono cani di Pavlov: possono modificare le proprie strategie almeno entro certi limiti, ma solo a patto che qualcuno parli loro nel loro stesso linguaggio per spiegare quel che devono fare. E ci vogliono grandi sforzi e tanta, tanta pazienza per trasformare in "adeguante" un "disadeguante" tale da sempre, ma si può aiutarlo a ricavare il massimo del suo approccio e a essere un po' meno testardo e dottrinario. È uno dei segreti del vivere con persone che siano diverse da noi. D'altro canto, è utile, per gli "adeguanti", essere indotti a scorgere maggiori differenze, in quanto hanno tendenza a generalizzare. Bisogna avere occhio anche per le differenze, no? Fanno parte integrante di quello che vien detto il succo della vita.

Possono, un "adeguante" e un "disadeguante", vivere assieme felici e contenti? Ma certo – sempreché, beninteso, si comprendano a vicenda. E allora, quando tra loro insorgono divergenze, si rendono conto che l'altro non è né cattivo né in errore, ma solo che vede tutto sotto un'altra luce. Per istituire buoni rapporti, non è indispensabile essere come due gocce d'acqua: basta tenere presenti le differenze nel modo di percepire le cose e imparare a rispettarsi e ad apprezzarsi a vicenda.

Il prossimo metaprogramma riguarda il metodo di persuadere qualcuno di alcunché. La strategia di convincimento ha due aspetti. Per individuare quel che ci vuole per convincere davvero un vostro simile, bisogna innanzitutto scoprire a quali elementi della sua struttura sensoria fare appello, e poi con quale frequenza inviargli gli stimoli relativi per lasciarsi persuadere. Per individuare quale sia il suo metaprogramma di convincimento, dovete chiedergli: "Come fai a sapere che una persona è adatta a una certa mansione? Devi: a) osservarla all'opera? b) assumere informazioni sul suo conto? c) compiere quel certo lavoro assieme a essa? d) disporre di informazioni scritte sulle sue capacità?" La risposta può risultare una combinazione di questi elementi. Può per esempio persuadersi che qualcuno è capace perché lo vede fare un buon lavoro o perché altri gli dicono che è bravo. Altra domanda: "Quante volte uno deve dimostrarti che è bravo perché tu te ne convinca?" Quattro sono le risposte possibili: a) me ne convinco subito (se mi dimostra una volta di essere capace di fare qualcosa, non ho più dubbi in merito); b) un certo numero di volte (due o più); c) un certo periodo di tempo (qualche settimana, un mese, un anno); d) continuamente. In questo caso, una persona deve dimostrare la propria bravura in ogni momento e occasione.

Se siete alla testa di un'azienda, una delle situazioni più produttive che potete istituire con i vostri principali collaboratori è un rapporto di fiducia e cordialità. Se sanno che di loro vi curate, lavoreranno meglio e più assiduamente per voi; se di loro non vi fidate, tireranno a campare. Ci sono persone pronte a stabilire un rapporto e a mantenerlo; e, se sanno che da parte vostra non ci sono infingimenti, potrete creare un legame che durerà finché non farete nulla per spezzarlo.

Non per tutti è lo stesso. Ci sono dipendenti che richiedono ben altro, si tratti di una parola gentile, di un appunto con cui comunicate loro la vostra approvazione, di una dimostrazione pubblica di sostegno, di un compito importante da svolgere. Possono essere altrettanto fedeli e pieni di talento, ma hanno bisogno di maggiori convalide, da parte vostra, di quante non ne occorrano ad altri.

Necessitano di maggiori riprove che il legame tra voi e loro è pur sempre saldo. Allo stesso modo, ogni buon venditore conosce clienti ai quali basta che riesca a vendere una volta, perché restino clienti per sempre. Altri devono esaminare il prodotto due o tre volte prima di decidersi a comprarlo, mentre in altri casi possono passare sei mesi prima che si possa riproporre loro l'acquisto. E naturalmente c'è il "beniamino" del venditore, quel tale che fa uso da anni del vostro prodotto, e ogniqualvolta vi fate vivi vuole che nuovamente gli spieghiate perché deve servirsene. Lo stesso accade, e con ancor maggiore intensità, nei rapporti personali. Con certe persone, è sufficiente dar loro una volta per tutte la prova che le amate; con altre, bisogna farlo ogni giorno. L'utilità di comprendere metaprogrammi è che vi forniscono il programma al quale attenervi per convincere qualcuno. Sapete in partenza ciò che ci vuole per riuscirci, e non vi irriterete più con la persona alla quale la dimostrazione dev'essere fornita ogni volta, dal momento che da parte sua vi aspettate appunto tale comportamento.

Un altro metaprogramma è quello relativo alla possibilità contrapposta alla necessità. Chiedete a qualcuno perché è entrato a far parte dell'azienda presso la quale lavora attualmente oppure perché ha acquistato quella tale automobile o casa. Ci sono persone motivate primariamente dalla necessità più che da ciò che vorrebbero. In altre parole, fanno qualcosa perché devono farla. Non sono cioè indotte all'azione da una possibilità, non hanno di mira le infinite varietà dell'esperienza, ma trascorrono l'esistenza prendendo ciò che è disponibile e ciò che si offre loro. Quando hanno bisogno di un nuovo lavoro o di una nuova casa, di una nuova auto o anche di un nuovo coniuge, si accontentano di quello che trovano.

Per altri, la motivazione è data dalla ricerca di possibilità. A muoverli non è tanto quel che devono fare, quanto ciò che desiderano fare. Sono in cerca di opzioni, di esperienze, di scelte, di nuove strade da battere. L'individuo motivato dalla necessità è attratto da ciò che è noto e da ciò che è certo. Chi sia motivato dalla possibilità è altrettanto interessato all'ignoto: vuole conoscere ciò che evolve, quali opportunità ne possono derivare.

Se foste un datore di lavoro, qual è il tipo di dipendente che preferireste assumere? Probabilmente la risposta di qualcuno sarà: "La persona motivata dalla possibilità." Perché in fin dei conti avere una forte attrazione per le possibilità rende più ricca l'esistenza. Istintivamente, anche moltissimi individui motivati dalla necessità si farebbero sostenitori delle virtù insite nel mantenersi aperti a un'infinita varietà di nuove istanze.

In realtà, le cose non sono così nettamente scindibili. Ci sono mansioni che richiedono attenzione al particolare, costanza e coerenza. Facciamo l'esempio di un addetto al controllo della qualità in una fabbrica di automobili. Certo, l'attrazione per le possibilità è una gran bella cosa, ma forse occorrerebbe soprattutto la sensibilità a ciò che è necessario. Perché bisogna sapere esattamente quel che occorre e verificare che venga fatto. Chi è motivato dalla possibilità probabilmente si annoierebbe a morte in una situazione del genere, mentre chi è motivato dalla necessità ci si troverebbe perfettamente a suo agio.

Le persone motivate dalla necessità hanno anche altre virtù. Ci sono mansioni che esigono soprattutto stabilità, e quando si sceglie la persona da adibire a esse, è meglio che quel tale vi resti a lungo. Chi è motivato dalla possibilità è sempre alla ricerca di nuove occasioni, di nuove iniziative, di nuove sfide e, se trova un altro lavoro che gli sembra offrire maggiori possibilità, ci sono molte probabilità che se ne vada; esattamente il contrario di quanto è portato a fare l'individuo mosso dalla necessità. Costui accetta un lavoro quando ne ha bisogno, e ci resta attaccato perché lavorare è una necessità. Molte sono le mansioni che richiedono invece un sognatore, uno un tantino fanfarone, disposto a correre rischi perché crede nella possibilità. Se la vostra azienda dovesse diversificare la propria produzione, entrando in un campo di attività del tutto nuovo, non potrete non assumere qualcuno che sia aperto a tutte le possibilità, mentre invece ci sono mansioni per le quali sono da prediligere la costanza, la coerenza, la durata, e per queste avrete bisogno di individui motivati soprattutto dal bisogno. Non meno importante è conoscere quali sono i vostri metaprogrammi personali, in modo che, se vi cercate un lavoro, scegliate quello che meglio risponda alle vostre esigenze.

Lo stesso principio vale quando si tratta di fornire motivazioni ai vostri figli. Ammettiamo che poniate l'accento sui benefici dell'istruzione e su quelli che derivano dalla frequentazione di un buon college. Se a motivare vostra figlia è la necessità, dovreste mostrarle perché ha bisogno di una buona istruzione, illustrandole quelle mansioni per le quali è necessario un diploma o una laurea. Le direte per esempio che per essere un buon ingegnere è necessario un solido fondamento matematico, per essere un buon insegnante occorre abilità linguistica. Se invece vostra figlia è motivata dalla possibilità, dovete far vostro un altro approccio, perché la annoia ciò che deve fare, e dunque a voi conviene mettere in risalto le infinite possibilità che si aprono a chi abbia una buona istruzione. Mostratele dunque che l'apprendimento di per sé costituisce la strada che spalanca le maggiori possibilità, riempitela di immagini di nuove cose da scoprire. Nell'uno e nell'altro caso, il risultato sarà lo stesso, mentre ben diverso sarà il percorso per giungervi.

Un altro metaprogramma è lo stile di lavoro di una persona. Non c'è chi non abbia la propria strategia lavorativa. Ci sono individui che si sentono realizzati solo se sono *indipendenti*; per costoro, riesce assai difficile lavorare gomito a gomito con altri, e rendono ben poco se sottoposti a continui controlli; sono persone che devono recitare per conto proprio la loro parte. Altri funzionano al meglio se sono inseriti in un gruppo, e la loro strategia la definiremo *cooperativa.* Costoro preferiscono condividere le responsabilità per qualsiasi compito si assumano. Altri ancora hanno una strategia di *prossimità*, che rappresenta una via di mezzo tra i due estremi; costoro preferiscono lavorare con altri, assumendosi però la responsabilità individuale nel caso di certi compiti. Insomma, si assumono iniziative, ma mai da soli.

Se desiderate ottenere il massimo dai vostri dipendenti, dai vostri figli, da quanti sono sottoposti al vostro controllo, dovete scoprirne le strategie lavorative, i modi d'essere con cui raggiungono la massima efficienza. A volte vi capiterà di trovare un impiegato brillante, ma che è una vera spina nel fianco perché vuole sempre fare le cose a modo suo; e d'altra parte, è magari impossibile farne a meno. Può darsi infatti che sia quel tipo di individuo che mira a mettersi in proprio e probabilmente prima o poi lo farà, se non gli date modo di esprimersi. Se avete un valido dipendente del genere, vi converrà trovare il modo di valorizzarne al massimo i talenti, assicurandogli quanta più autonomia possibile. Ma se lo inserite in un *team*, farà impazzire tutti gli altri. Mentre concedendogli il massimo di indipendenza, può rivelarsi preziosissimo. Le nuove concezioni dell'imprenditoria fanno proprie appunto queste problematiche.

Avrete senza dubbio sentito parlare del Principio di Peter, stando al quale tutti vengono promossi al livello della loro incompetenza; uno dei motivi per cui ciò succede, è che i datori di lavoro sono spesso all'oscuro delle strategie di lavoro dei loro dipendenti, dimenticando che ci sono individui che danno il meglio di sé in un ambito cooperativistico, che si sentono a loro agio solo se rispondono di una cospicua dose di interazione e di retroazione umana. Vorreste premiarli per le loro buone prestazioni affidando loro una nuova iniziativa autonoma? No di certo, sempre che vogliate fare buon uso dei loro talenti. Ciò non vuol dire che dobbiate tenere il dipendente sempre allo stesso livello: no, dovete concedere nuove promozioni, permettere nuove esperienze lavorative in modo da utilizzare le migliori capacità di una persona.

Allo stesso modo, molti di coloro che fanno proprie le strategie di prossimità, vogliono, sì, far parte integrante di un *team*, ma hanno bisogno di fare il loro lavoro da soli. In ogni struttura aziendale, esistono mansioni che favoriscono tutte e tre le strategie; il segreto consiste nella perspicacia necessaria per capire come le persone possano dare il meglio di sé e affidare loro un compito in cui possano avere successo.

Ed ecco ora un esercizio da compiere. Dopo aver letto questo capitolo, esercitatevi a far venire in luce i metaprogrammi altrui. Chiedete loro: che cosa cerchi in un rapporto (oppure in una casa, automobile, carriera)? Come fai a sapere che hai avuto successo in qualcosa? Quali sono i rapporti tra ciò che stai facendo questo mese e ciò che hai fatto il mese scorso? Quante volte bisogna fornirti la dimostrazione di qualcosa prima che tu sia convinto della sua necessità? Parlami della tua esperienza di lavoro prediletta, e dimmi perché è così importante per te.

L'individuo a cui rivolgete queste domande vi presta attenzione? È interessato alla vostra risposta o non gliene importa niente? Sono solo alcune delle domande che potete rivolgere per far venire effettivamente alla luce i metaprogrammi di cui ci stiamo occupando. E se non riuscite a ottenere le informazioni che vi occorrono, riformulate la domanda finché non ne verrete in possesso.

Pensate ai problemi di comunicazione che voi stessi avete, e con ogni probabilità costaterete che capire i metaprogrammi altrui vi aiuta ad adeguare le vostre comunicazioni in modo che i problemi scompaiano. Pensate a una situazione frustrante in cui vi siete trovati: una persona da voi amata non si sente amata, avete cercato di aiutare qualcuno, e la risposta è stata nulla. Quel che vi occorre è identificare il metaprogramma operativo, capire esattamente ciò che state facendo e ciò che sta facendo l'altro.

Supponiamo che, se avete una relazione amorosa, abbiate bisogno di riprove che l'altro vi ama solo una volta per tutte, mentre il vostro partner ne richiede di continuo. Oppure, che presentiate una proposta in cui risulti la somiglianza tra questo e quello, mentre il vostro superiore vuole sentir parlare solo di differenze. O ancora, voi cercate di mettere in guardia qualcuno in merito a qualcosa che è meglio che eviti, mentre lui vuole sentir parlare solo di cose che intende fare.

Se parlando scegliete il tasto sbagliato, il messaggio che ne deriverà sarà altrettanto errato: un problema con cui si trovano alle prese sia i genitori nei rapporti con i figli, sia i datori di lavoro con i loro dipendenti. In passato, ben pochi avevano la sensibilità necessaria a riconoscere esattamente le strategie cui altri fanno ricorso. Quando non riuscite a far pervenire il vostro messaggio a qualcun altro, non è necessario che ne cambiate il contenuto, ma dovete far vostra l'elasticità necessaria a mutarne la forma in modo che corrisponda ai metaprogrammi dell'individuo con cui cercate di comunicare.

Spesso la comunicazione raggiunge la sua massima efficacia quando si fa ricorso a vari metaprogrammi contemporaneamente. I miei soci e io una volta abbiamo avuto dei contrasti con un tale che aveva fatto un lavoro per noi. Ci siamo trovati assieme e io ho inaugurato la riunione cercando di creare un'atmosfera positiva, affermando che volevo addivenire a un risultato che fosse soddisfacente per tutti. La sua immediata replica è stata: "Bel discorso! Ma non me ne importa niente. Io ho avuto questa somma, e ho intenzione di tenermela. Semplicemente, non voglio che il vostro avvocato continui a telefonarmi e a rompermi le scatole." Quindi si è alzato e ha fatto per andarsene. Gli ho detto allora: "Abbiamo fatto questa riunione perché siamo tutti impegnati ad aiutare gli altri e noi stessi a raggiungere una migliore qualità di vita e possiamo farlo collaborando." E lui: "Non a tutti interessa aiutare gli altri. A me, per esempio, di voi non importa niente. Voglio semplicemente uscirne soddisfatto." La riunione è continuata, senza che si facessero molti passi avanti, ed era sempre più evidente che si trattava di un individuo che tendeva ad allontanarsi dalle cose, a far capo solo a se stesso, che era un "disadeguante", che il suo sistema referenziale era interno e che non credeva alle cose a meno che non gli venissero di continuo ribadite.

Quei metaprogrammi non erano certo fatti per istituire una perfetta comunicazione, soprattutto perché io sono quasi esattamente l'opposto in quasi tutte le cose. Abbiamo continuato a parlare per più di due ore, senza fare un passo avanti ed ero quasi sul punto di lasciar perdere, quando nel cervello mi si è accesa come una lampadina e ho cambiato registro. Mi sono detto: "Adesso ho le idee chiare." Dopo di che ho preso il suo sistema referenziale interno, che con le parole non riuscivo a manipolare, l'ho esteriorizzato, in modo da essere in grado di controllarlo, e gli ho detto: "Ecco come stanno le cose. Le do un minuto per decidere. Si sbrighi a farlo, oppure perderà, e di grosso. Io non voglio rimetterci. Si ricordi che lei ci rimetterà personalmente." Parole che gli hanno dato qualcosa di nuovo da cui allontanarsi, e partendo da quella situazione ho aggiunto: "Lei rischia di rimetterci (tende cioè ad allontanarsi) perché non crede che ci sia una soluzione a cui si possa addivenire."

Ora, siccome si trattava di un "disadeguante", ha cominciato a ragionare in maniera opposta, e cioè a pensare che una soluzione ci fosse. E io ho continuato: "Farà meglio a guardarsi dentro e a vedere (sistema referenziale interno) se è davvero disposto a pagare il prezzo che dovrebbe pagare, giorno per giorno, come risultato delle sue odierne decisioni. Perché, si ricordi, continuerò a dire a tutti (la sua strategia di convincimento) come si è comportato e che cosa ha fatto. Ha sessanta secondi per decidere. Può stabilire ora se vuole portare a buon fine questa operazione, oppure se preferisce perdere tutto – lei personalmente, e per sempre. Veda lei se quello che le dico le sembra coerente."

Gli sono bastati venti secondi, dopo di che se n'è uscito a dire: "Cari signori, ho sempre desiderato lavorare con voi, e so che possiamo raggiungere insieme dei risultati." E non l'ha fatto con riluttanza, ma con entusiasmo, quasi fossimo ottimi amici, anzi soggiungendo: "Volevo semplicemente scoprire se possiamo parlare e intenderci." Perché tanta disponibilità dopo due ore di inutili chiacchiere? Perché per convincerlo avevo fatto ricorso ai suoi metaprogrammi, accantonando il mio modello del mondo.

Quello che gli avevo detto era contro la mia natura; di solito mi sentivo cadere le braccia con chi si comportava in maniera opposta alla mia, ma questo solo finché mi sono accorto che le persone hanno metaprogrammi e moduli differenti.

I principi relativi alla scelta del metaprogramma di cui ci siamo occupati finora sono importanti e ricchi di possibilità. Tuttavia, l'elemento fondamentale da tenere presente è che il numero di metaprogrammi di cui si ha consapevolezza è limitato solo dalla nostra sensibilità, capacità e immaginazione. Una delle chiavi del successo, di qualsiasi cosa si tratti, è la capacità di addivenire a nuove differenziazioni, e i metaprogrammi forniscono gli strumenti che permettono di compiere appunto queste distinzioni, quando si tratta di decidere come trattare con le persone. Non ci sono dunque solo i metaprogrammi di cui fin qui si è parlato. Trasformatevi in studiosi delle possibilità, misurate, valutate di continuo la gente attorno a voi; prendete nota dei modi specifici cui fanno ricorso per percepire il mondo, e cominciate a vedere se altri hanno moduli simili. Mediante un approccio del genere, sarete in grado di elaborare un'intera scala di differenziazioni, distinguendo le persone che possono conferirvi nuovo potere, perché imparerete a comunicare efficacemente con individui di ogni genere.

Così, per esempio, ci sono persone che operando scelte si affidano soprattutto alle sensazioni, mentre altre fanno ricorso al pensiero logico. Cerchereste di persuaderle ricorrendo in entrambi i casi allo stesso metodo? Certamente no. C'è chi le sue decisioni le prende sulla scorta di fatti e dati precisi; costoro devono sapere se i singoli elementi funzionano, cercando di porre mente al tutto solo in un secondo tempo. Altri si lasciano convincere inizialmente da un concetto o idea generale, agiscono cioè secondo insiemi globali, vogliono vedere innanzitutto il quadro generale, e in un secondo tempo si occuperanno dei particolari. Ci sono persone che si entusiasmano per le novità, ma ben presto cominciano a perdere interesse per quella e passano a qualcosa d'altro. Altri invece vogliono arrivare fino in fondo, e qualsiasi cosa facciano devono avere sott'occhio l'intero percorso dal principio alla fine.

E c'è chi prende le proprie decisioni in termini alimentari. Sì, ho detto proprio così. Quasi ogni cosa che fanno o prendono in considerazione viene da essi valutata come se si trattasse di cibi. Se chiedete loro la strada per arrivare a un certo luogo, vi sentirete rispondere: "Continui diritto fino che arriva al ristorante tale, quindi giri a sinistra fino al fast-food, poi a destra fino alla tavola calda, e quindi a sinistra finché arriva a un edificio color cioccolato." Chiedete loro di un matrimonio, e vi parleranno della torta nuziale. Un individuo i cui metri di misura sono costituiti soprattutto da altre persone vi parlerà della gente che c'era al matrimonio; un altro individuo i cui metri di misura sono costituiti soprattutto da attività, vi parlerà di cos'è accaduto durante il matrimonio.

Un altro elemento che deriva dall'attenzione ai metaprogrammi è l'equilibrio. Noi tutti ci serviamo, nell'uso di metaprogrammi, di questa o di quella strategia, in certi casi tenendo più da una parte che dall'altra, mentre in altri ci attacchiamo testardamente a una particolare strategia anziché all'altra. Ma le strategie in questione non sono scolpite nella pietra. E, esattamente come si possono prendere decisioni che conferiscono potenzialità, così si può stabilire di far propri metaprogrammi che siano di aiuto anziché di ostacolo. Che cosa fa un metaprogramma? Dice al vostro cervello cosa deve cancellare. Se per esempio tendete ad andare verso le cose, cancellerete quelle da cui allontanarvi. Per cambiare i vostri programmi, non dovete far altro che assumere consapevolezza delle cose che cancellate, focalizzando su di esse la vostra attenzione.

Non commettete l'errore di confondere voi stessi con i vostri comportamenti o di farlo con altri. Siete soliti dirvi: "Conosco Giovanni. Giovanni fa questo e quello." Be', voi Giovanni non lo conoscete affatto. Lo conoscete solo attraverso i suoi comportamenti, ma Giovanni non è i suoi comportamenti più di quanto voi non siete i vostri. Se siete uno che ha tendenza ad allontanarvi da tutto, forse questo è il vostro modulo di comportamento; ma se non vi piace, potete cambiarlo. A ben vedere, anzi, se non cambiate non avete scuse. La possibilità di farlo ormai l'avete, e l'unico problema è: avete ragioni sufficienti per indurvi a utilizzare ciò che sapete?

Ci sono due modi di cambiare metaprogramma. Uno è sulla scorta di Eventi Emozionali Significanti (EES). Se avete sempre visto i vostri genitori allontanarsi dalle cose, e di conseguenza non essere mai in grado di attuare appieno le loro potenzialità, ciò può influire sul vostro modo di avvicinarvi o allontanarvi. Se siete motivati solo dalla necessità e vi siete lasciati sfuggire un'ottima occasione perché quella certa azienda era alla ricerca di qualcuno che avesse un atteggiamento dinamico, possibilistico, lo shock sarà forse tale da indurvi a cambiare il vostro approccio. Se la vostra tendenza è di tendere verso le cose e vi trovate coinvolti in un investimento che ha tutta l'aria di una truffa, probabilmente questo condizionerà il vostro modo di prendere in considerazione la prossima proposta che vi verrà fatta.

L'altro modo di cambiare consiste nel decidere consciamente il da farsi. La stragrande maggioranza delle persone non si sofferma mai a riflettere sui metaprogrammi di cui si serve. Ma il primo passo verso il cambiamento è il riconoscimento. La consapevolezza di ciò che facciamo di solito, ci fornisce l'opportunità di compiere nuove scelte, e dunque di cambiare. Ammettiamo per esempio che abbiate una forte tendenza ad allontanarvi dalle cose. Che ne pensate? Certo, ci sono cose dalle quali conviene allontanarsi; se posate la mano su un ferro caldo, sentirete il bisogno di allontanarvi al più presto. Ma non ci sono per caso altre cose alle quali vorreste invece puntare? Non fa forse parte integrante del controllo della realtà il fatto di compiere uno sforzo consapevole per puntare ad alcunché? Non credete che moltissimi grandi leader e uomini di successo tendano verso le cose, anziché allontanarsene? Sicché, forse vi conviene sforzarvi un pochino, riflettendo su ciò che vi attira, muovendo concretamente in quella direzione.

Di metaprogrammi si può parlare anche a un livello più elevato. Gli stati presentano comportamenti sicché non possono non avere anche metaprogrammi. Il comportamento collettivo dei cittadini di una nazione molto spesso costituisce un modulo a fondamento del quale stanno metaprogrammi dei loro leader.

Negli Stati Uniti a prevalere è una cultura con tendenza a muovere verso qualcosa. Un paese come l'Iran ha un sistema referenziale interno o esterno? Ponete mente alle ultime elezioni presidenziali americane. Quale era il metaprogramma base di Walter Mondale? Molti hanno visto in lui uno che tende ad allontanarsi dalle cose; Mondale parlava di elementi negativi, affermava che Reagan non diceva la verità e che avrebbe aumentato le imposte. Diceva agli elettori: "Io per lo meno vi dico subito che le imposte dovremo aumentarle, altrimenti andremo incontro al disastro." Con questo, non voglio dire che avesse torto o ragione. Voglio solo mettere in risalto il modulo. Ronald Reagan batteva solo sui tasti dell'ottimismo, mentre Mondale era percepito dagli elettori come uno che vedeva tutto nero. Può darsi benissimo che quel che diceva fosse sensato: molti erano i problemi di vasta portata che la nazione si trovava ad affrontare. Ma a livello emozionale – ed è su questo che soprattutto si gioca la politica – il metaprogramma di Reagan a quanto sembra corrispondeva in misura più esatta a quello della nazione.

Come di tutto ciò in cui si parla in questo libro, dei metaprogrammi ci si dovrebbe servire a un duplice livello. Si tratta in primo luogo di uno strumento che serve a calibrare e a guidare la nostra comunicazione con gli altri. Esattamente come la fisiologia di una persona vi rivela innumerevoli cose sul suo conto, i metaprogrammi parlano in maniera eloquente di ciò che la motiva e di ciò che la spaventa. Tenete presente che voi non siete i vostri comportamenti. Se avete la tendenza a far vostri i moduli che si rivelano negativi per voi, non dovete far altro che cambiarli. I metaprogrammi costituiscono uno dei più utili strumenti di messa a fuoco e cambiamento personale, oltre a fornire la chiave ad alcuni dei più proficui strumenti di comunicazione disponibili.

Nel prossimo capitolo parleremo di altri, preziosissimi strumenti di comunicazione, vale a dire del modo con cui superare le resistenze.

15
COME AFFRONTARE LE RESISTENZE E RISOLVERE I PROBLEMI

Si può rimanere fermi in un fiume che scorre, ma non nel mondo degli uomini.

PROVERBIO GIAPPONESE

In precedenza, abbiamo parlato di come servirsi di modelli, di come scegliere moduli di azione umana di importanza decisiva per ottenere i risultati desiderati e di come governare le proprie azioni per mantenere il controllo della propria esistenza. L'idea di fondo era che non è necessario scegliere il proprio comportamento per tentativi e per errori, ma che si può giungere alle massime vette imparando le maniere più efficaci di governare il proprio cervello.

Quando si ha a che fare con altri, un certo numero di prove e riprove è inevitabile; non si può condizionare il comportamento altrui con la rapidità, l'esattezza e l'efficacia con cui si controllano i propri risultati. Ma una chiave al successo personale consiste nell'apprendere il modo di accelerare tale processo, e lo si può fare sviluppando rapporti, comprendendo metaprogrammi, imparando a valutare esattamente gli altri in modo da trattare con essi nei loro termini. In questo capitolo si parla del procedimento basato sulla prova e riprova inerente all'interazione umana, aumentando la rapidità della scoperta, imparando ad affrontare le resistenze e a risolvere i problemi.

Se nella prima parte di questo libro c'era una parola chiave, essa suonava *modeling* (modellamento, rispecchiamento). Erigere a proprio modello l'eccellenza è di importanza cruciale se si vuole ottenere il risultato cui si aspira. La parola chiave di questa seconda parte del libro è "elasticità", quell'elemento cioè che i grandi comunicatori hanno tutti in comune. Costoro imparano il modo di valutare esattamente gli altri e continuano a cambiare il loro atteggiamento, verbale e non verbale, fino a stabilire il rapporto desiderato. Per comunicare in maniera efficace è assolutamente indispensabile cominciare con umiltà e con la precisa volontà di cambiare. Non si può comunicare per forza di volontà: impossibile costringere con intimidazioni chicchessia a comprendere il proprio punto di vista. Si può comunicare soltanto con una flessibilità costante, attenta, pronta.

Molto spesso l'elasticità non è una dote naturale. Molti di noi fanno propri gli stessi moduli con ottusa regolarità; e alcuni sono così certi di aver ragione circa questo o quello, da ritenere che un'energica ripetizione permetta loro di spuntarla. Ma nel caso specifico, è all'opera una combinazione di egotismo e inerzia. Molto spesso la cosa più facile da fare è ripetere esattamente ciò che abbiamo fatto in precedenza; ma la strada più facile spesso porta all'inferno. Nel presente capitolo, esamineremo modalità di cambiare direzione, spezzare moduli, correggere la comunicazione, trarre profitto dalla conclusione. Il poeta William Blake ha scritto che "l'uomo che non cambia mai opinione è come un'acqua immobile, e nella sua mente pullulano rettili". Colui che mai muta i propri moduli di comunicazione, finisce per trovarsi nella stessa pericolosa palude.

Abbiamo visto in precedenza che in ogni sistema il meccanismo dotato della massima flessibilità è quello che esplica la massima efficacia; e lo stesso vale con le persone. Il segreto della vita consiste nel bussare a mille porte, nel ricorrere a tutti i diversi approcci necessari alla soluzione di un problema. Se ci si affida a un solo programma, ci si troverà nella stessa condizione di un'auto che abbia una marcia sola.

Mi è capitato una volta di vedere un'amica che cercava di convincere il portiere di un albergo a permetterle di occupare la stanza per qualche ora oltre il tempo stabilito. Suo marito si era infortunato in un incidente sciistico e lei desiderava tenerlo a riposo finché non fosse arrivato un mezzo di trasporto. Il portiere, educatamente ma tenacemente, continuava a snocciolarle una sfilza di ottime ragioni per convincerla che era impossibile; e la mia amica stava ad ascoltarlo attenta e poi se ne usciva con ragioni di segno contrario ancora più impellenti.

L'ho vista ricorrere a tutta la gamma degli espedienti, dal fascino femminile al ragionamento e alla logica. Senza mai assumere atteggiamenti alteri, senza mai ricorrere ad altri che esercitassero pressioni sul portiere, si limitava a perseguire lo scopo desiderato con costanza e tenacia. Alla fine, il portiere le ha detto, con un sorriso di scusa: "Signora, credo che abbia vinto."

Come aveva fatto la mia amica a ottenere un simile risultato? Ci era riuscita perché era stata abbastanza elastica da ricorrere a nuovi comportamenti e a nuove manovre finché il portiere non aveva trovato più nulla da opporle.

La maggior parte di noi ritiene che sia possibile condurre una discussione come se si trattasse di un incontro pugilistico verbale: si persiste a sferrare le proprie argomentazioni fino a ottenere ciò che si vuole. Modelli assai più eleganti ed efficaci ci sono forniti dalle arti marziali orientali come l'*aikido* e il *t'ai chi*, che non si propongono di vincere la forza con la forza, bensì di deviarla, cioè di allinearsi alla forza diretta contro di sé, guidandola in una nuova direzione. Ed è proprio questo che ha fatto la mia amica ed è ciò che fanno i migliori comunicatori.

Tenete presente che la resistenza non è una realtà fisica: ci sono solo comunicatori inflessibili che puntano sempre nella stessa direzione nel momento sbagliato. Al pari di un maestro di *aikido*, un buon comunicatore, anziché contrapporsi alle opinioni dell'altro, si mostrerà tanto elastico e intraprendente da avvertire il momento in cui insorge la resistenza, da scoprire punti di accordo adeguandosi a essi, e quindi da riorientare la comunicazione nella direzione da lui desiderata.

> *Il miglior soldato non attacca. Il combattente più valido riporta la vittoria senza ricorrere alla violenza. I massimi conquistatori vincono senza lotta. Il capo di maggior successo guida senza imporre dettami. È quella che si chiama non aggressività intelligente, ed è così che si esercita il dominio sugli uomini.*
>
> LAO TZE, *Tao Teh King*

È della massima importanza tenere presente che certe parole e locuzioni creano resistenze e problemi. I grandi leader e i grandi comunicatori fanno molta attenzione alle parole che pronunciano e all'effetto che producono. Nella sua autobiografia, Benjamin Franklin così descrive la strategia che usava per comunicare le proprie opinioni mantenendo buoni rapporti: "Ho fatta mia l'abitudine di esprimermi in termini di modestia e cautela, mai ricorrendo, quando proponevo qualcosa che poteva dar luogo a controversie, a parole quali certamente, indubbiamente o altre che conferiscono un'aria di assolutezza a un'opinione. Al contrario, preferisco dire: ritengo o capisco che una certa cosa è così e così, a me per lo meno sembra; oppure: io non la penserei così per questa e questa ragione; o ancora: immagino che le cose stiano così; o anche: le cose stanno così, a meno che io non mi sbagli. Abitudine che, a mio avviso, mi è stata di grande aiuto quando mi sono trovato a far accettare le mie opinioni, a persuadere altri a iniziative che volta a volta mi sono impegnato a promuovere."

Franklin sapeva come persuadere avendo cura di non suscitare resistenze di sorta alle sue proposte con il ricorso a parole che provocassero risposte negative. E ce ne sono. Eccone per esempio una onnipresente, formata da due sole lettere: "ma". Usata inconsciamente e automaticamente può rivelarsi una delle parole più dannose che ci siano nel nostro linguaggio. Se qualcuno dice: "Questo è vero, ma...", che cosa vuol dire in realtà? Vuol dire che non è vero o che è irrilevante. La parolina "ma" ha negato tutto quanto è stato detto prima. Qual è la vostra reazione, quando vi sentite dire da qualcuno che sì, è d'accordo con voi, ma...? E che avverrebbe se si operasse una semplice sostituzione, mettendo un "è" al posto del "ma", dicendo per esempio: "È vero, e c'è anche qualcosa d'altro che è vero," oppure: "È un'idea interessante, e c'è anche un altro modo di vederla." In entrambi i casi, si comincia con un accordo; anziché suscitare resistenza, si apre così la strada verso il riorientamento.

Ricordatelo: non ci sono individui che oppongono resistenza, ma solo comunicatori privi di elasticità. Esattamente come ci sono locuzioni o parole che automaticamente promuovono stati d'animo di resistenza, ci sono anche modi di comunicare che coinvolgono gli altri, che non li inducono a chiudersi a riccio.

Per esempio, che accadrebbe se disponeste di uno strumento di comunicazione di cui servirvi per comunicare esattamente qual è il vostro atteggiamento nei confronti di un problema, senza mettere minimamente in discussione la vostra rettitudine, e d'altra parte senza mettervi in disaccordo con l'altro? Non lo considerereste un poderoso strumento? E lo è di fatto. È quello che si chiama contesto armonico. Consiste di tre fasi di cui potete servirvi in ogni comunicazione mostrando rispetto per la persona con cui state comunicando, mantenendo con essa il rapporto, con essa condividendo ciò che ritenete vero, senza mai opporre in alcun modo resistenza alle sue opinioni. Senza resistenza, non c'è conflitto. Ecco le tre frasi:

"Apprezzo quel che dici, e..."
"Ho il pieno rispetto di quel che dici, e..."
"Sono d'accordo con te, e..."

In tutti i casi, fate tre cose: istituite un rapporto entrando nel mondo dell'altro e ne approvate la comunicazione, anziché ignorarla o denigrarla con il ricorso a parole come "ma" o "tuttavia"; istituite un contesto armonico che serve da legante tra voi e l'altro; e aprite la strada del riorientamento senza provocare l'insorgere di resistenze.

Permettetemi di fornirne un esempio. Qualcuno vi dice: "Sei assolutamente in errore" a proposito di alcunché. Se voi replicate: "No, non sono affatto in errore", e lo fate con la stessa energia, credete che riuscirete a mantenere un buon rapporto? No di certo. Creerete una situazione conflittuale e insorgeranno resistenze. Vi converrà invece dire a quella persona: "Rispetto la tua convinzione, e penso che, se ascolti anche il mio punto di vista, forse la penserai in maniera diversa." Notate che non dovete affatto essere d'accordo con il contenuto della comunicazione dell'altro, ma che potete sempre apprezzare, rispettare, concordare con l'atteggiamento di un altro nei confronti di qualsiasi cosa, che potete apprezzarne il punto di vista se vi trovate nella sua stessa condizione fisiologica, se avete la stessa percezione, se la pensate allo stesso modo.

E potete anche apprezzare l'intento di un altro. Così per esempio molte volte accade che due persone che la pensino in maniera diversa su un problema non apprezzino l'uno il punto di vista dell'altro, per cui in realtà non si prestino mai orecchio a vicenda. Ma se fate ricorso al contesto armonico, vi scoprirete intenti ad ascoltare attentamente ciò che l'altro dice, e il risultato sarà che scoprirete nuove modalità di apprezzamento dei vostri simili. Supponiamo per esempio che abbiate una discussione con qualcuno sulla questione nucleare, e che l'altro sia per lo sviluppo e l'accumulo di nuove armi mentre voi siete favorevoli al congelamento della situazione. Può accadere che vi sentiate rivali e tuttavia vi proponiate entrambi lo stesso intento: una maggior sicurezza per la vostra famiglia, un mondo in pace. Sicché, se l'altro se ne esce a dire: "L'unica maniera per risolvere il problema atomico è di bombardare i russi con armi nucleari", anziché discutere con lui potete entrare nel suo mondo e dirgli: "Apprezzo il tuo impegno e il tuo desiderio di garantire sicurezza ai tuoi figli e ritengo che, per farlo, ci sia una maniera più efficace che non distruggere l'Unione Sovietica con armi atomiche. Che ne diresti della possibilità di..." Se comunicate in questo modo, l'altro si sentirà rispettato, si sentirà ascoltato, non ci sarà nessuna necessità di scontri. Non ci sarà disaccordo, e contemporaneamente verranno prese in considerazione nuove possibilità. È una formula cui si può far ricorso con chiunque perché, qualsiasi cosa l'altro dica, potete sempre trovare un elemento apprezzabile, rispettabile con cui concordare. Impossibile darvi battaglia, perché voi non volete combattere.

Uno che insista troppo a ribattere le proprie opinioni troverà ben pochi che siano d'accordo con lui.

LAO TZE, *Tao Teh King*

Durante i miei seminari, mi dedico a un piccolo, semplice esperimento che dà ottimi risultati con moltissime persone. Invito due dei presenti ad assumere come propri punti di vista diversi su un problema, e a dibatterne senza mai servirsi della parola "ma" e senza mai demolire il punto di vista dell'altro. È qualcosa di molto simile a un *aikido* verbale, e per molti è un'esperienza liberatoria: imparano di più perché sono in grado di apprezzare il punto di vista dell'altro, anziché sentirsi in dovere di demolirlo; sono in grado di discutere senza diventare bellicosi, senza alterarsi, oltre a operare nuove differenziazioni e giungere a nuovi punti d'accordo.

Cercate di fare lo stesso anche voi. Scegliete un argomento su cui possiate assumere posizioni opposte con un'altra persona, e discutetene come vi ho dianzi descritto, quasi fosse un gioco consistente nel trovare una comunanza, per poi cercare di condurre l'altro nella direzione da voi desiderata. Non voglio dire con questo che dobbiate rinunciare alle vostre credenze. Ma scoprirete che potete raggiungere meglio il vostro scopo mettendovi tranquillamente al passo e quindi assumendo la guida anziché darci dentro furiosamente; e, aprendovi ad altre prospettive, sarete in grado di far vostro un punto di vista più ricco, più equilibrato. La maggior parte di noi considera le discussioni alla stregua di un rigido manicheismo, di un gioco in cui si vince o si perde: io ho ragione e tu hai torto, una parte ha il monopolio della verità e l'altra è immersa nelle tenebre. Ma io ho costatato più e più volte che imparo di più e che riesco a raggiungere più rapidamente il mio fine, se creo un contesto armonico. Un altro utile esercizio consiste nel discutere prendendo posizione per qualcosa in cui non si crede, e sarà una sorpresa per voi trovarvi in possesso di nuove prospettive.

I migliori venditori, i migliori comunicatori sanno che è molto difficile persuadere qualcuno a fare qualcosa che non desidera, mentre invece è molto facile indurlo a fare qualcosa che già vuol fare. Creando un contesto armonico, guidando l'altro in maniera spontanea anziché in maniera conflittuale, otterrete il secondo risultato, non già il primo. La chiave di una efficace comunicazione consiste nel mettere tutto in modo che l'altro faccia le cose che vuol fare, non già le cose che voi volete fare. È molto difficile vincere resistenze; molto più facile evitarle costruendo sul rapporto e sull'accordo: è uno dei modi per trasformare la resistenza in assistenza.

Un modo per risolvere i problemi consiste nel ridefinirli, nel trovare cioè una modalità di accordo anziché di disaccordo. Un altro modo consiste nell'infrangerne i moduli. Tutti noi ci troviamo a volte in uno stato di blocco. È come la puntina di un giradischi che resti inceppata in un solco e continui a ripetere lo stesso ritornello. Per liberare la puntina, basta darle un colpetto o spostarla, e lo stesso va fatto con gli stati di blocco: bisogna interrompere il modulo, e ricominciare da capo.

Mi diverte sempre quel che avviene quando, a casa mia in California, tengo una seduta terapeutica. La mia dimora sorge in un bel sito, affacciata sull'oceano, e la gente che ci viene si trova subito in uno stato positivo grazie al bell'ambiente. Mi piace stare a osservarli dalla torretta che sovrasta la casa. Li guardo arrivare in auto, scenderne, guardarsi attorno compiaciuti, avviarsi all'uscio. È evidente che tutto ciò che vedono li mette in uno stato d'animo di vivace ottimismo.

Poi vengono di sopra, chiacchieriamo un po' – e l'atmosfera è piacevolissima – e a questo punto io chiedo: "E allora, che cosa vi ha condotto qui?" E li vedo afflosciarsi, sul loro volto si dipinge lo sconforto, il loro respiro si fa meno profondo, nella loro voce si insinua un tono di autocompatimento, e cominciano a raccontarmi i loro guai, decidendo così di entrare nello stato d'animo dell'ansia.

La maniera migliore di venire a capo del modulo è di mostrare loro quanto sia facile infrangerlo. Di solito, dico con forza, con tono quasi irritato: "Mi dispiace, ma ancora non abbiamo cominciato." E allora essi prontamente replicano: "Oh, mi scusi," si rimettono diritti, tornano a respirare normalmente, riassumono il portamento e l'espressione facciale di prima, tornano a sentirsi a loro agio. Il messaggio è giunto loro chiaro e forte; sanno già come fare per essere in uno stato d'animo positivo, e sanno anche come scegliere di essere in uno stato negativo. Hanno a disposizione tutti gli strumenti per cambiare la loro fisiologia, per cambiare la loro rappresentazione interna, cambiare lo stato d'animo allo scopo di cambiare comportamento seduta stante. In quanto tempo? Immediatamente.

Ho costatato che la confusione è uno dei mezzi più efficaci per infrangere moduli. Le persone finiscono nella trappola dei moduli perché non sanno fare altro. Può succedere che si avviliscano, che cadano in preda alla depressione perché così facendo ritengono di poter indurre altri a porre loro domande attente, preoccupate, su ciò che li tormenta; è il loro modo di ottenere attenzione e di servirsi delle proprie risorse per cambiare il proprio stato.

Se conoscete una persona del genere, come reagite? Be', potete fare ciò che da voi si aspetta: sedervi, e dare il via a una lunga disquisizione. Questo farà sentire l'interessato un pochino meglio, e d'altra parte rinforzerà il modulo, in quanto persuaderà l'interessato stesso che, se assume un'aria avvilita, otterrà tutta l'attenzione che desidera. E se vi comportaste altrimenti? Se per esempio cominciaste a divertirlo, se lo ignoraste, se lo rimproveraste aspramente? Costatereste che quella persona non sa come rispondervi e che dalla sua confusione o dalla sua allegria emergerà una nuova maniera di percepire la sua esperienza.

Sia chiaro: ci sono momenti in cui tutti abbiamo bisogno di qualcuno con cui parlare, in cui abbiamo necessità di un amico. Ci sono situazioni concrete di dolore o pena che esigono un orecchio sensibile e attento. Ma io sto parlando di moduli e stati di blocco, di sequenze comportamentali ripetitive, autoperpetuantisi e autodistruttive. Più le si rinforza, e più dannose sono. Ciò che conta è mostrare alle persone che possono cambiare questi moduli, che possono cambiare i comportamenti. Se credete di essere un punching-ball in attesa che qualcuno vi colpisca, è così che vi comporterete. Se invece credete di avere il controllo della situazione, che i vostri moduli potete cambiarli, sarete in grado di farlo.

Il fatto è che la nostra cultura ci dice il contrario, che cioè non possiamo cambiare i nostri comportamenti, che non possiamo controllare i nostri stati d'animo, che non possiamo controllare le nostre emozioni. Moltissimi di noi hanno fatto proprio il modello terapeutico il quale recita che siamo alla mercé di tutto, dai traumi infantili agli squilibri ormonali. E dunque la lezione da mandare a mente è che i moduli possono essere interrotti e mutati, e in un istante.

Quando Richard Bandler e John Grinder si dedicavano alla pratica terapeutica privata, si erano fatti una fama di interruttori di moduli. Bandler ama riferire un episodio di quando frequentava una clinica per malattie mentali e incontrava un tale che si credeva Gesù Cristo, e non metaforicamente, non in spirito, bensì in carne e ossa. Un giorno Bandler va da questo tale e gli chiede: "Lei è Gesù Cristo?" E l'altro: "Sì, figlio mio." Al che Bandler: "Torno tra un istante." L'altro resta un tantino confuso; tre o quattro minuti dopo, ecco Bandler di ritorno con un metro a nastro. Chiede all'uomo di allargare le braccia, ne misura l'apertura, misura quindi l'altezza dell'uomo, e se ne va. L'uomo che si proclama Gesù Cristo resta un tantino incerto. Qualche istante dopo, Bandler riappare con un martello, una manciata di lunghi chiodi e delle assi, e comincia a inchiodare e martellare per forgiare una croce. Chiede l'uomo: "Si può sapere che fa?" e Bandler, piantando gli ultimi chiodi: "Lei è Gesù Cristo?" e l'altro: "Sì, figlio mio." Bandler allora: "Quand'è così, sa perché sono qui." Chissà come, il matto all'improvviso si ricordò chi era in realtà. Il suo vecchio modulo non gli sembrava più un'idea tanto valida e prese a strillare: "Non sono Gesù! Non sono Gesù!" Caso risolto.

Un altro esempio di interruzione di moduli in forma più attenuata è fornito da una campagna antifumo lanciata qualche anno fa. Il suggerimento che ne veniva era che, ogniqualvolta qualcuno che ti ama allunga una mano per prendere una sigaretta, tu dovresti dargli invece un bacio: in primo luogo così facendo si interrompe il modulo automatico del prendere la sigaretta, e in secondo luogo ciò genera una nuova esperienza che dovrebbe poter gettare un'ombra di dubbio sulla saggezza del modulo precedente.

Le interruzioni di moduli sono utili anche nel campo degli affari. Un dirigente se ne è servito per indurre i suoi operai a cambiare modo di considerare il proprio lavoro. Quando assunse l'incarico, si recò nell'officina dove gli operai stavano costruendo il suo modello personale del prodotto dell'azienda; ma, quando questo uscì dalla catena di montaggio, anziché scegliere quello, il dirigente ne esaminò un altro destinato al pubblico, una macchina assai poco funzionante. Il dirigente montò su tutte le furie, mettendo in chiaro che voleva che ognuno dei prodotti uscisse dalla fabbrica come se fosse destinato al suo uso personale, aggiungendo che avrebbe fatto continue comparse per controllarne la qualità. La notizia si diffuse come un lampo e l'episodio fece cessare l'abitudine all'esecuzione abborracciata, inducendo molti a riesaminare il loro atteggiamento. Vero maestro in fatto di rapporti umani, il dirigente in questione fu in grado di venirne a capo senza provocare risentimenti nei propri confronti da parte degli operai perché aveva fatto appello al loro orgoglio.

L'interruzione dei moduli può rivelarsi particolarmente utile in politica, e se ne è visto di recente un valido esempio in Louisiana dove Kevin Reilly, deputato al parlamento locale, si era dedicato a una vasta attività di corridoio per ottenere maggiori investimenti a favore dei college e delle università dello stato. Ma i suoi sforzi si erano rivelati vani: i nuovi fondi non erano stati stanziati, e mentre Reilly usciva dalla sede del governo locale ecco avvicinarglisi un giornalista che gli chiese di esprimere le sue opinioni in merito, e Reilly si lanciò in una filippica, affermando che la Louisiana era null'altro che una "repubblica delle banane". E soggiunse: "Quel che dovremo fare è dichiarare fallimento, staccarci dall'Unione e chiedere aiuti internazionali... Siamo i primi in faccende come analfabetismo e ragazze madri, e siamo gli ultimi in campo didattico."

In un primo momento, le sue affermazioni scatenarono una tempesta di critiche perché superavano di gran lunga il solito livello delle circospette dichiarazioni politiche; ben presto, però, Reilly divenne una sorta di eroe, e probabilmente con quella sua invettiva fece di più, per cambiare l'atteggiamento dello Stato in merito alle sovvenzioni alla scuola, di quanto non avesse ottenuto con le sue perseveranti manovre.

Del sistema dell'interruzione dei moduli ci si può servire nella vita di ogni giorno. Noi tutti ci siamo trovati coinvolti in discussioni che sembrano vivere di vita propria; può darsi che il motivo originario della disputa si sia dimenticato da un pezzo, ma noi continuiamo a imperversare, sempre più infuriati, sempre più decisi a "vincere", vale a dire a far trionfare il nostro punto di vista. Discussioni del genere possono essere quanto di più distruttivo ci sia per un rapporto; quando sono finite, magari ci si chiede: "Come diavolo è successo che mi sia lasciato prendere la mano fino a tal punto?" Ma mentre la discussione è in atto, non si vedono vie d'uscita. Pensate a situazioni del genere in cui vi siate trovati coinvolti di recente e in cui altri si siano impantanati. A quale interruzione di moduli avreste potuto far ricorso? Concedetevi un istante di riflessione per elaborare cinque metodi di cui potreste servirvi in futuro e ponete mente a situazioni in cui sarebbero utili.

Rispondi in maniera intelligente anche a chi ti tratta stupidamente.

LAO TZE, *Tao Teh King*

E se aveste un sistema di interruzione del modulo già preordinato, quasi fosse un preallarme, per interrompere una discussione prima che vi sfugga di mano? Ho costatato che l'umorismo è uno dei migliori sistemi: difficile essere arrabbiati quando si ride. Mia moglie Becky e io facciamo sempre ricorso a questo metodo. C'è in America una teletrasmissione intitolata *Saturday Night Live*, con un numero comico incentrato sulla frase "odio quando mi succede". È piuttosto divertente. Gli attori si raccontano a vicenda cose terribili che combinano a se stessi, come passarsi carta vetrata sulle labbra e quindi versarvi sopra dell'alcool oppure strofinarsi il naso con una grattugia per poi lasciarvi cadere sopra una goccia di mentolo; e poi se ne vengono fuori a dire: "Eh, credo che tu mi capisca, odio quando mi succede." Sicché, tra Becky e me c'è un accordo nel senso che, quando uno di noi due ha la sensazione che una discussione assuma toni distruttivi, può commentare: "Odio quando mi succede." Allora l'altro deve lasciar perdere. Cosa questa che ci obbliga a interrompere lo stato d'animo negativo in cui ci troviamo, perché pensiamo a qualcosa che ci fa ridere oltre a rammentarci che effettivamente, quando si verifica, odiamo quella situazione. Lasciarsi coinvolgere in un'aspra discussione con la persona amata è altrettanto saggio che passarsi la carta vetrata sulle labbra e poi metterci sopra dell'alcool.

Tutto ciò che allarga la sfera degli umani poteri, che mostra all'uomo che può fare ciò che pensava di non poter fare, è prezioso.

BEN JONSON

In questo capitolo ci sono due concetti di fondo, entrambi contrari a quello che molti di noi hanno sempre creduto. Il primo è che si può persuadere gli altri più facilmente mediante l'accordo che non impegnandosi in un braccio di ferro. Viviamo in una società che sguazza nella competitività, e alla quale piace distinguere chiaramente vincitori e perdenti, come se ogni umana interazione non potesse concludersi che con un trionfo o una sconfitta. E molta pubblicità vi fa ricorso, direttamente o indirettamente.

Ma tutto ciò che so delle comunicazioni mi dice che il modello della competitività è quanto mai limitato. Ho già parlato della magia del rapporto e di quanto essa sia essenziale ai fini del potere personale. Se in un vostro simile vedete un concorrente, qualcuno da vincere, vuol dire che il vostro punto di partenza è esattamente l'opposto, ma la mia esperienza in fatto di comunicazioni mi induce a partire dall'accordo anziché dal conflitto, a mettermi prima al passo per poi assumere la guida, anziché tentare di vincere resistenze altrui. Certo, più facile dirlo che farlo. Tuttavia, un'attenzione e una consapevolezza costanti possono permetterci di cambiare i nostri moduli di comunicazione.

Il secondo concetto qui esposto, è che i nostri modelli di comportamento non sono indelebilmente scolpiti nel nostro cervello. Se ripetutamente facciamo qualcosa che ci è di ostacolo, non è perché siamo affetti da chissà quale strana malattia mentale: semplicemente, ci manteniamo fedeli a un modulo rovinoso, e può essere un nostro modo di istituire rapporti con gli altri oppure una nostra maniera di pensare. La soluzione consiste nell'infrangere il modulo, nello smettere ciò che si sta facendo e imboccare un'altra strada. Non siamo dei robot mossi da traumi personali pressoché dimenticati; se facciamo qualcosa che non ci piace, non dobbiamo far altro che riconoscerlo e cambiarlo. Che cosa dice la Bibbia? "Tutti saremo mutati in un istante, il tempo di un battito di ciglia." E cambieremo se vogliamo farlo.

In entrambi i casi, l'elemento comune è l'idea di elasticità. Se avete difficoltà a comporre un puzzle, non caverete un ragno dal buco tentando mille volte la stessa soluzione; il problema lo risolverete se siete abbastanza elastici da mutare, adattarvi, sperimentare nuove strade. Quanto più elastici si è, tanto più numerose sono le opzioni che ci si offrono, gli usci che possiamo spalancare, e tanto maggiore sarà il successo che si avrà.

Nel prossimo capitolo parleremo di un altro importantissimo strumento per assicurarsi la necessaria elasticità.

16

RICONTESTUALIZZAZIONE: IL POTERE DELLA PROSPETTIVA

La vita non è alcunché di statico; i soli che non cambiano mentalità sono degli incapaci chiusi in asili per deficienti e coloro che stanno al cimitero.

EVERETT DIRKSEN

Prendiamo in considerazione il suono di un passo. Se vi chiedessi: "Che significato ha un passo?" La vostra risposta probabilmente suonerebbe: "Per me non significa proprio niente." Be', riflettiamoci un po' meglio. Se state camminando per una strada affollata, i passi sono talmente tanti che non li udite, e in quella situazione non hanno nessun effettivo significato. Ma se invece siete soli in casa, a notte tarda, e udite dei passi su per le scale? E un istante dopo, ecco che quei passi si dirigono verso il vostro uscio. Allora, acquistano o no un significato? Evidentemente, sì. Lo stesso segnale (il suono dei passi) può avere molti significati a seconda di ciò che in passato ha significato per voi in situazioni simili; la vostra esperienza precedente può darsi vi fornisca un contesto in cui inserire quel segnale, determinando pertanto se vi spaventa o vi rallegra. Per esempio, questo passo potete classificarlo come quello del vostro coniuge che rincasa prima del previsto; chi abbia subito un furto può darsi lo interpreti come il segno della presenza di un estraneo in casa sua. Sicché, il significato di ogni esperienza esistenziale dipende dalla cornice in cui la inseriamo.

Se però si cambia la cornice, se si cambia il contesto, il significato dell'esperienza cambia immediatamente. E uno degli strumenti più efficaci del cambiamento personale consiste proprio nell'apprendere come collocare ogni singola esperienza nella cornice migliore. È quel processo che vien detto *reframing*, cioè reincorniciamento ovvero istituzione di un nuovo contesto.

Considerate la figura riportata nella pagina seguente e provate a descriverla. Che cosa ci vedete?

Molte sono le cose che vi si possono scorgere, per esempio una paglietta messa in verticale, un mostro, una casa, una freccia con la punta rivolta all'ingiù, un portarifiuti e via dicendo. Descrivete a voi stessi quello che vedete in questo momento. Vedete anche la parola "FLY"? Forse sì, dal momento che un metodo del genere è stato usato per i trasparenti applicati ai paraurti delle auto e per altri scopi promozionali. Sicché, il vostro precedente sistema referenziale vi ha aiutato a vederlo immediatamente come FLY. Se non lo avete letto, perché? E adesso lo vedete? Se non scorgete la parola, è probabilmente perché la vostra abituale cornice percettiva vi porta ad aspettarvi che le parole siano scritte a inchiostro nero su carta bianca, e finché continuerete a servirvi di questo contesto per interpretare la situazione in esame, la parola FLY non la vedrete, dal momento che in questo caso è scritta in bianco su nero. Per scorgerla, dovreste essere in grado di ricontestualizzare la vostra percezione, la vostra esperienza. Lo stesso vale nella vita d'ogni giorno. Molte volte attorno a noi ci sono occasioni che potrebbero permetterci di fare della nostra esistenza esattamente quel che vorremmo che fosse; ci sono modi di vedere i nostri problemi di maggior momento quali le nostre migliori occasioni – sempre che si sia in grado di uscire dai consueti moduli percettivi.

Ancora una volta, come si è detto più e più volte in questo libro, nulla al mondo ha un significato implicito; le nostre sensazioni e il nostro agire dipendono dalla percezione che ne abbiamo. Un segnale ha significato solo nella cornice o contesto in cui lo percepiamo. La sfortuna è un punto di vista. Il vostro mal di testa può essere una buona cosa per un venditore di aspirine; gli esseri umani tendono ad attribuire specifici significati alle esperienze. Diciamo che questo è accaduto, sicché "questo" significa proprio quello e nient'altro, mentre in realtà può esserci un numero infinito di modi di interpretare qualsiasi esperienza. Tendiamo a contestualizzare le cose basandoci sul modo in cui le abbiamo percepite in passato, e molte volte cambiando i moduli percettivi abituali siamo in grado di offrire a noi stessi un maggior numero di scelte. È importante non dimenticare che le percezioni hanno carattere creativo; in altre parole, se percepiamo una cosa come negativa, sarà questo il messaggio che trasmetteremo al nostro cervello, il quale a sua volta produrrà stati che ne faranno una realtà. Se cambiamo il nostro sistema referenziale guardando da un diverso punto di vista, possiamo mutare il nostro modo di rispondere agli eventi esistenziali. Possiamo trasformare la nostra rappresentazione o percezione in merito a qualsiasi evento, e in un istante cambiare i nostri stati d'animo e comportamenti. Ecco, è di questo che tratta il *reframing*.

Tenete presente che il mondo lo si vede quale esso è perché le cose possono venire interpretate da molti punti di vista. Come siamo, i nostri sistemi referenziali, le nostre "mappe", tutto questo definisce il territorio.

Figura A

Figura B

Per esempio, date un'occhiata qui sopra alla figura A. Che cosa vedete? Ovviamente, una donna vecchia e brutta. E adesso guardate la figura B. Come noterete, il disegno raffigura una brutta vecchia non molto diversa dalla prima, con il mento, la bocca e fin quasi il naso affondati nella pelliccia. Guardatela attentamente, cercate di immaginarvi che tipo di vecchia sia: triste o allegra? E a che cosa credete che stia pensando? Pure, c'è qualcosa di interessante in questa figura, ed è il fatto che la disegnatrice che l'ha tracciata sostiene che si tratta del ritratto della sua bella figlia, che sarete in grado di scorgere se cambiate il vostro sistema referenziale. Vi fornisco qualche aiuto: il naso della vecchia diviene il mento e la guancia della giovane; l'occhio sinistro si trasforma nell'orecchio sinistro della giovane, e la bocca della prima diviene una collana al collo della seconda. Se ancora non ci riuscite, nella pagina seguente c'è un disegno che vi aiuterà a venirne a capo. Date un'occhiata alla figura C.

Figura C

Ovvia domanda: perché nella figura B avete visto la brutta vecchia anziché la bella ragazza? La risposta è che eravate precondizionati a vedere la vecchia. Molte volte durante i miei seminari a metà dei partecipanti mostro la figura A e all'altra metà la figura C, quindi esibisco loro il disegno più completo della figura B. Quando i due gruppi cominciano a scambiarsi opinioni, spesso sorgono discussioni per stabilire chi abbia ragione. Coloro che hanno visto per prima la figura A hanno difficoltà a scorgere la giovane, e viceversa chi ha visto per prima la C.

È indispensabile sottolineare che le nostre esperienze passate regolarmente fungono da filtro alla nostra capacità di vedere ciò che davvero accade al mondo; ma ci sono vari modi di vedere o di sperimentare qualsiasi situazione. Il bagarino che acquista con anticipo i biglietti per un concerto per poi venderli a prezzo maggiorato all'ingresso del teatro, può essere una persona spregevole che si approfitta di altri, ma può anche essere visto come un elemento prezioso da coloro che non sono stati in grado di procurarsi i biglietti o che non hanno voglia di fare la coda. La chiave del successo consiste nel rappresentarci costantemente le nostre esperienze in modo da aiutarci a ottenere risultati sempre maggiori per noi stessi e per altri.

Se vedete ciò che è piccolo come esso vede se stesso, e accettate ciò che è debole per la forza che ha, e vi servite di ciò che è fioco per la luce che ne emana, non credete che tutto andrebbe per il meglio? È quel che si dice Agire Naturalmente.

LAO TZE, *Tao Teh King*

La ricontestualizzazione (*reframing*) nella sua forma più semplice consiste nel mutare un'affermazione negativa in positiva, cambiando il sistema referenziale usato per percepire l'esperienza. Ci sono due tipi fondamentali di reincorniciamento, ovvero modi di alterare la propria percezione di qualcosa: ricontestualizzare il contesto e ricontestualizzare il contenuto. Entrambe le modalità alterano le rappresentazioni interne risolvendo sofferenze o conflitti interni e quindi mettendo chi lo fa nello stato più produttivo.

Il *reframing* del contesto implica che si prenda un'esperienza che sembri negativa, sconvolgente, indesiderabile, dimostrando come lo stesso comportamento o esperienza sia in effetti di grande vantaggio in un altro contesto. La letteratura per l'infanzia è ricca di esempi di ricontestualizzazione del contesto. Il brutto anatroccolo soffriva moltissimo perché era diverso, ma la sua differenza era la sua bellezza da cigno adulto. Il reincorniciamento del contesto è preziosissimo in campo economico. Il nostro socio "disadeguante" è stato una palla al piede finché non ci siamo resi conto, al termine delle nostre riunioni creative, che poteva essere validissimo come sostegno, in quanto era l'unico che scorgesse in anticipo potenziali difficoltà.

Le grandi innovazioni si devono a coloro che conoscono il modo di reincorniciare attività e problemi trasformandoli, in altri contesti, in potenziali risorse. Così per esempio il petrolio un tempo era considerato una sostanza che distruggeva il valore della terra come suolo da coltivare; ma oggi ha ben altro valore. Parecchi anni fa, le segherie erano alle prese con la difficoltà di sbarazzarsi di grandi quantitativi di segatura che producevano, finché un tale non decise di usare quegli scarti in un altro contesto. A tal fine, ne fece mattonelle servendosi di colla e altre sostanze, ottenendone un ottimo combustibile; e, impegnandosi per contratto a prelevare tutta la "inutile" segatura, nel giro di due anni diede vita a un'azienda plurimiliardaria, la cui risorsa principale non gli costava assolutamente nulla. Ma un imprenditore è proprio questo: un tale che conferisce a certe risorse una nuova capacità di produrre ricchezza; in altre parole, un provetto reincorniciatore.

Il *reframing* del contenuto comporta che si prenda la stessa, identica situazione, cambiandone il significato. Ammettiamo per esempio che vi sembri che vostro figlio non la smetta mai di parlare: ha sempre la bocca aperta! Ma dopo un reincorniciamento del contenuto, potrete giungere alla conclusione che è un ragazzo intelligentissimo, il quale ha tante cose da dire. È celebre l'episodio di quel ben noto generale che aveva "reincorniciato" le sue truppe durante un violento attacco nemico dicendo: "Non ci stiamo ritirando, stiamo solo avanzando in un'altra direzione."

Quando una persona che ci è cara muore, di solito nella nostra cultura ci si rattrista. Perché? Per molti motivi: sensazione di perdita, per esempio, eppure ci sono persone che gioiscono, e ciò perché reincorniciano la morte in modo che essa significhi che il defunto è pur sempre con loro, che nulla nell'Universo va mai distrutto e che le cose semplicemente cambiano forma. Non mancano insomma individui che nella morte vedono il passaggio a un livello più alto di esistenza, per cui sono allegri.

Un altro tipo di reincorniciamento del contenuto consiste nel cambiare il nostro modo di vedere, udire o rappresentarci una situazione. Se siete turbati per qualcosa che qualcuno vi ha detto, potrete visualizzarvi intenti a sorridere mentre quegli pronuncia le stesse parole negative, espresse però come se a farlo fosse il vostro cantante preferito; oppure, la stessa situazione potrete vederla nel vostro cervello con colui che parla alonato del vostro colore preferito, o addirittura cambiare quello che vi dice e, risperimentandolo mentalmente, vi potrà magari capitare di udire l'altro chiedervi scusa. E perché non vederlo intento a parlarvi in una prospettiva tale da collocarvi molto al di sopra di lui? Reincorniciare lo stesso stimolo altera il significato inviato al cervello e quindi gli stati d'animo e i comportamenti a essi associati. Questo libro è pieno di ricontestualizzazioni, e un capitolo a esse interamente dedicato è quello intitolato "Le menzogne del successo".

Qualche tempo fa sul *Baltimore Sun* è comparso un articolo decisamente commovente che è stato ripreso dal *Reader's Digest* con il titolo "Un ragazzo dall'insolita visione". Si trattava di un certo Calvin Stanley, che a quanto sembra va in bicicletta, gioca a baseball, frequenta la scuola, fa su per giù quant'altro fanno gli undicenni, a eccezione di una cosa: non ci vede.

Come si spiega che il ragazzo in questione sia in grado di fare tutto questo, mentre molte persone nella stessa situazione si arrendono o conducono una vita di tristezza? Leggendo l'articolo, mi è risultato evidente che la madre di Calvin era una magistrale reincorniciatrice: aveva trasformato tutte le esperienze toccate al figlio, esperienze che altri avrebbero definito "limitazioni", in vantaggi nella mente di Calvin; e siccome era così che questi si rappresentava le cose, quelle erano le sue esperienze. Ecco alcuni esempi delle comunicazioni che gli rivolgeva.

La donna ricorda molto bene il giorno in cui Calvin le ha chiesto perché fosse cieco. "Gli ho spiegato che era nato così e che non era colpa di nessuno." Mi ha domandato: "Ma perché proprio io?" E la mia risposta è stata: "Non lo so, Calvin. Forse ti è stata riservata una sorte particolare." Quindi si è seduta accanto al figlio e gli ha detto: "Ma tu, Calvin, ci vedi, solo che ti servi delle mani anziché degli occhi. E ricordati che non c'è niente che tu non possa fare."

Un giorno Calvin era tristissimo perché si era reso conto che mai avrebbe visto il volto della madre. "Ma," continua l'articolo, "la signora Stanley sapeva cosa dire al suo unico figlio, e gli ha parlato così: 'Calvin, tu il mio volto puoi vederlo, puoi vederlo con le tue mani e ascoltando la mia voce, e così facendo sei in grado di dire sul mio conto più cose di altri che possono servirsi degli occhi.' " L'articolo proseguiva riferendo che Calvin si muove nel mondo visibile con fiducia, con la incrollabile certezza di un ragazzo che ha sempre avuto al proprio fianco la madre; vuole diventare un programmatore elettronico e arrivare a elaborare programmi per i ciechi.

Al mondo, di Calvin ce ne sono tanti, e noi tutti abbiamo bisogno di un numero maggiore di persone capaci di servirsi del *reframing* con la stessa efficacia della signora Stanley. Ho avuto la fortuna di incontrare di recente un altro maestro di quest'arte, il maggiore Jerry Coffey: un personaggio incredibile che si è servito del *reframing* per mantenere l'equilibrio mentale durante i sette anni che ha trascorso in solitudine in un campo per i prigionieri di guerra del Vietnam. La nostra prima reazione, all'udire una vicenda del genere, è probabilmente un sussulto. Pure, nulla è buono o cattivo al mondo, se non il modo in cui lo presentiamo a noi stessi, e Jerry decise di rappresentarselo come una grande occasione, una sfida a mantenersi forte, l'opportunità per apprendere sul proprio conto più che mai prima, un modo di avvicinarsi maggiormente a Dio. Era una situazione che un giorno l'avrebbe reso orgoglioso di come aveva governato se stesso; e, munito di quel sistema referenziale, tutto ciò che gli accadeva diveniva ai suoi occhi parte integrante di un'esperienza di sviluppo personale, da cui è uscito completamente e positivamente trasformato. Dice che non rinuncerebbe a quell'esperienza per nessuna cosa al mondo.

Ripensate a un grosso errore che abbiate commesso l'anno scorso. È probabile che immediatamente ve ne rattristiate, ma è probabile che quell'errore fosse parte integrante di un'esperienza che ha comportato più successi che fallimenti; e, riesaminandola, vi renderete conto che probabilmente avete imparato di più da quell'errore che da ogni altra cosa da voi fatta in quel periodo.

Sicché, potete cancellare il vostro errore oppure reincorniciare l'esperienza in modo da focalizzare la vostra attenzione, al di là di essa, su ciò che avete appreso. Non c'è esperienza che non comporti più significati; il significato è ciò che avete scelto di mettere in rilievo, esattamente come il suo contenuto è ciò su cui avete deciso di focalizzarvi. Una delle chiavi del successo consiste nell'individuare il contesto più utile per ogni esperienza, in modo da poterla trasformare in qualcosa che operi a vostro beneficio anziché a vostro danno.

Ci sono esperienze che non potete cambiare? C'è un comportamento che sia componente immutabile del vostro essere? Siete i vostri comportamenti, oppure colui che li domina? Se c'è qualcosa che ho sottolineato in ogni capitolo di questo libro, è che al timone ci siete voi, siete voi a dirigere il vostro cervello, voi a produrre i risultati che ottenete. Il *reframing* è una delle più valide modalità di cambiare la maniera di porsi di fronte a un'esperienza. Le esperienze le collocate comunque entro cornici, e a volte si cambia quella cornice col mutare degli eventi.

Soffermatevi un istante a reincorniciare queste situazioni.

1. Il mio capo non fa che sgridarmi.
2. Quest'anno ho dovuto pagare di tasse 4000 dollari in più rispetto all'anno scorso.
3. Quest'anno abbiamo poco denaro per comprare regali a Natale.
4. Ogniqualvolta comincio ad andare alla grande, saboto la mia riuscita.

Ecco adesso alcune delle possibili reincorniciature:

1a. È buona cosa che il capo abbia cura di dirmi quali sono le sue effettive intenzioni. Avrebbe potuto licenziarmi, invece.
2a. Ottima cosa: evidentemente, quest'anno ho guadagnato molto di più dell'anno scorso.
3a. Benissimo, possiamo spronare la fantasia e fare qualcosa che gli altri non dimenticheranno mai anziché comprare i soliti regali qualsiasi. I nostri saranno personalizzati.
4a. Benone, finalmente sono consapevole dei moduli che ho utilizzato finora. Adesso posso scoprire che cosa li ha promossi e cambiarli per sempre!

Il *reframing* è di importanza cruciale per imparare a comunicare con se stessi e con gli altri. A livello personale, è il modo da noi scelto per attribuire un significato agli eventi; a un livello più ampio, è uno dei più efficaci strumenti di comunicazione di cui si possa disporre. Pensate all'attività di vendita, ponete mente a qualsiasi forma di persuasione. La persona che colloca la cornice, colui che definisce l'ambito, è l'individuo che esercita la massima influenza. Gran parte dei maggiori successi di cui si possa avere notizia, in campi che vanno dalla pubblicità alla politica, sono il risultato di abili reincorniciature, vale a dire di cambiamenti di percezioni in modo che le nuove rappresentazioni di questo o quello collochino l'individuo in uno stato tale da farlo sentire o agire diversamente. Un mio amico ha venduto la sua catena di ristoranti dietetici alla General Mills per una cifra pari a 167 volte i suoi utili: qualcosa di quasi inaudito nel ramo. Come ha fatto? Semplice: ha fatto sì che fosse la General Mills a decidere il valore della sua azienda basandosi sul valore che avrebbe avuto se non fosse stata acquistata entro cinque anni ed essa nel frattempo avesse continuato a espandersi. Il mio amico non aveva nessuna fretta di vendere, mentre l'acquirente aveva bisogno subito della sua azienda per raggiungere gli obiettivi del gruppo, ed è per questo che ha fatto proprio il sistema referenziale del mio amico. La persuasione consiste sempre nell'alterare la percezione.

Gran parte del *reframing* è fatto per noi, non già da noi, nel senso che qualcun altro muta per noi la cornice, e noi reagiamo a essa. In fin dei conti, che cosa è la pubblicità se non un'enorme industria che ha come unico scopo quello di incorniciare e reincorniciare le percezioni di massa? Credete davvero che ci sia qualcosa di particolarmente virile in una certa marca di birra o di specificamente sexy in questa o quella marca di sigarette? Se date a un aborigeno una sigaretta di quelle tanto pubblicizzate, non vi dirà di sicuro: "Ehi, ma com'è sexy!" I pubblicitari, tuttavia, l'hanno collocata in una certa cornice, e noi rispondiamo; e se ritengono che non rispondiamo abbastanza bene, la mettono in una nuova cornice e stanno a vedere se funziona.

Una delle massime opere di reincorniciamento pubblicitario è stata compiuta dalla Pepsi-Cola. Da sempre, a memoria d'uomo, la Coca-Cola era stata al primo posto tra le bevande a base di noce di cola; la sua storia, la sua tradizione, la sua posizione di mercato apparivano incontestabili. Non c'era nulla che la Pepsi potesse fare per battere la Coca sul suo terreno. E se siete alle prese con un classico, non potete venirvene fuori e dire: "Noi siamo ancora più classici di loro." La gente sicuramente non vi crederà.

Al contrario, la Pepsi ha rovesciato la situazione. Ha cioè reincorniciato le percezioni che la gente già aveva. Ha cominciato a parlare di generazione Pepsi, ha lanciato la sfida Pepsi, e così facendo ha trasformato la propria debolezza in forza. Era come se dicesse: "Certo che gli altri sono stati i re, ma bisogna guardare all'oggi. Che cosa volete, un prodotto di ieri o uno di oggi?" La pubblicità ha reincorniciato il tradizionale dominio della Coca facendone una debolezza, la rivelazione che si trattava di un prodotto del passato, non del futuro; e ha reincorniciato la tradizionale condizione di secondo violino della Pepsi, con grande vantaggio dell'azienda.

Ed è successo che alla fine la Coca-Cola ha deciso che doveva giocare sullo stesso terreno della Pepsi, e se n'è venuta fuori con il suo ossimorico "Nuova" Coca, e il resto è marketing. Attualmente, non ci resta che stare a vedere se il reincorniciamento della Coca-Cola consistente nell'offrire al pubblico sia il suo vecchio prodotto "classico" sia la sua "Nuova" Coca, funzionerà. Comunque, si è trattato di un classico esempio di *reframing* perché l'intero scontro era su un'immagine. Era semplicemente questione di quale cornice si sarebbe radicata nel cervello della gente. Non c'è alcun contenuto sociale implicito in una bevanda zuccherina gasata, che tra l'altro vi rovina i denti; non c'è nulla di realmente più contemporaneo nel sapore della Pepsi rispetto a quello della Coca; ma mutando la cornice e ridefinendo i termini, la Pepsi ha registrato uno dei più grossi successi di marketing nella storia recente.

Il *reframing* è stato uno dei principali fattori del modo con cui si è concluso il processo intentato dal generale William C. Westmoreland alla rete televisiva CBS, con conseguente richiesta di danni per centoventi milioni di dollari. Quando si è presentato in tribunale, sembrava che Westmoreland godesse di grande seguito e simpatia fra il pubblico per il suo punto di vista. In un editoriale di *Tv Guide* la faccenda veniva definita "Anatomia di una diffamazione". La CBS ha cominciato a rendersi conto di essere in un pasticcio e alla fine si è decisa a rivolgersi a un esperto di pubbliche relazioni, John Scanlon, incaricandolo di rovesciare la corrente di sostegno popolare del punto di vista di Westmoreland, persuadendo il pubblico a smettere di focalizzare la propria attenzione sulle tattiche di quello che doveva essere un processo dalla conclusione scontata, per appuntarla invece sulle accuse mosse a Westmoreland e di cui la CBS sperava addirittura di riuscire a comprovare l'attendibilità. Alla fine, Westmoreland ha rinunciato al dibattito processuale in cambio di semplici scuse, e la CBS nutrirà eterna gratitudine per Scanlon e la sua abilità di reincorniciatore.

Ponete mente alla politica. Da quando gli esperti di marketing hanno sempre più voce in capitolo in questo campo, l'elemento dominante della politica americana consiste nella lotta per creare la cornice, e a volte anzi si ha addirittura l'impressione che non ci sia nient'altro. Dopo i dibattiti televisivi tra Reagan e Mondale in occasione delle ultime elezioni presidenziali, i giornalisti sono stati assediati da consulenti di entrambe le parti che cercavano di applicare, a ogni parola che era stata detta, la migliore cornice, di attribuirle il senso più produttivo. Per quale motivo? Perché a contare non era tanto il contenuto, quanto appunto la cornice.

Nel corso del secondo dibattito preelettorale Reagan ha saputo compiere un abilissimo reincorniciamento. Durante il primo dibattito la sua età era diventata un problema. Naturalmente, anche questo era un reincorniciamento. Forse che il pubblico non sapeva quanti anni aveva? Ma l'incertezza della sua esibizione e i resoconti giornalistici hanno reincorniciato la sua età, trasformandola in potenziale handicap. Durante il secondo dibattito, Mondale ha fatto riferimento nuovamente all'età di Reagan come a un ostacolo. Gli spettatori si aspettavano che Reagan respingesse l'accusa, e invece, con l'aria più tranquilla del mondo, ha detto che no, a suo giudizio il problema dell'età non poteva diventare oggetto di discussione nel corso della campagna; lui non aveva certo intenzione di fare un problema della giovane età e dell'inesperienza del suo avversario. Insomma, con una sola frase ha completamente reincorniciato la questione in modo da garantire che non fosse più un fattore di grande importanza nella corsa per la presidenza.

Molti di noi trovano più facile compiere il reincorniciamento quando comunicano con altri piuttosto che con se stessi. Se cerchiamo di vendere a qualcuno la nostra vecchia automobile, sappiamo benissimo che dobbiamo incorniciare la descrizione che ne forniamo in modo da mettere in risalto gli aspetti positivi e in sordina quelli negativi della vettura. Se il vostro potenziale acquirente ha un'altra cornice, il vostro compito consisterà nel fargli mutare percezione. Ma pochi di noi si soffermano a riflettere a lungo sul modo in cui incorniciare le nostre comunicazioni con noi stessi. Qualcosa ci accade; ci forniamo una rappresentazione interna dell'esperienza e ci figuriamo che sia qualcosa con cui dobbiamo convivere. Vi rendete conto quanto sia sciocco? È come girare la chiavetta, avviare il motore, e poi stare a vedere dove l'auto decida di andare.

Al contrario, bisogna imparare a comunicare con se stessi con altrettanta determinazione, in maniera non meno persuasiva che se si trattasse di una trattativa d'affari. E una delle strade si svolge al livello del pensiero attento, consapevole.

Tutti conosciamo persone che sono rimaste intimidite da una vicenda amorosa finita male. Ne sono state ferite, si sono sentite piantate, hanno deciso di tenersi alla larga da altre relazioni. Il fatto è che la vicenda amorosa aveva procurato loro più gioia che dolore, ecco perché riusciva così difficile rinunciarvi. Ma cancellare le belle memorie per concentrarsi sulle brutte significa applicare la peggior cornice possibile a un'esperienza. Bisognerebbe invece cambiare la cornice, vedere la gioia, vedere i benefici, vedere la crescita, allora è possibile partire da un contesto positivo anziché da uno negativo ed essere in grado di dar vita in futuro a una relazione ancora più attraente.

Soffermatevi un momento a ripensare a tre situazioni della vostra vita che per voi costituiscono un'ardua impresa. Quante diverse strade riuscite a scorgere per uscirne? Quante cornici potete imporre alle situazioni? Che cosa imparate dal fatto di vedere in maniera diversa? E in che senso questo vi libera e vi permette di agire in maniera nuova?

Mi par già di sentire qualcuno di voi che dice: "Non è facile riuscirci, a volte sono troppo depresso per farcela." Ma la depressione è solo uno stato d'animo. Vi ricordate che in precedenza abbiamo parlato di associazione e dissociazione? Un prerequisito della capacità di reincorniciare se stessi consiste nell'essere in grado di dissociarsi dall'esperienza deprimente per vederla in una nuova prospettiva, perché allora si può cambiare la propria rappresentazione interna e la propria fisiologia. Se prima eravate in una condizione di impotenza, adesso sapete come fare a cambiarla. Se una certa cosa la collocate in una cornice che non vi procura alcun beneficio, cambiate la cornice.

Una maniera di farlo consiste nel mutare il significato di un'esperienza o comportamento. Immaginatevi una situazione in cui qualcuno faccia qualcosa che non vi va a genio, e voi pensate che il suo comportamento abbia un significato particolare. Prendiamo l'esempio di una coppia in cui al marito piaccia moltissimo cucinare, e che ci tenga a vedere apprezzati i suoi piatti. Durante il pasto, la moglie se ne sta zitta e il marito trova irritante quel suo comportamento. Se non parla vuol dire che è insoddisfatta. Che cosa fareste per reincorniciare la percezione che l'uomo ha del comportamento della moglie?

Come si è detto, per lui era importante l'approvazione. Il reincorniciamento del significato implica il cambiamento di una percezione, in modo da farne un rafforzativo di ciò che è importante per una persona, e in un modo da questa mai preso prima in considerazione. Potremmo suggerire al cuoco che forse la sua compagna apprezzava talmente il cibo da non voler perdere tempo in chiacchiere, quando invece poteva dedicarlo a mangiare. L'azione parla a voce più alta delle parole.

Un'altra possibilità sarebbe quella di indurre l'uomo a reincorniciare lui stesso il significato del comportamento della moglie, per esempio chiedendogli: "Non ti è mai capitato di restartene tu stesso silenzioso durante un pasto che ti piaceva moltissimo? Che cosa ti stava succedendo?" Il comportamento della moglie era irritante solo nell'ambito della cornice in cui l'uomo l'aveva collocato, e in casi del genere basta un po' di elasticità per cambiare la cornice.

Un'altra forma di reincorniciamento riguarda l'operazione da compiere su un nostro comportamento che noi stessi disapproviamo, di solito perché non ci piace ciò che rivela di noi come individui oppure perché non ci prospetta nessun beneficio. Il modo di reincorniciarlo consiste nell'immaginare un'altra situazione o contesto in cui quel comportamento sarebbe utile, nel senso che assicurerebbe qualcosa che si desidera. Supponiamo che siate un venditore e che vi diate gran pena per conoscere in ogni particolare i prodotti della vostra azienda. Ma quando siete al banco di vendita tendete a riversare sui clienti un tal numero di informazioni, che quelli se ne sentono schiacciati, a volte rinviando la decisione di comprare. La domanda è: in quale altra situazione quel comportamento potrebbe risultare efficace al massimo? Perché non dedicarsi alla pubblicità oppure alla descrizione tecnica del prodotto stesso? Il fatto di essere in possesso di molte informazioni e di godere di pronto accesso a esse potrebbe risultare utile qualora ci si debba preparare per un esame o si debbano aiutare i figli a fare i compiti a casa. Dunque non è il comportamento in sé e per sé a costituire il problema, bensì il luogo in cui viene impiegato. Non avete per caso esempi tratti dalla vostra stessa esistenza? Non c'è comportamento umano che in certi contesti non sia utile. Procrastinare può sembrare inutile, ma non sarebbe una bella cosa riuscire a rimandare rabbia e tristezza a un altro giorno – e quindi a mai?

Si può imparare a compiere esercizi di *reframing* di immagini ed esperienze che ci assillano. Per esempio, pensate a una persona o a un'esperienza che sia una spina nel fianco per voi. Rincasate da una giornataccia di lavoro, e non riuscite a pensare ad altro che a quel ridicolo progetto che il vostro superiore vi ha rifilato all'ultimo minuto; anziché allontanarvene, quella frustrazione ve la portate a casa con voi. Siete davanti al televisore con i vostri figli e nel vostro stato d'animo di irritazione non fate che pensare al vostro "stupido superiore e al suo idiota progetto".

Ma, anziché permettere al vostro cervello di avvelenarvi il fine settimana, potete imparare a reincorniciare l'esperienza. Cominciate con il dissociarvene. Prendete l'immagine del vostro superiore e ponetevela sulla mano; aggiungetegli un paio di ridicoli occhiali, un nasone e un paio di baffi, ascoltatelo parlare con voce stramba, stridula e aspra. Oppure avvertitelo come un uomo caldo e partecipe, e uditelo dire che ha bisogno del vostro aiuto per il progetto e se per piacere non potete dargli una mano. Forse vi renderete conto che l'uomo era stressato e che fino all'ultimo momento ha dimenticato di dirvi ciò di cui aveva effettivamente bisogno. E può darsi che ricordiate una volta in cui vi siete comportati allo stesso modo con qualcun altro. Chiedetevi se la situazione è di tale peso da permettere di rovinarvi il weekend, se è ragionevole concederle di assillarvi anche a casa.

Non voglio dire che il problema non sia effettivo. Può darsi che abbiate bisogno di un nuovo lavoro, o che abbiate bisogno di comunicare meglio nella mansione che è attualmente la vostra. In tal caso, però, dovrete affrontare il problema anziché lasciarvi tormentare da uno spettro negativo che vi fa reagire e trattare le persone che vi sono più vicine in maniera sgradevole. Fatelo qualche volta, e la prossima che incontrate il vostro superiore potrete vederlo con tanto di occhiali e nasone e provare tutt'altre sensazioni mentre vi parla, in tal modo istituendo una nuova interazione tra voi due, tale da trascendere la precedente dinamica stimolo-risposta che avevate istituito tra voi.

Mi sono servito di questi esempi di reincorniciamento di cose di poco conto per affrontare ciò che certuni considerano problemi di grande momento. Spesso, in situazioni complesse è indispensabile compiere una serie di reincorniciamenti di minor conto per raggiungere lo stato d'animo desiderato.

Nella sua più ampia accezione, al *reframing* si può far ricorso per eliminare sentimenti negativi in merito a quasi ogni cosa; e una delle tecniche più efficaci consiste nell'immaginarsi in un cinematografo sul cui schermo si veda proiettata l'esperienza che turba i vostri sonni. In un primo momento, potete accelerare la proiezione, quasi si trattasse di un cartone animato; potete aggiungervi musica da circo, le note di un samba. Poi magari vi proiettate la pellicola al contrario, e l'immagine diverrà sempre più assurda. Provate questa tecnica con qualcosa che vi dà noia, e ben presto costaterete che perde il suo potere negativo.

La stessa tecnica può funzionare nel caso di fobie, ma allora bisogna aumentare l'intensità. Ed ecco come. Una fobia ha spesso radici in un profondo stato cinestesico, sicché per eseguire un efficace reincorniciamento dovete distanziarvene maggiormente. Le reazioni fobiche sono di tale intensità che le persone possono reagire alla semplice idea di alcunché, e in questi casi è necessario dissociare le persone interessate dalle loro rappresentazioni parecchie volte di seguito. È quella che si usa chiamare "doppia dissociazione". Ammettiamo che abbiate una fobia per qualcosa, ed ecco allora un esercizio per voi: tornate con la mente a un periodo in cui vi sentivate pieni di vita e di forza, e rivivete quei sentimenti di intensa fiducia. E adesso immaginatevi protetti da una bolla radiante, muniti della quale potete entrare nel vostro preferito cinematografo mentale. Prendete posto su una comoda poltrona, in un punto da cui vedete bene lo schermo. Poi, sentitevi uscire dal vostro corpo, entrare nella cabina di proiezione, sempre avendo attorno la bolla protettiva; abbassate lo sguardo a vedervi seduto tra il pubblico, gli occhi fissi allo schermo vuoto.

E ora, immaginatevi di vedere sullo schermo una fotografia, un'immagine in bianco e nero della fobia o di una qualche terribile esperienza che un tempo vi tormentava. Dalla cabina di proiezione vi vedete seduto tra il pubblico – siete cioè doppiamente dissociati dall'evento. In questo stesso stato d'animo, fate scorrere le immagini in bianco e nero all'indietro e alla massima velocità possibile, in modo che le cose che vi assillavano appaiano come un numero da clown. Notate le vostre divertite reazioni alla situazione, mentre continuate a vedervi tra il pubblico, gli occhi fissi allo schermo.

E adesso, un passo più in là. Voglio che la parte di voi che sta lassù, nella cabina di proiezione, ridiscenda al luogo dove sta seduto il vostro corpo e quindi si alzi e vada a mettersi di fronte allo schermo. Questo dovreste ormai poterlo fare in uno stato d'animo di grande forza e fiducia. Dite poi al vostro io precedente che siete stati a osservarlo e avete scoperto due o tre modi che possono contribuire a cambiare quell'esperienza, due o tre reincorniciamenti del significato o del contenuto che lo aiuteranno ad affrontarla in maniera diversa, adesso e in futuro – modalità che il vostro nuovo io è in grado di applicare grazie alle vostre attuali, più mature percezioni. È perfettamente inutile che vi infliggiate tutti quei tormenti: adesso disponete di maggiori risorse di quando eravate giovani, e quella vecchia esperienza non è altro che passato.

Aiutate il vostro nuovo io a vedersela con qualcosa che prima non era in grado di affrontare, poi tornate alla poltrona e osservate il film cambiare. Recitate la stessa scena nella vostra mente, questa volta però osservando il vostro nuovo io e notando come adesso affronti la stessa situazione con maggiore fiducia. Fatto questo, tornate allo schermo e congratulatevi con il vostro nuovo io, abbracciandolo in segno di gratitudine per avervi liberato dalla fobia. Poi reinserite dentro di voi quell'io più giovane, con la consapevolezza che è più ricco di risorse di quanto mai sia stato prima e che costituisce una componente importante della vostra esistenza. Fate lo stesso con tutte le altre fobie che vi tormentano, e poi provate con qualcun altro.

Può rivelarsi un'esperienza di incredibile potenzialità. Con questi metodi, sono stato in grado di occuparmi di persone affette da fobie per un'intera vita, e di liberarle delle loro paure, molto spesso nel giro di pochi minuti. Come mai? Per la semplice ragione che cadere in stato fobico richiede specifiche rappresentazioni interne. E se queste rappresentazioni le cambiate, cambierete anche lo stato d'animo che quella persona si crea quando pensa alla sua particolare esperienza.

Per certuni, esercizi del genere implicano una disciplina mentale e una capacità di immaginazione di cui forse in precedenza erano incapaci, con la conseguenza che alcune delle strategie mentali che qui illustro possono risultare ardue all'inizio. Ma il vostro cervello è capace di funzionare nei modi che s'è detto, e se vi dedicate attentamente alle strategie stesse, vi sentirete sempre più a vostro agio.

Un aspetto da tenere ben presente a proposito del *reframing*, è che tutti i comportamenti umani hanno uno scopo in certi contesti. Se fumate, non lo fate di sicuro perché vi piace immettere oncogeni nei vostri polmoni, ma perché fumare vi fa sentire rilassati o più a vostro agio in certe situazioni sociali. Avete cioè creato quel comportamento per procurarvi alcuni vantaggi. Così, a volte può riuscirvi impossibile reincorniciare il comportamento senza affrontare il bisogno sotteso che quel comportamento soddisfa. È un problema che viene alla luce, per esempio, in persone che si sottopongono a terapia mediante elettroshock per smettere di fumare, e può verificarsi che costoro siano indotti, dalla cura, a qualche altro comportamento non meno dannoso, come abbandonarsi all'ansia o mangiare in misura eccessiva. Non voglio dire che questo metodo è negativo, ma sottolineare che è utile conoscere l'intenzione inconscia, in modo da soddisfare in maniera più intelligente quel bisogno.

Non c'è comportamento umano che non sia destinato a rispondere a un bisogno. Non è certo difficile indurre chicchessia a detestare il fumo, ma voglio sempre avere la certezza di offrire agli interessati nuove scelte comportamentali capaci di soddisfarne i loro desideri senza effetti collaterali dannosi come quelli creati appunto dal fumo. Se fumare li fa sentire rilassati, fiduciosi, sicuri di sé, è necessario che sostituiscano questo comportamento con un altro più attraente, capace di soddisfare lo stesso bisogno.

Richard Bandler e John Grinder hanno elaborato un procedimento di *reframing* in sei fasi per cambiare qualsiasi comportamento indesiderabile sostituendolo con uno auspicabile, pur conservando gli importanti benefici che il vecchio garantiva. Ecco le sei fasi.

1. *Identificate il modulo o comportamento che desiderate cambiare.*

2. *Stabilite una comunicazione con quella parte della vostra mente inconscia che genera il comportamento.* Entrate dentro di voi, e ponetevi la domanda che vi dirò fra poco, rimanendo all'erta, pronti a scoprire e registrare qualsiasi mutamento abbia luogo in fatto di sensazioni somatiche, immagini visive o suoni che si manifestino in risposta alle vostre domande. Chiedetevi dunque: "La parte di me che genera il comportamento tale o tal altro, sarà disposta a comunicare con me a livello conscio?"

Chiedete poi a quella parte per comodità che chiameremo X di voi stessi, di intensificare il segnale relativo quando vuole comunicare un "sì" e di attenuarlo quando vuole comunicare un "no". E adesso, mettete alla prova le risposte chiedendo a X di comunicare prima "sì", poi "no", in modo che possiate distinguere tra le risposte.

3. *Separate intenzione da comportamento.* Ringraziate X per la sua disponibilità a collaborare, quindi chiedetele se è disposta a farvi conoscere ciò che tenta di fare a vostro pro generando il compor-

tamento tale o tal altro, ancora una volta stando attenti a distinguere il segnale "no" dal segnale "sì". Prendete nota dei benefici che quel tale comportamento vi ha procurato in passato e poi ringraziate X per il fatto che voglia continuare ad assicurarvi i benefici stessi.

4. *Create comportamenti alternativi per soddisfare l'intenzione.* Entrate in voi e mettetevi in contatto con la parte più creativa del vostro essere, chiedendole di generare tre comportamenti alternativi che siano altrettanto validi o addirittura migliori del comportamento tale o tal altro quanto a soddisfare l'intenzione della parte con cui state comunicando. Fate in modo che questa vi segnali un "sì" quando abbia generato i tre comportamenti alternativi, e quindi domandatele se è disposta a rivelarvi quali sono i comportamenti alternativi.

5. *Fate accettare alla parte X le nuove scelte e la responsabilità della loro produzione quando sia necessario.* Domandate poi a X se i tre comportamenti nuovi sono altrettanto efficaci del comportamento precedente.

A X domandate poi se è pronta ad assumersi la responsabilità della loro produzione in situazioni adeguate, quando la sua intenzione esiga di essere soddisfatta.

6. *Eseguite un controllo ecologico.* Entrate in voi stessi e chiedetevi se vi sono vostre parti che hanno da obiettare alle trattative che hanno avuto luogo o se tutte le parti acconsentono a prestarvi aiuto. Proiettatevi poi nel futuro e immaginatevi una situazione che avrebbe promosso il vecchio comportamento, e sperimentate l'uso delle vostre nuove scelte e il perdurante ottenimento dei benefici da voi desiderati. Proiettatevi in un'altra situazione futura che avrebbe promosso l'antico comportamento, e sperimentate l'impiego di un'altra delle vostre nuove scelte.

Se ricevete un segnale che significa obiezione a una di esse, ricominciate da capo, identificando la parte che ha da ridire, quali benefici vi ha assicurato in passato, e fatela collaborare con la parte X nella produzione di nuove scelte suscettibili di conservare i benefici che sempre vi ha concesso, nonché di provvedervi di una nuova gamma di scelte. Può sembrare un po' strano che si parli di parti di voi stessi, ma è un fondamentale modulo ipnotico la cui grande utilità è stata costatata da studiosi come il dottor Erikson, il dottor Bandler e il dottor Grinder.

Se per esempio costatate che state mangiando di continuo in maniera eccessiva, potrete eseguire un modulo di "scatto" che vi indurrebbe a produrre nuovi tipi di comportamento, oppure potreste vederlo quale un comportamento che desiderate mutare. Potreste chiedere al vostro inconscio di condividere con voi i benefici di quel modulo del passato, e potrete magari scoprire che vi siete serviti del cibo per cambiare il vostro stato d'animo quando vi sentivate soli. O forse, esso vi aiutava a darvi un senso di sicurezza e a rilassarvi. Potrete quindi creare tre nuovi modi di dare a voi stessi il sentimento di appartenenza e di amicizia oppure di sicurezza e rilassamento. E perché non iscriversi a un circolo salutistico, nell'ambito del quale si verifichino eventi tali da facilitarvi il compito di istituire rapporti con altri e di avvertire il sentimento di sicurezza che viene dal fatto di rilassarvi in compagnia di amici, in pari tempo dimagrendo, e quindi acquisendo un'ulteriore sicurezza di sapervi piacevoli? Potreste magari meditare e creare un sentimento di fusione con l'universo intero, in tal modo sentendovi più sicuri e rilassati di quanto non foste quando stramangiavate.

Una volta in possesso di tali alternative, vedete se sono congruenti, in altre parole assicuratevi che ogni parte di voi sia disponibile a darvi appoggio facendo ricorso, in futuro, a quelle nuove scelte. Se avete la persuasione della congruenza, le scelte stesse genereranno comportamenti che vi aiuteranno a ottenere quanto desiderate, e per ottenerlo non dovrete più stramangiare. A questo punto, riproiettatevi nel futuro e mentalmente sperimentate l'uso delle nuove scelte in maniera concreta, notando i risultati così ottenuti. Ringraziate la vostra mente inconscia per le nuove scelte, e godetevi il vostro nuovo comportamento. Potrete magari ricorrere a uno "scatto", sostituendo il comportamento che usavate far vostro con il nuovo, da voi desiderato, una volta scoperto che sostiene i vostri bisogni inconsci meglio di quanto non facesse il comportamento abbandonato. Così facendo, offrirete a voi stessi nuove scelte.

Quasi ogni esperienza apparentemente negativa può essere reincorniciata e trasformata in positiva. Ditevi di frequente: "Un giorno probabilmente mi guarderò indietro e ne riderò." Ma perché non voltarvi adesso a guardare, e riderne adesso? È sempre e soltanto questione di prospettiva.

Importante notare che si può riprogrammare la rappresentazione di una persona con un modulo di "scatto" e altre tecniche, ma se l'individuo ricava maggiori benefici dal vecchio comportamento che non dalle nuove scelte che si è dato, ricadrà nel vecchio comportamento. Così per esempio, se mi occupo di una donna con una paralisi inspiegabile al piede, e scopro ciò che fa dentro la sua testa e nella sua fisiologia per ottenere quella situazione, il suo problema mi risulterà chiaro. Ma esso potrà ripresentarsi quando la donna non godrà più dei grandi benefici secondari che otteneva quando il suo piede era paralizzato, come il fatto che a lavare i piatti fosse suo marito, che questi si curasse di lei, che le massaggiasse i piedi, e simili. Per qualche settimana o mese, il coniuge è tutto contento del fatto che la moglie sia guarita; ma dopo un po', non solo si aspetta che cominci lei a lavare i piatti, ma non le massaggia più i piedi, e almeno in apparenza si occupa meno di lei. E ben presto, il vecchio problema della donna misteriosamente ricompare. Non è che questo avvenga consciamente: per la sua mente inconscia, il vecchio comportamento è assai più produttivo nel senso che assicura alla donna ciò che desidera – e il piede torna a paralizzarsi.

In un caso del genere, non le resta che trovare altri comportamenti che possano assicurare un'esperienza della stessa qualità di quella che vive con suo marito; in altre parole, deve poter ricavare dal nuovo comportamento più di quanto non ottenesse dal precedente. Una donna che partecipava a uno dei miei corsi di addestramento, cieca da otto anni, sembrava straordinariamente impegnata e interessata; in seguito ho scoperto che non era affatto cieca, eppure viveva come se lo fosse. Perché? Semplice: anni prima aveva avuto un incidente e la sua vista ne era rimasta indebolita; quanti la circondavano, le assicuravano tutto l'amore e il sostegno che poteva desiderare, più di quanto ne avesse mai avuto in vita sua. Inoltre, aveva scoperto che fare le cose di ogni giorno le assicurava l'ammirazione di quanti la ritenevano cieca e che la trattavano come se fosse un essere assolutamente particolare; per questo aveva fatto proprio quel comportamento, giungendo persino a convincersi, a volte, di essere davvero una non vedente. Non aveva trovato altro mezzo più efficace per indurre gli altri a risposte automaticamente premurose e amorose nei suoi confronti. Un comportamento, il suo, che poteva cambiare solo a patto che la donna trovasse una ragione più forte per abbandonarlo o qualcosa che le assicurasse maggiori benefici del comportamento attuale.

Fin qui ci siamo occupati dei modi con cui reincorniciare percezioni negative trasformandole in positive. Ma non vorrei che il procedimento fosse scambiato per una terapia, quale una modalità per passare da situazioni considerate non buone ad altre ritenute buone. Il *reframing* in realtà è niente di più e niente di meno che una metafora di potenzialità e possibilità, dal momento che ben poche sono le cose che non possano essere trasformate in qualcosa di meglio.

Una delle cornici più importanti da prendere in considerazione è costituita dalle possibilità. Spesso ci capita di abbandonarci a una routine nel senso che otteniamo risultati discreti dimenticandoci che potremmo ottenerne di ben maggiori. Vi consiglio pertanto questo esercizio: stendete un elenco di cinque cose che state attualmente facendo e delle quali siete abbastanza soddisfatti; può trattarsi di rapporti umani che procedono a gonfie vele, di una situazione professionale o di rapporti con i vostri figli o delle vostre finanze.

E adesso, immaginatevi quelle cose ancor migliori. Dedicate qualche minuto del vostro tempo a pensarci, e probabilmente resterete sorpresi dalla costatazione che la vostra esistenza può essere enormemente migliorata. Il *reframing* delle possibilità è alla portata di noi tutti: non richiede altro che la elasticità mentale che ci permetta di cogliere le potenzialità e il potere personale di intraprendere azioni.

Mi sia permesso di aggiungere una considerazione conclusiva. Il *reframing* è un'altra di quelle perizie di straordinaria efficacia che potete cavare dallo strumentario mentale per ottenere maggiori risultati. Dovete considerarlo un processo *in fieri*, consistente nell'esplorare ipotesi e nello scoprire utili contesti per ciò che si riesce a far bene.

I leader e gli altri grandi comunicatori sono maestri nell'arte del *reframing*: sanno come motivare il pubblico, infondergli nuova energia, facendo di qualsiasi cosa accada un modello di possibilità.

C'è un famoso episodio che riguarda Tom Watson, il fondatore della IBM. Uno dei suoi dipendenti aveva commesso un terribile errore, che era costato all'azienda dieci milioni di dollari. Convocato nell'ufficio di Watson, questi esordì con un: "Immagino che voglia che rassegni le dimissioni." Watson lo guardò ben bene e disse: "Ma sta scherzando? Se ho appena speso dieci milioni di dollari per educarla!"

Qualsiasi cosa accada, comporta sempre un'utile lezione. I migliori leader sono quelli che le lezioni le imparano e che applicano a eventi esterni le cornici più produttive, e questo vale per la politica come per il mondo degli affari, per l'insegnamento come per la vita di tutti i giorni.

Noi tutti conosciamo persone che fanno esattamente il contrario: per quanto lustra e attraente possa essere la cornice, riescono sempre a trovarvi punti oscuri. Ma non c'è atteggiamento paralizzante, non c'è comportamento controproducente, che non si presti a un efficace *reframing*. Qualcosa non vi piace? Cambiatela. Vi comportate in modo che non vi è di aiuto? Fate qualcosa d'altro. Esiste il mezzo, non soltanto di ottenere comportamenti efficaci, ma di avere la certezza di poterlo fare ogniqualvolta se ne abbia bisogno. Nel prossimo capitolo, impareremo come riavviare qualsiasi comportamento utile nell'istante in cui lo si desideri.

17

"ANCORARSI" AL SUCCESSO

Fate quel che potete, con ciò che avete, dove siete.

THEODORE ROOSEVELT

Ci sono persone – e io sono una di esse, e forse anche voi lo siete – che si sentono balzare il cuore in petto quando vedono la bandiera americana: strana reazione, ad analizzarla a fondo. In fin dei conti, una bandiera non è che un pezzo di tela con dei simboli colorati e decorativi; in sé e per sé, nulla di magico. Ma questa interpretazione trascura il punto fondamentale. Sì, è solo un pezzo di tela, che però è assurto a simbolo di tutte le virtù e caratteristiche della vita nazionale, ragion per cui allorché un individuo vede una bandiera, scorge anche una metafora potente di tutto ciò che il suo paese significa.

Al pari di innumerevoli altri oggetti del nostro ambiente, una bandiera costituisce un punto d'appoggio, un'"ancora", uno stimolo sensorio collegato a una serie di stati d'animo. E un'ancora può essere una parola o frase, un contatto o un oggetto; qualcosa che vediamo, udiamo, sentiamo, assaggiamo od odoriamo. Le "ancore" sono dotate di grande potere, perché danno immediatamente accesso a stati d'animo quanto mai produttivi, ed è appunto ciò che accade quando vediamo la bandiera: subito proviamo le possenti emozioni e sensazioni che rappresentano il nostro modo di atteggiarci verso la nazione nel suo insieme, in quanto quei sentimenti sono collegati o associati a quel particolare colore e motivo che compare sul pezzo di stoffa.

Il nostro mondo è pieno di "ancore", alcune di grande valenza, altre banali. Se comincio col dirvi: "La marca di sigarette tale e tal altra ha proprio il sapore..." è assai probabile che automaticamente aggiungerete: "...che dovrebbero avere le sigarette." Se dico "mela", è probabile che immediatamente vi venga in testa lo slogan "mela mangio", e questo perché la pubblicità è a volte così efficace da aver ancorato in voi una risposta, che la prendiate o meno sul serio. È un fenomeno che si verifica di continuo, e capita assai spesso di vedere persone mettersi immediatamente in uno stato d'animo, buono o cattivo che sia, a seconda dei sentimenti che hanno associato con il messaggio. Capita di sentire una canzone e di sperimentare un istantaneo mutamento di stato d'animo. Sono tutti risultati di possenti "ancore".

Questa parte del libro si conclude con un capitolo sull'"ancoramento" per il semplice e ottimo motivo che l'"ancoramento" è un modo per dare carattere permanente a un'esperienza. Possiamo cambiare le nostre rappresentazioni interne e la nostra fisiologia in un istante, ottenendo nuovi risultati, e sono cambiamenti che richiedono pensiero conscio. Ma con l'"ancoramento", si può dar vita a un meccanismo di promozione costante, che automaticamente vi permetterà di creare lo stato d'animo da voi desiderato in qualsiasi situazione, senza che dobbiate pensarci. Quando si "ancora" qualche cosa con sufficiente efficacia, essa sarà là ogniqualvolta la desideriate. Finora avete imparato un bel po' di tecniche preziosissime, ma l'"ancoramento" è la più efficace a me nota per canalizzare costruttivamente le proprie reazioni inconsce, in modo da averle sempre sottomano. Rileggete la citazione con cui si apre questo capitolo. Noi tutti facciamo del nostro meglio con ciò che abbiamo, tentiamo di ricavare il massimo dalle risorse a nostra disposizione e l'"ancoramento" è un modo di garantirsi perenne accesso alle nostre massime potenzialità.

Tutti, di continuo, ci dedichiamo a questo procedimento, e in realtà sarebbe impossibile non "ancorarsi". Ogni "ancoramento" è infatti un'associazione di pensieri e stati d'animo con uno stimolo specifico. Siete certo al corrente dei celebri esperimenti del dottor Ivan Pavlov, il quale metteva della carne vicino a cani affamati in modo che questi la potessero annusare e vedere, non però raggiungere; e la carne diveniva un potente stimolo della sensazione di fame degli animali, i quali ben presto cominciavano a produrre abbondante salivazione. A questo punto, il dottor Pavlov faceva trillare un campanello dal suono particolare, e ben presto non era più necessaria la presenza della carne: per ottenere la salivazione dei cani, bastava far risuonare il campanello, e per gli animali era come se il cibo fosse lì, di fronte a loro. Pavlov aveva cioè istituito una connessione cronologica tra il suono del campanello e la condizione di fame e salivazione.

Anche noi viviamo in un mondo di stimoli e risposte, e gran parte del comportamento umano è fatto di risposte inconsciamente programmate. Così, per esempio, molte persone in stato di stress immediatamente allungano la mano verso il pacchetto di sigarette, la bottiglia o, in certi casi, qualcosa da "sniffare". E lo fanno senza pensarci; sono semplicemente come i cani di Pavlov. In effetti, a molti di costoro piacerebbe cambiare il proprio comportamento, che riconoscono inconscio e incontrollabile. La chiave consiste nell'assumere consapevolezza del processo in modo che, qualora non ci siano "ancore" capaci di assicurare sostegno, si possano eliminare quelle esistenti e sostituirle con nuovi collegamenti stimoli-risposte suscettibili di porre automaticamente l'interessato nello stato d'animo desiderato.

E allora, come si fa a creare "ancore"? Ogniqualvolta un individuo si trovi in uno stato d'animo di intenso coinvolgimento fisico e mentale e nel momento culminante riceve uno stimolo specifico coerente, stimolo e stato d'animo saranno neurologicamente collegati; in seguito, ogniqualvolta venga applicato lo stimolo, il risultato automatico sarà l'intenso stato d'animo. Intoniamo l'inno nazionale, creiamo certi sentimenti nel nostro organismo, guardiamo la bandiera e pronunciamo il giuramento di fedeltà; ben presto, una semplice occhiata alla bandiera basta a provocare in noi l'insorgere di questi sentimenti.

Tuttavia, non tutte le "ancore" costituiscono associazioni positive; ve ne sono di spiacevoli e addirittura di dannose. Ogniqualvolta ci venga appioppata un'ammenda per eccesso di velocità, passando per lo stesso punto dell'autostrada avvertiremo in seguito un senso di disagio. E come vi sentite quando nel retrovisore vedete la luce della vettura della polizia? Istantaneamente, automaticamente, il vostro stato d'animo muta.

Uno degli elementi che influiscono sul potere di un'"ancora", è l'intensità dello stato d'animo originario. A volte accade che gli individui abbiano esperienze spiacevoli così intense, come un litigio con il coniuge o il capo, che da quel momento ogniqualvolta vedono la persona con cui hanno avuto da ridire, immediatamente provano un sentimento di ira, e così il rapporto coniugale o il lavoro perdono ai loro occhi ogni gioiosità. Se avete "ancore" negative del genere, questo capitolo vi insegnerà come sostituirle con altre, positive. Non sarà necessario che ve ne ricordiate: accadrà automaticamente.

Molte "ancore" sono piacevoli. Capita per esempio di associare una canzone dei Beatles con una splendida estate, e per tutta la vita ogniqualvolta udirete quelle note, penserete a quell'estate. Oppure, concludete un piacevolissimo incontro con una torta di mele e panna, e da quel momento essa diviene il vostro dessert preferito. Non ci pensate più di quanto ci pensassero i cani di Pavlov, ma non passa giorno senza che abbiate esperienze di "ancoraggio" che vi condizionano a rispondere in un particolare modo.

La maggior parte delle persone sono "ancorate" nella maniera più casuale: veniamo bombardati da messaggi televisivi e radiofonici e alcuni di essi diventano "ancore", altri no. Molto spesso dipende semplicemente dal caso. Se si è in uno stato d'animo intenso, positivo o negativo che sia, quando si entra in contatto con un particolare stimolo è probabile che questo si "ancori". La ripetitività dello stimolo è un possente strumento di "ancoramento": se si ode qualcosa abbastanza spesso, come accade con gli slogan pubblicitari, ci sono buone probabilità che si "ancori" nel nostro sistema nervoso. Ma si può imparare a controllare tale processo di "ancoramento" in modo da introdurre in se stessi "ancore" positive, annullando quelle negative.

Durante tutta la storia, le grandi guide hanno sempre saputo far buon uso delle "ancore" della cultura cui appartenevano. Allorché un uomo politico si "avvolge nella bandiera", vuol dire che tenta di fare uso efficace di tutta la magia insita in quella possente "ancora", istituire un collegamento tra se stesso e tutte le nozioni positive che alla bandiera sono connesse. Se tutto procede per il meglio, il processo può istituire un sano nesso tra patriottismo e rapporti personali. Pensate a come vi sentite quando assistete alla parata della Festa della Repubblica, e non è certo un caso se l'uomo politico che tenga all'approvazione pubblica si farà un dovere di non mancare alla cerimonia. Ma l'"ancoramento" nel suo aspetto negativo può provocare spaventosi disastri. Hitler era un genio dell'"ancoramento", capace di istituire uno specifico collegamento tra stati mentali ed emozionali e la croce uncinata, le parate a passo dell'oca e le adunate di massa. Hitler trasponeva la gente in stati d'animo di estrema intensità, e una volta che ci fosse riuscito, forniva specifici stimoli di tipo particolare, e lo faceva ripetutamente, al punto che in seguito non doveva far altro che presentare quegli stessi stimoli, come per esempio alzare la mano nel saluto nazista, per evocare le emozioni che a essi aveva collegato. Si serviva costantemente di tali strumenti per manipolare le emozioni, e quindi gli stati d'animo e i comportamenti della nazione tedesca.

Nel capitolo sul *reframing*, si è detto che gli stessi stimoli possono assumere significati diversi a seconda della cornice in cui sono inseriti. L'"ancoramento" può procedere in senso sia negativo che positivo. Hitler istituiva il collegamento tra emozioni positive, di forza e fierezza, con simboli nazisti per mobilitare i suoi seguaci da un lato, e dall'altro li collegava a stati di paura a svantaggio dei suoi avversari. La svastica, per esempio, non aveva lo stesso significato per un SS e un appartenente alla comunità ebraica; gli ebrei però hanno saputo approfittare di tale esperienza, creando un'"ancora" positiva e possente, con l'aiuto della quale è stata possibile la fondazione di uno stato, quello di Israele, e la sua difesa contro avversari che sembravano invincibili. L'"ancora" uditiva costituita dalla frase "mai più", che molti ebrei amano ripetere, li traspone in uno stato d'animo di totale impegno nei confronti di quanto è necessario per l'affermazione dei loro diritti sovrani.

Molti commentatori politici ritengono che sia stato un errore, da parte di Jimmy Carter, cercare di demistificare la carica di presidente degli Stati Uniti: almeno all'inizio del suo mandato, infatti, Carter ha tolto di mezzo proprio le più forti "ancore" della presidenza, come pompa, cerimonia, la musica del "saluto al capo" intonata dalla banda. Il suo intento poteva essere degno di ammirazione, ma sotto il profilo tattico è stato probabilmente assai sciocco. I leader raggiungono la loro massima efficacia quando possono far uso di possenti "ancore" per mobilitare il pubblico. Ben pochi presidenti si sono "avvolti nella bandiera" con la stessa assiduità con cui l'ha fatto Reagan e, che la sua politica piaccia o no, è difficile non apprezzarne l'abilità (che sia farina del suo sacco o di quello dei suoi consiglieri) quanto a uso del simbolismo politico.

L'"ancoramento" non riguarda solo le emozioni e le esperienze più profonde: i comici sono abilissimi in quest'arte. I migliori tra loro sanno far ricorso a una particolare tonalità, locuzione o manifestazione fisiologica, per provocare immediatamente il riso. E come ci riescono? Fanno qualcosa che provoca l'allegria di altri e mentre questi altri sono in quel particolare stato di intensità, forniscono uno specifico, unico stimolo, come per esempio un sorriso o un'espressione facciale, o magari un tono di voce particolare; e lo fanno costantemente, ripetendolo finché l'allegria non sia collegata a quella loro espressione; ben presto, è sufficiente che abbozzino quella smorfia, perché lo spettatore non possa fare a meno di scoppiare a ridere.

Permettetemi di fornirvi un esempio che risale a un periodo in cui sono stato in grado di fare uso ottimale delle "ancore" disponibili. John Grinder e io stavamo trattando con l'esercito degli Stati Uniti in merito a una serie di nuovi modelli addestrativi destinati ad aumentarne l'efficienza in vari settori. Il generale responsabile ci ha fatto incontrare con gli ufficiali dei vari settori per stabilire orari, prezzi, località e via dicendo; la riunione ha avuto luogo in una grande sala da conferenze, attorno a un tavolo disposto a ferro di cavallo. A capotavola, c'era il posto del generale, ed era evidente che, anche senza la sua presenza fisica, quella seggiola era l'"ancora" più possente che ci fosse nella sala, tant'è che tutti gli ufficiali la facevano oggetto del massimo rispetto. Era su quella poltrona che venivano formulate le decisioni, da quella poltrona venivano impartiti ordini indiscutibili. Sia John che io ci siamo fatti un dovere, non solo di passare accanto alla sedia del generale, ma di toccarla e alla fine di sedercisi, ripetendo il gesto finché non abbiamo trasferito a noi stessi alcune delle reazioni degli ufficiali nei confronti del generale e di quel suo simbolo. Quando è venuto il momento di enunciare la cifra che chiedevo, mi sono messo accanto alla sedia del generale, dicendo agli ufficiali quanto volevamo avere con il tono di voce più deciso e autoritario e l'atteggiamento fisiologico corrispondente. E, se prima c'erano state discussioni sul compenso, questa volta nessuno ha osato porlo in discussione. Avendo noi fatto uso dell'"ancora" costituita dalla sedia del generale, siamo così stati in grado di spuntare un compenso equo senza perdere tempo in tira e molla. Era come se avessi preordinato la trattativa. In moltissimi negoziati ad alto livello si ricorre a efficaci processi di "ancoramento".

Si tratta di uno strumento utilizzato anche da molti atleti professionisti, i quali può darsi non lo chiamino così e non siano nemmeno consapevoli di ciò che fanno, e tuttavia applicano il principio. Gli atleti capaci di dare il massimo sono spinti, ovvero "ancorati", da situazioni limite, tipo vincere o soccombere, che li mettono in stati d'animo quanto mai produttivi ed efficienti, e ottengono così i loro migliori risultati. Ci sono atleti che fanno certe cose ben precise per mettersi in quello stato; per esempio, i tennisti fanno ricorso a un certo ritmo di palleggio o a un certo modulo respiratorio per raggiungere la condizione interiore ottimale prima di procedere al servizio.

Mi sono servito di "ancoraggio" e *reframing* quando ho avuto a che fare con Michael O'Brien, medaglia d'oro dei 1500 metri stile libero alle Olimpiadi del 1984. Ne ho ricontestualizzato le credenze che lo impastoiavano e ne ho "ancorato" gli stati d'animo ottimali allo sparo della pistola dello starter (inducendolo a rievocare lo stimolo della musica di cui si era servito in precedenza in una gara che aveva vinto contro il suo avversario), oltre che alla riga nera sul fondo della piscina, sulla quale nuotando avrebbe dovuto focalizzare l'attenzione. I risultati da lui ottenuti in quella condizione di eccezionale euforia erano ciò che più ardentemente desiderava.

Vediamo dunque più da vicino come creare consciamente un'"ancora" per se stessi e gli altri. In sostanza, ci sono due semplici iniziative da prendere. Innanzitutto bisogna mettere se stessi o la persona che si sta "ancorando" nello specifico stato d'animo che si vuole istituire; bisogna poi fornire ripetutamente uno stimolo specifico e unitario all'individuo che sperimenta lo stato al suo culmine. Per esempio, se qualcuno ride vuol dire che si trova in uno stato d'animo specifico e congruente: in quel momento, il suo intero organismo è coinvolto. Se gli pizzicate l'orecchio esercitando una pressione di tipo particolare e unico, e contemporaneamente fate udire più volte un certo suono, potrete successivamente fornire lo stesso stimolo, pizzicatina all'orecchio e suono, e la persona interessata tornerà a ridere.

Un altro metodo per fornire a qualcuno un'"ancora" di fiducia in se stesso è di chiedergli di rievocare un periodo in cui sentiva che lo stato d'animo che desiderava era disponibile a comando, e quindi fategli rivivere quell'esperienza, in modo che la sua associazione sia totale ed egli possa avvertire quelle stesse sensazioni nel proprio organismo. Vedrete allora verificarsi in lui cambiamenti a livello fisiologico – espressioni facciali, portamento, respirazione. E, quando notate che queste condizioni sono vicine al culmine, fornite subito uno stimolo specifico e unico ripetendolo più volte.

Queste "ancore" le potete rafforzare aiutando l'interessato a mettersi ancor più rapidamente in uno stato di fiducia nei propri confronti, per esempio dicendogli di mostrarvi quale posizione assume quando si sente pieno di fiducia e nel momento in cui il suo atteggiamento cambia, applicate lo stimolo. Potete anche chiedergli di mostrarvi come respira quando si sente pieno di assoluta fiducia, e in quel momento applicate nuovamente lo stesso stimolo. Ancora, chiedetegli che cosa dice a se stesso in stato di fiduciosità e che ve lo esprima con lo stesso tono di voce, e ancora una volta mentre lo fa applicate esattamente lo

CHIAVI DI "ANCORAMENTO"

INTENSITÀ DELLO STATO D'ANIMO
SCELTA DEL MOMENTO (CULMINE DELL'ESPERIENZA)
UNICITÀ DELLO STIMOLO
RIPETIZIONE DELLO STIMOLO

stesso stimolo (per esempio, esercitate ogni volta una pressione sulla sua spalla, esattamente nello stesso punto).

Quando siete convinti di avere a disposizione un'"ancora", è necessario che la mettiate alla prova, a tale scopo innanzitutto ponendo la persona in uno stato d'animo nuovo e neutro. La maniera più facile per ottenerlo è di fargli cambiare fisiologia o farlo pensare a qualcosa di completamente diverso. Poi, per verificare la vostra "ancora", applicate lo stimolo appropriato, e state a vedere. La sua fisiologia è rimasta la stessa di quand'era nel desiderato stato d'animo? In caso affermativo, la vostra ancora è efficace, in caso contrario può darsi che abbiate trascurato una delle quattro chiavi del buon "ancoramento". Infatti:

1. *Perché un'"ancora" sia efficace, quando applicate lo stimolo è necessario che la persona sia in uno stato d'animo congruente, di totale associazione, con il pieno coinvolgimento del suo organismo.* È quello che chiamo "stato intenso"; e, quanto più intenso esso è, tanto più facile risulta l'"ancoramento", e tanto più a lungo questo durerà. Se "ancorate" qualcuno mentre una sua parte sta pensando a qualcosa e un'altra sua parte a una cosa diversa, lo stimolo risulterà collegato a segnali diversi, e pertanto non sarà altrettanto forte. Inoltre, come si è già detto in precedenza, se l'interessato sta riandando a un periodo in cui aveva certe sensazioni e lo "ancorate" in quello stato d'animo, quando in futuro gli applicherete lo stimolo questo sarà collegato più alla visualizzazione di quelle immagini che non alla possibilità che l'intero organismo e la mente siano associati.

2. *Lo stimolo va applicato nel momento culminante dell'esperienza.* Se eseguite l'"ancoramento" troppo presto o troppo tardi, vi sfuggirà la massima intensità. Il culmine dell'esperienza lo si può individuare osservando la persona mentre entra in quel particolare stato e notando ciò che fa quando questo comincia ad attenuarsi.

Oppure, potete farvi aiutare dall'altro chiedendogli di dirvi quando sta avvicinandosi al culmine e servendovi di quella informazione per calibrare esattamente il momento chiave in cui applicare lo stimolo.

3. *Bisogna ricorrere a uno stimolo unico*, essendo essenziale che l'"ancora" invii al cervello un segnale chiaro e inconfondibile. Se l'interessato entra in uno stato specifico intenso e tentate di collegare questo per esempio a un'occhiata che in quel momento gli lanciate, probabilmente questa si rivelerà un'"ancora" non molto efficace, dal momento che non è unica e per il cervello sarà difficile ricavarne un segnale specifico. Allo stesso modo, può darsi che non sia efficace una stretta di mano, perché di mani se ne stringono di continuo, tuttavia può funzionare se voi le mani le stringete in qualche modo unico (per esempio, con una pressione particolare esercitata in una certa posizione, e via dicendo). Le "ancore" migliori sono una combinazione di diversi sistemi rappresentativi – visivo, uditivo, cinestesico e via dicendo – usati contemporaneamente allo scopo di creare uno stimolo unico che il cervello possa più facilmente associare a un significato specifico. Così per esempio, "ancorare" una persona con un tocco della mano e un certo tono di voce, di solito si rivelerà più efficace che non "ancorarlo" solo col tocco.

4. *Perché un'"ancora" funzioni dovete replicarla esattamente.* Se mettete una persona in un certo stato e gli toccate la scapola in un punto specifico, esercitando una specifica pressione, non potrete poi reinnescare quell'"ancora" toccando l'interessato in un punto diverso o esercitando una diversa pressione.

Se la vostra procedura di "ancoramento" obbedisce a queste quattro regole, essa risulterà efficace. Ai fini della pirobazia, io insegno ai partecipanti a produrre "ancore" che ne mobilitano le energie più positive, più produttive; a tale scopo, li inserisco in processo di "condizionamento", che consiste nello stringere il pugno ogniqualvolta fanno appello alle loro più possenti energie. Alla fine della serata, basta che stringano il pugno per avvertire immediatamente un possente afflato di energia produttiva.

E a questo punto, un semplice esercizio di "ancoramento". Alzatevi in piedi e pensate a un momento in cui eravate pieno di incondizionata fiducia in voi stessi, in cui sapevate di essere in grado di fare qualsiasi cosa volevate. Mettete il vostro organismo nella stessa condizione fisiologica in cui era allora, assumete il portamento che avevate allora, e nel momento culminante del sentimento, stringete il pugno e dite "sì!" con forza e certezza. Respirate come facevate in quello stato di totale fiducia, stringete ancora il pugno e ripetete "sì!" con lo stesso tono di voce. Parlate allora col tono di una persona in stato di totale fiducia che controlla pienamente la situazione, in pari tempo stringendo lo stesso pugno, il sinistro o il destro che sia, e dite "sì!" con lo stesso tono.

Se non riuscite a ricordare un periodo particolare, pensate a come vi sentireste se aveste un'esperienza del genere. Mettete il vostro corpo nella situazione fisiologica in cui sarebbe se sapeste come fare a sentirvi pienamente fiduciosi e padroni della situazione, e respirate come se vi sentiste pienamente fiduciosi. Questo voglio che lo facciate concretamente, come del resto ogni altro esercizio di questo libro. Semplicemente leggere non vi servirà a niente, eseguirlo concretamente farà invece miracoli.

Dunque, mentre siete in stato di totale fiducia, al culmine dell'esperienza, stringete leggermente il pugno e dite "sì!" con tono di voce deciso. Abbiate consapevolezza del potere di cui disponete, delle notevoli risorse fisiche e mentali che avete, e siate pronti ad avvertire il pieno afflato di quel potere, di quella sicurezza. Rifatelo più volte, almeno cinque o sei, ogni volta sentendovi più forti e creando a livello neurologico un'associazione tra questo stato d'animo e il gesto di stringere il pugno e di dire "sì!" Poi cambiate stato e cambiate fisiologia; quindi tornate a stringere il pugno e a dire "sì!" allo stesso modo di quando vi siete "ancorati", notando come vi sentite. Per qualche giorno, fatelo a più riprese; mettetevi nello stato di maggior fiducia e potenzialità di cui abbiate consapevolezza, e nel momento culminante stringete il pugno sempre allo stesso modo.

Ben presto, costaterete che vi basta stringere il pugno per suscitare a volontà e istantaneamente un certo stato d'animo. Può darsi che non bastino un paio di volte, ma non vi occorrerà molto tempo per riuscirci costantemente. Potete bancorarvin con solo una o due ripetizioni, se lo stato d'animo è abbastanza intenso e il vostro stimolo sufficientemente unico.

Una volta che vi siate così bancoratin, potrete servirvi del procedimento ogniqualvolta vi troviate in una situazione difficile. Basterà che stringiate il pugno per sentirvi pieni di potenzialità; è questa l'efficacia dell'"ancoramento", legata al fatto che istantaneamente esso mette alla frusta la vostra neurologia. L'ideazione

COME SI FA AD “ANCORARE”

1. Identificate uno specifico obiettivo per il quale desiderate ricorrere a un'bancoran e il particolare stato d'animo che avrà la massima efficacia nell'aiutarvi al raggiungimento di quello specifico obiettivo per voi stessi e/o altri.

2. Mettete a fuoco esattamente l'esperienza base.

3. Ponete l'interessato nello stato desiderato servendovi dei vostri moduli di comunicazione verbali e non verbali.

4. Usate la vostra acutezza sensoria per stabilire quando la persona sia al culmine dello stato, e in quel preciso istante applicate lo stimolo (bancoran).

5. Mettete al banco di prova l'bancoran:
   A. Cambiando fisiologia per interrompere lo stato d'animo.
   B. Applicando lo stimolo (bancoran), e notando se la risposta consiste nello stato desiderato.

---

positiva di tipo tradizionale esige che vi diate il tempo di riflettere, e anche mettersi in una condizione fisiologica ricca di potenzialità richiede un certo tempo e uno sforzo conscio, mentre l'“ancoramento” basta a mobilitare all'istante le vostre più possenti risorse.

È importante tener presente che le “ancore” possono essere rese efficaci al massimo se le si accumula, mettendo cioè assieme molte delle stesse esperienze positive o per lo meno esperienze molto simili. Per esempio, io mi metto nei miei stati più produttivi e positivi assumendo una fisiologia e una postura che è simile a quella degli esperti di karate. In tale stato, ho compiuto centinaia di pirobazie, mi sono paracadutato più volte da alta quota aprendo il paracadute all'ultimo momento, ho accettato e superato sfide d'ogni genere. In ognuna di queste situazioni, quando raggiungo il massimo della potenzialità, quando cioè sono al culmine dell'esperienza, stringo il pugno; e adesso mi basta stringere lo stesso pugno perché quei poderosi sentimenti siano rimessi contemporaneamente in funzione nel mio sistema nervoso; ed è una sensazione ben superiore a quella che si può sperare di ottenere con qualsivoglia droga. Ho fatto l'esperienza del paracadutismo, mi sono gettato dall'aereo nottetempo alle Hawaii, ho dormito nelle grandi piramidi, ho nuotato con delfini, ho compiuto pirobazie, ho superato ostacoli d'ogni sorta, ho vinto gare sportive, e tutto grazie al fatto di sapermi mettere in quel certo stato. Sicché, quanto più spesso lo faccio, connettendo a esso nuove, forti, positive esperienze, tanto maggiore è il potere e il successo che a esso "ancoro". Ed è un altro esempio del ciclo del successo: il successo genera successo. Potere e disponibilità di risorse generano altro potere e maggiore disponibilità di risorse.

Vi propongo una sfida: "ancorate" tre persone diverse in stati d'animo positivi. Inducetele a rievocare un periodo in cui si sentivano piene di esuberante vitalità, accertatevi che quella condizione la rivivano in pieno, e "ancoratele" più volte nello stesso stato d'animo. Poi conversate con loro e mettete alla prova la validità dell'"ancora" mentre sono distratte. Ritornano allo stesso stato d'animo? In caso negativo, rileggetevi le quattro regole fondamentali e procedete nuovamente all'"ancoramento".

Se la vostra "ancora" non riesce a provocare lo stato desiderato, vuol dire che avete trascurato una delle quattro regole, o può darsi che voi o l'altra persona non foste in uno stato specifico e di piena associazione, oppure che abbiate applicato l'"ancora" nel momento sbagliato, una volta superato il culmine dello stato, oppure che lo stimolo non fosse abbastanza particolare, o che non lo abbiate replicato esattamente nel tentativo di riportare a galla l'esperienza "ancorata". In tutti questi casi, vi occorre solo l'acuità sensoria necessaria per assicurarvi che l'ancoramento sia eseguito correttamente, e, se lo rifate, per introdurre nel vostro approccio i cambiamenti indispensabili a produrre un'"ancora" che funzioni.

E adesso, un altro esercizio: scegliete tre o cinque stati d'animo, ovvero sentimenti che vorreste procurarvi a comando, quindi ancoratevi a una parte specifica di voi stessi in modo da avere facile accesso a essi. Ammettiamo che siate un individuo cui riesca difficile prendere una decisione in maniera rapida, facile ed efficiente, e in questo caso potrete scegliere la nocca del vostro indice. Pensate poi a un periodo della vostra vita in cui vi sentivate perfettamente capaci di decisioni; mentalmente ponetevi in quella situazione e associatevi totalmente a essa, in modo da sentirvi esattamente come allora. Sperimentatevi poi intenti a prendere la grande decisione di allora; al culmine dell'esperienza, quando vi sentite più decisi, premetevi la nocca dell'indice ed emettete mentalmente un suono simile alla parola "sì!" E adesso, pensate a un'altra esperienza del genere e al culmine di quel processo decisionale esercitate la stessa pressione ed emettete mentalmente lo stesso suono. Fatelo cinque o sei volte, in mo-

COME IDENTIFICARE IL CAMBIAMENTO DI STATO D'ANIMO

Rilevate i mutamenti che hanno luogo nel:

respiro

localizzazione – pause – ritmo – volume

movimento degli occhi

posizione del labbro inferiore

portamento

tono muscolare

dilatazione della pupilla

colore della pelle

voce

aggettivi – ritmo – timbro – tono – volume

do da accumulare una serie di possenti "ancore", dopo di che pensate a una decisione che dovete prendere, riflettete su tutti gli elementi di fatto che dovete conoscere, quindi mettete in funzione l'"ancora", e a questo punto dovreste essere in grado di prendere una decisione rapidamente e facilmente. Potrete servirvi di un altro dito per ancorare sensazioni di rilassamento, posto che ne abbiate bisogno. Personalmente "ancoro" sentimenti creativi a una particolare nocca, e riesco a trasformi nel giro di pochi istanti da una sensazione di blocco a una di creatività. Concedetevi il tempo necessario a scegliere cinque stati d'animo, instaurateli e quindi servitevene per dirigere il vostro sistema nervoso con estrema accuratezza e rapidità. E fatelo subito.

Spesso l'"ancoramento" risulta massimamente efficace quando l'individuo che è stato "ancorato" non è al corrente di ciò che è accaduto. Nel suo libro *Keeping Faith*, Jimmy Carter fornisce uno straordinario esempio di "ancoramento". Durante le trattative sul controllo degli armamenti, Leonid Brežnev lo lasciò a bocca aperta, mettendogli una mano sulla spalla e dicendogli in perfetto inglese: "Jimmy, se non ci riusciamo, Dio non ce lo perdonerà." Anni dopo, nel corso di un'intervista televisiva, Carter definì Brežnev un uomo di pace, riferì quell'episodio, e facendolo si toccò la spalla e commentò: "Mi sembra ancora di sentirmi la sua mano qui." Se Carter ricordava con tanta intensità l'esperienza, era perché Brežnev l'aveva sbalordito parlando in perfetto inglese e citando Dio; e Carter, persona profondamente religiosa, evidentemente era rimasto assai toccato dalle parole del leader sovietico, un'esperienza che era culminata nel momento in cui questi gli aveva toccato la spalla. L'intensità dell'emozione e l'importanza della problematica in pratica hanno fatto sì che quell'esperienza gli resti impressa fino alla fine dei suoi giorni.

L'"ancoramento" può essere utilissimo ai fini del superamento di paure e del cambiamento di comportamenti. Eccone un esempio di cui mi servo durante i miei seminari. Chiedo a qualcuno, uomo o donna, che incontra difficoltà nei rapporti con il sesso opposto, di piazzarsi davanti all'uditorio. Poco tempo fa, a prestarsi volontariamente, sia pure con una certa ritrosia, è stato un giovane al quale ho chiesto che cosa provava quando parlava con una donna sconosciuta, e ho notato un'immediata reazione fisica. Il giovane si è afflosciato, ha abbassato gli occhi, la voce gli si è fatta tremula: "In quei casi, non mi sento affatto a mio agio." In realtà, non c'era bisogno che parlasse: la sua fisiologia mi aveva già detto tutto quello che volevo sapere. Ne ho interrotto lo stato d'animo chiedendogli se ricordava un momento in cui si era sentito pieno di fiducia e di sicurezza, un momento in cui sapeva con certezza di riuscire. Ha annuito, e io l'ho guidato a quello stato, facendogli assumere lo stesso portamento di allora, respirare allo stesso modo, sentendosi fiducioso esattamente come allora. Gli ho detto di ripensare a ciò che qualcuno gli aveva detto allora e di rievocare le cose che aveva detto a se stesso in quella situazione. Al culmine di questa sua esperienza, l'ho toccato sulla spalla.

Gli ho poi fatto ripercorrere esattamente la stessa esperienza più volte, ogni volta accertandomi che sentisse e udisse esattamente le stesse cose. Al culmine di ognuna delle esperienze, lo toccavo sulla spalla per "ancorarlo". Tenete presente che un "ancoramento" efficace dipende dall'esatta ripetizione dello stimolo, per cui sono stato ben attento a toccare il giovane sempre allo stesso modo, ogni volta rimettendolo esattamente nello stesso stato d'animo.

A questo punto, la reazione era ormai bene "ancorata"; adesso me ne occorreva la riprova. Ho interrotto lo stato d'animo del giovane, gli ho chiesto nuovamente quali erano le sue sensazioni nei confronti delle donne, e subito è ripiombato nella precedente fisiologia depressiva: spalle curve, respirazione irregolare. Ma quando l'ho toccato sulla spalla nel punto che avevo prescelto come "ancora", il suo corpo ha cominciato a tornare immediatamente alla fisiologia produttiva di poco prima.

È sorprendente costatare con quanta rapidità, grazie all'"ancoramento", lo stato d'animo di una persona possa cambiare, passando dalla disperazione o dalla paura alla fiducia. A questo punto del processo, una persona può toccare la spalla dell'interessato (o qualsiasi altro punto che sia stato prescelto come "ancora") e riportarlo allo stato desiderato in ogni istante.

Ma ci si può spingere ancora oltre: questo stato d'animo positivo possiamo trasferirlo sugli stimoli che un tempo producevano sentimenti di impotenza, per cui gli stessi stimoli genereranno adesso sentimenti di grande produttività. Ecco come.

Ho chiesto al giovane di scegliere tra il pubblico una donna particolarmente attraente, ma che di norma non si sarebbe neppure sognato di avvicinare. Ha esitato un istante, ma gli ho toccato la spalla, e subito ha cambiato portamento e ha scelto una donna assai attraente, alla quale ho chiesto di venire avanti. Le ho detto che il giovane avrebbe tentato di ottenere da lei un appuntamento, e che lei avrebbe dovuto opporre un rifiuto categorico. Ho toccato la spalla del giovane, ed eccolo subito entrare in stato di fisiologia produttiva: non più gli occhi bassi, ma respiro profondo e spalle ben diritte; si è avvicinato alla donna e ha esordito con un: "Salve, come va?" E lei, di rimando: "Mi lasci in pace." La replica non è bastata a smontarlo. In precedenza, il solo fatto di guardare una donna sconvolgeva la sua fisiologia. Questa volta ha sorriso, mentre io continuavo a tenerlo per la spalla e lui a insistere con la ragazza; e per quanto questa replicasse brusca, lui non si lasciava smontare, e ha continuato a sentirsi fiducioso, pieno di risorse, anche quando gli ho tolto la mano dalla spalla. Avevo creato un nuovo nesso neurologico tale per cui adesso faceva appello a maggiori risorse quando vedeva una bella donna oppure urtava contro un rifiuto. Nel caso specifico, lei alla fine gli ha chiesto: "Ma mi vuol lasciare in pace?" E lui, con tono deciso: "Non riconosce la potenza quando la vede?" L'intero uditorio è scoppiato a ridere.

Ormai il giovane disponeva autonomamente dei suoi poteri, e lo stimolo che lo teneva in quello stato era costituito da una bella donna e/o dal suo rifiuto – lo stesso stimolo che in precedenza lo gettava in preda al terrore. In una parola, avevo applicato un'"ancora" e avevo operato un transfert. Il fatto che io lo mantenessi in uno stato di grande potenzialità mentre lei lo respingeva, aveva fatto sì che il suo cervello cominciasse ad associare il rifiuto opposto dalla donna con il suo nuovo stato di tranquilla fiducia in se stesso, ed egli si sentiva più rilassato, più fiducioso e tranquillo quanto più lei lo respingeva. È davvero straordinario assistere a una trasformazione del genere che si verifica in pochi istanti.

Ovviamente mi si chiederà: "Bene, questo funziona perfettamente nel corso di un seminario. Ma che cosa accadrebbe nel mondo reale?" La risposta è che il circuito stimolo/risposta non cessa di agire; in effetti, le persone con cui lavoriamo devono uscire la sera e incontrare altri individui, e i risultati sono stupefacenti. Essendo scomparsa la paura, cominciano a instaurare rapporti con uomini e donne cui in passato mai si sarebbero avvicinati; ma in effetti, non è poi così sorprendente se ci si riflette un istante. In fin dei conti, tutti abbiamo dovuto imparare, a mano a mano che crescevamo, a rispondere ai rifiuti. Abbiamo avuto a disposizione una quantità di modelli diversi. E adesso, semplicemente, abbiamo una nuova gamma di risposte neurologiche fra cui scegliere. Un uomo che oltre due anni fa ha partecipato a un nostro seminario e che aveva una paura incontrollabile delle donne, oggi è un cantante circondato solo da donne, e ama questo suo entourage. Mi servo di alcune variazioni sul tema in ognuno dei seminari intitolati bRivoluzione della Menten che organizzo, e in ogni caso la trasformazione che ha luogo negli individui è quanto mai degna di nota. Le variazioni in fatto di tecnica di bancoramenton cui faccio ricorso mi servono per alterare risposte fobiche.

Se fai quello che hai sempre fatto, otterrai quello che hai sempre ottenuto.

ANONIMO

è di importanza fondamentale assumere coscienza del fenomeno dell'"ancoramento", perché esso si verifica di continuo tutt'attorno a noi; e chi se ne rende conto può affrontarlo e cambiarlo. Se invece non se ne è consapevoli, si resterà sbalestrati da stati d'animo che vanno e vengono in apparenza senza motivo alcuno. Ecco un esempio banale. Ammettiamo che nella famiglia di qualcuno si sia verificato un decesso, e che quel qualcuno sia in uno stato di profondo dolore. Durante il funerale, parecchie persone gli si avvicinano per fargli le loro condoglianze e gli posano con gesto partecipe la mano sul braccio sinistro; e se coloro che lo fanno sono in numero abbastanza alto e l'individuo in questione mentre questo avviene continua a rimanere in uno stato di depressione, quel tipo di tocco in quel certo punto può restare "ancorato" al suo stato di depressione; e mesi dopo, se qualcun altro lo tocca sul braccio sinistro, esercitando lo stesso tipo di pressione ma in un contesto completamente diverso, questo può bastare a provocare l'insorgenza dello stesso sentimento di dolore, senza che l'interessato capisca perché mai si trovi in quello stato.

Ed ecco ora alcune tecniche per trasformare "ancore" negative. Una consiste nel gettare contemporaneamente "ancore" di segno opposto. Riportiamoci all'esempio del sentimento di dolore "ancorato" in occasione del funerale sul braccio sinistro; una maniera di eliminarlo è di "ancorare" un sentimento opposto – uno degli stati d'animo più forti, più ricchi di risorse – nello stesso punto del braccio destro. E se si fanno scattare ambedue le "ancore" nello stesso momento, si costaterà che si verifica qualcosa di straordinario: nel sistema nervoso, il cervello le connette entrambe, quindi, ogniqualvolta l'una o l'altra "ancora" venga innescata mediante un tocco, il cervello si trova di fronte a una scelta fra due risposte, e quasi sempre opterà per quella più positiva, mettendo l'individuo in uno stato d'animo produttivo o per lo meno di neutralità in cui le due "ancore" si sono eliminate a vicenda.

L'"ancoramento" è di importanza decisiva per chi voglia dar vita a un rapporto intimo di lunga durata. Così per esempio mia moglie Becky e io viaggiamo molto assieme, diffondendo le nostre idee da un capo all'altro del paese; abbiamo cura di metterci di continuo in stati di potente positività, guardandoci o toccandoci a vicenda al culmine di queste esperienze; il risultato è che il nostro rapporto comporta una quantità di "ancore" positive: basta che ci guardiamo l'un l'altro perché tutti i momenti felici, di intenso amore, che abbiamo vissuto assieme, tornino a riaffacciarsi. Al contrario, quando un rapporto giunge al punto in cui i due partner non possono sopportarsi a vicenda, la ragione molto spesso ne va ricercata nella presenza di "ancore" negative. A volte basta che si guardino per provare il desiderio di scappare. È un fenomeno che si verifica soprattutto allorché i due cominciano a litigare molto e, in stato d'ira, ciascuno dei coniugi fa affermazioni intese a ferire o a irritare l'altro. (In questo caso, ricordatevi di far ricorso alle interruzioni dei moduli!) Questi stati d'animo particolarmente intensi vengono collegati al volto dell'altra persona, e ben presto ciascuno dei due ha voglia di essere con qualcun altro, un individuo nuovo, uno che rappresenti solo esperienze associate positive.

A Becky e a me è successo qualcosa del genere quando, una sera tardi, siamo entrati in un albergo; fuori non c'era nessun fattorino o facchino, e abbiamo chiesto al portiere di chiamarne qualcuno che parcheggiasse l'auto e portasse di sopra i bagagli. Il portiere ha assicurato che l'avrebbe fatto subito, e noi siamo saliti in camera a riposarci. È passata un'ora senza che i nostri bagagli fossero comparsi e allora abbiamo telefonato alla ricezione. Bene, per farla breve, tutto quanto avevamo era stato rubato: carte di credito, passaporti e un grosso assegno che avevo già firmato. I nostri bagagli avrebbero dovuto bastarci per un viaggio di due settimane, ed è facile immaginare il nostro stato d'animo. Guardavo Becky, e mi accorgevo che anche lei era fuori di sé. Dopo circa un quarto d'ora mi sono reso conto che quello stato d'animo non avrebbe cambiato la situazione e, siccome sono persuaso che tutto quel che accade ha una sua ragione, mi sono detto che non potevano neppure in questo caso mancare risvolti positivi; ho cambiato il mio stato d'animo, e sono tornato a sentirmi a mio agio. Ma una decina di minuti dopo ho dato un'altra occhiata a Becky e subito ho cominciato a sentirmi irritato nei suoi confronti perché quel giorno avrebbe dovuto fare certe cose e non le aveva fatte; e indubbiamente non mi sentivo attratto, ma anzi respinto da lei. Allora mi sono fermato e mi sono chiesto: "Si può sapere che mi succede?" E mi sono reso conto che avevo collegato tutti i sentimenti negativi che erano sorti in me per la perdita dei bagagli e di tutto il resto a Becky, sebbene lei non ne avesse nessuna responsabilità. Guardarla mi metteva di pessimo umore. Quando finalmente le ho detto in quale stato d'animo mi trovavo, è risultato che anche lei provava sentimenti del genere nei miei riguardi. E che abbiamo fatto allora? Semplicemente, abbiamo mollato le "ancore" e abbiamo cominciato a farci a vicenda cose positive, eccitanti; una decina di minuti dopo, bastava che ci guardassimo per sentirci subito in uno stato d'animo meraviglioso.

Virginia Satir, la celebre consulente matrimoniale e familiare, nel suo lavoro fa di continuo ricorso ad "ancore" con risultati straordinari. Assumendola a proprio modello, Bandler e Grinder hanno notato la differenza che esiste tra il suo stile e quello dei tradizionali terapeuti familiari. Quando una coppia si presenta loro, molti di essi si convincono che il problema vero consista nel fatto che i due partner reprimono le emozioni e l'irritazione che provano l'uno per l'altro, e che sarà loro di aiuto il fatto di dirsi esattamente a vicenda quali sentimenti provano, quali sono le cose che li irritano, e via dicendo. Facile immaginare quel che molto spesso accade quando i due cominciano a spiattellarsi a vicenda tutto ciò che li manda in bestia; e se il terapeuta li incoraggia a trasmettere il messaggio d'ira con forza e vigore, i due creeranno "ancore" negative ancora più forti, legate alla semplice vista delle rispettive facce.

Mi rendo perfettamente conto che esprimere sentimenti del genere può essere d'aiuto a chi li abbia tenuti chiusi a lungo dentro di sé; ma, se ritengo che dire la verità in un rapporto sia una necessità perché questo funzioni, mi chiedo quali effetti di "ancoramento" negativo può provocare tale metodo. A tutti è capitato di provocare un litigio dicendo cose che in realtà non si pensano e, quanto più parliamo, tanto più aspro si fa il litigio. E allora, quando una persona sa quali siano i suoi "reali" sentimenti? Il fatto di mettersi in uno stato d'animo negativo prima di comunicare i propri sentimenti a una persona amata, comporta molti svantaggi. Anziché spronarli a lanciarsi insulti a vicenda, Virginia Satir vuole che si guardino l'un l'altro come facevano quando si sono innamorati, e chiede loro di parlarsi a vicenda come facevano al momento della "cotta". E per tutta la sessione, continua a gettare "ancore" positive, sicché guardarsi a vicenda fa sì che i due provino adesso affetto e simpatia l'uno per l'altro. A partire da questo stato d'animo, saranno in grado di risolvere i propri problemi mediante una chiara comunicazione, senza ferire i sentimenti l'uno dell'altro, ma trattandosi con tanta attenzione e sensibilità da istituire un nuovo modulo, una nuova maniera di risolvere i problemi in futuro.

Ed ecco ora un altro, poderoso strumento per affrontare le "ancore" negative. Innanzitutto, bisogna crearsi un'"ancora" positiva e ricca di risorse. È sempre meglio partire con la positiva anziché con la negativa, ragion per cui qualora questa seconda risulti difficile da affrontare, si avrà a disposizione uno strumento che permetterà di uscire rapidamente e facilmente da quello stato d'animo.

Pensate all'esperienza più bella e positiva che avete mai avuto nella vostra vita. Ponete quell'esperienza e i relativi sentimenti nella vostra mano destra; immaginatevi, voglio dire, di farlo con la precisa sensazione che l'esperienza stessa sia proprio lì, nella vostra mano destra. Pensate a un momento in cui vi siete sentiti assolutamente fieri di qualcosa che avete fatto, e anche quest'esperienza e questo sentimento poneteli nella vostra mano destra, e adesso pensate a un periodo in cui avevate sentimenti positivi, di forza e amore, e anche questi metteteveli nella mano destra, provando la sensazione di averceli. Rievocate il ricordo di un momento in cui avete riso a crepapelle. Anche questa esperienza mettetela nella mano destra e notate qual è lo stato d'animo che vi deriva da tutti questi sentimenti decisamente positivi, amorosi e potenzianti. Adesso, costatate che colore hanno creato, fondendosi assieme, nella vostra mano destra, notando il primissimo colore che vi viene alla mente. Rilevate anche quale forma hanno assunto congregandosi. Se attribuiste loro un suono, di che tipo questo sarebbe? E al tatto, come appaiono? Se dovessero unirsi per dirvi qualcosa di fortemente positivo, che cosa direbbero? Sperimentate tutti questi sentimenti, quindi chiudete la mano destra e lasciate che vi rimangano.

Adesso aprite la mano sinistra e metteteci un'esperienza negativa, frustrante, deprimente o irritante, qualcosa che vi turbava o vi turba, di cui magari avete paura, una preoccupazione. Mettetela sul palmo della sinistra. Non è necessario che la sentiate interiormente, ma anzi fate in modo da dissociarvi da essa: è semplicemente lì, sul vostro palmo sinistro. E adesso, assumete consapevolezza delle sue submodalità. Qual è il colore che tale situazione negativa crea nella vostra mano sinistra? Se non vedete un colore o non provate subito un sentimento, agite come se lo provaste. In altre parole, quale sarebbe il colore se un sentimento lo provaste? Passate in rassegna tutte le altre submodalità. Qual è la forma? La sensazione di leggerezza e di pesantezza? E la superficie, come si presenta? Qual è il suono che produce? Se dovesse dirvi una frase, quale sarebbe? Come suonerebbe, che consistenza tattile avrebbe?

A questo punto, procedete a quelle che vengono chiamate "ancore crollanti", e potete farlo in qualsiasi modo vi sembri naturale. Un sistema può consistere nel prendere il colore nella vostra mano destra, la positiva, fingere che sia un liquido e versarlo nella vostra mano sinistra molto velocemente, intanto producendo suoni piacevoli e divertenti. E continuate a farlo finché l'"ancora" negativa nella mano sinistra abbia lo stesso colore della positiva nella destra.

Prendete poi il suono che la vostra mano sinistra produce, e versatevelo nella mano destra, notando ciò che questa ne fa. Quindi, prendete i sentimenti della vostra mano destra e versateli nella sinistra, notando che cosa vi producono non appena vi entrino. Unite le mani battendole assieme e tenendole congiunte per qualche istante finché tra le due non si crea un equilibrio. A questo punto, il colore nella destra e quello nella sinistra dovrebbero essere gli stessi – i sentimenti dovrebbero risultare simili.

Fatto questo, notate quel che ve ne sembra dell'esperienza racchiusa nella vostra mano sinistra. È probabile che le abbiate tolto del tutto il potere di turbarvi; in caso contrario, ripetete l'esercizio, questa volta con diverse submodalità e con maggior giocosità. Dopo due o tre volte, quasi ognuno è in grado di eliminare completamente il potere di qualcosa che prima costituiva un'"ancora" fortemente negativa, e a questo punto vi sentirete bene o almeno avrete sentimenti neutrali in merito all'esperienza.

Allo stesso procedimento potete far ricorso se siete irritati con qualcuno e volete cambiare i vostri sentimenti verso di lui. A tale scopo, potete immaginare nella vostra mano destra il volto di qualcuno che vi piaccia davvero e nella sinistra quello di una persona che non vi vada molto a genio. Cominciate guardando la persona che non apprezzate, passando poi a quella che vi piace, quindi ancora all'antipatico, poi nuovamente al simpatico; fatelo più volte, sempre più rapidamente, e senza più etichettare il simpatico o l'antipatico. Accostate le mani, respirate, aspettate un istante. E adesso, pensate alla persona antipatica; ormai essa dovrebbe piacervi o per lo meno riuscirvi indifferente. L'utilità di questo esercizio consiste nel fatto che può essere compiuto in brevissimi istanti, e che così facendo potete cambiare i vostri sentimenti in merito a quasi ogni cosa. Ho fatto ricorso a questo procedimento – dura in tutto non più di tre minuti – in un mio recente seminario con un intero gruppo di persone. Una delle partecipanti ha messo nella sua mano destra una persona che le piaceva davvero, e nella mano sinistra il volto di suo padre, al quale non rivolgeva la parola da quasi dieci anni, ed è stata così in grado di neutralizzare i sentimenti che nutriva per lui. Quella stessa sera è andata a trovarlo e sono stati a parlare fino alle quattro del mattino, e adesso hanno riallacciato i rapporti.

Della massima importanza è che ci si renda conto del potere delle nostre azioni "ancorando" bambini. Ecco un esempio. Un giorno mio figlio Joshua è andato a scuola dove alcune persone giustamente preoccupate hanno parlato ai ragazzi della necessità di non accettare passaggi in macchina da sconosciuti: messaggio utile e della massima importanza, che non potevo non approvare. Il problema, però, stava nella maniera in cui il messaggio è stato trasmesso. I conferenzieri hanno proiettato una serie di diapositive, molte delle quali raccapriccianti: loschi adulti intenti ad aggirarsi attorno alle scuole, foto di bambini scomparsi, e persino cadaveri di ragazzini trovati in fossati ai margini della strada. Bambini che accettano di salire in macchina con sconosciuti, affermavano i conferenzieri, possono fare questa fine. Evidentemente, si trattava di una strategia di motivazione basata essenzialmente sull'allontanamento.

I risultati, però, sono stati quanto mai negativi, almeno per mio figlio, e credo anche per gli altri ragazzi, perché la conferenza è equivalsa alla creazione di uno stato fobico. Mio figlio aveva negli occhi immagini grandi, chiare, cruente di lui assassinato, e le associava col percorso da scuola a casa. Quel giorno si è rifiutato di recarvisi a piedi e abbiamo dovuto andarlo a prendere a scuola; e per due o tre notti ha continuato a essere turbato da incubi, rifiutandosi di andare a scuola a piedi con sua sorella. Per fortuna, io conosco i principi che promuovono e influenzano il comportamento umano. Ero stato fuori città, e quando finalmente ho saputo qual era la situazione, ho fatto una serie di "ancore crollanti" e una cura di fobia per telefono. Il giorno dopo, Joshua si è recato da solo a scuola, pieno di fiducia, di forza, di nuove risorse. Non sarebbe certo stato imprudente: adesso sapeva che cosa evitare e come badare a se stesso; ma ormai era in grado di vivere la sua esistenza alla maniera che voleva, senza più essere in preda al terrore.

I conferenzieri evidentemente erano stati animati dalle migliori intenzioni del mondo, ma questo non basta a impedire che la mancata comprensione degli effetti dell'"ancoramento" possa provocare danni. Bisogna stare attenti all'influenza che si può esercitare sugli altri, soprattutto i propri figli.

Passiamo a un ultimo esercizio. Mettetevi nel solito stato d'animo di potenza e abbondanza di risorse, e scegliete il colore che vi attira di più. Fate lo stesso con una forma, un suono e un sentimento, che del pari assocerete con il vostro stato d'animo di massima potenza e ricchezza. Pensate poi a una frase che pronuncereste se vi sentite più felice, più sicuro e più forte di quanto non vi siete mai sentiti prima. Pensate poi a una esperienza spiacevole, a una persona che sia un'"ancora" negativa, qualcosa di cui abbiate paura. Mentalmente, collocate la forma positiva attorno all'esperienza negativa, e fatelo con la piena convinzione di poter imprigionare in essa il sentimento negativo. Quindi prendete il vostro colore piacevole, e concretamente soffiatelo sull'"ancora" negativa con forza tale da dissolverla. Udite il suono e avvertite il sentimento che sorge in voi quando siete nel pieno delle vostre potenzialità, e infine dite ciò che direste in questo stato d'animo. Mentre l'"ancora" negativa si dissolve nella nebbia del vostro colore preferito, dite la cosa che accentua il vostro potere. Qual è adesso il vostro atteggiamento verso la situazione negativa? È probabile che vi riesca difficile pensare che in precedenza vi abbia turbato a tal punto. Fate lo stesso con tre altre esperienze, e quindi con qualcun altro.

Al lettore, questi potranno sembrare esercizi strampalati e persino sciocchi. Ma se li eseguite, costaterete l'incredibile potere che hanno. L'ingrediente chiave della riuscita consiste infatti nella *capacità di eliminare dal vostro ambito cause capaci di mettervi in stati d'animo negativi o di impotenza, instaurandone invece, in voi stessi e in altri, di positivi*. Un buon metodo è quello di stendere un elenco delle "ancore" positive e negative di maggior momento nella vostra vita, notando se a innescarle sono primariamente stimoli visivi, uditivi o cinestesici. Una volta resivi conto di quali siano le vostre "ancore", potete procedere all'abbattimento di quelle negative, facendo invece il miglior uso possibile di quelle positive.

Pensate al bene che può venire dall'apprendere il modo di "ancorare" effettivamente gli stati d'animo positivi, non solo in voi stessi, ma anche in altri. Supponiamo che, parlando con i vostri collaboratori, li abbiate messi in uno stato d'animo di euforia e di motivazione, "ancorandoli" con un tocco o un'espressione o un tono di voce cui siate in grado di far ricorso anche in futuro. Ben presto, "ancorando" più volte questi stati mentali positivi, sarete in grado di evocare in ogni momento quello stesso tipo di intense motivazioni. L'attività dei vostri collaboratori risulterà più efficace, l'azienda ne trarrà vantaggi, e tutti saranno molto più contenti. Pensate al potere di cui disporreste nella vostra stessa esistenza, se poteste prendere le cose che finora vi hanno turbati e ottenere che invece vi facciano sentire euforici o pieni di risorse, al punto da poterle cambiare. E la necessaria potenzialità è tutta in voi.

E ora, una considerazione conclusiva, non soltanto sull'"ancoramento", ma su tutte le tecniche fin qui apprese. Dominarne una o più è fonte di una incredibile sinergia, una sensazione di avanzata e progresso. Così come una pietra gettata in uno stagno determina una serie di increspature circolari, il successo che sia frutto di una di queste capacità porta a sempre maggiori successi.

Ormai dovreste essere perfettamente convinti della straordinaria potenzialità di queste tecniche, e la mia speranza è che vogliate servirvene, non soltanto oggi, ma sempre, come di un fondamento sempre più saldo. Esattamente come le "ancore" insite nella mia posizione di karate diventano più possenti ogniqualvolta me ne servo, con ogni capacità che imparerete, dominerete e userete, incrementerete il vostro potere personale.

L'umana esperienza passa attraverso un filtro che determina quale sarà il nostro sentimento circa tutto ciò che facciamo o non facciamo nel corso della nostra esistenza, ed è un filtro che influisce non solo sull'"ancoramento" ma su tutto ciò di cui in questo libro si è parlato. Ce ne occuperemo nella terza parte.

PARTE TERZA

LEADERSHIP.
LA SFIDA DELL'ECCELLENZA

18

GERARCHIE DI VALORI. IL GIUDIZIO FINALE DEL SUCCESSO

Un musicista deve fare musica, un pittore deve dipingere, un poeta deve scrivere, se vogliono essere davvero in pace con se stessi.

ABRAHAM MASLOW

Ogni sistema complesso, si tratti di un macchinario, di un computer o di un essere umano, deve essere coerente; le sue parti devono poter funzionare assieme, ogni azione deve essere di sostegno a ogni altra azione se si vuole che il sistema operi al meglio. Se le parti di una macchina tendono alla divergenza, il sistema perderà sincronia e può finire per rompersi.

Lo stesso vale per gli essere umani: si può imparare a produrre i comportamenti più efficaci, ma se questi non sorreggono i nostri bisogni e desideri più profondi, se essi sono in contrasto con altre cose per noi importanti, saremo alle prese con un conflitto interiore, mancheremo della coerenza necessaria per ottenere un successo su ampia scala. Se una persona ottiene una cosa, ma più o meno vagamente ne desidera un'altra, non sarà del tutto felice o soddisfatta. Se qualcuno raggiunge un obiettivo, ma nel farlo viene meno alle proprie convinzioni circa ciò che è bene e male, la conseguenza sarà un interiore turbamento. Per cambiare, crescere e star bene davvero, è necessario assumere piena consapevolezza delle regole che facciamo proprie nei nostri confronti e in quelli altrui e in base alle quali misuriamo o giudichiamo successo o fallimento. Altrimenti, possiamo avere tutto e continuare a sentirci uno zero. È questo il potere di quell'elemento conclusivo e decisivo che ha nome insieme di valori.

Che cosa sono i valori? Si tratta semplicemente delle nostre convinzioni personali, private, individuali, relative a ciò che è per noi sommamente importante. I vostri valori sono tutt'uno con i vostri sistemi di credenza circa il giusto e l'ingiusto, il bene e il male. La citazione di Maslow che apre questo capitolo parla di artisti, ma si tratta di un'affermazione che ha carattere universale. I nostri valori sono quelle cose verso le quali in sostanza tutti sentiamo il bisogno di tendere, e se non lo facciamo non ci sentiamo completi, non ci sentiamo soddisfatti. Il sentimento di congruenza, ovvero di pienezza e unità personale, proviene dalla convinzione che il nostro attuale comportamento corrisponde in pieno ai nostri valori. Essi insomma stabiliscono il nostro modo di rispondere a qualsiasi esperienza esistenziale. Potrebbero paragonarsi al livello di esecuzione di un computer. In questo potete inserire qualsiasi programma, ma che il computer lo accetti e se ne serva, oppure no, dipenderà dal livello di esecuzione cui è stato programmato dalla fabbrica che l'ha costruito. I valori sono appunto paragonabili al livello di esecuzione di giudizio nel cervello umano.

L'impatto dei nostri valori è perenne e ineliminabile su tutto ciò che facciamo, dagli abiti che indossiamo all'auto che guidiamo, dal luogo in cui abitiamo alla persona con cui eventualmente ci sposiamo, dal modo di allevare i figli a ciò che ci induce a scegliere un certo modo di procurarci da vivere. I valori sono il fondamento che stabilisce quali saranno le nostre risposte a ogni situazione esistenziale; sono la chiave ultima della comprensione e della predizione dei nostri comportamenti come pure dei comportamenti altrui, la chiave maestra che dà pieno corso alla magia in essi racchiusa.

E dunque, da dove provengono queste possenti indicazioni di ciò che è bene e male, giusto e sbagliato, di ciò che conviene e di ciò che non si deve fare? Dal momento che i valori sono credenze specifiche dotate di forte carica emozionale e tra loro interconnesse, non possono che provenire da alcune delle stesse fonti di cui abbiamo parlato nel capitolo sulle credenze. L'ambiente in cui si vive influisce su di noi fin dal nostro primo giorno di vita; il padre e la madre svolgono il ruolo più importante nella programmazione di gran parte dei nostri valori originali. Padre e madre hanno di continuo dato espressione ai propri valori, dicendovi ciò che volevano o non volevano che faceste e credeste. Se accettavate i loro valori, eravate ricompensati, venivate considerati un buon figliolo o una brava ragazza. Se li respingevate, vi mettevate nei pasticci, eravate un cattivo bambino. Se ci si ostinava a respingere i valori del padre e della madre, si subiva una punizione.

In effetti gran parte dei nostri valori sono il frutto di una programmazione, effettuata con il ricorso a questa tecnica di punizione-ricompensa. Più avanti con l'età, i gruppi di coetanei diventanc un'altra fonte di valori. I ragazzi che avete incontrato per la strada o altrove forse avevano valori diversi dai vostri, e questi li avete mischiati con i loro o magari avete cambiato i vostri perché, se non lo facevate, poteva darsi che ve le suonassero o, peggio, che non giocassero con voi. Durante tutta la vostra vita, avete continuato a creare nuovi gruppi di coetanei, accettando nuovi valori oppure mischiando i vostri con quelli altrui o ancora instillando in altri i vostri. Sicché siete stati eroi o forse antieroi; e siccome ammirate le realizzazioni di certe persone, tentate di emulare coloro che a vostro giudizio sono riusciti. Molti ragazzi cominciano a drogarsi perché i loro eroi, di cui per esempio amano la musica, a quanto pare attribuivano alto valore alle droghe. Per fortuna oggi molti di questi eroi, i quali si sono resi conto della loro responsabilità, del loro ruolo di figure pubbliche che in quanto tali plasmano i valori di numerose persone, proclamano ad alta voce che non fanno ricorso a sostanze stupefacenti e ne sconsigliano l'uso; e molti artisti dicono chiaro e tondo che sono a favore di cambiamenti positivi, e ciò esercita enorme influenza sui valori del pubblico. Per esempio Bob Geldof, il creatore del Live Aid e del Band Aid, per raccogliere denaro a favore di popolazioni afflitte dalla carestia ha fatto appello ai valori di altre celebri star, e con il loro esempio e i loro sforzi comuni hanno contribuito a rafforzare il valore della partecipazione e della generosità. Molte persone che non ritenevano questo valore il più importante della loro esistenza, hanno cambiato comportamento quando i loro eroi – Bruce Springsteen, Michael Jackson, Kenny Rogers, Bob Dylan, Stevie Wonder, Diana Ross, Lionel Richie e altri – hanno detto loro, direttamente e quotidianamente, con la loro musica e i loro video, che c'è gente che muore di fame e che bisogna fare qualcosa. Nel prossimo capitolo ci occuperemo più da vicino della creazione di tendenze, ma per il momento accontentiamoci di costatare che i media hanno un enorme potere di creare valori e comportamenti, oltre che di dirigerli.

Non sono soltanto gli eroi a contribuire alla formazione dei valori; lo fa anche l'ambiente di lavoro, dove vige lo stesso sistema di punizioni-ricompense che abbiamo visto all'opera nelle famiglie. Per fare carriera in seno all'azienda, bisogna far propri i valori di chi ne è alla testa: per chi non condivide i valori del suo *boss*, le promozioni possono risultare impossibili; e se non condividete i valori dell'azienda, sarete infelici. Nel nostro sistema scolastico, gli insegnanti non fanno che dare espressione ai propri valori, spesso inconsciamente ricorrendo al solito sistema di punizioni-ricompense per garantirne l'adozione.

Inoltre, i nostri valori mutano quando cambiamo obiettivi o immagine di noi stessi. Se vi proponete l'obiettivo di diventare il numero uno in seno all'azienda, allorché lo otterrete guadagnerete più denaro e vi aspetterete cose diverse dagli altri. Potranno cambiare anche i vostri valori circa l'impegno che dedicherete d'ora in poi al vostro lavoro, e diverso potrà essere il vostro modo di giudicare bella un'automobile. Persino le persone con cui trascorrete il vostro tempo potranno mutare in rapporto alla vostra "nuova" immagine di voi stessi: così, anziché andare a bervi una birra con i "ragazzi", può darsi che preferiate un'acqua minerale con i vostri tre collaboratori incaricati di progettare l'espansione dell'azienda.

L'auto che guidate, i luoghi che frequentate, chi sono i vostri amici, ciò che fate, sono tutti riflessi della vostra autoidentificazione, e possono implicare quelli che l'esperto di psicologia aziendale Robert McMurray ha definito "simboli invertiti dell'io", i quali sono anch'essi un'espressione dei vostri valori. Così, per esempio, il fatto che un tale guidi un'auto di poco prezzo non significa necessariamente che costui non abbia un'alta opinione di se stesso o che ai suoi occhi il basso consumo di carburante costituisca un valore di grande importanza; al contrario, può darsi che voglia semplicemente dimostrare di essere al di sopra del gregge, adottando simboli inconsueti. Uno scienziato coltissimo o un'imprenditore che goda di un reddito assai cospicuo possono voler provare a se stessi e agli altri quanto siano diversi dalla massa guidando un'automobile economica, di poco prezzo, vecchia e scassata. Può darsi che il miliardario che vive in una bicocca consideri un degno valore quello di non sprecare spazio, oppure che voglia dimostrare a se stesso o agli altri l'unicità e originalità dei suoi valori.

È dunque facile rendersi conto di quanto sia importante scoprire quali sono i nostri valori. Per la maggior parte delle persone, la difficoltà consiste nel fatto che essi sono inconsci; molto spesso gli individui non sanno perché fanno certe cose; semplicemente, sentono di doverle fare. E non pochi provano disagio e nutrono sospetto nei confronti di individui i cui valori sono molto diversi dai loro. Gran parte dei conflitti con cui si è alle prese sono frutto di valori contrastanti, e questo vale su scala locale come in campo internazionale. Quasi ogni guerra è un conflitto di valori, e per convincersene basta osservare quel che succede nel Medio Oriente, oppure rifarsi alla guerra di Corea, al Vietnam e simili. E che cosa accade se un paese ne conquista un altro? Accade che i conquistatori iniziano a modificare la cultura locale in modo da adeguarla ai propri valori.

Non soltanto paesi diversi hanno valori diversi e individui differenti hanno valori divergenti, ma ogni individuo ritiene che certi valori siano più importanti di altri. Quasi tutti abbiamo un limite invalicabile, costituito da cose che ai nostri occhi sono più importanti di ogni altra. Per alcuni è la sincerità, per altri l'amicizia; c'è chi è disposto a mentire per proteggere un amico per quanto importante ai suoi occhi sia l'onestà, e ciò perché nella sua gerarchia di valori l'amicizia occupa un posto più elevato della sincerità. Si può attribuire alto valore personale al successo finanziario ma anche a una vita familiare armonica, e può accadere così che si crei una situazione conflittuale se promettete di restare quella sera con i vostri familiari e poi un impegno di lavoro ve lo impedisce. Le vostre scelte dipendono da quelli che, al momento, considerate i vostri valori supremi. E quindi, anziché dire che vi dispiace di dedicare il vostro tempo agli affari invece che alla famiglia o viceversa, cercate semplicemente di scoprire quali sono in effetti i vostri valori. Ed ecco che allora per la prima volta capirete perché fate certe cose o perché altri si comportano in un certo modo. I valori costituiscono uno dei supremi strumenti di scoperta del modo di funzionare di una persona.

Per avere buoni rapporti con la gente, dovete sapere ciò che è più importante ai suoi occhi, e più specificamente quale ne è la gerarchia dei valori. Un individuo può incontrare gravi difficoltà nel comprendere i comportamenti e le motivazioni fondamentali di altri, finché non si renda conto dell'importanza relativa dei valori; ma una volta che l'abbia fatto, sarà virtualmente in grado di predire come gli altri risponderanno a uno specifico insieme di circostanze. Se non siete all'oscuro della vostra personale gerarchia di valori, sarete in grado di venire a capo di ogni rapporto o rappresentazione interna che per voi sia fonte di conflitti.

Non esiste effettivo successo se non ci si attiene ai propri valori fondamentali; a volte si tratta di imparare il modo di mediare tra valori esistenti che sono in conflitto tra loro. Se un individuo non si sente a suo agio in una mansione ben pagata e uno dei suoi valori di fondo è che il denaro è un male, non gli basterà certo focalizzare la sua attenzione sul lavoro, dal momento che il problema si colloca a un livello più alto, quello del conflitto tra valori. Se un uomo non è in grado di concentrarsi sul lavoro perché il suo valore supremo è la famiglia e tutto il suo tempo lo impiega invece sgobbando in ufficio, deve vedersela con il conflitto interno e con il sentimento di incoerenza che gliene deriva; ed è utilissimo, sotto questo profilo, il *reframing* e l'identificazione dei propri intenti. Ci sono persone ricche e potenti che conducono un'esistenza infelice perché la loro vita è in contrasto con i loro valori. Al contrario, si può essere poveri sotto il profilo finanziario, ma se la vita che si conduce è in accordo con i propri valori ci si sentirà pienamente soddisfatti.

Non è questione di stabilire quali valori siano giusti o sbagliati, né io intendo imporre a voi i miei. Ciò che conta è apprendere quali siano i propri valori, in modo da essere in grado di dirigere, motivare e sorreggere se stessi al livello più profondo. Noi tutti abbiamo un valore supremo, ed è ciò che desideriamo ardentissimamente ricavare da ogni situazione, si tratti di un rapporto personale o di una mansione lavorativa; e può essere libertà, amore, divertimento, sicurezza. Probabilmente, leggendo questo elenco direte a voi stessi: "Ma io voglio tutte queste cose" – e quanti di noi non le vogliono? Ma a tutte attribuiamo un valore relativo. Ciò che uno desidera soprattutto in un'amicizia sarà uno stato di estasi, un altro vorrà amore, un terzo sincerità, un quarto senso di sicurezza. Moltissimi sono del tutto inconsapevoli delle proprie gerarchie di valori e di quelle dei loro beneamati. Provano un vago bisogno di amore, di estasi, di stimolazione ma non sanno esattamente come questi elementi possano collimare, eppure capirlo è della massima importanza, dal momento che da essi dipende se i bisogni fondamentali di un individuo saranno o no soddisfatti. Impossibile rispondere a quelli di un altro, se si ignora quali sono, né si può aiutare un altro a fare lo stesso per noi o venire a capo della conflittualità dei propri valori, finché non si capisce in quale gerarchia siano inseriti. La prima cosa da fare per capirli è di farli venire alla luce.

Come dunque si fa a scoprire la propria gerarchia di valori o quella di altri? Innanzitutto, è necessario collocare una cornice attorno ai valori che si stanno cercando, in altre parole è necessario farli venire alla luce in uno specifico contesto. I valori sono compartimentati, e spesso abbiamo valori diversi per il lavoro, i rapporti umani, la famiglia. Bisogna dunque chiedere: che cosa è più importante per te in un rapporto personale? La risposta potrà suonare per esempio: "Il sentimento di solidarietà." In tal caso, la domanda successiva potrà essere: "E che cos'è importante nella solidarietà?" Eventuale risposta: "Il fatto che mi riveli che qualcuno mi ama." Domanda: "Qual è l'aspetto più importante nel fatto che qualcuno ti ami?" Eventuale risposta: "Me ne derivano sentimenti di gioia." Continuando a chiedere più e più volte: "Qual è l'aspetto più importante?" si comincia a delineare un elenco di valori.

Quindi, per avere un quadro chiaro della gerarchia di valori di una persona, basta prendere l'elenco di parole che risulta dall'interrogatorio e istituire un paragone tra di esse. Chiedete: "Che cos'è più importante per te? Avvertire solidarietà o provare gioia?" Se la risposta suona: "Provare gioia", evidentemente questo sta più in alto nella gerarchia dei valori. Eventuale domanda successiva: "Che cos'è più importante per te? Provare gioia o essere amato?" E se la risposta suona: "Provare gioia", è evidente che di questi tre valori la gioia sta al primo posto. A una successiva domanda: "Che cos'è più importante per te? Sentirti amato o saperti sostenuto?" può darsi che l'altro resti incerto, e poi risponda: "Be', sono entrambe cose importanti." In questo caso, vi conviene insistere: "Sì, ma che cosa è più importante, che qualcuno ti ami o che qualcuno sia solidale con te?" E se la risposta suona: "Be', è più importante che qualcuno mi ami", risulta chiaro che il secondo valore in ordine di importanza dopo la gioia è l'amore e il terzo la solidarietà. Si possono fare elenchi anche lunghissimi, sempre volti a comprendere che cosa sia più importante per una persona e quale sia il peso relativo di altri valori. La persona dell'esempio suggerito può continuare a essere assai interessata a un rapporto anche se non ne ricava solidarietà; un altro invece potrà anteporre la solidarietà all'amore (ed è sorprendente costatare quante persone lo fanno); e costui non crederà che qualcuno lo ama finché lui o lei non gli dia solidarietà, né gli sarà sufficiente sentirsi amato se non si sente anche sostenuto.

Le persone hanno certi valori che, se violati, le inducono ad abbandonare un rapporto, così per esempio se la solidarietà è la prima voce dell'elenco di valori di una persona, e questa non si sente sostenuta, può darsi che metta fine al rapporto. Altri, che collocano la solidarietà al terzo, quarto o quinto posto, e l'amore al primo, non romperanno la relazione qualsiasi cosa accada finché si sentano amati.

Sono certo che così facendo siete in grado di scoprire numerosi aspetti per voi importanti in un rapporto intimo. Qui di seguito, ne elenco alcuni:

- Amore
- Estasi
- Comunicazione vicendevole
- Rispetto
- Divertimento
- Crescita
- Solidarietà
- Stimolo
- Creatività
- Bellezza
- Attrazione
- Fusione spirituale
- Libertà
- Sincerità

Non sono affatto tutti i valori importanti esistenti, e potete trovarne molti altri più importanti ancora. In tal caso, non mancate di aggiungerli subito all'elenco.

E a questo punto, collocate questi valori in ordine di importanza: il primo sarà il più importante, l'ultimo elencato il meno importante.

Lo trovate difficile? Se non agite sistematicamente nell'istituire la gerarchia, la collocazione in ordine d'importanza diventa tediosa e generatrice di confusione quanto più l'elenco si allunga. È dunque opportuno istituire un preciso paragone tra i valori, se si vuole determinare quali sono più importanti degli altri. Cominciamo con i primi due del nostro elenco: che cosa è più importante per te, amore o estasi? Se la risposta è amore, questo è più importante della vicendevole comunicazione? È indispensabile scorrere tutto l'elenco per vedere se qualcosa è più importante del valore con cui si è cominciato. In caso contrario, l'amore starà in cima alla scala gerarchica.

E adesso, passiamo al secondo termine dell'elenco. Che cosa è più importante per te, estasi o vicendevole comunicazione? Se la risposta è estasi, continuate l'esame, paragonando estasi con rispetto. Se a un certo punto un altro valore risulta preferibile a estasi, poi con divertimento eccetera, cominciate a fare i paragoni con questo nuovo valore. Così, se la vicendevole comunicazione è valutata più dell'estasi, potrete continuare chiedendo: "Cos'è più importante, vicendevole comunicazione o rispetto?" Se continua a essere la vicendevole comunicazione, chiedete: "Vicendevole comunicazione o divertimento?" Se nessun valore è ritenuto più importante della vicendevole comunicazione, vuol dire che questa sarà seconda nella gerarchia.

Se invece un altro valore è ritenuto più importante, dovrete paragonare con esso i valori rimanenti fino a completare l'elenco. Per esempio: se avete paragonato la vicendevole comunicazione a tutte le voci dell'elenco, giungendo all'ultima in esso riportata, sincerità, e questa sia risultata più importante della vicendevole comunicazione, non occorrerà che la paragoniate alla creatività, dal momento che questa non è altrettanto importante della vicendevole comunicazione. Sappiamo dunque che, dal momento che la sincerità è più importante della vicendevole comunicazione, verrà anche prima della creatività e di ogni altro termine che sia già posto al di sotto della vicendevole comunicazione. Per completare la gerarchia, ripetete il procedimento lungo tutto l'elenco.

Come vedete, la sistemazione in un ordine non è sempre un procedimento facile, trattandosi a volte di differenziazioni molto sottili, che non siamo abituati a compiere. Qualora una scelta risulti ambigua, rendete più specifiche le differenziazioni, chiedendo per esempio: "Che cosa è più importante, estasi o crescita?" La risposta potrà suonare: "Se cresco, ho anche estasi." E allora chiedete: "Che cosa significa per te estasi? E che cosa significa crescita?" Possibile risposta: "Estasi significa provare un sentimento totale di gioia personale, e crescita significa superamento degli ostacoli", al che potrete chiedere: "Che cosa è più importante, superare ostacoli o provare un sentimento di gioia assoluta?" Questo renderà più facile la decisione.

Qualora le differenziazioni risultino ancora poco chiare, chiedete cosa accadrebbe se uno dei valori venisse sottratto: "Se non potessi mai raggiungere una condizione di estasi, ma potessi crescere, quale sarebbe la tua scelta?" Oppure: "Se non potessi mai crescere, ma potessi raggiungere uno stato di estasi, a quale delle due cose aspireresti maggiormente?" Di solito, questo basta a fornire l'informazione necessaria a stabilire quale valore sia più importante.

Istituire una propria, personale gerarchia di valori, è uno dei più utili esercizi che si possano fare nel contesto di questo libro. Prendetevi il tempo necessario a stabilire che cosa desiderate da un rapporto, e lo stesso dovreste fare con il vostro partner, posto che ne abbiate uno. In tal modo, insieme giungerete a una nuova consapevolezza dei più profondi bisogni dell'uno e dell'altro. Stendete un elenco di tutti gli elementi che sono massimamente importanti per voi in un rapporto, per esempio attrazione, gioia, eccitazione e rispetto. Per allungare l'elenco, potreste chiedere:

"Che cosa c'è di importante nel rispetto?" E la risposta del tuo partner potrà essere: "È l'elemento più importante in un rapporto." In tal modo, avrete già il valore numero uno. Oppure la risposta del partner potrà suonare: "Se mi sento rispettato/a mi sento unito/a a un'altra persona." E così avrete un altro termine: "unità". Quindi potrete chiedere: "E che c'è di importante nell'unità?" Possibile risposta: "Se mi sento unito/a, mi sento amato/a." Domanda: "E che c'è di importante nell'amore?" Continuate a questo modo, compilando un elenco di termini finché siate convinti di avervi messo la maggior parte dei principali valori che per voi sono importanti in un rapporto. E adesso create una gerarchia servendovi della tecnica dianzi descritta. Sistematicamente, paragonate ciascuno dei valori con gli altri, finché non siate in possesso di una precisa gerarchia che vi sembri incontrovertibile.

Una volta istituita una gerarchia di valori per i vostri rapporti personali, fate lo stesso con il vostro ambiente di lavoro, chiedendovi: "Qual è l'elemento più importante nell'attività e nell'ambiente lavorativo?" La risposta potrà suonare: "Creatività." Successiva, ovvia domanda: "Che c'è di importante nella creatività?" Eventuale risposta: "Quando sono creativo, ho la sensazione di crescere." "Che c'è di importante nella crescita?" E così via. Se siete un genitore, vi suggerisco di fare lo stesso con i vostri figli. Scoprire quali sono le loro reali motivazioni, vi permetterà di entrare in possesso di strumenti davvero efficaci per diventare migliori come padri o madri.

A che conclusione siete giunti? Qual è la vostra impressione dell'elenco che avete steso? A vostro giudizio, è preciso? Se tale non lo ritenete, compite ulteriori paragoni, fino a convincervi che è esatto. Molte persone restano sorprese quando scoprono quali sono i loro valori supremi; e d'altro canto, assumendo precisa consapevolezza della loro gerarchia di valori, giungono finalmente a capire perché fanno ciò che fanno.

Ma istituire una gerarchia non è sufficiente. Come vedremo più avanti, parlando di valori le persone designano con la stessa parola cose differentissime; e adesso che avete assunto consapevolezza della vostra gerarchia, concedetevi il tempo necessario per interrogarvi sul significato dei termini.

Se il valore primario in un rapporto personale è l'amore, potrete chiedere: "Che cosa ti fa sentire amato/a?" Oppure: "Che cosa ti fa amare qualcuno?" O: "Come fai a sapere se non sei amato/a?" Dovreste farlo con la massima precisione possibile almeno per le prime quattro voci della vostra gerarchia. La parola "amore" da sola probabilmente significa per voi decine di cose, ed è utile scoprire quali siano. È un procedimento tutt'altro che facile, ma se vi ci dedicate con attenzione conoscerete di più su voi stessi, sui vostri effettivi desideri e sulle prove cui fate ricorso per stabilire se i vostri desideri sono soddisfatti.

Com'è ovvio, non potete continuare tutta la vita a scoprire scale complete di valori per ogni persona che conoscete. La precisione e la specificità cui mirate dipenderanno dalla meta che vi proponete. Se questa consiste nell'istituire un rapporto duraturo con un coniuge o un figlio, vi sarà utile sapere quante più cose potete sul modo di funzionare del cervello di quella persona. Se invece siete un allenatore che si sforza di motivare un atleta o un uomo di affari intento a valutare un potenziale cliente, vi sarà, sì, utile conoscerne i valori, non però con la stessa profondità: in tal caso, vi basterà individuare i più importanti. Tenete presente che in qualsiasi relazione – intensa come tra un padre e un figlio o casuale come fra due venditori che usino lo stesso telefono – si stabilisce un contratto più o meno esplicito, nel senso che entrambi vi aspettate certe cose dall'altro, entrambi giudicate le azioni e le parole dell'altro, almeno inconsciamente, sulla scorta dei suoi valori. Tanto vale che sappiate con precisione ciò che questi valori sono e istituiate un accordo in modo da sapere in anticipo in che senso i vostri comportamenti influiranno su entrambi e quali sono i vostri effettivi bisogni.

Questi valori di primaria importanza li potete scoprire anche nel corso di una conversazione casuale. Una tecnica, semplice ma efficacissima, consiste nel prestare attento orecchio alle parole che le persone usano. Tutti tendono a servirsi di continuo di certe parole chiave che rivelano i valori in testa alla loro gerarchia. Poniamo il caso di due persone che condividono un'esperienza estatica; una delle due potrà proclamarne illimitata la bellezza, affermando che innesca la sua creatività; l'altra potrà esserne altrettanto entusiasta, ma aggiungere che i sentimenti di comunanza con l'altro sono anch'essi assai importanti. È probabile che le due persone vi forniscano in tal modo validi indizi circa i loro supremi valori e circa ciò che dovreste comprendere, se desiderate motivarli o entusiasmarli.

La scoperta dei valori è importante sia nel mondo degli affari che nella vita di relazione personale. Per quanto riguarda l'attività lavorativa, c'è un supremo valore cui ognuno mira; è esso a indurre una persona ad accettare un incarico, e se il valore non viene realizzato o è violato, ciò la indurrà ad andarsene. Per alcuni può trattarsi di denaro, e allora, se li pagate abbastanza, potrete tenerli con voi; per tanti altri sarà una cosa diversa, per esempio creatività, sfida da raccogliere o il fatto di sentirsi come in una famiglia.

Per i dirigenti d'azienda è di importanza fondamentale conoscere il supremo valore dei loro dipendenti. Per scoprirlo, la prima domanda da porre è: "Che cosa può indurla a entrare a far parte di un'azienda?" Poniamo che la risposta del dipendente suoni: "Un ambiente creativo." Per scoprire quali ne siano gli elementi più importanti, potrete chiedergli: "E che altro occorrerebbe?" Sarà anche indispensabile per voi conoscere che cosa lo indurrebbe ad andarsene, e la risposta potrà per esempio suonare: "La mancanza di fiducia." Potrete continuare chiedendo: "Anche se ci fosse una mancanza di fiducia, che cosa la indurrebbe a restare?" Certuni possono rispondere che in tal caso mai resterebbero in un'azienda, e ciò significa che il loro valore supremo, quello cui devono tener fede per continuare a esercitare una certa mansione, è appunto la fiducia. Altri potranno rispondere che resterebbero anche se non godessero di fiducia, a patto di avere la possibilità di far carriera in seno all'azienda. Continuate a sondare e a domandare finché non venite a capo di ciò che la persona deve avere per sentirsi felice, e così conoscerete fin dall'inizio ciò che la indurrebbe ad andarsene. I termini designanti i valori che le persone fanno propri sono paragonabili a super "ancore", nel senso che comportano forti connotazioni emozionali. Per essere più precisi ancora, insistete: "Come fa a sapere se ha la possibilità di far carriera?" Oppure: "Come fa a sapere se non ce l'ha?" Assai importante è anche scoprire il procedimento di cui una persona si serve per stabilire in che senso il vostro concetto di fiducia differisce dal suo. Può per esempio ritenere che ci sia fiducia solo a patto che le sue decisioni non siano mai messe in discussione, e che ci sia invece mancanza di fiducia se la mansione affidatagli viene cambiata senza che gliene venga fornita una chiara spiegazione. Per un dirigente d'azienda, è indispensabile conoscere questi valori ed essere in grado di anticipare le mosse altrui in qualsiasi situazione.

Ci sono manager i quali si credono ottimi motivatori ma pretendono di esserlo nei loro propri termini. Costoro si dicono: "A quel tale do un bel po' di denaro, per cui mi aspetto in cambio questo e quest'altro." Orbene, è vero solo entro certi limiti, poiché persone diverse hanno valori differenti. Per alcuni, la cosa più importante è poter lavorare con persone per le quali provano affetto e amicizia, e se esse se ne vanno, ai loro occhi il lavoro perde attrattiva. Altri attribuiscono la massima importanza a un sentimento di creatività e di entusiasmo, altri attribuiscono valore ad altre cose ancora. Chi vuole diriger bene un'azienda deve conoscere i supremi valori del dipendente e come fare per soddisfarli, pena altrimenti di perdere il dipendente stesso o per lo meno di non riuscire mai a ottenere da lui le massime prestazioni e che ricavi soddisfazione dal lavoro che fa.

Tutto questo richiede indubbiamente molto tempo e molta sensibilità, ma se apprezzate le persone con cui lavorate, ne vale senz'altro la pena, per voi come per loro. Tenete presente che i valori hanno un enorme potere emozionale. Se vi limitate a dirigere un'azienda sulla scorta dei vostri personali valori, e vi ritenete assennato secondo il vostro esclusivo punto di vista, probabilmente finirete per sentirvi amareggiati e traditi; se riuscite a superare il gap dei valori, probabilmente avrete collaboratori, amici e familiari più contenti, e voi stessi sarete più felici. Non è indispensabile avere gli stessi valori di altri, ma è essenziale essere in grado di mettersi al passo con loro e rendersi conto di quali siano i loro valori, in tal modo assicurando sostegno da altri e ottenendone una effettiva collaborazione.

I valori costituiscono il più potente strumento di motivazione di cui siamo in possesso. Se volete mutare una cattiva abitudine, potete farlo assai rapidamente a patto che colleghiate con altri valori la solidità del cambiamento. Conosco una donna che attribuiva valore altissimo all'orgoglio e al rispetto, ciò che l'ha indotta a indirizzare una lettera alle persone che più rispettava al mondo, in cui diceva che non avrebbe più fumato, e che tale era il rispetto che aveva per il proprio fisico e per quello altrui, che mai più si sarebbe permessa di ricadere nel vizio. Inviate le lettere, smise effettivamente di fumare; più e più volte affermò che avrebbe dato chissà che per una sigaretta, ma il suo orgoglio le impediva di ricascarci: era insomma un valore più importante che non il fatto di inalare il fumo d'una sigaretta. Oggi, la donna in questione è una sana non fumatrice. Sì, i valori utilizzati nel modo giusto hanno la massima capacità di cambiare i nostri comportamenti.

Permettetemi di riferirvi una mia recente esperienza. Lavoravo con una squadra di football di un college che disponeva di tre quarterback, tutti e tre con valori assai diversi, che ho scoperto semplicemente chiedendo a ciascuno di loro che cosa fosse importante ai loro occhi nel football, che cosa il gioco dava loro. La risposta di uno è stata che il football era un modo per far sì che la sua famiglia si sentisse orgogliosa di lui oltre che per glorificare Dio; la risposta del secondo è stata che il football era importante quale espressione di potere e che per lui i supremi valori consistevano nel superare le limitazioni, nel vincere e avere la meglio su altri. Il terzo era un giovane uscito da un ghetto, che non scorgeva nessun particolare valore nel football, e alla mia domanda: "Che cosa c'è di importante per te in questo gioco?" ha risposto che non lo sapeva. È risultato che per lo più tendeva ad allontanarsi dalle cose, come la povertà e una vita familiare infelice, e che non aveva un chiaro senso di ciò che il football significava per lui.

Evidentemente i tre andavano motivati in maniera assai diversa. Se avessi tentato di motivare il primo (i cui valori consistevano nel rendere orgogliosa di lui la sua famiglia e nel glorificare Gesù) insistendo sull'importanza di schiacciare gli avversari, di far loro mordere la polvere, probabilmente avrei generato un conflitto interiore perché l'atleta nel gioco vedeva un valore positivo non violento, non negativo. Se al secondo avessi tenuto un fervente discorso sulla necessità di glorificare Dio e di far sentire i familiari fieri di lui, non lo avrei motivato perché non era questa la ragione principale che lo induceva a dedicarsi all'attività sportiva.

Risultò che il terzo giocatore era dotato di maggior talento dei precedenti, ma che ne sapeva fare minor uso, e gli allenatori avevano parecchie difficoltà a motivarlo perché non disponeva di chiari valori, nulla di preciso verso cui puntare o da cui allontanarsi. Nel caso specifico, dovevano individuare qualche valore cui il quarterback tenesse in un altro contesto, per esempio l'orgoglio, e trasferirlo nel contesto del football. Alla fine, benché si fosse infortunato prima dell'inizio del torneo, fu possibile motivarlo a dare il suo contributo alla squadra e gli allenatori ebbero a disposizione il modo di motivarlo in futuro, una volta guarito del tutto.

I valori agiscono in modo complesso e delicato non meno di altre cose di cui abbiamo parlato in questo libro. Tenete presente che quando ci serviamo di parole utilizziamo una mappa, e che la mappa non è il territorio. Se vi dico che sono affamato o che ho voglia di fare una corsa in auto, quella che vi metto a disposizione è pur sempre una mappa. Essere affamato può significare che mi andrebbe un buon pasto o un rapido spuntino; quanto all'auto, può trattarsi di un'utilitaria o di una grossa limousine. Comunque, le rispettive mappe sono abbastanza vicine, nel senso che i miei e i vostri elementi che le compongono sono tanto simili che non abbiamo difficoltà a comunicare. I valori costituiscono delle mappe più sofisticate; sicché, se vi dico quali sono i miei valori, voi vi trovate alle prese con la mappa di una mappa, e il vostro equivalente complesso di valori può essere assai diverso dal mio. Se sia voi che io affermiamo che la libertà è il nostro supremo valore, ciò istituirebbe un rapporto tra noi perché aspiriamo alla stessa cosa, siamo motivati a procedere nella stessa direzione. Ma non tutto è così semplice, per me libertà può significare essere in grado di fare ciò che voglio, qualsiasi cosa io voglia e quando la voglia, con chiunque e nella misura da me desiderata, mentre per voi libertà può significare avere qualcuno che si prenda cura di voi in continuazione, essere insomma esente da tensioni perché vivete in un ambiente sereno. Per altri ancora, la libertà può essere un concetto politico, la convinzione indispensabile al mantenimento di un certo sistema.

> *Se un uomo non ha scoperto qualcosa per cui è disposto a morire, non è degno di vivere.*
>
> MARTIN LUTHER KING

Proprio per il fatto che i valori hanno tanta importanza, essi comportano un'incredibile carica emozionale. Non c'è maniera più sicura di legare assieme persone di quella di fare appello ai loro supremi valori, ed è per questo che uomini impegnati che combattono per il proprio paese quasi sempre sconfiggeranno un gruppo di mercenari. Non c'è maniera più traumatica di allontanare tra loro le persone di quella consistente nel promuovere comportamenti che ne mettano in conflitto i supremi valori. Le cose per noi più importanti, si tratti di patriottismo o di amore per la famiglia, sono tutte riflessi di valori sicché, costruendo precise gerarchie, date vita a qualcosa che mai avete avuto prima, vale a dire la mappa più utile possibile di ciò di cui altri hanno bisogno e delle cose alle quali rispondono.

Il potere esplosivo e le delicate sfumature dei valori ci si rivelano in ogni istante nell'ambito dei rapporti personali. Una persona può sentirsi ferita da una delusione amorosa. "Diceva che mi amava," potrà esclamare, "e invece era solo uno scherzo." Per questi, l'amore può essere un impegno per sempre; per quegli, una breve ma intensa unione.

È dunque assolutamente indispensabile che vi costruiate una mappa quanto più possibile precisa e che stabiliate quale sia in realtà la mappa dell'altro. È necessario che sappiate, non solo le parole che i vostri simili usano, ma che cosa esse significano, e il modo per riuscirci consiste nel chiedere, con tutta l'elasticità e la perseveranza necessaria a costruire un preciso quadro della loro gerarchia di valori.

Molto spesso, i concetti di valori variano a tal punto che due persone che hanno gli stessi valori può darsi non abbiano nulla in comune, mentre due che si richiamano a valori diversissimi possono scoprire che in realtà aspirano alla stessa cosa. Per una persona, il divertimento può significare ricorrere a droghe, fare le ore piccole a feste, ballare fino all'alba, e per un'altra può consistere nello scalare montagne, scendere in canoa lungo rapide, qualsiasi cosa insomma che sia nuova, eccitante o difficile da compiere. L'unico elemento che i loro valori hanno in comune è la parola di cui i due si servono. Un terzo potrà affermare che il suo valore più importante è la sfida alle difficoltà, e per lui ciò significa scalare monti e affrontare rapide; se gli chiedete in che cosa consiste il suo divertimento, liquiderà la faccenda come frivola e priva d'importanza, ma è chiaro che, parlando di sfida alle difficoltà, egli intende esattamente la stessa cosa che la seconda persona designava col termine divertimento.

La comunanza di valori costituisce la base fondamentale dei rapporti personali. Se due persone hanno valori in tutto e per tutto corrispondenti, il loro rapporto può durare per sempre; se i loro valori sono affatto diversi, ci sono scarse probabilità che tra loro si crei un legame duraturo e armonioso. Pochi rapporti personali rientrano nell'uno o nell'altro di questi due estremi, e ne consegue che è necessario fare due cose. In primo luogo, scoprire i valori che si hanno in comune, in modo da potersene servire per superare le differenze. (Non è appunto quello che Reagan e Gorbaciov hanno cercato di fare nel corso dei loro incontri al vertice, vale a dire preservare i valori che entrambi i paesi hanno in comune e che possono costituire la base dei loro rapporti, come per esempio la sopravvivenza?) In secondo luogo, dovete tentare di sostenere e soddisfare, nei limiti del possibile, i più importanti valori dell'altro, essendo questo il fondamento di un rapporto forte, duraturo, vicendevolmente fruttuoso, si tratti di affari, di relazioni personali, di legami con i familiari.

I valori sono il fattore di maggior momento ai fini dell'accordo o del disaccordo, quelli che inducono gli individui a essere o meno motivati. Se ne conoscete i valori, siete in possesso della chiave definitiva; se non li conoscete, potete, sì, promuovere un comportamento stimolante che però non durerà a lungo oppure non produrrà l'esito sperato; se poi esso è in conflitto con i valori della persona, dovrà agire come un interruttore di circuiti per superarli. I valori sono paragonabili a un tribunale di ultima istanza, nel senso che decidono quali comportamenti sono efficaci e quali non lo sono, quali producono stati d'animo desiderati e quali invece in coerenza.

Se le persone hanno idee diverse circa il significato dei valori, hanno anche dei modi differenti di stabilire se i loro sono stati appagati o no.

A livello personale, una delle iniziative più utili che si possano intraprendere per fissare a se stessi obiettivi, consiste nel mettere in risalto i propri valori. Ecco un prezioso esercizio: prendete cinque valori che siano importanti per voi e cercate di stabilire che cosa deve accadervi per convincervi che i vostri valori sono stati appagati. La risposta scrivetela su un foglio di carta e stabilite se il metodo vi è di aiuto oppure di ostacolo.

Potrete controllare e cambiare le vostre procedure. Ricordate che si tratta pur sempre di costruzioni mentali e di nient'altro, e che dovrebbero esservi utili anziché ostacolarvi.

I valori cambiano, a volte radicalmente, ma di solito a livello inconscio. Molti di noi dispongono di procedure superate oppure frustranti. Quando eravate all'università, può darsi che vi occorressero, per sentirvi attraenti, numerosi flirt; da adulto, forse desiderate elaborare strategie meno rozze. Se tra i vostri valori c'è l'attrattiva personale, ma vi sentite attraenti solo se potete rivaleggiare con una celebre attrice o un celebre attore, non è escluso che siate destinati a frustrazioni. Tutti noi conosciamo persone che si sono fissate su un risultato, qualcosa che ai loro occhi simboleggiava un valore supremo, e che, raggiunta la meta, hanno costatato che esso non significava proprio nulla. I loro valori erano cambiati, ma la procedura viveva ormai per così dire di vita propria. Ci sono persone che hanno una procedura di evidenziazione non collegata ad alcun valore; costoro sanno ciò che vogliono, ma non perché lo vogliono, col risultato che, quando lo ottengono, quel qualcosa si rivela un miraggio, alcunché che è stato spacciato loro dalla società di cui fanno parte, ma che in realtà sotto sotto essi non desideravano avere. L'incongruenza tra valori e comportamenti costituisce uno dei grandi temi della letteratura e del cinema, e due buoni esempi ne sono costituiti da

Citizen Kane di Orson Welles e dal *Grande Gatsby* di Fitzgerald. È necessario avere un senso preciso dei propri valori e del loro modo di mutare, ragion per cui, come è indispensabile riaccettare a scadenze regolari le finalità e le mete di cui si è parlato nel capitolo 11, altrettanto regolarmente vanno rivisti i valori che più ci motivano.

Un altro modo di rivedere le procedure di evidenziazione consiste nel costatare se siano o no accessibili a un livello raggiungibile in un ragionevole lasso di tempo. Prendiamo l'esempio di due laureati che cominciano la propria carriera. Per uno dei due, il successo può significare una famiglia stabile, un lavoro che gli renda 40.000 dollari l'anno, una casa del valore di 100.000 dollari, una buona forma fisica; per l'altro, una famiglia numerosa, un reddito annuo di 240.000 dollari, una casa da 2 milioni di dollari, un fisico da triatleta, molti amici, la presidenza di una squadra di football formata da professionisti e una Rolls-Royce con tanto di autista. Proporsi mete elevate è un'ottima cosa se esse operano a vostro vantaggio; per quanto mi riguarda, mi sono posto mete di vasto respiro, creandomi le rappresentazioni interne corrispondenti e pertanto i comportamenti che mi hanno sorretto nell'impresa.

Ma se mutano obiettivi e valori, lo stesso accade anche con le procedure di evidenziazione. Le persone sono più felici se trovano anche obiettivi intermedi ai quali mirare, perché questi forniscono la dimostrazione del successo, persuadono cioè che i propri sogni sono realizzabili. Uno può essere totalmente motivato dall'obiettivo costituito da un fisico da triatleta, da una casa da due milioni di dollari, dalla presidenza di una squadra di football e da una Rolls-Royce; altri potranno vedere il successo innanzitutto nell'impegnata partecipazione a una gara, oppure nel cambiare le proprie abitudini dietetiche, o ancora nell'avere una bella casa da 100.000 dollari e un rapporto amoroso o una famiglia. Raggiunte queste prime mete, possono proporsene di nuove; sono pur sempre in grado di rincorrere la propria grande visione, ma può darsi che abbiano ricavato maggior soddisfazione dal raggiungimento della prima meta.

Un altro aspetto delle procedure di evidenziazione è la specificità. Se attribuite valore a un'avventura amorosa potete dire che la vostra procedura consiste nell'istituire un buon rapporto con una donna attraente e affezionata, ed è una meta ragionevole che val la pena di perseguire. Potete avere anche un'immagine precisa dell'aspetto fisico e dei tratti caratteriali cui maggiormente aspirate, e anche questa è una buona cosa. Un altro potrà magari avere come procedura di evidenziazione un tempestoso rapporto con una "coniglietta" Playboy, bionda, con gli occhi azzurri, e 90 di seno, un appartamento di proprietà sulla 5a Avenue di Manhattan e un reddito a sei cifre; solo queste submodalità gli procureranno soddisfazione. Non c'è nulla di male nell'avere un obiettivo, ma per voi è in serbo un cospicuo potenziale di frustrazione se i vostri valori li collegate a un'immagine troppo specifica, perché in tal caso si esclude il 99% delle persone, delle cose e delle esperienze suscettibili di procurarvi gratificazione. Ciò non significa certo che non possiate ottenere quei risultati, anzi. Ma con una maggior elasticità vi riuscirà più facile attuare i vostri veri desideri e appagare i vostri valori.

Qui è all'opera un minimo comun denominatore: l'importanza dell'elasticità. Tenete presente che il sistema dotato di maggior flessibilità, e in qualsiasi contesto dunque con il maggior numero di scelte, risulterà il più efficace. È assolutamente indispensabile non dimenticare che i valori hanno per noi un'importanza primaria, ma che il loro primato noi lo rendiamo chiaro a noi stessi con le procedure che adottiamo. Si può scegliere una mappa del mondo a tal punto circoscritta da garantire quasi certamente la frustrazione, e molti di noi lo fanno: ci diciamo che il successo è proprio questo, che un buon rapporto personale è esattamente quello e nient'altro. Ma togliere flessibilità al sistema è una delle maniere migliori di procurarsi frustrazioni.

Le domande più ardue con cui ci si trova alle prese di solito riguardano i propri valori. A volte accade che due valori diversi, come libertà e amore, conducano l'individuo in due opposte direzioni. La libertà può significare capacità di fare qualsiasi cosa si voglia in qualsiasi momento, e l'amore il legame con un'unica persona. La maggior parte di noi si è trovata alle prese con un conflitto del genere, e non è certo una situazione piacevole. Ma è importantissimo sapere quali siano i propri massimi valori, onde poter scegliere i comportamenti capaci di sostenerli; se non lo si fa, più tardi si pagherà il prezzo emozionale del non aver sostenuto quella che consideriamo la cosa importante delle nostre esistenze. Comportamenti legati ai valori più alti nella scala gerarchica soppianteranno comportamenti connessi a valori di più basso livello.

Non c'è nulla di più scoraggiante che avere forti valori che trascinano in direzioni opposte, perché ne deriva un terribile sentimento di incoerenza; e se questa dura a lungo, può distruggere un rapporto. Si può andare in una direzione – per esempio, esercitare la propria libertà – in maniera rovinosa per l'altro; oppure si può tentare di adattarsi, in altre parole di soffocare gli impulsi alla libertà, in modo tale da uscirne frustrati e da distruggere comunque la relazione. O ancora, dal momento che pochi di noi davvero considerano e comprendono i propri valori, si può semplicemente provare un sentimento generale di frustrazione e disagio, e ben presto cominceremo a filtrare tutte le nostre esperienze esistenziali attraverso queste emozioni negative, sentimenti di insoddisfazione che potremo tentare di alleviare stramangiando, fumando, e via dicendo.

Se non si capisce come operano i valori, è difficile addivenire a un qualsivoglia buon compromesso. Ma se invece lo si capisce, non è necessario minare né il rapporto né l'aspirazione alla libertà; si può cambiare la procedura di evidenziazione. Quando eravate all'università, forse per voi la libertà significava tentare di emulare la vita erotica di un attore dello schermo; ma può darsi che una relazione amorosa assicuri il comfort, le risorse e la gioia che comportano una effettiva libertà maggiore di quella consistente nella capacità di portarvi a letto qualsiasi persona incontriate in un bar. In questo consiste essenzialmente il processo di *reframing* di un'esperienza in modo da creare coerenza.

A volte l'incoerenza non deriva dai valori stessi, ma dalle procedure di evidenziazione di valori diversi. Non è detto che il successo e la ricchezza interiore debbano per forza produrre incoerenza, essere in contrasto fra loro. Si può essere un uomo di grande successo, e tuttavia godere di una ricca vita interiore. Ma che accade se la vostra procedura di evidenziazione per quanto attiene al successo consiste nell'aspirare a una enorme dimora e per quanto riguarda la vita interiore è di condurre un'esistenza semplice e austera? In tal caso, non vi resta che ridefinire le vostre procedure oppure ricontestualizzare la vostra percezione, pena altrimenti di condannarvi a un'esistenza di perenni conflitti. E sarà utile tenere a mente il sistema di credenze cui ha fatto ricorso W. Mitchell per aiutarsi ad avere una vita ricca e felice, nonostante quelle che potevano sembrare circostanze limitanti; voglio dire che non c'è nessun rapporto inevitabile tra i due fattori. In altre parole, per Mitchell il fatto di essere paralizzato non equivale a dover essere infelice, così come disporre di molto denaro non significa che non si possa essere spiritualmente ricchi, e d'altra parte condurre un'esistenza austera non significa per forza di cose che essa sia spiritualmente profonda.

L'NLP fornisce gli strumenti per cambiare la struttura di gran parte delle esperienze in modo che ne derivi congruenza. Una volta mi sono trovato a lavorare con un tale che era alle prese con un problema tutt'altro che insolito. Costui aveva una relazione amorosa con una donna, e d'altra parte attribuiva grande valore al fatto di essere sessualmente attraente e di avere rapporti con altre donne. Quando coglieva segnali di richiamo erotico da parte di una donna attraente, subito cominciava a sentirsi in colpa per via del valore che attribuiva al suo rapporto.

Ecco come operava la sua sintassi della attrazione quando conosceva una donna attraente: la vedeva (Ve) e diceva a se stesso (Uid): "Questa donna è bellissima e mi desidera," e ciò lo portava a un sentimento o desiderio di continuare (Ci), e a volte il desiderio si traduceva in realtà e l'uomo intraprendeva un'azione (Ce). Ma sia il desiderio che le avventure amorose che ne derivavano originavano gravi conflitti con il suo bisogno di un rapporto stabile, da persona a persona, che in lui era un desiderio profondamente radicato.

Gli ho insegnato ad aggiungere un nuovo elemento alla sua strategia, che era Ve - Uid - Ci - Ce. Ed ecco come: quando vedeva una donna (Ve) e diceva a se stesso: "Guarda come è bella e mi desidera" (Uid), doveva aggiungere un'altra frase interna uditiva: "Io amo la donna con cui sto." Quindi l'ho persuaso a immaginarsi la donna alla quale era legato intenta a sorridergli e a guardarlo con occhi amorosi (Vi), ciò che creava in lui un nuovo sentimento cinestesico che lo convinceva di amare la donna con cui stava: una strategia che ho fatto in modo che si instaurasse in lui mediante ripetizione. Quando vedeva una donna da cui si sentiva attratto, si diceva: "È bellissima, mi desidera", e subito dopo pronunciava la nuova frase interiore, "e io amo la donna con cui sto", con tono di voce dolce, raffigurandosi quindi la partner che gli sorrideva amorosamente. Gli ho fatto ripetere il procedimento più e più volte, finché non si è radicato in lui, e finché la successione delle due frasi non è divenuta fulminea, ragion per cui ogniqualvolta una donna attraente gli passava vicino, subito l'uomo passava al nuovo modulo.

Questa strategia gli permette di avere tutto quello che desidera. La sua vecchia strategia lo tirava contemporaneamente in due direzioni, rendendo difficile il suo rapporto con la partner. Soffocare il bisogno di sentirsi attraente lo avrebbe frustrato e messo in situazione conflittuale. La nuova strategia gli permette di assicurarsi i sentimenti positivi di attrazione dei quali ha bisogno, in pari tempo eliminando la conflittualità che minava il suo rapporto. Adesso, più donne attraenti vede, e più sente di amare quella con cui sta.

La maniera suprema di servirsi dei valori consiste nell'integrarli con metaprogrammi allo scopo di motivare e capire se stessi e gli altri. I valori costituiscono il filtro definitivo; i metaprogrammi sono i moduli operativi che guidano gran parte delle nostre percezioni, e pertanto dei nostri comportamenti. Chi sappia come fare a servirsi degli uni e degli altri assieme è in grado di elaborare i moduli motivazionali più precisi.

Una volta ho avuto a che fare con un giovane irresponsabile al punto da rendere insopportabile l'esistenza ai suoi genitori. Il suo problema consisteva nel fatto che viveva in tutto e per tutto nell'attimo, senza curarsi affatto delle conseguenze. Se accadeva qualcosa che lo induceva a star fuori casa tutta notte, non per questo si riteneva un irresponsabile; semplicemente, rispondeva a ciò che si trovava immediatamente sott'occhio (le cose verso le quali tendeva) anziché alle conseguenze delle sue azioni (cose da cui avrebbe voluto allontanarsi).

Quando l'ho conosciuto e mi sono messo a parlare con lui, ne ho fatto venire alla luce i metaprogrammi, scoprendo così che la sua tendenza era a muovere verso le cose e ad agire spinto dalla necessità immediata. Poi ho cominciato a metterne in luce i valori, ed è risultato che i suoi tre supremi erano sicurezza, felicità e fiducia: le tre cose di cui aveva maggiormente bisogno.

Ho stabilito con lui un rapporto mediante adeguamento e rispecchiamento; poi, in maniera affatto congruente, ho cominciato a spiegargli perché e come i suoi comportamenti erano rovinosi proprio per le cose alle quali attribuiva il massimo valore. Era appena rincasato dopo essere stato via per due giorni interi senza il permesso dei suoi genitori sconvolti e disperati, senza informarli di nulla. Gli ho detto che padre e madre stavano perdendo del tutto la pazienza e che il suo comportamento rischiava di minare la sicurezza, la felicità e la fiducia che la famiglia gli assicurava, e che continuando a quel modo avrebbe finito per trovarsi in una situazione in cui non ci sarebbe stata sicurezza, felicità e fiducia, magari in carcere o in riformatorio. Se non si mostrava abbastanza responsabile da continuare a vivere in casa, i suoi genitori l'avrebbero spedito là dove qualcun altro si sarebbe assunto la responsabilità per lui. Così facendo, gli ho dato qualcosa da cui allontanarsi, qualcosa che era l'antitesi dei suoi valori. (Gran parte delle persone, anche se di norma tendono ad andare-verso, si allontanano-da quando si trovano a mettere a repentaglio un valore fondamentale.) Poi gli ho fornito un'alternativa positiva, qualcosa verso cui tendere, assegnandogli specifici compiti che potevano fungere per i suoi genitori da procedura di evidenziazione, allo scopo di mettere in chiaro la loro capacità di continuare a sorreggere quei valori di sicurezza, felicità e fiducia che per il ragazzo erano così importanti. I compiti erano: doveva rincasare ogni sera alle 22; doveva procurarsi un lavoro entro sette giorni; ogni giorno doveva anche studiare. Gli ho detto che di lì a due mesi avremmo passato in rassegna i suoi progressi e che, se manteneva fede a quegli accordi, la fiducia dei suoi genitori sarebbe aumentata, come del resto il sostegno che ne avrebbe avuto ai fini della sua personale felicità e sicurezza. Gli ho reso evidente che si trattava di assoluta necessità, cose verso le quali doveva tendere immediatamente. La prima infrazione all'accordo sarebbe stata vista come una fase d'apprendimento; alla seconda avrebbe ricevuto un ammonimento; alla terza avrebbe dovuto andarsene da casa.

Insomma, non ho fatto che suggerirgli cose verso le quali immediatamente tendere allo scopo di mantenere e aumentare il piacere che ricavava da quelli che considerava i suoi valori. In passato, semplicemente non aveva avuto a disposizione le cose giuste alle quali tendere, cose capaci di sostenere il suo rapporto con i genitori. Gli ho anche reso evidente che i cambiamenti in questione erano assolutamente necessari, gli ho fornito una procedura di evidenziazione assai specifica da seguire. L'ultima volta che ho avuto sue notizie, si comportava da ragazzo modello. Insieme i suoi valori e i suoi metaprogrammi hanno costituito i supremi strumenti di motivazione; gli avevo fornito il mezzo di creare per se stesso la sicurezza, la felicità e la fiducia di cui aveva bisogno.

> *Colui il quale sa molto sul conto di altri, può essere dotto, ma chi conosce se stesso è più intelligente. Colui il quale esercita il controllo su altri può essere potente, ma più potente ancora è chi sa dominare se stesso.*
>
> LAO TZE, *TAO TEH KING*

Ritengo che ormai possiate rendervi conto di quanto importanti siano i valori e quanto utili possano essere come strumenti del cambiamento. In passato, i vostri valori hanno operato quasi esclusivamente a livello subconscio, mentre adesso avete la capacità sia di capirli che di manipolarli al fine di ottenere mutamenti positivi. C'è stata un'epoca in cui non si sapeva cosa fosse un atomo, per cui non si era in grado di utilizzarne la spaventosa potenza. Assumere consapevolezza dei valori produce effetti assai simili. possiamo ottenere risultati prima impensabili, premere pulsanti di cui ignoravamo l'esistenza. Tenete presente che i valori sono sistemi di credenze dagli effetti globali, ragion per cui operando cambiamenti nei valori possiamo produrre profondi cambiamenti in tutta la nostra esistenza.

Anziché sentirci a disagio per conflitti di valori di cui a stento riuscivamo a capire qualcosa in passato, possiamo comprendere che cosa succede dentro di noi, tra noi e gli altri, e cominciare a produrre nuovi risultati; e vari sono i modi per ottenerli. Si può ricontestualizzare l'esperienza in modo che raggiunga il massimo dell'efficacia; possiamo commutare le nostre procedure di evidenziazione manipolandone le submodalità, come si è già detto a più riprese. Quando valori entrano in conflitto, si tratta in realtà assai spesso di antitesi tra l'una e l'altra di molte procedure di evidenziazione. Ma noi possiamo attenuare l'immagine e il suono in modo tale da rendere inavvertibile il conflitto. In certi casi possiamo persino cambiare gli stessi valori. Se avete un valore che vorreste fosse più alto nella vostra gerarchia, potete cambiarne le submodalità in modo che risulti più simile a quelli che stanno alla sommità della vostra scala. In moltissimi casi risulta più facile e più efficace lavorare sulle submodalità, e credo vi rendiate conto di quanto possenti possono essere queste tecniche. Esse possono cambiare il livello d'importanza dei valori, mutando la maniera di rappresentarveli nel vostro cervello.

Ecco un esempio: avevo a che fare con un tale il cui valore numero uno era l'utilità, mentre l'amore nella sua scala gerarchica occupava il nono posto. Com'è facile immaginare, data questa premessa faceva molte cose che non contribuivano affatto a procurargli buoni rapporti con altri esseri umani. Scoprii che il suo valore numero uno, utilità, egli lo vedeva come una grande immagine che si muoveva verso destra, molto luminosa, cui associava un tono particolare. Dopo averla paragonata con la sua rappresentazione di un valore che nella sua scala gerarchica era collocato molto più in basso, appunto l'amore (un'immagine assai più piccola, in bianco e nero, in posizione diversa, più bassa, più scura, più fioca e sfocata), mi bastò rendere le submodalità del valore più basso tali e quali quelle del valore superiore, e viceversa, istituendo poi un modulo di "scatto" per radicarle. Così facendo, cambiando il suo modo di atteggiarsi rispetto ai valori, abbiamo cambiato anche la sua gerarchia. L'amore è divenuto il valore numero uno, ciò che ha mutato radicalmente il suo modo di percepire il mondo, cosa per lui della massima importanza, e quindi il tipo di azioni cui coerentemente si dedicava.

Il fatto di cambiare la gerarchia di valori di una persona può avere enormi implicazioni che non sempre appaiono subito evidenti. Di solito è meglio cominciare con lo scoprire la procedura di evidenziazione dell'interessato e cambiare la sua percezione del modo con cui realizza o meno i propri valori, prima di procedere al cambiamento della sua scala gerarchica.

Penso che vi rendiate conto di quanto importante ciò possa essere nel quadro di un rapporto personale. Supponiamo che il valore numero uno di un tale sia l'attrazione, il numero due la sincerità, il numero tre la creatività, il numero quattro il rispetto. Ci sono due modalità per generare un sentimento di soddisfazione all'interno della relazione in oggetto. Una consiste nella fare del rispetto il valore numero uno e dell'attrazione il numero quattro. In tal modo, si può ottenere che un individuo che non si senta più attratto dal partner avverta il relativo valore come meno importante a paragone del rispetto che ha per lui o per lei. E, finché lo/la rispetta, sentirà che il suo bisogno principale è soddisfatto. Un approccio più semplice e meno radicale può consistere nel determinare la procedura di evidenziazione con cui l'interessato trova attraente un'altra persona. Che cosa deve vedere, udire, percepire? Quindi, o se ne cambia la strategia di attrazione, oppure gli si fa condividere con il partner ciò di cui ha bisogno per sentire soddisfatto quel valore.

La maggioranza di noi ha valori in conflitto tra loro. Vogliamo produrre grandi risultati, e vogliamo rilassarci su una spiaggia; vogliamo dedicare tempo alla famiglia, e vogliamo lavorare duro per aver successo nel nostro campo di attività. Aspiriamo alla sicurezza e insieme all'eccitazione. Certi conflitti di valori sono inevitabili e anzi arricchiscono la vita, le danno sapore. La difficoltà insorge allorché i valori ci trascinano in direzioni contrapposte. Letto questo capitolo, date un'occhiata alla vostra gerarchia di valori e alle vostre procedure di evidenziazione, per scoprire eventuali conflitti. Vederli chiaramente è il primo passo per risolverli.

I valori hanno importanza primaria sia per gli individui che per le società. La storia degli Stati Uniti nell'ultimo ventennio ha comportato una tormentosa costatazione dell'importanza e variabilità dei valori. Che cos'è stato infatti il sovvertimento degli anni sessanta, se non un esempio di cataclismatico scontro tra valori? All'improvviso, un enorme e vociferante segmento della società si è dato a professare valori che erano in piena contraddizione con quelli della società nel suo complesso. Molti dei valori più cari al nostro paese – famiglia, matrimonio, patriottismo, etica del lavoro – sono stati messi in discussione, e il risultato è stato un periodo di disarmonia e sconvolgimento.

Tra quel periodo e l'odierno ci sono due differenze di fondo. Una consiste nel fatto che i ragazzi degli anni sessanta hanno per lo più trovato nuovi e più positivi modi di esprimere i propri valori. Durante gli anni sessanta un individuo poteva persuadersi che libertà significava uso di droghe e capelli lunghi; oggi la stessa persona può avere la sensazione che essere alla testa di un'azienda e avere il controllo della propria esistenza è la maniera più efficace per raggiungere lo stesso risultato. L'altra differenza consiste nel fatto che i nostri valori sono cambiati. Se si guarda all'evoluzione dei valori americani negli ultimi venticinque anni, non si costata la vittoria di una gamma degli stessi su un'altra. Al contrario, si rileva che un altro insieme di valori è andato formandosi. In parte almeno, siamo tornati a certi valori tradizionali circa patriottismo e vita familiare. Sotto altri punti di vista, abbiamo adottato molti dei valori dei sessanta. Siamo più tolleranti, abbiamo atteggiamenti diversi in merito ai diritti delle donne e delle minoranze, la natura della produttività e le soddisfazioni che si ricavano dal lavoro.

Dall'evoluzione che ha avuto luogo si ricava un'utile lezione per tutti noi. Cambiano i valori, e cambiano gli individui. Gli unici che non cambiano sono i morti. Sicché, ciò che davvero conta è di essere consapevoli del costante fluire, e muoversi con esso. Vi ricordate l'esempio delle persone che sono inchiodate a un'unica meta e finiscono per scoprire che essa non corrisponde più ai loro valori? Molti di noi vengono a trovarsi, in momenti diversi, in una situazione del genere, e per superarla non resta che esaminare con attenta cura i propri valori e le procedure di evidenziazione che per essi ci siamo costruite.

Dobbiamo tutti convivere con un certo grado di incoerenza, che è parte integrante dell'ambiguità dell'essere umano. Come le società attraversano periodi di fluttuazione quali quello degli anni sessanta, lo stesso accade agli individui. Ma se sappiamo quel che sta accadendo, siamo più pronti ad affrontare la situazione e a cambiare ciò che cambiare possiamo. Se avvertiamo l'incoerenza ma non la comprendiamo, molto spesso ci capiterà di compiere azioni fuori luogo. Cominceremo a bere, a fumare, a fare qualsiasi altra cosa per uscire da una frustrazione che non comprendiamo. Sicché, il primo passo verso il trattamento dei conflitti consiste nel capirli. La Formula Fondamentale del Successo è applicabile sia ai valori che a tutto il resto. Bisogna sapere quel che si vuole, bisogna sapere quali sono i propri valori fondamentali e la propria gerarchia di valori. E bisogna poter agire, oltre a sviluppare la acuità sensoria necessaria per rendersi conto di dove si va a parare. E bisogna darsi l'elasticità indispensabile per poter cambiare. Se i vostri attuali comportamenti non corrispondono ai vostri valori, dovete modificare i primi se volete risolvere il conflitto.

C'è un'ultima considerazione che val la pena di fare. Tenete presente che di continuo facciamo nostri modelli altrui. I nostri bambini, i nostri dipendenti, i nostri collaboratori ci ricalcano in maniere diverse. E, se vogliamo essere modelli efficaci, non c'è nulla di più importante del darsi forti valori e comportamenti congrui. I comportamenti di ricalco sono importanti, ma i valori hanno la preminenza su quasi tutto il resto. Se siete per l'impegno ma la vostra esistenza riflette infelicità e confusione, coloro che vedono in voi un modello istituiranno il collegamento tra l'idea di impegno e confusione e infelicità. Se siete per l'impegno e la vostra vita è espressione di eccitamento e gioia, fornirete un modello congruente in cui impegno e gioia sono fusi.

Pensate alle persone che hanno esercitato la massima influenza su di voi; è probabile che siano sempre stati i modelli più efficaci, più coerenti. Si tratta di individui i cui valori e comportamenti vi hanno fornito l'esempio più vibrante, più persuasivo, di successo. Le massime forze all'opera nella storia, diciamo libri sacri come la Bibbia, riguardano soprattutto valori; le vicende che narrano, le situazioni che descrivono sono modelli che hanno arricchito l'esistenza di moltissimi abitanti del pianeta perché hanno offerto appunto dei valori dotati di straordinaria potenza.

Scoprire i valori di qualcuno consiste semplicemente nell'individuare ciò che è più importante per quel lui o quella lei; e se lo sapete, siete in grado di conoscere meglio, non solo i loro bisogni, ma anche i vostri. Nel prossimo capitolo, ci occuperemo delle cinque cose che ogni persona di successo deve affrontare se vuole utilizzare e applicare tutto ciò di cui abbiamo parlato in questo libro.

19

LE CINQUE CHIAVI DELLA SALUTE E DELLA FELICITÀ

L'uomo non è figlio delle circostanze, ma sono le circostanze le creature dell'uomo.

BENJAMIN DISRAELI

Ormai possedete le risorse indispensabili per farvi assoluto carico della vostra esistenza. Avete la capacità di formare le rappresentazioni interne e di instaurare gli stati d'animo che conducono al successo e al potere. Ma avere la capacità non sempre equivale a servirsene, e ci sono esperienze che di continuo mettono gli esseri umani in condizioni di impotenza. La strada da percorrere presenta curve, il fiume su cui si naviga ha rapide in cui di continuo l'uomo incappa; ci sono esperienze che impediscono agli individui di essere tutto ciò che potrebbero essere. In questo capitolo intendo fornirvi una mappa indicativa dei pericoli e di ciò che è necessario sapere per evitarli.

Sono quelle che chiamo le cinque chiavi della salute e della felicità. Se intendete servirvi di tutte le capacità che ormai possedete, se volete essere tutto quello che potete essere, è necessario che vi rendiate conto delle chiavi in questione: prima o poi, deve farlo ogni persona di successo. Chi le conosce può fare della propria vita un'inarrestabile serie di riuscite.

Qualche tempo fa mi trovavo a Boston. Al termine di un seminario serale, verso la mezzanotte, ho fatto una passeggiata in Copley Square. Osservavo gli edifici circostanti, che vanno dai moderni grattacieli a case vecchie quanto gli Stati Uniti, quando ho notato un uomo che veniva alla mia volta con passo incerto. Sembrava che avesse dormito per le strade da settimane; puzzava di alcool, aveva l'aria di non essersi rasato da mesi.

Ho immaginato che volesse chiedermi l'elemosina. Mi è venuto vicino e mi ha chiesto: "Signore, potrebbe prestarmi un *quarter*?" La mia prima reazione è stata di chiedermi se era bene che gli offrissi una ricompensa per il suo atteggiamento, poi mi sono detto che non volevo certo trattarlo male e che comunque venticinque cent non avrebbero fatto molta differenza. Sono giunto dunque alla conclusione che la cosa migliore che potevo fare era cercare di impartirgli una lezione: "Venticinque cent? È proprio questo che vuole, un *quarter*?" E lui: "Già, proprio un *quarter*." Allora mi sono frugato in tasca ne ho cavato un *quarter* e gli ho detto: "La vita ci dà tutto quello che le si chiede." L'uomo mi ha lanciato un'occhiata sbalordita, e quindi si è allontanato barcollando.

Seguendolo con lo sguardo, ho meditato sulle differenze tra coloro che riescono e coloro che falliscono. Mi chiedevo: in che cosa consiste il divario tra lui e me? Perché la mia esistenza è tanto gioiosa, e posso fare tutto ciò che voglio, tutto ciò che desidero, ovunque lo voglia, con chiunque intenda farlo e in qualunque misura? L'uomo doveva essere sulla sessantina, vagabondava per le strade, chiedeva l'elemosina. Forse che Dio era sceso dal cielo a dirmi: "Anthony Robbins, tu sei stato buono e avrai la vita che ti sei sempre sognato?" Assai poco probabile. Forse che qualcuno mi ha conferito risorse e vantaggi superiori? Non lo credo. Un tempo ero venuto a trovarmi in una condizione appena un po' migliore della sua, sebbene non bevessi come lui né dormissi per le strade.

Ritengo che, almeno in parte, la differenza consista nella risposta che gli ho dato, cioè che la vita ti darà qualsiasi cosa tu le chieda. Chiedi un *quarter*, e un *quarter* avrai. Chiedi gioia e successo, e avrai anche quelli. Tutte le mie ricerche mi persuadono che se si impara a controllare i propri stati d'animo e i propri comportamenti, si può tutto cambiare, imparando per esempio che cosa chiedere alla vita, con la certezza di ottenerlo. Nei mesi che seguirono, ho incontrato altri "barboni", e ho chiesto loro come vivessero e come si fossero ridotti in quello stato. E ho cominciato così a scoprire che avevamo in comune, loro e io, ostacoli da affrontare assai simili, e che la differenza consisteva nel come lo facevamo.

Quale che sia la parola che pronunci, una simile ne udrai.

PROVERBIO GRECO

Vi indicherò ora le cinque cose che possono servire da segnali stradali lungo la via del successo. In esse non c'è nulla di profondo e di astruso, eppure sono assolutamente decisive. Se le dominate, non ci sono limiti alle vostre possibilità. Se non ve ne servite, i limiti ve li siete posti voi stessi. Un modo di pensare affermativo e positivo costituisce certo un punto di partenza, ma non è tutto; anzi, se manca la disciplina si andrà incontro alla delusione, mentre un atteggiamento positivo unito alla disciplina produce miracoli.

Ecco dunque la prima chiave della creazione di ricchezza e felicità. *Bisogna imparare a governare la frustrazione.* Se vuoi diventare tutto ciò che vuoi diventare, se vuoi fare tutto ciò che puoi fare, udire tutto ciò che puoi udire, vedere tutto ciò che puoi vedere, devi imparare a governare la frustrazione, la quale può uccidere i sogni. Capita molto spesso. La frustrazione può trasformare un atteggiamento positivo in negativo, uno stato di grazia in una condizione paralizzante. L'aspetto peggiore di un atteggiamento negativo consiste nel fatto che può rendere impossibile l'autodisciplina; e, scomparsa questa, scompaiono anche i risultati cui si aspira.

Sicché, per assicurarti un successo a lungo termine devi imparare a disciplinare la tua frustrazione. Vi svelerò un segreto: la chiave del successo consiste in una massiccia dose di frustrazione. Date un'occhiata agli uomini che si sono realizzati in pieno e costaterete che quasi sempre lungo la loro strada sono incappati in grosse frustrazioni. Chiunque vi dica il contrario, non sa nulla di realizzazioni e di successo. Ci sono due tipi di individui: coloro che la frustrazione l'hanno superata e coloro che avrebbero desiderato farlo.

C'è un'azienda americana di spedizioni che si chiama Federal Express. A fondarla è stato un tale Fred Smith che ha creato un'impresa multimiliardaria partendo da un cumulo di frustrazioni. All'inizio, quando ha fondato l'azienda mettendoci dentro fin l'ultimo centesimo, sperava di riuscire a consegnare circa centocinquanta carichi al giorno; invece i carichi furono sedici, cinque dei quali inviati a casa di un suo dipendente. E da quel momento le cose andarono sempre peggio. Di continuo i dipendenti dovevano farsi cambiare dai bottegai gli assegni con cui erano pagati perché in banca non c'erano fondi sufficienti, più volte gli aerei della ditta hanno corso il rischio del sequestro, e spesso si sono dovuti alienare beni per continuare l'attività. Oggi la Federal Express, come ho detto, è multimiliardaria, e lo si deve esclusivamente a Fred Smith che è stato in grado di superare una frustrazione via l'altra.

Ci sono persone profumatamente pagate per superare le frustrazioni. Se siete senza un soldo in tasca, probabilmente lo dovete al fatto di non essere riusciti molto bene a vincerle. Vi dite: "Be', sono al verde, e per questo sono frustrato." Ma la situazione è esattamente l'opposto: se foste riusciti a superare un maggior numero di frustrazioni, sareste ricchi. Una delle differenze principali tra individui agiati e individui che non lo sono, consiste nel modo in cui hanno affrontato la frustrazione. Non sono così cinico da affermare che la povertà non comporta enormi frustrazioni; dico che la maniera per non essere poveri consiste nell'affrontare una frustrazione dopo l'altra fino al momento in cui la si spunta. La gente dice: "Chi ha quattrini non ha nessun problema." Ma se ci danno dentro, probabilmente di problemi ne hanno, eccome; ma sono persone che sanno come affrontarli, come ricorrere a nuove alternative. Tenetelo presente: essere ricchi non significa solo avere denaro. Un magnifico rapporto umano comporta problemi e sfide e, se di problemi non ne volete, tanto vale che una relazione non l'abbiate. Lungo la strada di ogni grande successo – in campo finanziario come amoroso – sono in attesa grandi frustrazioni.

Il maggior dono che le *Tecnologie della Prestazione Ottimale* ci fanno consiste nell'insegnarci il modo di affrontare le frustrazioni in maniera efficace. Si possono prendere cose da cui un tempo ci sentivamo frustrati e trasformarle in modo da esserne euforizzati. Strumenti come l'NLP non sono soltanto un modo di pensare in positivo. La difficoltà, per quanto attiene un modo di pensare del genere, è che bisogna pensarci, e che quando ci si decide a farlo molto spesso è ormai troppo tardi per raggiungere i propri scopi.

Ciò che l'NLP offre è un modo di trasformare lo stress in opportunità. Già sapete come sfumare le immagini che un tempo vi deprimevano al punto da farle scomparire oppure da trasformarle in immagini che vi riempiano di entusiasmo.

Non è difficile; il sistema ormai lo conoscete. C'è una formula in due tempi per superare lo stress. Fase 1: non concentratevi sulle piccole cose. Fase 2: tenete presente che non ci sono che piccole cose.

Le persone di successo sanno che questo è nascosto al di là della frustrazione. Purtroppo, c'è chi al di là non arriva mai; coloro i quali non riescono a raggiungere i loro scopi, di solito si lasciano bloccare dalla frustrazione. Per superare questo blocco, non resta che esaminare a fondo la frustrazione, servendosi di ogni intralcio come di un *feed-back* dal quale trarre una lezione, continuando ad andare avanti. Dubito che troverete molte persone di successo che non abbiano avuto quest'esperienza.

Ed ecco la seconda chiave. *Bisogna imparare a superare il rifiuto*; quando lo ripeto nel corso di un seminario, avverto chiaramente il cambiamento che si verifica nella fisiologia dei presenti. Nel linguaggio umano, non c'è nulla che abbia una capacità di ferire come la piccolissima parola "no". Se fate il venditore, qual è la differenza tra guadagnare 10.000 e 25.000 dollari? La differenza principale consiste nell'apprendere ad affrontare il rifiuto in modo che la paura di doverlo subire non vi impedisca di intraprendere un'azione. I migliori venditori sono quelli che più spesso si imbattono in rifiuti: coloro che sono in grado di servirsi di ogni "no" come di uno sprone per continuare fino a ottenere un "sì".

La massima difficoltà con cui i membri della nostra società sono alle prese, è la loro incapacità di affrontare la parola "no". Vi ricordate della domanda che ho posto in precedenza? Che cosa fareste se sapeste di non poter fallire? Rifletteteci. Se lo sapeste, questo cambierebbe il vostro comportamento? Vi permetterebbe di fare esattamente quel che volete fare? E dunque, che cos'è che ve lo impedisce? Appunto quella paroletta "no". Per riuscire, dovete imparare ad affrontare il rifiuto, a privare ogni ripulsa del suo potere.

Una volta mi sono trovato a lavorare con un saltatore in alto; era un ex olimpionico, ormai però giunto al punto da non poter saltare una spanna, e immediatamente mi sono reso conto di qual era il suo problema quando l'ho visto in azione. Inutile dire che ha abbattuto l'asticella ed è caduto in preda alla spirale emozionale: ogni insuccesso veniva trasformato in un evento di dimensioni colossali. L'ho chiamato a me e gli ho detto che, se voleva che mi occupassi di lui, non doveva più farlo, doveva smettere di registrare la situazione come un enorme fallimento, smetterla di inviare al proprio cervello il messaggio che rafforzava l'immagine del fallimento, che quindi si verificava puntualmente al salto successivo. Ogniqualvolta lo tentava, il suo cervello era più preoccupato dall'eventualità del fallimento che non dal mettersi in quello stato produttivo che è foriero di successo.

Gli ho detto che, se toccava nuovamente l'asticella, doveva dire a se stesso: "Ah, un'altra differenza," e non già: "Accidenti, un altro fallimento!" Doveva rimettersi in uno stato d'animo produttivo e ritentare. Dopo tre salti, aveva ottenuto risultati migliori che nei due anni precedenti. Non ci vuol molto per cambiare. La differenza tra un metro e novanta e due metri è solo del 10%: non grande quanto ad altezza, ma enorme quanto a prestazioni. Allo stesso modo, piccoli cambiamenti possono comportare un grande mutamento quanto a qualità della vita.

Tutti conoscono Rambo, cioè Sylvester Stallone. Credete forse che si sia presentato a qualche agente cinematografico e si sia sentito dire: "Ehi, sa che lei ha un gran bel fisico? Bene, le faremo fare un film." No, le cose non sono andate proprio così. Sylvester Stallone è diventato una grande star perché è stato capace di resistere a una ripulsa via l'altra; e all'inizio gliene sono toccate più di mille. Bussava all'uscio di ogni agente che riusciva a scovare a New York, e tutti gli dicevano di no. Ma lui ha continuato a tener duro, a tentare, finché ha fatto un film intitolato *Rocky*. Sylvester era capace di sentirsi dire di no mille volte, e quindi bussare alla milleunesima porta.

Quanti "no" siete disposti a sentirvi dire? Quante volte avete provato l'impulso di avvicinare una persona che trovavate attraente, e poi avete deciso di non farlo perché non volevate udire la parola "no"? Quanti di voi hanno deciso di non tentare di farsi assegnare una mansione o di non visitare un potenziale cliente per non sentirsi opporre un rifiuto? Vi rendete conto che ponete a voi stessi dei limiti solo perché avete paura di quella parolina di due lettere? La parola in sé è priva di potere, nel senso che non può infliggervi una ferita, tagliarvi le gambe. Il suo potere deriva dal modo con cui la rappresentate a voi stessi, dai limiti che voi stessi create attribuendoli a essa. E che cosa creano i pensieri limitati? Esistenze limitate.

Sicché, se imparate a governare il vostro cervello, potete imparare anche a superare il rifiuto. Potete eventualmente ancorarvi, in modo che la parola "no" agisca su di voi come uno stimolo. Qualsiasi ripulsa potete trasformarla in un'opportunità. Ricordate che il successo sta nascosto dall'altra parte del rifiuto.

Non ci sono veri successi senza ripulse. Quante più ne ricevete, tanto meglio per voi, perché vuol dire che avete imparato di più, che siete maggiormente vicini alla vostra meta. La prossima volta che qualcuno vi oppone un rifiuto, dovreste abbracciarlo. Questo cambierebbe la sua fisiologia. Ebbene, i "no" trasformateli in abbracci; se siete in grado di dominare la ripulsa, imparerete a ottenere tutto ciò che volete.

E ora, la terza chiave della ricchezza e della felicità. *Bisogna imparare a superare le difficoltà finanziarie.* L'unica maniera per non avere difficoltà finanziarie consiste nell'essere assolutamente privi di finanze. E di difficoltà finanziarie ce ne sono di molti generi, e hanno distrutto molte persone. Esse possono originare avarizia, invidia, delusione, paranoia; possono privarvi della vostra sensibilità o allontanare da voi i vostri amici. Ma tenete presente che ho detto "possono", non che lo faranno di sicuro. Superare le difficoltà finanziarie significa sapere come ottenere e come dare, sapere come guadagnare e come risparmiare.

Quando ho cominciato a far quattrini, mi sono trovato ad affrontare critiche feroci. I miei amici mi stavano alla larga. Dicevano: "Adesso sei ricco, che altro vuoi?" E io: "Non sono ricco, ho semplicemente un po' di quattrini." Ma loro non la vedevano allo stesso modo: all'improvviso, io apparivo un individuo diverso perché godevo di una condizione finanziaria diversa; e c'era chi provava risentimento nei miei confronti. Ecco qui dunque un genere di difficoltà finanziarie. Ma anche non avere abbastanza denaro è una brutta condizione in cui si trova moltissima gente. Che di quattrini ne abbiate molti o pochi, sarete comunque alle prese con difficoltà finanziarie.

Tenete presente che tutte le nostre azioni sono guidate dalle nostre filosofie, intendendo per queste le rappresentazioni interne che ci guidano nell'azione fornendoci modelli di comportamento. George S. Clason ha fornito un validissimo modello di superamento delle difficoltà finanziarie con il suo libro *The Richest Man in Babylon*. L'avete letto? Se l'avete letto, rileggetelo. In caso contrario, correte a comprarlo, perché si tratta di un'opera che può rendervi ricchissimi, felicissimi, pieni di entusiasmo. Per quanto mi riguarda, la cosa più importante che insegna è di prelevare il dieci per cento di tutto ciò che guadagnate e di regalarlo. Proprio così. E perché? Uno dei motivi è che bisogna restituire quel che si prende; un altro, che così facendo valorizzate voi stessi e altri; ma l'aspetto più importante è che questo atto dice, al mondo e al vostro subconscio, che ce n'è sempre più che abbastanza, ed è un credo formidabile, da coltivare con cura. Se ce n'è più che abbastanza, ciò significa che potete avere quel che volete e che possono averlo anche altri. E se quest'idea la fate vostra, la fate diventare realtà.

Quando dovete cominciare a dar via quel dieci per cento? Forse quando siete ricchi o famosi? Niente affatto. Dovete farlo quando siete appena agli inizi, perché quel che date via è come se fosse grano che seminate: grano che investite, non che mangiate, e il modo migliore di investirlo consiste nel regalarlo in modo che produca valore per altri. Né avrete difficoltà a trovare il modo di farlo. Ovunque c'è gente bisognosa; e uno degli effetti più produttivi che ne otterrete consiste nello stato d'animo che produrrà in voi. Se siete di quel genere di persone che si preoccupano delle necessità altrui, donare quel dieci per cento vi farà sentire diversi, vi darà un'altra opinione di voi stessi. E grazie a questi sentimenti o stati d'animo, vivrete circondati dalla gratitudine, grati voi stessi.

Giorni fa ho avuto la fortuna di tornare al mio liceo a Glendora, in California. Mi occupo di un programma per insegnanti, e desideravo incontrarmi con quelli di loro che avevano esercitato un'influenza sulla mia vita. Arrivato sul posto, mi sono reso conto che un programma di insegnamento dell'inglese grazie al quale avevo imparato a esprimermi bene era stato abolito per mancanza di fondi e che c'era chi pensava che non fosse abbastanza importante, ragion per cui ho provveduto io a fornire i necessari fondi. Ho cioè restituito una parte di quello che mi era stato dato, e non l'ho fatto perché io sia uno che ci tiene a far bella figura, ma semplicemente perché ero in debito. E non è bello sapere che, quando dovete dare qualcosa, potete finalmente ripagarlo? È questo l'aspetto positivo dell'aver denaro. Tutti abbiamo debiti: la vera ragione di far quattrini consiste nell'essere in grado di restituire quel che si deve.

Quando ero bambino, i miei genitori sgobbavano duro per mantenerci. Per una serie di motivi, eravamo sempre in gravi ristrettezze economiche. Ricordo in particolare un Giorno del Ringraziamento, quando di denaro in casa non ce n'era affatto; la situazione non era certo delle migliori, finché qualcuno non ha bussato all'uscio portando una scatola di conserve e un tacchino. Si trattava di uno sconosciuto il quale disse che a mandarci quella roba era un altro, e che questi sapeva che non avremmo chiesto nulla, ma ci voleva bene e voleva che festeggiassimo come si deve il Giorno del Ringraziamento. Non ho mai dimenticato quell'episodio, e così, in occasione di ogni sua ricorrenza faccio quello che altri ha fatto allora per me: vado ad acquistare cibarie bastanti al consumo settimanale di una famiglia in difficoltà economiche, e le consegno fingendomi un fattorino o un dipendente, non già presentandomi come il vero donatore. E non manco mai di lasciare un biglietto che dice: "Da parte di un tale che si preoccupa di voi e spera che prima o poi tutto vi vada così bene da potervi permettere di ricambiare il favore a qualcun altro in stato di necessità."

Questo ha finito per essere, per me, uno dei momenti più belli dell'anno. Vedere volti che s'illuminano quando coloro ai quali dono sanno che c'è qualcuno che di loro si preoccupa, che è in grado di rendere la situazione diversa, è la cosa più bella che ci sia nella vita. Un anno m'è venuto il desiderio di andare a distribuire tacchini a Harlem, ma non avevamo a disposizione un furgoncino, neppure un'automobile, e tutto era chiuso. Quelli del mio staff mi hanno detto: "Lasciamo perdere per quest'anno." Ma io: "No, voglio assolutamente farlo." E loro: "Ma come? Se non hai neppure un furgoncino con cui fare le consegne!" Ho replicato che di furgoncini per le strade ce n'erano tanti, e che dovevamo soltanto trovarne uno che ci desse un passaggio. E ho cominciato a fare l'autostop, espediente che non oserei raccomandare a nessuno a New York, perché molti guidatori si sentono in territorio di guerra, e il fatto che fosse il Giorno del Ringraziamento non cambiava un bel nulla.

E così, eccomi fermo a un semaforo, a bussare ai finestrini di furgoni e a dire ai guidatori che ero disposto a dar loro cento dollari se ci portavano a Harlem. Senza riuscire a cavare un ragno dal buco. E allora ho cambiato leggermente il mio messaggio. Ho detto ai guidatori che avrei voluto rubare un'ora e mezzo del loro tempo per consegnare cibarie a persone indigenti in un "quartiere disagiato" della città, e ho ottenuto almeno di farmi ascoltare.

Avevo già deciso che mi occorreva un furgone abbastanza grande per consegnare un bel po' di roba e, guarda caso, un automezzo del genere, color rosso fuoco, si è avvicinato, ed era lunghissimo, proprio quello che mi occorreva. Uno dei miei ha attraversato di corsa la strada, lo ha fermato al semaforo, ha bussato al finestrino, ha offerto all'autista cento dollari per portarci dove volevamo andare. Risposta dell'autista: "No, non occorre che mi paghiate, sono felice di portarvici." E così dicendo ha allungato la mano, ha preso il berretto che stava accanto a lui sul sedile, se lo è messo in testa. Sopra recava la scritta "Salvation Army", Esercito della Salvezza. Era, ha spiegato l'uomo, il capitano John Rondon, e voleva accertarsi che le cibarie le consegnassimo a persone davvero bisognose.

E così, anziché limitarci a distribuire tacchini ad Harlem, siamo andati anche nel South Bronx, che è uno dei luoghi più desolati d'America, passando tra case in rovina e terreni in abbandono; in un negozio abbiamo acquistato alimenti che abbiamo distribuito a immigrati illegali, vagabondi, famiglie alle prese con le dure necessità quotidiane.

Non credo che abbiamo cambiato l'esistenza di quella gente, ma stando al capitano Rondon abbiamo almeno mutato le loro opinioni circa i buoni sentimenti del prossimo. Non c'è denaro che possa procurarvi quel che ottenete quando date del vostro, né programma finanziario che possa fare di più per voi. Vi insegna ciò che il denaro può fare e ciò che non può fare, e sono due delle più importanti lezioni che si possano apprendere. Pensavo che la maniera migliore per aiutare i poveri fosse di essere uno di loro, ma ho costatato che forse è vero il contrario, che la maniera migliore consiste nell'offrir loro un modello di altre possibilità, la dimostrazione che è disponibile un'altra gamma di scelte, e nell'aiutarli a sviluppare le risorse necessarie a raggiungere l'autosufficienza.

Una volta dato via il dieci per cento dei vostri introiti, destinate un altro dieci per cento al pagamento dei debiti e un altro dieci per cento ancora per costituirvi un capitale da investire. Dovete riuscire a campare con il settanta per cento di quello che intascate. Viviamo in una società capitalistica, gran parte dei membri della quale non sono capitalisti e di conseguenza non godono dello stile di vita che desiderano. Ma perché vivere in una società capitalistica, tra mille opportunità, e non trarre vantaggio dal sistema che i nostri antenati hanno tanto lottato per creare? Imparate a servirvi del vostro denaro come di un capitale; se lo spendete, un capitale non lo accumulerete mai, mai avrete a disposizione le risorse di cui avete bisogno. Si dice che in California il reddito medio annuo è sui venticinquemila dollari pro capite, ma la spesa media si aggira sui trentamila dollari. Il divario è alla base di quelle che si usano chiamare "difficoltà finanziarie". Spero che non vogliate rientrare nella categoria di chi così si comporta.

Il punto è che il denaro è come qualsiasi altra cosa. Potete farlo lavorare a vostro pro o contro di voi. Dovreste essere in grado di trattare il denaro come qualsiasi altra cosa che sia nella vostra mente, con la stessa determinazione e disinvoltura. Imparate a guadagnare, a risparmiare e a donare; se ci riuscite, imparerete a superare le difficoltà finanziarie. Il denaro non costituirà più uno stimolo a mettervi in uno stato d'animo negativo che vi renderà infelici o vi indurrà a trattare altri attorno a voi in maniera inaccettabile.

Se avete in pugno le prime tre chiavi, comincerete a rendervi conto che la vostra esistenza è straordinariamente ricca di successi. Se siete in grado di superare frustrazioni, rifiuti e difficoltà economiche, non ci sono limiti a quello che potete fare. Avete mai visto Tina Turner mentre canta? Ecco una che sa maneggiare perfettamente tutte e tre le chiavi. Divenuta una star, ha visto fallire il suo matrimonio, ha perduto tutto il suo denaro, ha passato otto anni nel purgatorio dello show business, esibendosi in saloni di alberghi e in night da quattro soldi. Telefonava a persone che si facevano negare, nessuno le offriva un contratto per una registrazione. Ma lei ha continuato a tener duro, a dimenticare i "no", ha continuato a lavorare per pagare i debiti e mettere ordine nelle sue finanze, e alla fine eccola di ritorno sulla vetta del mondo dello spettacolo.

Sicché, tutto si può fare. Ed è a questo punto che entra in scena la quarta chiave. *Bisogna imparare a superare l'autocompiacimento.* Avete certamente visto uomini celebri o grandi atleti che, dopo aver raggiunto un certo grado di successo, lì si sono fermati. Cominciano a godersi le loro comodità, e perdono quelle qualità che hanno permesso loro di arrivare fin lassù.

> *La massima delle realizzazioni ha ancora un futuro tutto da realizzare.*
>
> LAO TZE, *Tao Teh King*

Il comfort può essere una delle più disastrose situazioni emozionali in cui può venire a trovarsi un organismo. Che cosa accade a una persona che goda di eccessivo comfort? Smette di crescere, di lavorare, smette di creare valori aggiunti. Non bisogna godere di eccessivo comfort, perché in tal caso è probabile che si smetta di crescere. Ha detto Bob Dylan che "colui che non si sforza di nascere, si sforza di morire". O si ascende o si precipita a valle. Ray Kroc, il creatore della catena di ristoranti McDonald, a chi un giorno gli chiedeva un consiglio per assicurarsi una lunga vita di successi, ha detto che bastava tenere presente questa massima: "Quando sei verde, cresci; quando sei maturo, marcisci." Finché si rimane verdi, si cresce. Si può approfittare di qualsiasi esperienza per farne un'occasione di crescita o farne invece un motivo di declino. Nel fatto di andare in pensione si può vedere l'inizio di un'esistenza più ricca oppure la fine della propria vita attiva; si può considerare il successo un trampolino per realizzazioni ancora maggiori, oppure come un luogo in cui adagiarsi a riposare. E in questo secondo caso, è probabile che non ce lo si conservi a lungo.

Una forma di autocompiacimento è legata al confronto. Dirsi cioè: ritengo di aver agito come si deve perché l'ho fatto meglio di altre persone. Ma è uno dei più grossi errori che si possano commettere, perché forse significa semplicemente che i nostri amici non se la cavano molto bene. *Imparate a giudicare voi stessi in base ai vostri obiettivi anziché sul metro di ciò che fanno i vostri conoscenti.* E perché? Perché è sempre possibile trovare qualcuno che serva a giustificare quello che state facendo.

Da bambini, tutti l'abbiamo fatto. Chi di noi, non ha detto: "Pierino ha fatto questo e quello, perché io non potrei farlo?" Vostra madre probabilmente replicava: "A me non interessa quello che fa Pierino." E aveva perfettamente ragione. Non curatevi di ciò che fanno Pierino, Maria e Giovanni, preoccupatevi di ciò di cui siete capaci, di ciò che create e di ciò che volete fare. E agite proponendovi una serie di obiettivi dinamici, in continua evoluzione, produttivi, che vi aiuteranno a raggiungere ciò che volete, non ciò che qualcun altro ha già raggiunto. Ci sarà sempre qualcuno che ha più di voi e sempre qualcuno che ha meno, ma che importa? Dovete autogiudicarvi sulla scorta dei vostri obiettivi, di nient'altro.

Le piccole cose colpiscono le piccole menti.
BENJAMIN DISRAELI

Un altro modo di evitare l'autocompiacimento consiste nello stare alla larga da quelle che chiamo le "chiacchiere da caffè": le riunioni in cui tutti parlano di tutto, dalle abitudini di lavoro alla sessualità e alla situazione economica, e ogni cosa sembra risolta. Ma le "chiacchiere da caffè" sono come un suicidio, vi intossicano il cervello, inducendovi a focalizzare la vostra attenzione su ciò che altri fanno nella vita privata, anziché su ciò che voi potete fare per allargare la vostra esperienza esistenziale. È facile cadere in queste trappole, ma ricordatevi che in esse avete a che fare con persone che mirano solo a trovare motivi di distrazione dalla noia frutto dell'incapacità di produrre i risultati che pure desidererebbero.

C'è una frase che Tuono Rotolante, il saggio indiano, amava ripetere, ed era: "Parla solo se hai qualcosa di buono da dire." Ricordatevi che ciò che diamo ci viene restituito, per cui vi invito a starvene lontani dalle chiacchiere inutili. *Non date importanza a cose prive di importanza.* Se aspirate a essere compiaciuti di voi stessi e mediocri, perdete pure il vostro tempo a parlare di chi va a letto con chi; ma se volete essere diversi, abbiate cura di porvi di fronte a sfide, di mettervi alla prova, di fare della vostra esistenza qualcosa di particolare.

E ora, l'ultima chiave: *Date sempre più di quanto vi aspettate di ricevere.* Può darsi sia la chiave più importante di tutte, perché in pratica garantisce la vera felicità.

Ricordo che una sera stavo rincasando in auto dopo una riunione; cascavo dal sonno, e a riscuotermi ogni tanto erano i sobbalzi sulle gobbe della strada. E, in quello stato di dormiveglia, cercavo di capire che cosa è a dare significato alla vita; e all'improvviso, una vocina dentro la mia testa ha detto: "Il segreto della vita consiste nel dare."

Se volete avere una vita degna di tal nome, cominciate dal come dare. Gran parte delle persone iniziano chiedendosi soltanto come ricevere. Ma ricevere non è un problema, anche il mare riceve. E invece dovete preoccuparvi di dare, in modo da cominciare da una posizione dinamica più che passiva. La difficoltà è che moltissimi prima di dare vogliono avere. Per esempio, ecco una coppia che viene da me e il marito dice che la moglie lo tratta male, e lei replica che lo fa perché lui non sa mostrarle affetto. Sicché, ciascuno dei due aspetta che l'altro faccia la prima mossa, che fornisca la prova iniziale.

Ma che razza di rapporto di coppia è mai questo? E quanto potrà durare? La chiave di ogni relazione consiste nel fatto che bisogna innanzitutto dare e continuare a dare, senza fermarsi in attesa di ricevere. Se si comincia col calcolo del dare e avere, il rapporto va in fumo. Ve ne state lì a dire: "Ho dato, adesso è il suo turno", e tutto è finito, lei o lui se ne va. Bisogna essere pronti a piantare il seme e quindi a curarne la crescita.

Che cosa accadrebbe se andaste dalla terra a dirle: "Dammi frutti, dammi piante"? Probabilmente, la terra vi risponderebbe: "Scusi, caro signore, ma lei dev'essere un tantino fuori strada; evidentemente è un novellino. Non è così che il gioco funziona." Poi la terra vi spiegherebbe che è necessario che gettiate il seme, che ne abbiate cura, innaffiandolo e zappando, concimando il suolo, proteggendo e nutrendo le nuove piantine; e se lo fate bene, prima o poi ne avrete frutto. La richiesta alla terra potrete rivolgerla in eterno senza che la situazione cambi di un ette. Dovete continuare a dare, a nutrire e curare il suolo perché dia frutto, e lo stesso vale per la vita tutta quanta.

Potete fare un sacco di cose; potete essere il signore di vasti regni o a capo di enormi aziende, ma se lo fate solo per voi stessi il vostro non potrà dirsi un vero successo. Non avrete un effettivo potere, non avrete una ricchezza vera. Se "la montagna del successo" la scalate da soli, probabilmente ne precipiterete.

E sapete qual è la massima illusione circa il successo? Che sia qualcosa di simile a una cima da scalare, a una cosa da possedere, a un risultato definitivo da raggiungere. Se volete riuscire, se volete raggiungere tutti i vostri obiettivi, dovete pensare al successo come a qualcosa in continuo farsi, a un modo di vivere, a un'abitudine mentale, a una strategia esistenziale. È di questo che abbiamo parlato nel presente capitolo. Dovete sapere cosa siete, conoscere i pericoli sulla vostra strada, essere in grado di servirvi del vostro potere in maniera responsabile e amorosa, se volete godere di vera ricchezza e di vera felicità. Se sarete capaci di servirvi di queste cinque chiavi, sarete in grado di utilizzare le capacità e i poteri insegnati in questo libro per giungere a risultati stupefacenti.

E adesso, un'occhiata al modo di cambiare le attività su un piano più elevato, quello dei gruppi, comunità e nazioni.

20
CREARE TENDENZE: IL POTERE DELLA PERSUASIONE

Non saremo in grado di far funzionare in maniera accettabile e ancora a lungo quella nave spaziale che ha nome Terra, a meno di non considerarla come un tutto unico, con un destino comune per ciascuno di noi. Perché è questione di tutti o nessuno.

BUCKMINSTER FULLER

Fin qui ci siamo occupati soprattutto di cambiamenti individuali, di come le persone possano crescere e dotarsi di poteri. Ma uno degli aspetti inequivocabili del mondo moderno è dato dagli enormi mutamenti che avvengono a livello di massa. Il concetto di "villaggio globale" è diventato ormai da un pezzo un luogo comune, ma non per questo ha perduto la sua validità. Mai prima, nella storia del mondo, sono esistiti tanti possenti meccanismi di persuasione capaci di agire sulle masse in maniera duratura, e ciò significa che è sempre maggiore il numero di coloro che acquistano certe bibite, indossano certi jeans, ascoltano certi dischi. Ma ciò può anche significare cambiamenti positivi, di vasta portata, da un capo all'altro del mondo. Tutto dipende da chi compie la persuasione e dallo scopo che si propone. In questo capitolo ci occuperemo dei cambiamenti che avvengono su scala collettiva, vedremo come avvengono e ne studieremo il significato; dopo di che, vedremo come si fa a divenire un persuasore e che cosa si può ottenere.

Il mondo moderno ci appare immerso in una marea di stimoli, ma non è questa la vera differenza tra la nostra epoca e quelle precedenti. Un pellerossa in cammino nella foresta era continuamente alle prese con segnali visivi, suoni e odori che potevano equivalere alla differenza tra vita e morte, tra avere da mangiare e morire di fame. Nel suo mondo non c'era di sicuro carenza di stimoli.

La grande differenza dell'epoca nostra consiste nell'intento e nella portata degli stimoli. Il pellerossa nella foresta doveva interpretare il significato di stimoli casuali, mentre invece il nostro mondo è pieno di stimoli consapevolmente diretti a farci fare qualcosa. Può trattarsi di un invito ad acquistare un'automobile oppure a votare per un certo candidato, di un appello a salvare bambini che muoiono di fame, oppure di un inserto pubblicitario che vuole convincerci ad acquistare più dolci. Può trattarsi di un tentativo di farci sentire felici se abbiamo quella certa cosa o di un messaggio inteso a farci sentire infelici se non abbiamo quell'altra. Ma a caratterizzare il mondo moderno è soprattutto il carattere continuativo della persuasione. Siamo ininterrottamente assediati da uomini e donne che dispongono dei mezzi, della tecnologia e del *know-how* per persuaderci a fare qualcosa, ed è una persuasione che ha carattere globale, nel senso che la stessa immagine che viene impressa nelle nostre menti può essere imposta al mondo esterno nello stesso, preciso istante.

Prendiamo per esempio l'abitudine del fumo. Un tempo, la gente avrebbe potuto invocare l'ignoranza, ma oggi sappiamo perfettamente che le sigarette sono dannose per la salute; contribuiscono a mille malattie, dal cancro alle cardiopatie, e non manca neppure una vasta corrente dell'opinione pubblica che si esprime con campagne o referendum antifumo, mettendo un po' a disagio i fumatori. Ci sono mille ragioni per non fumare, eppure l'industria del tabacco continua a prosperare, milioni di persone continuano a fumare, ed è in continua crescita il numero di coloro che cominciano a fumare. Come si spiega?

Può darsi che la gente impari ad apprezzare l'esperienza del fumo, ma credete che sia per questo che cominciano? È stato loro insegnato a servirsi di una sigaretta come di una molla da far scattare per procurarsi un piacere, e non si è trattato affatto di una risposta spontanea. Che cosa è infatti accaduto quando hanno fumato la prima sigaretta? Che l'hanno trovata disgustosa: hanno preso a tossire, a vomitare, si sono sentiti malissimo; il loro organismo diceva: questa sostanza è terribile, via da me! In moltissimi casi, quando la nostra realtà fisica ci dice che qualcosa ci fa male, le prestiamo orecchio, e allora, come mai la gente non lo fa con il fumo? Perché continua a fumare finché l'organismo cede e finisce per assuefarsi?

Lo fanno perché sono stati ricontestualizzati in merito al fumo, e quindi quella nuova rappresentazione, quel nuovo stato d'animo, sono stati saldamente ancorati in loro. Qualcuno che sa perfettamente cosa significa persuasione, ha speso milioni e milioni di dollari per convincere il pubblico che il fumo è desiderabile. Nel corso di abili campagne pubblicitarie, immagini e suoni azzeccati sono stati utilizzati per metterci in certi stati d'animo positivi, desiderabili, che sono stati associati o collegati a un prodotto chiamato sigaretta. Mediante un massiccio martellamento, l'idea del fumo è stata collegata a tutta una serie di condizioni piacevoli. Non c'è nessun valore implicito, nessun contenuto sociale in una cartina avvolta attorno a un pizzico di tabacco; ma siamo stati persuasi che fumare è sexy oppure gradevole o degno di un adulto o di un vero *macho*. Vuoi essere così? Fumati una sigaretta! Vuoi mostrare di essere un vero uomo che di strada ne ha fatto? Fumati una sigaretta! Ed effettivamente, di strada ne hai fatta, nel senso che, continuando a fumare, con ogni probabilità ti sei avvicinato di molto alla possibilità di un cancro ai polmoni.

Non è stupido tutto questo? Che cosa ha mai da spartire con condizioni desiderabili il fatto di introdurre oncogeni nei vostri polmoni? Ma i pubblicitari fanno, in scala di massa, esattamente ciò di cui si è parlato in questo libro: propongono immagini che mettono chi le riceve in uno stato d'animo ricettivo, euforico – e al culmine dell'esperienza "ancorano" il destinatario con il loro messaggio. E questo lo ripetono alla televisione, sui periodici, alla radio, in modo che l'"ancora" venga a essere continuamente rafforzata e innescata.

Per quale ragione credete che la Coca-Cola paghi Bill Cosby o la Pepsi-Cola Michael Jackson per propagandare i loro prodotti? E per quale ragione pensate che i politici si avvolgano idealmente nella bandiera? E come vi spiegate che amiamo gli *hot dogs*, il baseball, le Chevrolet? Queste persone e questi simboli sono già di per sé poderose "ancore" sociali, i pubblicitari non fanno che trasferire i sentimenti che nutriamo nei loro confronti sui prodotti che intendono lanciare. Si servono di quegli uomini e di quei simboli come di mezzi per renderci ricettivi ai loro prodotti. Per quale motivo credete che nelle campagne televisive di Reagan si sia fatto ricorso al simbolo minaccioso dell'orso nella foresta? Perché l'orso, simbolo dell'Unione Sovietica, ha una possente "ancora" negativa che rafforzava l'immagine della necessità di una forte leadership, quella che Reagan prometteva di assicurare al paese. Non avete mai visto orsi nei boschi? Se li avete visti, certamente li avrete trovati molto carini. E allora, come mai quel simbolo incute tanto timore alla gente? A causa del contesto: le luci, le parole, la musica che lo circondano.

Se si analizza ogni efficace campagna pubblicitaria politica, si costaterà che segue esattamente la struttura che abbiamo illustrato in questo libro. Inizialmente fa ricorso a stimoli visivi e auditivi per mettere il pubblico nello stato d'animo desiderato dagli organizzatori; quindi "ancora" lo stato d'animo dello spettatore a un prodotto o azione che gli organizzatori intendono proporre o compiere. E naturalmente, questo vien fatto più e più volte, finché il nostro sistema nervoso non istituisca un effettivo collegamento tra stato d'animo e prodotto o comportamento desiderato. Se la campagna di stampa è efficace, essa ricorrerà a immagini e suoni che fanno appello ai tre maggiori sistemi rappresentativi, il visivo, l'uditivo e il cinestesico. La televisione ha una così grande capacità di persuasione proprio perché può dare il miglior uso possibile di tutti e tre i sistemi: è in grado di fornire belle immagini accompagnate da piacevoli musichette o canzoni e può fornire un messaggio capace di colpire emozionalmente lo spettatore. Basta pensare a pubblicità particolarmente efficaci come quella dei *soft drinks*, delle birre, dei detersivi, eccetera; tutte hanno in comune un forte miscuglio di stimoli V-C-U che esercita presa su tutti e ciascuno.

Naturalmente, ci sono anche campagne pubblicitarie che sanno produrre l'effetto opposto, nel senso che interrompono questa situazione di stallo, e in maniera assai netta, e basti pensare alla campagna contro il fumo. In America, di particolare efficacia è l'inserto con il feto intento a fumare una sigaretta nell'utero materno o quello in cui compare Brooke Shields con l'aria torpida come se fosse drogata e con sigarette che le escono dalle orecchie. Una pubblicità del genere raggiunge il massimo di efficacia quando serve a rompere moduli precostituiti, quando distrugge l'aura affascinante che altri hanno tentato di creare attorno a un prodotto malsano.

In un mondo zeppo di persuasori, tutti possiamo esserlo oppure rassegnarci al ruolo di persuasi; si può dirigere la propria esistenza o farsi dirigere. Questo libro, a ben guardare, ha per argomento la persuasione: mostra al lettore come sviluppare il potere personale suscettibile di assicurargli il controllo di se stesso al punto da poter diventare colui che persuade, vuoi in quanto modello di ruolo per i figli, vuoi come efficiente forza lavoro. Chi esercita il potere fa parte dei persuasori; chi è senza potere semplicemente agisce obbedendo alle immagini e agli ordini che gli vengono impartiti.

Oggi, il potere consiste nella capacità di comunicare e di persuadere. Se sei un persuasore privo di gambe, dovrai persuadere qualcuno a portarti. Se sei senza quattrini, dovrai persuadere altri a prestartene, e si può ben dire che la persuasione sia la suprema abilità di creare cambiamenti. In fin dei conti, se sei un persuasore che si sente solo al mondo e non vuole esserlo, dovrai trovarti un amico o un amante; se sei un persuasore con un buon prodotto da vendere, dovrai trovare qualcuno che te lo acquisti. Puoi avere idee o prodotti eccezionali, ma se sei privo del potere di persuadere, è come se non avessi nulla. Comunicare ciò che hai da offrire, ecco la sostanza dell'esistenza, ed ecco la massima capacità di cui ci si possa dotare.

Vi darò un esempio di quanto potente sia la tecnologia di cui si occupa questo libro, e quanto si possa fare una volta che si padroneggi l'NLP. Quando ho inaugurato il primo training professionale di Neuro-Linguistica della durata di dodici giorni, ho deciso di proporre un esercizio davvero capace di far sì che i partecipanti si servissero di ciò che avevano appreso, ed ecco in che cosa consiste. Tutti i partecipanti al corso sono stati convocati alle 23,30 e ho detto loro di consegnarmi chiavi, quattrini, carte di credito, portafogli, insomma tutto quello che avevano con sé, tranne gli abiti che indossavano.

Ho detto che volevo fornire loro la prova che, per riuscire, non avevano bisogno di null'altro all'infuori del potere personale e della capacità di persuadere; avevano, ho soggiunto, le capacità necessarie per individuare e soddisfare i bisogni di altri, e per questo non occorreva loro né denaro né status sociale né un'automobile o quant'altro la cultura di cui siamo partecipi ci insegna ad aver bisogno per vivere la vita che vogliamo.

Il corso aveva luogo a Carefree, in Arizona. Il primo compito consisteva nel trovare il modo di raggiungere Phoenix, a circa un'ora di macchina di distanza. Ho raccomandato ai partecipanti al corso di aver cura di se stessi, di servirsi delle loro abilità per arrivare sani e salvi alla meta, di trovare un buon posto in cui pernottare e mangiare come si deve, e di far ricorso alle loro capacità di persuasione in tutti i modi che sembrassero efficaci e produttivi, sia per loro stessi che per altri.

Il risultato è stato sorprendente. Molti di loro sono riusciti a ottenere prestiti bancari per importi varianti da cento a cinquecento dollari, semplicemente in virtù del loro potere personale e della loro coerenza. E si tenga presente che non avevano con sé documenti e si trovavano in una città dove mai prima avevano messo piede. Una donna si recò a un grande magazzino e senza presentare documenti di identità ottenne carte di credito di cui si servì immediatamente. Delle centoventi persone partite, circa cento riuscirono a procurarsi un lavoro e sette addirittura tre e più lavori nella stessa giornata. Una donna avrebbe voluto lavorare al giardino zoologico, ma si era sentita dire che l'ufficio del personale era in possesso di una lista d'attesa di sei mesi solo per volontari. Ma lei seppe istituire rapporti tali che le fu permesso di lavorare con gli animali, e riuscì persino a curare un pappagallo malato servendosi di capacità NLP per stimolarne il sistema nervoso. Il direttore del giardino zoologico ne fu talmente colpito che decise di organizzare un piccolo seminario sull'uso di tali tecniche con gli animali. Un tale che amava i bambini e a cui piaceva averne molti intorno si recò a una scuola e disse: "Io sono l'oratore che deve prendere la parola all'assemblea. Quando si comincia?" Quelli replicarono: "Ma quale assemblea?" E lui: "Ma sì, l'assemblea che deve aver luogo oggi, vengo da lontano e non posso aspettare più di un'ora." Nessuno sapeva chi fosse quel tale, ma aveva un'aria così sicura di sé, tranquilla e coerente, che decisero di organizzare subito un'assemblea, radunarono gli scolari, e lui parlò loro per un'ora e mezzo spiegando come rendere migliore la propria esistenza, e sia i maestri che gli allievi ne furono più che soddisfatti.

Un'altra donna entrò in una libreria e prese a firmare le copie di un libro di Terry Cole-Whittaker, nota predicatrice televisiva. Non somigliava all'autrice, la cui fotografia appariva sulla copertina del volume, ma ricalcò così bene il modo di camminare, le espressioni facciali e il modo di ridere di Terry Cole che il direttore della libreria, dopo un primo istante di sbalordimento, fece marcia indietro e disse: "Mi dispiace, signora Cole-Whittaker, di aver dubitato di lei, è un onore averla qui." Vennero dei clienti, acquistarono il libro e chiesero l'autografo. Quello stesso giorno, alcuni dei partecipanti al corso, individui particolarmente ricchi di risorse, liberarono persone dalle loro fobie e da altri problemi emozionali. Scopo dell'esercizio era di dimostrare ai partecipanti che per cavarsela non avevano bisogno d'altro che di comportamenti e abilità e che potevano venirne a capo senza i soliti sistemi di sostegno, come mezzi di trasporto, denaro, reputazione, contatti, credito e via dicendo, e per la maggior parte di loro quelle furono tra le giornate più godibili e piene della loro vita. Tutti strinsero legami di salda amicizia e prestarono aiuto a un centinaio di persone.

Nel capitolo 1, abbiamo detto che si hanno atteggiamenti diversi nei confronti del potere. C'è chi lo ritiene in qualche modo sconveniente, nel senso che lo considera un'indebita ingerenza nelle faccende altrui. Ma nel mondo moderno la persuasione non è una scelta: è una realtà onnipresente. Qualcuno è sempre intento a persuadere e c'è chi spende milioni e milioni di dollari per diffondere messaggi dotati del massimo potere. Sicché, o siete voi a persuadere, o lo farà qualcun altro. Il comportamento dei vostri figli sarà diverso a seconda di chi sarà più abile come persuasore, voi oppure uno spacciatore di droga. Se volete avere il controllo delle vostre esistenze, se aspirate a essere il modello più valido e più efficace per i vostri cari, dovete imparare a essere un persuasore; se abdicate alle vostre responsabilità, ci sono molti individui prontissimi a colmare il vuoto.

Ormai sapete quale significato possono avere per voi le capacità di comunicazione di cui stiamo parlando; dobbiamo ora prendere in considerazione che cosa esse possono comportare per tutti noi. Viviamo nella più straordinaria epoca della storia umana, un periodo in cui mutamenti per i quali un tempo occorrevano decenni avvengono nel giro di pochi giorni, in cui i viaggi, che un tempo richiedevano mesi possono essere compiuti in poche ore. Molti di tali cambiamenti sono positivi; viviamo più a lungo, più comodamente, la nostra esistenza è più stimolante e libera di quella di ogni altra epoca.

Non mancano tuttavia cambiamenti terrificanti. Per la prima volta nella storia, abbiamo la capacità, e lo sappiamo, di distruggere l'intero pianeta, sia mediante spaventose esplosioni atomiche, sia inquinando e avvelenando noi stessi e la terra e condannandoci così a una lenta morte. Un argomento, questo, di cui ben pochi tra noi amano parlare: è qualcosa da cui le nostre menti tendono ad allontanarsi, non certo ad accostarsi. Ma si tratta di realtà concrete. L'aspetto consolante è che se Dio, o l'intelligenza umana o il puro, stupido caso, o qualsivoglia forza o combinazione di forze in cui si creda, ci ha portato al punto in cui siamo oggi, alle prese con questi spaventosi problemi, ci ha anche offerto i mezzi per operare un cambiamento. Io ritengo che tutti i problemi mondiali siano determinanti, ma credo anche in qualcosa che trascende di gran lunga la mia attuale capacità di comprendere. Affermare che non c'è una fonte di intelligenza – la si chiami pure Dio – è come affermare che un'enciclopedia è frutto di un'esplosione avvenuta in uno stabilimento tipografico, in conseguenza della quale tutte le lettere si sono collocate esattamente al loro posto.

Un giorno, mentre riflettevo sui "problemi del mondo", all'improvviso ho avuto un'illuminazione: mi sono reso conto che tra essi esisteva un denominatore comune. Tutti i problemi umani sono problemi di comportamento! Spero che a questo punto farete ricorso al vostro modello di precisione e vi chiederete: "Tutti? Proprio tutti?" Be', mettiamola in questi termini: anche se la fonte del problema non è il comportamento umano, tuttavia di solito c'è una soluzione comportamentistica. Così, per fare un esempio, il crimine in sé e per sé non è un problema: è il comportamento della gente a creare quel qualcosa che viene definito crimine.

Molte volte diamo un nome a complessi di azioni, quasi si trattasse di oggetti, mentre in realtà si tratta di processi. Finché continueremo a raffigurarci i problemi umani come se fossero cose, ritengo che ci precluderemo molte potenzialità, perché così facendo li si trasforma in alcunché di enorme che sfugge al nostro controllo. Le armi nucleari o le scorie atomiche non sono il problema; può esserlo il modo eventualmente errato in cui gli esseri umani si servono dell'atomo. Se noi tutti, come nazione, decidiamo che quella attuale non è la maniera più efficace e più sana di affrontare la questione energetica, possiamo sempre cambiare il nostro comportamento. Il conflitto nucleare non è in sé e per sé un problema: a scatenare o impedire le guerre è il modo con cui gli esseri umani si comportano. La carestia non è il problema dell'Africa, ma lo è il comportamento umano: le guerre distruttive tra paesi africani non sono certo fatte per assicurare una più ampia disponibilità alimentare. Se gli aiuti alimentari spediti da altri esseri umani da ogni parte del mondo marciscono sui moli, perché ci sono individui incapaci di collaborare, questo è un problema comportamentale. E si pensi, per contrasto, a ciò che hanno fatto gli israeliani nel deserto.

Sicché, se possiamo ammettere, quale utile generalizzazione, che il comportamento umano è la fonte dei problemi umani e che nuovi comportamenti possono risolvere gran parte delle difficoltà che insorgono, possiamo essere ottimisti perché comprendiamo che i comportamenti in questione sono il risultato degli stati d'animo in cui ci si viene a trovare, e costituiscono insieme i modelli delle risposte a quegli stati.

Sappiamo anche che gli stati d'animo da cui deriva il comportamento sono il risultato delle rappresentazioni interne. Sappiamo per esempio che il fatto di fumare è collegato a un particolare stato: gli individui non fumano in ogni istante della giornata, ma solo quando sono in una condizione che richiede il ricorso alla sigaretta. Quelli che mangiano in maniera eccessiva non lo fanno in ogni momento della giornata, ma solo quando si trovano in uno stato d'animo che hanno collegato all'eccesso di cibo. E se queste associazioni o le risposte a esse collegate vengono mutate, si può concretamente mutare il comportamento delle persone.

Viviamo in un'epoca in cui la tecnologia necessaria per trasmettere messaggi a quasi tutto il mondo ormai esiste, ormai viene usata; essa è costituita dai media: radio, televisione, cinematografo e stampa.

I film che oggi vediamo a New York e a Los Angeles, saranno proiettati domani a Parigi e a Londra, dopodomani a Beirut e Managua, e a distanza di pochi giorni, in tutto il mondo. E come quelle pellicole, libri, spettacoli televisivi, o altre forme di comunicazione cambiano e magari migliorano le rappresentazioni interne e gli stati d'animo, così possono cambiare ed eventualmente migliorare il mondo tutto quanto. Sappiamo quanto efficaci possono essere i media al fine della vendita di prodotti e della diffusione della cultura; e oggi cominciamo a renderci conto di quanto efficaci possano essere ai fini del miglioramento del mondo. Basti pensare ai concerti Live Aid: non sono forse un esempio clamoroso del potere positivo della tecnologia comunicazionale?

Dunque, i mezzi per cambiare le rappresentazioni interne di enormi masse umane, e pertanto gli stati d'animo di innumerevoli folle, e quindi i loro comportamenti, oggi sono a nostra disposizione. Avvalendoci della comprensione che abbiamo delle molle che promuovono il comportamento umano e dell'attuale tecnologia che permette di comunicare alle masse queste nuove rappresentazioni, possiamo imprimere una svolta al futuro del pianeta.

Possiamo mutare i comportamenti dei grandi numeri se siamo in grado di incidere sui sistemi rappresentativi primari della gente, e se contestualizziamo le cose in modo che facciano appello ai grandi metaprogrammi del pubblico; e se cambiamo i comportamenti, cambiamo il corso della storia.

Prendiamo un esempio, quello dei sentimenti di tanti giovani americani durante la prima guerra mondiale. Il loro atteggiamento era estremamente positivo: tutti pronti ad andare a combattere in Europa per la semplice ragione che le rappresentazioni di moltissimi di loro circa il conflitto erano state create da canzoni come *Over There* (Oltremare) e dai manifesti, diffusi per tutto il paese, in cui compariva lo Zio Sam che diceva, puntando il dito: *I want you* (Voglio te). Il giovane di allora probabilmente raffigurava se stesso in veste di salvatore della democrazia e di liberatore dei popoli; subiva stimoli esterni che gli rappresentavano la guerra in maniera tale da metterlo nello stato d'animo positivo di voler accorrere a combattere; e il giovane si presentava volontario. Al contrario, che cosa è successo con la guerra del Vietnam? Quali erano i sentimenti di tanti giovani che sarebbero dovuti andare a combattere *Over There*? Ben diversi, non è vero? E questo perché gli stimoli esterni rivolti ogni sera a un enorme numero di individui tramite quella nuova tecnologia che ha nome telegiornale erano di tipo completamente diverso, tali da mutarne giorno per giorno le rappresentazioni interne. Lo spettatore ha cominciato a pensare alla guerra come a qualcosa di ben diverso da ciò che era stata. Non era più "oltremare", adesso era nel suo soggiorno, all'ora di cena, l'aveva sott'occhio vivida e particolareggiata. E niente più grandi parate o salvataggio della democrazia: sullo schermo comparivano ragazzi diciottenni, tali e quali i vostri o quelli dei vicini, con la faccia asportata da un'esplosione e che crepavano in una giungla remota. Risultato: in numero sempre maggiore, i cittadini si sono creati una nuova rappresentazione interna del significato della guerra, e di conseguenza è mutato il loro comportamento. Non voglio dire che fosse una guerra buona o cattiva, ma semplicemente sottolineare il fatto che, essendo mutate le rappresentazioni interne della gente, ne era cambiato anche il comportamento e che i media sono stati il veicolo della trasformazione.

I nostri sentimenti e comportamenti continuano ancora a mutare in modi mai prima sospettati. Per esempio, qual è il vostro atteggiamento nei confronti degli extraterrestri? Pensate a film come *E. T.*, *Starman*, *Cocoon*, *Incontri ravvicinati del terzo tipo*. Eravamo soliti raffigurarci gli alieni come orribili mostri viscidi che potevano piombarci addosso e divorarci, spazzar via le nostre case, inghiottire le nostre madri; oggi invece ce li immaginiamo come esseri che se ne stanno nascosti nell'armadio e vanno in bicicletta con i nostri figli, oppure quali creature che si fanno prestare da nostro nonno la piscina per rinfrescarsi nelle giornate calde. Se foste un alieno desideroso che la gente risponda alla vostra presenza in maniera positiva, preferireste che vi vedessero dopo che hanno assistito alla proiezione dell'*Invasione degli ultracorpi* oppure di qualche film di Steven Spielberg? Se io fossi un alieno, prima di mettere piede su un pianeta come il nostro, persuaderei qualcuno a fare un bel po' di film che mostrano che bravo tipo sono io, per cui la gente mi accoglierebbe a braccia aperte; mi procurerei un buon specialista di pubbliche relazioni per cambiare le rappresentazioni interne delle masse circa ciò che io sono e ciò che sembro. Può darsi che Steven Spielberg venga anche lui da un altro pianeta.

Quali sentimenti in merito alla guerra fa sorgere in voi un film come *Rambo*? Fa apparire le stragi, i bombardamenti al napalm come un grande spasso, una furibonda allegria, nevvero? E questo ci rende più o meno ricettivi all'idea di andare a combattere in una guerra? Com'è ovvio, un solo film non basterebbe a cambiare i comportamenti di una intera nazione ed è anche doveroso sottolineare che Sylvester Stallone non mira a promuovere stragi, anzi esattamente il contrario: i suoi film si incentrano sulla possibilità di superare forti limitazioni mediante duro lavoro e disciplina; costituiscono modelli della possibilità di vincere contro ogni probabilità del contrario. Tuttavia, per noi è importante osservare gli effetti che sulla cultura di massa hanno ripetuti impatti, avere consapevolezza di ciò che mettiamo nelle nostre menti, accertandoci che favorisca la realizzazione dei nostri sforzi.

Che cosa accadrebbe se si riuscisse a cambiare la rappresentazione interna della guerra in tutto il mondo? E se lo stesso potere e la stessa tecnologia capaci di indurre grandi masse a combattere potessero venire impiegati per superare differenze di valori e celebrare la fratellanza di tutti i popoli? Ma questa tecnologia esiste? Io credo di sì. Non fraintendetemi. Non voglio certo dire che sia una cosa facile, che basti produrre qualche film, mostrarlo a tutti, e il mondo cambierà. Voglio semplicemente far notare che gli strumenti ci sono. Propongo soltanto di assumere maggiore consapevolezza di ciò che vediamo, udiamo e sperimentiamo in continuazione e di prestare attenzione al nostro modo di rappresentarci, individualmente e collettivamente, le relative esperienze. Se vogliamo ottenere, nell'ambito delle nostre famiglie, comunità, paesi e nel mondo intero i risultati che desideriamo, dobbiamo divenire assai più coscienti.

Ciò che continuamente rappresentiamo a livello di massa, tende a essere interiorizzato da masse enormi, e sono rappresentazioni che condizionano i futuri comportamenti di una società e del mondo tutto quanto. Sicché, se vogliamo creare un mondo accettabile, dobbiamo continuamente rivedere e riprogettare ciò che possiamo fare per dar vita a rappresentazioni produttive per tutti noi, su scala unitaria e globale.

Possiamo vivere la nostra esistenza in due modi: come i cani di Pavlov, rispondendo a tutte le tendenze e i messaggi trasmessi, essendo magari attratti dalla guerra come da qualcosa di romantico, allettati da prodotti alimentari che sono immondizia, attratti da ogni tendenza che ci viene presentata attraverso il tubo catodico. La pubblicità è stata definita "la scienza di bloccare l'umana intelligenza quanto basta per ricavarne denaro", e non sono pochi quelli che vivono in un mondo di intelligenza perennemente bloccata.

L'alternativa consiste nel far ricorso a qualcosa di meno rozzo. Possiamo imparare a servirci del nostro cervello in modo da scegliere i comportamenti e le rappresentazioni interne suscettibili di fare di noi individui migliori, e del nostro un mondo migliore. Si può assumere consapevolezza del quando e del come veniamo programmati e manipolati, e stabilire se i comportamenti e i modelli che ci vengono trasmessi dal piccolo schermo riflettono o meno i nostri reali valori.

Viviamo in un mondo dove sembra che ogni mese si manifesti una nuova tendenza. Se sei un persuasore, divieni un creatore di tendenze, anziché un individuo che si limita a reagire alla moltitudine di messaggi. La direzione in cui vanno le cose è altrettanto importante di ciò che accade, perché è essa a determinare la destinazione. È importante scoprire la direzione della corrente per evitare di trovarsi a bordo di un guscio di noce senza remi, sull'orlo delle cascate del Niagara. Il compito di un persuasore consiste nell'indicare la strada, cartografare il terreno, scoprire i sentieri che conducono a esiti migliori.

A creare le tendenze sono singoli individui; così per esempio, la festa nazionale americana del Giorno del Ringraziamento è stata creata, non già da un uomo politico, bensì da una donna animata dal forte desiderio di unificare il nostro paese: si chiamava Sarah Joseph Hale, e riuscì in una impresa nella quale per oltre duecentocinquant'anni altri avevano fallito.

Molti hanno un concetto sbagliato di ciò che il Giorno del Ringraziamento è stato nella tradizione americana da quando i Padri Pellegrini nell'ottobre del 1621 hanno "reso grazie" per essere approdati sani e salvi sulle coste del Nuovo Mondo. Durante i centocinquantacinque anni successivi, in quelle che erano allora le colonie inglesi d'America non si è tenuta nessuna celebrazione regolare o unitaria del Giorno del Ringraziamento. Solo la vittoria nella guerra d'indipendenza fu celebrata per la prima volta da tutto il paese, ma neppure questa tradizione si mantenne. Il terzo Giorno del Ringraziamento (il primo era stato quello dei Padri Pellegrini, il secondo quello per la vittoria sugli inglesi) fu festeggiato dopo la stesura della Costituzione, allorché il presidente George Washington proclamò il 26 novembre 1789 giornata nazionale di rendimento di grazie; ma neppure questa divenne un'occasione ricorrente.

Poi, nel 1827, comparve sulla scena Sarah Joseph Hale, una donna di impegno e tenacia sufficienti per riuscire. Madre di cinque figli, scelse di mantenere se stessa e la famiglia con i propri scritti, e questo in un periodo della storia americana in cui a ben poche donne era concesso di riuscire in una professione del genere. Direttrice di una rivista femminile, riuscì ad assicurarle grande diffusione con una tiratura di centocinquantamila copie. Divenne famosa per le sue campagne di stampa a favore dell'ammissione delle donne ai college, della creazione dei campi da gioco pubblici e di asili nido. Ma la causa a cui si dedicò con maggior fervore, fu l'istituzione di un Giorno del Ringraziamento nazionale e permanente, e a tale scopo si servì della sua rivista come di un potente strumento per influire su coloro che erano in grado di imporre una tendenza del genere alla nazione; e per quasi trentasei anni continuò a battersi per la realizzazione di questo suo sogno, indirizzando lettere personali a presidenti e governatori. Ogni anno sulla sua rivista pubblicava allettanti menù da Giorno del Ringraziamento, racconti e poesie sullo stesso tema, proponendo la istituzione della festività con un'ininterrotta serie di editoriali.

Fu la Guerra di secessione a fornire a Sarah Joseph Hale il destino di esprimere il suo punto di vista in modo tale da far presa sull'intera nazione. Scrisse per esempio: "Non sarebbe forse un grande vantaggio dal punto di vista sociale, nazionale e religioso, il fatto che il Ringraziamento Americano fosse stabilito una volta per tutte?" E nell'ottobre del 1863 affermava nel suo editoriale mensile: "Accantonando i particolarismi e gli interessi locali che potrebbero essere invocati da ogni singolo stato o territorio che desideri scegliere un proprio momento per la celebrazione, non sarebbe più nobile, più veramente americano, essere una nazione unitaria allorché offriamo a Dio il nostro tributo di gioia e gratitudine per le benedizioni dell'anno?" Indirizzò una lettera al segretario di Stato William Seward che a sua volta la fece leggere al presidente Abraham Lincoln, il quale si convinse dell'opportunità di un momento di fusione nazionale e quattro giorni dopo emanò un proclama in cui si dichiarava Giorno del

Ringraziamento nazionale l'ultimo giovedì di novembre 1863. Un atto d'importanza storica di cui va dato merito a una donna tenace e dotata della capacità di persuadere servendosi dei media esistenti.

Vi illustrerò adesso due possibili modelli di efficace creazione di tendenze. Miro a una differenziazione positiva tramite il sistema didattico. Se vogliamo agire in senso benefico sul futuro, dobbiamo fornire alle generazioni che verranno dopo la nostra gli strumenti più efficaci con cui creare il loro mondo quale lo vogliono. Per quanto riguarda la nostra organizzazione, essa cerca di farlo mediante i Campeggi di Eccellenza Illimitata, dove insegniamo ai bambini a usare gli strumenti specifici per governare i loro cervelli, per dirigere il loro comportamento e quindi per influire sui risultati che ottengono in vita. I bambini imparano a istituire rapporti davvero profondi con gente delle più svariate origini, a ricalcare le persone di successo, a infrangere le limitazioni, a ricontestualizzare le loro percezioni del mondo circostante. Alla fine del corso, moltissimi tra loro mi dicono che è stata la più bella esperienza didattica che abbiano mai avuto, ed è uno dei più divertenti e gratificanti programmi che abbia avuto il privilegio di organizzare.

Tuttavia, io sono una persona sola, e i miei collaboratori non possono a loro volta avere a che fare con più di un certo numero di ragazzi; per questo motivo abbiamo elaborato un programma di training per mettere a disposizione degli insegnanti le potenzialità dell'NLP e della *Tecnologia della Prestazione Ottimale*; ed è stato un passo notevole verso la diffusione di queste idee tra un numero maggiore di bambini, anche se non su scala abbastanza larga da promuovere un nuovo *trend* nel campo della didattica.

Attualmente, stiamo pensando a un altro progetto cui abbiamo dato il nome di "Fondazione Sfida". Una delle sfide con cui molti bambini si trovano alle prese, soprattutto nelle zone sottosviluppate, è il fatto di non avere a disposizione modelli di ruolo forti e positivi; e proposito della Fondazione è di creare una videoteca che illustri i più efficaci e positivi modelli di ruolo della nostra società: nostri contemporanei in veste di giudici della Corte Suprema, uomini e donne di spettacolo, uomini d'affari, grandi figure del passato più o meno recente, come John F. Kennedy, Martin Luther King e il Mahatma Gandhi. In tal modo, i bambini avranno accesso a grandi esperienze da emulare, perché un conto è sentir parlare da un insegnante del grande leader nero e leggere i discorsi di Luther King, ma l'esperienza non è completa, ed è ben diverso trascorrere una mezz'ora davanti allo schermo, a udirlo e vederlo personalmente esporre la sua filosofia, le sue credenze, sentirlo lanciare la sfida a far qualcosa di buono nella vita. Voglio che i bambini siano in grado di elevare a proprio modello, non soltanto parole, ma anche tonalità, fisiologia, la presenza totale di questi grandi persuasori. Molti bambini che studiano la Costituzione, per esempio, non hanno idea delle sue correlazioni con la vita odierna, e sarebbe ben diverso se potessimo proiettare loro un video in cui il presidente della Corte Suprema dice a scolari e studenti perché dedica ogni giorno della sua vita al sostegno e all'affermazione di questo documento fondativo degli Stati Uniti e quale incidenza esso possa avere oggi su di loro; e non sarebbe male se, alla fine della sua presentazione, anch'egli lanciasse ai giovani una sfida. Facile immaginare che cosa accadrebbe se folle di bambini da un capo all'altro del paese potessero ricevere regolarmente, coerentemente, questi input positivi, se avessero un valido sprone. Un programma del genere potrebbe cambiare faccia al futuro.

Un altro esempio di uso della persuasione per creare nuove tendenze positive, è fornito dall'opera di Amory Lovins, responsabile dalla ricerca presso il Rocky Mountains Institute di Snowmass nel Colorado, che da parecchi anni a questa parte si occupa di programmi relativi all'energia alternativa. Oggi sono molti coloro i quali ritengono che l'energia nucleare sia troppo costosa, troppo poco produttiva e troppo pericoloso il suo impiego, ma il movimento *anti*nucleare ha fatto pochi passi avanti proprio per il fatto di essere antinucleare; molti di coloro che cercano nuove soluzioni si chiedono *per* che cosa si batta il movimento, e a volte riesce difficile dirlo. Ma Lovins ha avuto enorme successo con le aziende produttrici di energia grazie al fatto di essere un abile persuasore più che un semplice contestatore. Anziché partire lancia in resta contro le compagnie, Lovins indica alternative più proficue e che non richiedono enormi impianti i cui costi finali eccedono di miliardi di dollari i budget iniziali.

Lovins ama quella prassi che definisce "politica *aikido*"; si serve cioè del principio del contesto di consenso per dirigere il comportamento in modo da minimizzare i conflitti. Una volta gli è stato chiesto di esprimere la sua opinione sul conto economico di un'azienda che aveva in programma la creazione di un nuovo, enorme impianto nucleare. La costruzione non era ancora cominciata, ma già erano stati spesi trecento milioni di dollari. Lovins ha esordito dicendo che non era venuto per esprimere un'opinione pro o contro l'impianto, soggiungendo che era nell'interesse di tutti, l'azienda e il pubblico, disporre di una struttura che operasse su una solida base finanziaria; proseguì spiegando quanto denaro la compagnia poteva risparmiare facendo propria una politica diversa e quanto sarebbe costata l'energia se il nuovo, colossale impianto fosse stato costruito; sempre servendosi di argomenti finanziari basati sul principio del risparmio, illustrò che cosa il progetto avrebbe comportato per l'azienda, insomma la sua fu una illustrazione in tono minore, e Lovins si guardò bene dal prendere posizione contro l'impianto o l'energia nucleare.

Dopo la riunione, ricevette una telefonata dal vicepresidente finanziario dell'azienda; e nel corso dell'incontro che ebbero, il dirigente parlò a Lovins degli effetti che il nuovo impianto avrebbe avuto sulle finanze della compagnia: la sua costruzione avrebbe costretto l'azienda a non pagare i dividendi e ciò sarebbe stato un disastro per la sua posizione azionaria; se gli azionisti lo volevano, concluse la società, era pronta a rinunciare all'impianto scontando la perdita di trecento milioni di dollari. Se Lovins fosse partito lancia in resta, la compagnia molto probabilmente si sarebbe trincerata sulle sue posizioni, con il risultato di non accontentare nessuno. Trovando un terreno comune e proponendo un'alternativa valida, si poté invece giungere a un accordo vantaggioso per entrambe le posizioni. Grazie all'opera svolta da Lovins, si sta profilando un nuovo *trend*. Altre società produttrici di elettricità si servono ora di lui come consulente allo scopo di limitare la dipendenza dal nucleare e contemporaneamente aumentare i profitti.

Un altro episodio riguarda gli agricoltori della San Luis Valley (Colorado e New Mexico). I coltivatori locali per tradizione facevano ricorso alla legna da ardere come principale fonte di energia; ma i grandi proprietari terrieri avevano cintato i terreni sui quali i contadini raccoglievano la legna; si trattava di gente poverissima, ma ci fu chi si mise alla loro testa persuadendoli che la nuova situazione, lungi dal costituire una sconfitta, era anzi un'ottima *chance*. Risultato: si diede mano alla costruzione di uno degli impianti a energia solare più redditizi del mondo, e i contadini ne ricavarono un sentimento di forza collettiva e cooperazione che mai avevano avuto prima.

Lovins cita un caso molto simile avvenuto a Osage, nello Iowa, dove la piccola cooperativa locale di produzione energetica era giunta alla conclusione che bisognava utilizzare meglio l'energia prodotta. Risultato: una spinta a dotare le case d'abitazione di impianti a energia solare, risparmiando combustibile, e il successo fu tale che la compagnia fu in grado di ripianare i propri debiti nel giro di soli due anni, mentre i suoi clienti in quella cittadina di 3800 abitanti risparmiarono unmilioneseicentomila dollari all'anno di gasolio.

Due cose si verificarono in entrambi i casi. Gli effetti benefici furono per tutte le parti interessate perché si riuscì a trovare una soluzione senza vincitori né vinti, e la gente fu in grado di imparare a intraprendere un'azione concreta per raggiungere un certo risultato, scoprendo in sé nuove potenzialità, una nuova fiducia. Lo spirito comunitario che derivò dalla collaborazione e dall'aver preso un'iniziativa concreta, non fu meno importante del risparmio di denaro così ottenuto. Sono solo alcuni esempi di tendenze positive che possono essere avviate da pochi persuasori impegnati e capaci.

Una formula molto nota nel mondo dell'informatica è GIGO, vale a dire *Garbage in – Garbage out* (che si potrebbe tradurre con "roba dentro – roba fuori"). Essa sta a significare che la qualità di ciò che da un sistema si ricava, dipende unicamente dalla qualità di ciò che in esso si immette. Se per esempio al computer si forniscono informazioni inesatte o incomplete, anche i risultati che se ne otterranno saranno dello stesso tipo. E oggi sono molti, nella nostra società, quelli che si preoccupano punto o poco della qualità di informazioni ed esperienze che toccano loro quotidianamente. Stando alle più recenti statistiche, l'americano medio passa davanti al televisore parecchie ore al giorno. Secondo l'*U.S. News & World Report*, i giovani adulti negli anni delle scuole secondarie e superiori assistono in media a circa diciottomila assassinii televisivi l'anno; passano davanti al televisore ventiduemila ore, vale a dire due volte il tempo trascorso in classe durante dodici anni di frequenza scolastica. È d'importanza decisiva vigilare sull'alimento che viene fornito alle nostre menti se vogliamo che i giovani crescano e se vogliamo aumentare la nostra capacità di sperimentare a fondo e goderci quel qualcosa che è detto vita. Noi funzioniamo come un computer, nel senso che, se ci formiamo rappresentazioni interne relative alla distruzione di interi villaggi a colpi d'arma da fuoco convincendoci che è un bene che questo accada, o se ci persuadiamo che i cibi malsani reperibili un po' dovunque sono i preferiti degli uomini e delle donne di successo, saranno quelle rappresentazioni a governare il nostro comportamento.

Oggi disponiamo più che mai della possibilità di plasmare le percezioni interne che condizionano il cambiamento. Nessuno può garantirci che questo avvenga per il meglio, ma la potenzialità esiste, e sarebbe bene che cominciassimo a fare qualcosa in merito. Le questioni di maggior momento con le quali ci troviamo alle prese come membri della nazione americana e abitanti di questo pianeta riguardano il tipo di immagini e di rappresentazioni di massa che produciamo.

La creazione di tendenze è il principale compito di una leadership, ed è anche il vero messaggio di questo libro. Ormai sapete come governare il vostro cervello per elaborare le informazioni nella maniera più produttiva; sapete come attenuare il suono e la luminosità delle comunicazioni negative, e sapete come fare a risolvere i conflitti tra i vostri valori. Ma se volete davvero distaccarvi dal gregge, dovete anche sapere come diventare un leader, come impadronirvi delle relative capacità di persuasione allo scopo di fare del mondo un luogo in cui si viva meglio, e ciò significa diventare un modello più positivo e più efficiente per i vostri figli, per i vostri dipendenti, per i vostri collaboratori, per il vostro mondo. Potete farlo a livello individuale oppure a livello della persuasione di massa. Anziché lasciarvi influenzare da immagini di Rambo che, in preda a una sorta di delirio, fa fuori altri esseri umani, sarebbe meglio se dedicaste la vostra esistenza a trasmettere i messaggi produttivi che possono trasformare il mondo e farne quello che vorreste fosse.

Ricordatevi che il mondo è governato dai persuasori. Vi è stato detto in questo libro e ve lo dimostra tutto ciò che vedete intorno a voi. Se siete in grado di proiettare su scala di massa le vostre rappresentazioni interne circa i comportamenti umani, circa ciò che è armonioso, efficace, positivo, potrete avviare i vostri figli, la vostra città, il vostro stato, il vostro mondo, verso altre direzioni. Possediamo la tecnologia necessaria a operare subito il mutamento, e io vi esorto a farne l'opportuno uso.

In fin dei conti, il tema di questo libro non è altro. Certo, vi si parla anche di aumento del potere personale, del modo di apprendere a ottenere successo nel rispettivo campo di attività. Ma che senso ha essere il sovrano di un pianeta moribondo? Tutto ciò di cui abbiamo parlato – l'importanza di elaborare contesti di accordo, la natura dei rapporti, il *modeling* dell'eccellenza, la sintassi del successo e il resto – ha la massima efficacia quando ce ne serviamo in modo positivo, tale da assicurare successo agli altri oltre che a noi stessi.

Il potere supremo ha carattere sinergico: deriva dal fatto che gli individui cooperino, anziché lavorare ognuno per conto suo. Ormai possediamo la tecnologia necessaria a mutare quasi all'istante le percezioni nostre e altrui, ed è suonata l'ora di servircene in maniera efficace per il miglioramento di noi stessi. Thomas Wolfe ha scritto che "non c'è niente che possa rendere ottimisti quanto la sensazione del successo". È questa la vera sfida dell'eccellenza, la necessità di servirsi delle capacità qui illustrate a un livello tale da assicurare a noi stessi e ad altri potenzialità davvero positive, garanzia di un successo di massa gioioso, comunitario.

Il momento di cominciare a servirsene è adesso.

21
L'ECCELLENZA VIVENTE: L'UMANA SFIDA

L'uomo non è la somma di ciò che ha, ma l'insieme di ciò che ancora non ha, di ciò che potrebbe avere.

JEAN PAUL SARTRE

Abbiamo percorso assieme una lunga strada. Quanta ancora ne farete, dipenderà dalla vostra decisione. Questo libro è servito a fornirvi strumenti, capacità e idee che possono mutare la vostra vita; ma starà a voi farne quello che vorrete. Quando chiuderete questo volume, forse vi convincerete di aver imparato qualcosa ma continuerete a fare quel che avete sempre fatto, oppure potrete compiere un deciso sforzo per assumere il controllo della vostra esistenza e del vostro cervello, creando quelle forti credenze e quegli stati d'animo produttivi, capaci di far miracoli per voi e per le persone a voi care. Dipende solo da voi.

Passiamo rapidamente in rassegna le cose qui esposte. Ormai sapete che lo strumento più possente che esista al mondo è quel biocomputer che sta dentro il vostro cranio. Governato a dovere, il vostro cervello è in grado di assicurarvi la vita dei vostri sogni. Avete appreso la Formula Fondamentale del Successo, che suona: conosci la tua meta, mettiti in azione, sviluppa la tua acuità sensoria per sapere dove vai a parare, e cambia il tuo comportamento finché ottieni ciò che vuoi. Avete visto che viviamo in un'epoca in cui incredibili successi sono alla portata di tutti, ma che coloro che effettivamente li raggiungono sono gli uomini e le donne che si decidono ad agire. La conoscenza è importante ma non è tutto. Moltissime sono le persone in possesso delle stesse informazioni di uno Steve Jobs o di un Ted Turner; ma solo coloro che scendono in campo ottengono grandi successi e cambiano il mondo.

Abbiamo parlato dell'importanza del *modeling*, dell'assumere a modello uomini e donne di successo. Si può apprendere in maniera empirica, mediante una serie di prove e riprove, oppure si può accelerare in maniera incredibile il successo imparando a imitare. Ogni risultato ottenuto da un individuo è frutto di uno specifico insieme di azioni nel quadro di una specifica sintassi. Potete diminuire in misura notevole il tempo necessario a raggiungere l'efficienza ricalcando le azioni interne (mentali) e le azioni esterne (fisiche) di persone che ottengono risultati straordinari. Nel giro di poche ore, di pochi giorni o di pochi anni, a seconda del tipo di compito che vi proponete, potete apprendere ciò che altrimenti richiede mesi o anni di ricerca.

Avete appreso che la qualità della vita è tutt'uno con la qualità delle nostre comunicazioni, le quali sono di due tipi. In primo luogo, comunicazione con voi stessi; il significato di ogni evento è quello che voi gli attribuite. Potete inviare al vostro cervello forti, positivi, produttivi segnali i quali avranno per effetto che tutto procederà a vostro vantaggio, oppure inviare al vostro cervello segnali relativi a ciò che non siete in grado di fare. Le persone che raggiungono l'eccellenza sono in grado di far sì che la situazione, quale che sia, si rivolga a loro vantaggio, e sono persone capaci di sopportare terribili tragedie e di trasformarle in trionfi. Non possiamo procedere a ritroso nel tempo, non possiamo mutare ciò che è effettivamente accaduto. Possiamo però mutare le nostre rappresentazioni in modo che ci forniscano qualcosa di positivo per il futuro. La seconda forma di comunicazione è quella con gli altri. Le persone che cambiano il nostro mondo sono state e sono maestre nel comunicare, e quanto si è detto in questo libro vi può aiutare a scoprire ciò che la gente vuole, in modo che possiate divenire un comunicatore efficace, autorevole, raffinato.

Abbiamo parlato dello straordinario potere della fede. Le credenze positive possono fare di voi un vincitore, quelle negative un perdente. E avete visto che potete cambiare le vostre credenze in modo da farle operare a vostro vantaggio; abbiamo parlato del potere degli stati d'animo e di quello della fisiologia; abbiamo illustrato la sintassi e le strategie cui fanno ricorso gli individui, e avete imparato a istituire rapporti con chiunque incontriate. Vi sono state insegnate validissime tecniche di ricontestualizzazione e "ancoramento". Avete imparato a comunicare con precisione e abilità, a evitare quel linguaggio abborracciato che uccide la comunicazione e a servirvi di un modello di precisione per far sì che altri comunichino efficacemente con voi. Avete imparato come affrontare i cinque blocchi sulla via del successo, e quali siano i metaprogrammi e i valori che servono da principi organizzativi del comportamento personale.

Non mi aspetto certo che, quando chiuderete questo libro, vi sentiate completamente trasformati. Alcuni degli argomenti qui trattati vi riusciranno più facili di altri, ma l'effetto del cambiamento è progressivo, nel senso che i mutamenti portano ad altri mutamenti ancora, e che la crescita comporta altra crescita. Cominciando a operare cambiamenti, a crescere un po' alla volta, potrete cambiare, lentamente ma stabilmente, la vostra esistenza. Al pari di una pietra gettata in uno stagno dall'acqua ferma, darete origine a increspature che con l'andare del tempo diventeranno sempre maggiori. Perché spesso sono le minime cose che, a un esame retrospettivo, producono le massime differenze.

Figuratevi due frecce che puntino nella stessa direzione. Se spostate leggermente una delle due, probabilmente in un primo momento il cambiamento risulterà impercettibile; ma se la strada così indicata la seguite per chilometri, la differenza risulterà sempre più ampia, finché non ci sarà più alcun rapporto tra il primo e il secondo itinerario.

È questo che il presente libro può fare per voi. Non vuole trasformarvi dal giorno alla notte (a meno che oggi stesso non cominciate a lavorare su voi stessi); ma se imparerete a governare il vostro cervello, se apprenderete a far uso di cose come la sintassi, le submodalità, i valori e i metaprogrammi, le differenziazioni nel giro di sei settimane, sei mesi, sei anni, cambieranno completamente la vostra vita. Alcune delle cose qui esposte, come per esempio il *modeling*, in un modo o nell'altro già le praticate; altre invece sono nuove. Ma tenete presente che tutto, in vita, ha carattere cumulativo. Se oggi stesso farete ricorso a uno dei principi qui illustrati, avrete già fatto un passo avanti, avrete dato il via a una causa, e ogni causa produce un effetto o risultato, e ogni risultato si aggiunge al precedente per avviarvi in questa o quella direzione. E non c'è direzione che non comporti un'ultima destinazione.

Ci sono due cose alle quali mirare in vita: in primo luogo, ottenere ciò che volete; e poi, goderne.

LOGAN PEARSALL SMITH

E ora, un ultimo aspetto sul quale riflettere. In quale direzione state attualmente muovendovi? Se seguite la vostra solita strada, dove sarete tra cinque o dieci anni? Ed è proprio lì che volete andare a parare? Siate sinceri con voi stessi. John Naisbitt ha scritto che la maniera migliore di predire il futuro è di avere una chiara idea di quello che sta accadendo attualmente. E lo stesso vale per la vostra esistenza. Sicché, giunti alla fine di questo libro, fermatevi un momento a riflettete sulla direzione in cui state procedendo e chiedetevi se proprio in quella volete andare. Se la vostra risposta è negativa, vi propongo di cambiare. Se questo libro qualcosa vi ha insegnato, è la possibilità di ottenere mutamenti positivi con rapidità quasi fulminea, sia a livello personale che collettivo. Il potere supremo è la capacità di cambiare, di adattarsi, di crescere, di evolvere; potere supremo non significa che si avrà sempre successo o che non si fallirà mai. E potere illimitato significa semplicemente la capacità di imparare da ogni umana esperienza, e far sì che ogni esperienza in un modo o nell'altro operi a nostro vantaggio; si tratta insomma dell'illimitato potere di cambiare le proprie percezioni, le proprie azioni, i risultati che si ottengono, l'illimitato potere che si ha di curarsi degli altri e di amarli e che può trasformare nella misura più ampia la qualità della vostra vita.

Vorrei soffermarmi brevemente su un altro modo di cambiare la propria esistenza e di assicurarsi continuo successo. Costituite un gruppo con cui continuare la ricerca. Come ricorderete, abbiamo parlato di potere riferendoci sempre a ciò che si può fare assieme ad altri. Il potere supremo è quello di persone che cooperano, anziché andare ciascuno per la propria strada; e il gruppo può essere composto dai nostri familiari oppure da buoni amici, fidati soci d'affari o persone con cui lavorate e di cui vi curate. Comunque, lavorerete di più e meglio se lo farete per altri oltre che per voi stessi. Darete di più, e di più otterrete.

Se chiedete ai vostri simili quali siano le esperienze più ricche che hanno avuto in vita, di solito costaterete che la risposta riguarda qualcosa che hanno fatto in quanto membri di un gruppo, e a volte si tratta di una squadra sportiva che resterà per sempre impressa nel loro ricordo, altre volte di un *team* che nel mondo degli affari ha compiuto imprese memorabili, e altre ancora il gruppo è costituito dai vostri familiari, o anche solo da voi e dal vostro coniuge. Far parte di un gruppo porta a moltiplicare i propri sforzi, e fa crescere. Gli altri sono in grado di fornirvi quei nutrimenti e quelle sfide che non potete procurarvi da soli, perché per gli altri si fanno cose che non si fanno per se stessi; e in pari tempo, dagli altri si ottengono cose che rendono più che mai valida la cooperazione.

Non si può vivere senza far parte di un gruppo, si tratti di familiari, di amici e conoscenti, dell'ambiente di lavoro, della città in cui si vive, del paese in cui si abita, del mondo di cui si fa parte. E si può stare in panchina ad assistere allo svolgimento del gioco, oppure si può scendere personalmente in campo. Il mio consiglio è di diventare a vostra volta giocatori, di non restare alla finestra. Condividete con altri il mondo in cui vivete; perché più date, e più riceverete; più vi servirete delle capacità illustrate in questo libro per voi stessi e per gli altri, e tanto maggiore sarà il beneficio che ne otterrete.

E accertatevi di far parte di una squadra che vi proponga continue sfide. È facile uscire dai binari; facile, voglio dire, sapere quel che bisogna fare eppure non farlo. Ma la vita a quanto pare è proprio così: essa è dominata dalla forza di gravità, dalla tendenza a scendere. E tutti noi abbiamo i nostri giorni "no", tutti noi abbiamo momenti in cui non riusciamo a servirci di ciò che conosciamo. Ma se ci circondiamo di persone che hanno successo, che progrediscono, che hanno atteggiamenti positivi, che mirano a produrre risultati, che ci sostengono, tutto questo ci spronerà a essere di più, a fare di più e a condividere di più. Se vi circondate di persone che non vi permetteranno mai di accontentarvi di meno di quello che potete essere effettivamente, godrete del massimo dono cui si possa aspirare. L'associazione è uno strumento poderoso; accertatevi che quanti vi circondano siano in grado, grazie alla vostra associazione con essi, di fare di voi un individuo migliore.

Una volta trovata la squadra di cui far parte, la sfida dell'eccellenza consiste nel diventare un leader. Questo può significare essere il presidente di una grande azienda, oppure un ottimo insegnante, un miglior imprenditore o un miglior genitore. I veri leader conoscono il potere del dinamismo, sanno che i grandi cambiamenti sono frutto di molte piccole cose; si rendono conto che tutto ciò che dicono e fanno ha un enorme effetto sugli altri, nel senso che fornisce loro stimoli e potenzialità.

È quanto è accaduto a me. Quando ero alla scuola superiore avevo un insegnante di inglese che un giorno mi ha detto di fermarmi dopo la fine della lezione. Mi chiedevo se voleva muovermi un rimprovero per qualche mia mancanza; invece mi ha detto: "Caro Robbins, a mio giudizio lei ha le capacità di un ottimo oratore, e vorrei invitarla, la settimana prossima, a misurare le sue capacità oratorie in una gara con la squadra della nostra scuola." Non credevo che nel fatto di saper parlare bene ci fosse niente di eccezionale, ma l'insegnante era così convinto e aveva una coerenza tale, che gli ho creduto. Quel suo messaggio ha cambiato la mia esistenza avviandomi alla mia attuale professione di comunicatore. Lui ha fatto una piccola cosa, che però ha cambiato la mia vita per sempre.

La sfida per un leader consiste nell'aver potere e capacità di visione sufficienti a prevedere il risultato che deriverà dalle sue azioni, grandi o piccole che siano, e gli insegnamenti in merito alla comunicazione offerti da questo libro costituiscono importanti modalità di ottenere questo scopo. La nostra società ha bisogno di un numero maggiore di modelli di successo, di un numero maggiore di simboli di eccellenza. In vita mia ho avuto la fortuna di incontrare insegnanti e mentori che mi hanno dato cose di valore impareggiabile, e lo scopo che mi propongo è di restituirne loro una parte. È quello che spero che questo libro vi abbia aiutati a fare, ed è ciò cui miro nel mio lavoro.

Il mio primo mentore è stato un certo Jim Rohn, il quale mi ha insegnato che la felicità e il successo nell'esistenza non sono il risultato di ciò che abbiamo, ma piuttosto del nostro modo di vivere. Quel che facciamo con le cose che abbiamo, è ciò che condiziona in maniera decisiva la qualità della vita, e Jim mi ha insegnato anche che le cose più piccole possono comportare differenze enormi. Così, per esempio, mi ha raccomandato di essere "uno da mezzo dollaro". Mi spiego. Prendiamo il caso del lustrascarpe che si mette all'opera fischiettando, lavorando di spazzola e di panno, valorizzando notevolmente le vostre scarpe; e Jim diceva che, quando mettete la mano in tasca per dargli la mancia e siete indecisi se dargli 25 cent o mezzo dollaro, optate sempre per la cifra più alta. Non lo fate solo per lui: lo fate anche per voi stessi. Se gli date solo 25 cent, cioè un *quarter*, più tardi, nel corso della giornata, vi capiterà di dare un'occhiata alle vostre scarpe e di dirvi: "Gli ho dato solo un *quarter*; come ho potuto essere così avaro quando lui ha fatto un così bel lavoro?" Se gli date invece mezzo dollaro, questo avrà incidenza su come vi sentirete – e vi sentirete meglio. E che succederebbe se vi proponeste, come fermo principio, di mettere sempre qualche soldo nella ciotola di chi fa una colletta per qualcosa? E se vi faceste un dovere di telefonare di tanto in tanto agli amici solo per dire loro: "Non ti telefono per nessun motivo particolare, volevo solo farti sapere che ti voglio bene. Non intendo disturbarti, desideravo dirti solo questo." E se vi faceste un dovere di mandare un biglietto di ringraziamento a chi abbia fatto qualcosa per voi? E se consciamente dedicaste tempo e sforzi a elaborare modi nuovi e inediti di ricavare maggior gioia dalla vita, valorizzando le esistenze altrui? È questo quello che si chiama stile di vita; tempo a disposizione ne abbiamo tutti; la risposta al problema della qualità della vita consiste nel come la spendiamo. Diventiamo prigionieri di un modulo oppure lavoriamo di continuo per cambiarlo, per farne qualcosa di unico e speciale? Possono sembrare piccole cose, ma l'effetto che le piccole cose prese assieme hanno sul nostro modo di considerare noi stessi è enorme, in quanto influiscono sulle nostre autorappresentazioni interne e quindi sulla qualità dei nostri stati d'animo e della nostra vita. Quell'esortazione a essere "uno da mezzo dollaro" non l'ho mai dimenticata e ho ottenuto le ricompense che ne vengono. La offro alla vostra meditazione, persuaso come sono che si tratta di una filosofia che può arricchire incommensurabilmente la vostra vita, sempre che già non l'abbiate fatta vostra.

> *Il chimico che sia in grado di estrarre dal proprio cuore elementi che hanno nome compassione, rispetto, amore, pazienza, rimorso, sorpresa e capacità di perdonare, componendoli in un tutto unico, sarà in grado di creare quell'atomo che ha nome amore.*
>
> KAHLIL GIBRAN

Un'ultima cosa vorrei dire ancora; vorrei invitarvi a condividere con altri le informazioni qui contenute, questo per due buone ragioni. In primo luogo, perché tutti insegniamo quello che soprattutto abbiamo bisogno di imparare. Condividendo un'idea con altri, la riudiamo, ci rammentiamo di ciò che riteniamo valido e importante nella vita. La seconda ragione è che aiutare un altro a compiere un cambiamento davvero importante e positivo nella sua esistenza comporta una ricchezza e una gioia incredibili, indescrivibili.

L'anno scorso, durante uno dei nostri corsi per bambini, mi è toccata un'esperienza che mai dimenticherò. Ai campeggi organizziamo programmi della durata di dodici giorni, durante i quali insegniamo ai bambini molte delle cose discusse in questo libro, mettendoli in situazioni che ne cambiano le capacità, la rapidità di apprendimento, la loro fiducia in se stessi come esseri umani vibranti di vita. Nell'estate del 1984 abbiamo concluso il campeggio con una cerimonia: a tutti i bambini sono state consegnate medaglie d'oro come quelle che premiano i vincitori delle Olimpiadi; e sulle medaglie spiccava la scritta: "Puoi compiere magie". Abbiamo finito alle due di notte, è stata un'occasione di grande gioia e di profonda emozione.

Sono rincasato stanco morto: dovevo alzarmi alle sei per prendere un aereo che mi avrebbe portato alla mia prossima tappa, ma mi sentivo come ci si sente quando si sa di aver avuto una giornata davvero memorabile. Erano le tre di notte, stavo per mettermi a letto, quando ho udito bussare a lungo. Chi mai poteva essere a quell'ora?

Apro l'uscio e mi trovo davanti un ragazzino che mi fa: "Signor Robbins, ho bisogno del suo aiuto." Stavo per rispondergli che poteva telefonarmi la settimana successiva a San Diego, quando mi sono accorto che alle sue spalle c'era una ragazzina che piangeva. Ho chiesto che cosa fosse successo, e lui mi ha spiegato che la piccola non voleva tornare a casa. Allora li ho invitati a entrare: avrei fornito alla ragazzina un'"ancora" e lei si sarebbe sentita meglio e sarebbe tornata a casa. Ma il bambino ha replicato che non era quello il problema: la piccola non voleva rincasare perché suo fratello, con cui viveva, da sette anni a quella parte abusava sessualmente di lei.

Li ho fatti venire dentro e, servendomi degli strumenti di cui si è parlato in questo libro, ho cambiato la rappresentazione interna che lei si faceva di quelle esperienze negative del passato, in modo che per lei non fossero più fonte di sofferenza.

Quindi l'ho "ancorata" nel suo stato d'animo più produttivo e forte, collegandolo alle sue nuove rappresentazioni interne, in modo che il semplice pensiero o la vista del fratello le avrebbe dato la certezza di essere lei a dominare la situazione. Al termine della seduta, la ragazzina decise di telefonare al fratello, e l'ha fatto col tono di chi ha piena fiducia in se stesso, un tono che probabilmente lui non aveva mai udito in vita. Lui si è svegliato allo squillo del telefono e lei: "Caro fratello, voglio semplicemente dirti che sto per rientrare a casa, e che faresti meglio a non guardarmi in un certo modo, quello che mi fa pensare che ti passa per la testa l'idea di fare le cose che hai sempre fatto. Perché, se lo fai, finirai in galera per il resto della tua vita e ti troverai a mal partito. Sì, te la farei pagare cara. Ti voglio bene perché sei mio fratello, ma non tollererò più certi comportamenti da parte tua. Se avessi l'impressione che vuoi riprovarci, ricordati che per te sarebbe la fine. E ficcatelo in testa che faccio sul serio. E che ti voglio bene. Ciao." Era un messaggio che non poteva non imprimersi nella mente del fratello.

La ragazzina ha riattaccato, per la prima volta in vita sua sentendosi piena di forza e non più in balia degli eventi. Ha abbracciato l'amico che l'aveva accompagnata ed entrambi si sono messi a piangere di sollievo. Quella notte ho avuto da loro il miglior ringraziamento che mai mi sia toccato. Il ragazzino mi ha detto che non sapeva come ripagarmi; gli ho risposto che i mutamenti intervenuti nel comportamento della ragazzina erano il migliore ringraziamento, ed erano per me la miglior ricompensa. Ma lui: "In qualche modo devo ripagarla. Eccole qualcosa che mi è molto caro." E lentamente si è sfilato la sua medaglia d'oro e me l'ha messa al collo, poi i due mi hanno baciato e se ne sono andati, dicendo che mai mi avrebbero dimenticato, e allora finalmente sono salito di sopra e mi sono messo a letto. Mia moglie Becky, che aveva udito tutto, piangeva di commozione, e anch'io del resto. Mi ha detto: "Sei formidabile, la vita di quella ragazzina non sarà più la stessa." E io ho replicato: "Ti ringrazio, amor mio, ma ognuno che sia in possesso di queste capacità avrebbe potuto aiutarla." E lei: "Certo, Tony, chiunque avrebbe potuto, però a farlo sei stato tu."

Basterebbe che foste in grado di amare abbastanza, per essere l'uomo più potente del mondo.

EMMETT FOX

Ed ecco qui l'ultimo messaggio di questo libro. Sii uno che fa, uno che prende in mano il proprio destino, che sa agire. Serviti di quello che hai appreso in questo libro e servitene subito, non farlo solo per te, ma fallo anche per gli altri. Le ricompense di iniziative del genere sono maggiori di quello che tu possa immaginare. Al mondo ci sono un sacco di chiacchieroni, un sacco di gente che sa quello che è giusto e quello che ha valore, eppure non ottiene risultati cui aspira. Perché aprire la bocca e parlare non basta: bisogna anche mettere in pratica quello che si dice. È questa l'essenza del potere illimitato; potere illimitato di indurci a fare le cose necessarie a ottenere l'eccellenza, il meglio. Julius Erving dei Philadelphia 76 ha una filosofia di vita che a mio giudizio val la pena di essere imitata. Diceva Erving: "Richiedo da me stesso più di quanto chiunque altro possa mai aspettarsi." E per questo è il migliore di tutti.

Nell'antichità classica ci sono stati due grandi oratori: Cicerone e Demostene. Quando Cicerone aveva finito di parlare, l'uditorio lo applaudiva sempre calorosamente gridando: "Che grande oratore!" Quando Demostene finiva il suo dire, la gente diceva: "Diamoci da fare!" E si mettevano subito in moto. È questa la differenza tra presentazione e persuasione. Spero che le mie parole appartengano alla seconda di tali categorie. Se dopo aver letto questo libro vi siete detti: "Ah, è proprio un bel libro! Contiene un sacco di ottimi consigli", ma non avete utilizzato nessuno degli strumenti che vi ho indicato, vuol dire che abbiamo sprecato assieme il nostro tempo. Se invece immediatamente ripercorrete il volume servendovene come di un manuale per governare la vostra mente e il vostro corpo, come di una guida per cambiare qualsiasi cosa vogliate cambiare, allora può darsi che siate all'inizio di un viaggio esistenziale che farà sembrare poco meno che banali anche i vostri più grandi sogni del passato. È quello che è accaduto a me quando ho cominciato ad applicare quotidianamente questi principi.

Vi esorto a fare della vostra vita un capolavoro; vi esorto e vi sfido a unirvi alla schiera di coloro che vivono ciò che insegnano, che fanno ciò che dicono. Essi costituiscono i modelli di eccellenza di cui il resto del mondo si stupisce. Unitevi alla squadra impareggiabile di coloro che sono considerati i pochi che fanno, rispetto ai molti che si limitano ad avere vaghe aspirazioni – persone che mirano al risultato e che plasmano la propria vita esattamente come desiderano che sia. Quanto a me, io mi ispiro alle vicende di coloro che delle proprie risorse si servono per ottenere nuovi successi, nuove realizzazioni per se stessi e gli altri. E può darsi che un giorno io possa narrare anche episodi che riguardano voi. Se questo libro vi aiuterà ad andare in quella direzione, mi considero davvero fortunato.

Nel frattempo vi ringrazio per il vostro impegno a imparare, a crescere e a sviluppare voi stessi, e perché mi permettete di spartire con voi alcuni dei principi che hanno reso così diversa e attraente la mia vita. Mi auguro che la vostra ricerca dell'umana eccellenza sia fruttuosa e senza fine. Mi auguro che vi dedichiate non solo al raggiungimento degli obiettivi che vi siete proposti ma, una volta che li abbiate realizzati, a proporvene sempre altri; non solo a mantenervi fedeli ai sogni che già avete, ma a sognarne sempre di più grandi; non solo ad apprezzare il vostro paese e la sua ricchezza, ma anche a farne un luogo sempre migliore in cui poter vivere; e infine mi auguro che vi dedichiate non solo a prendere ciò che potete da questa vita, ma ad amare e a dare con generosità.

Mi congedo da voi con un semplice augurio irlandese:

Che la strada si alzi per venirti incontro,
che il vento soffi sempre alle tue spalle,
che il sole ti illumini e ti riscaldi
e la pioggia cada piano sui tuoi campi
fino al momento in cui ci ritroveremo,
e che Dio ti tenga lieve sul palmo della sua mano.

Arrivederci, e che Dio ti benedica.

ROBBINS RESEARCH INSTITUTE

Ogni essere umano è una risorsa insostituibile, di immenso valore. Noi ci proponiamo di dotare ogni essere umano della capacità di scoprire un numero illimitato di scelte in ogni azione da lui intrapresa. E operando scelte, ciascuno di noi può attingere alla ricchezza fisica, mentale, finanziaria e spirituale a disposizione di ogni individuo. Possiamo inoltre eliminare il dolore inutile che deriva da credenze, strategie o condizioni fisiologiche negative.

Siamo impegnati a trovare l'eccellenza, comprendendo quali siano le iniziative necessarie a produrla e rendendo di pubblico dominio le iniziative stesse. Sebbene nessuno di noi sia in grado di replicare esattamente le realizzazioni dei massimi uomini del mondo, ciascuno di noi può replicarne l'eccellenza. Possiamo mirare a rendere ogni istante migliore del precedente, e possiamo cercare strumenti più efficaci di cui servirci per plasmare il nostro ambiente familiare, sociale, politico e aziendale.

L'NLP (programmazione neurolinguistica) è uno strumento di incredibile efficacia, e il nostro Istituto è impegnato a metterlo a disposizione della comunità mondiale, in una con le *Tecnologie della prestazione ottimale*, sulle quali abbiamo compiuto ricerche. Noi riconosciamo che tutti i cambiamenti avvengono per opera di individui e cerchiamo di migliorare il mondo insegnando ai suoi cittadini a migliorare se stessi. La catena più solida è formata da singoli anelli.

Il Robbins Research Institute organizza seminari personali e professionali riguardanti materie che vanno dalla comunicazione in ambito finanziario all'efficacia dell'attività di vendita, dal trattamento delle fobie al miglioramento dei rapporti amorosi. Compiamo inoltre ricerche sui modi di ottenere l'eccellenza sia nella sfera privata che in quella aziendale. Tutti, nella vostra organizzazione, sono in grado di produrre allo stesso livello dei vostri collaboratori più fidati.

PROGETTI DI MODELING
VIDEOTAPE CON PROGRAMMI
DI ADDESTRAMENTO INDIVIDUALE E AZIENDALE
INFORMAZIONI DI RICERCA
SEMINARI SULLA SALUTE

Per avere informazioni dettagliate sui servizi disponibili, potete scrivere o telefonare a:

Robbins Research International
9191 Towne Centre Drive, Suite 600
San Diego, CA 92122, USA
tel. 001.858.535.9900
internet www.tonyrobbins.com

Nello Acampora
Top Training-Hiperformance - Formazione di Qualità
via Paolo Emilio 7
00192 Roma-Prati
tel. 06/36.00.44.43
cell. 335/68.72.493 - 338/63.46.811
www.hiperformance.it

INDICE

Prefazione *di Kenneth Blanchard*
Introduzione *di Jason Winters*

PARTE PRIMA
PLASMARE L'UMANA ECCELLENZA

1. La merce dei re 13
2. La differenza che fa la differenza 31
3. Il potere degli stati d'animo 43
4. La nascita dell'eccellenza: fede 58
5. Le sette menzogne del successo 72
6. Il dominio della mente. Come dirigere il cervello 86
7. La sintassi del successo 113
8. Come scoprire le strategie altrui 125
9. Fisiologia, la strada dell'eccellenza 144
10. Energia: il combustibile dell'eccellenza 159

PARTE SECONDA
LA FORMULA FONDAMENTALE DEL SUCCESSO

11. Sbarazzarsi delle pastoie. Che cosa volete? 187
12. Il potere della precisione 204
13. La magia del rapporto 217
14. Particolarità dell'eccellenza: metaprogrammi 234
15. Come affrontare le resistenze e risolvere i problemi 256
16. Ricontestualizzazione: il potere della prospettiva 268
17. "Ancorarsi" al successo 290

PARTE TERZA

LEADERSHIP. LA SFIDA DELL'ECCELLENZA

18. Gerarchie di valori. Il giudizio finale del successo 317
19. Le cinque chiavi della salute e della felicità 344
20. Creare tendenze: il pc [illegible] : della persuazione 358
21. L'eccellenza vivente: l'umana sfida 377

Robbins Research Institute 388

Finito di stampare nel mese di novembre 2018 presso
Elcograf S.p.A. - viale De Gasperi 120 - Cles (TN)

Printed in Italy